Silk

Miljön är viktig för oss. Därför trycker vi våra böcker på FSC-certifierat papper. Vill du veta mer? Gå in på www.fsc.org

EMILIE RICHARDS

Det förflutnas röst

ÖVERSATT AV
Kate och Sigge Kalmström

Silk

Sedan debuten 1983 har **Emilie Richards** rönt stora framgångar som författare. Hennes berättelser kännetecknas av invecklade karaktärer och en ingående beskrivning av familjeband och aktuella samhällsfrågor. Richards är mamma till fyra barn och har en bakgrund som familjerådgivare, så det är inte så konstigt att hon är något av en expert på relationer. Hon bor tillsammans med sin make i Virginia i USA.

utgiven av MIRA Books, Canada.
Översättning: Kate och Sigge Kalmström.
Tidigare utgiven 2003.

Ansvarig utgivare: Ewa Högberg, Förlaget Harlequin AB.
Sättning: Type-it AS, Trondheim.
Tryckning: UAB Print-it, Gargždai, Lithuania.
ISBN 978-91-640-5960-4

18 januari 1880

Så märkligt det känns att vara präst och ha svurit att leva i fattigdom och ändå i sin församling bevittna ett större armod och elände än jag någonsin själv kan råka ut för. Trots det ger familjerna jag tjänar mig uppmuntrande leenden och blygsamma gåvor som bevis för sin respekt. Av kvinnorna får jag nybakat bröd från enkla eldstäder eller ängsblommor de plockat på urusel jord som är beströdd med aska från fabrikerna. Männen kommer med berättelser och ibland med en liten droppe av den "skapelse" som gör den skarpa eggen av förtvivlan i deras själar lite slöare.

Det finns de som rasar mot barerna på Whiskey Island, och naturligtvis är de alldeles för många. Även jag har gråtit över dem, men ändå förstår jag alltför väl den tillfälliga lycka de ger. Om himlen är belöningen för den nöd som så många av mina församlingsmedlemmar lever i, är jag ibland rädd att de starka dryckerna är det stärkande medel som gör den mänskliga resan möjlig.

Själv har jag varit på Whiskey Islands barer för att be män att gå hem till sina familjer och för att ställa mig mellan bröder som nästa morgon har glömt att de varit oense. Men jag har också sett vänskapens värme, hört berättelser och sånger från ett avlägset förflutet och drömt om en framtid där irländarna har något eget.

Om den heliga Birgit är våra själars beskyddarinna kanske barerna på Whiskey Island är våra hjärtans. Och även om hjärtan är nyckfulla gör vi alla rätt i att lyssna på deras längtan.

Ur dagboken skriven av fader Patrick McSweeney, den heliga Birgits församling i Cleveland, Ohio.

1

Cleveland, Ohio
Januari 2000

Niccolo Andreani gick aldrig på barer. När han drack alkohol föredrog han en klassisk chianti vid en middag tillsammans med vänner, en torr marsala som sällskap en ensam kväll eller sin farfars toskanska *vino santo* i en skål under en familjesammankomst. Han besökte alltså inte barer, men han gick ofta förbi just den här baren under sina rastlösa, nattliga vandringar. Whiskey Island Saloon prydde Lockout Avenue på samma sätt som en falsk rubin pryder en scarf. Den var gatans nav, ett fallfärdigt, glatt och våldsamt etablissemang med en stadig ström av stamkunder och en tillräckligt bred trottoar för att man skulle kunna undvika dem.

Den här speciella kvällen fick Niccolo för sig att han skulle svänga in på Lockout Avenue och gå förbi baren, något som kom att förändra hans liv för alltid.

Han förstod att det var så i samma ögonblick som han tvärstannade vid infarten till barens trånga parkeringsplats. Nästa tanke var en fråga: om han tyst vände om samma väg, skulle han då kunna hitta hjälp innan situationen han råkat få se exploderade?

Ett rop från bortre delen av parkeringen och en kvinnas skrik gav honom svar. Gatan var tom, och barens dörr var ordentligt stängd för att hålla kylan ute. En bilstöld var på gång, och Niccolo Andreani var den enda hjälp som fanns att tillgå.

Med en bister känsla av slutgiltighet gick han in på parkeringsplatsen med händerna uppsträckta för att visa att han var obeväpnad. Två män stod på var sin sida om en Mazda längst inne på parkeringen, och nu snodde en av dem runt och riktade en pistol mot Niccolos bröst.

– Var i helsike kom du ifrån?

Niccolo höjde händerna lite till, stannade och stod helt orörlig. – Jag tänkte att jag skulle ta en genväg, ljög han.

– Det var dumt tänkt.

Mannen som höll pistolen var mörkhyad, och ansiktet påminde om ett pussel där bitarna inte hade satts ihop ordentligt. Den andre var blond och mycket ljushyad, som om någon studerat regler om raskvotering och satt ihop paret efter dem.

– Hör på nu, sa Niccolo trevande. Kan inte ni två helt enkelt ge er av härifrån? Jag räknar långsamt till fem hundra och håller dem kvar här också. Han nickade mot personerna i den vinröda Mazdan. – Någon inne på baren kommer att höra er och ringa polisen.

– Det är säkrast för dig att de är döva, svarade mannen. Han gjorde en gest att Niccolo skulle komma närmare bilen. – Det här är min bil nu, och jag tänker köra den härifrån.

Som för att understryka kumpanens ord dunkade den blonde mannen sin gevärskolv mot vindrutan vid förarplatsen. Niccolo hörde ännu ett dämpat skrik inifrån bilen.

Han gick några steg närmare, och i skenet från gatlyktan såg han att det satt två unga kvinnor i bilens framsäte och ett barn där bak. Båda kvinnorna såg ut att vara i tjugoårsåldern. Föraren hade en lockig massa av kopparfärgat hår, medan passageraren var mörk och hade rakt hår som räckte till axlarna. För att kunna se barnet ordentligt skulle han ha behövt gå ännu närmare, men han behövde inte röra sig alls för att förstå att alla tre var fullständigt vettskrämda.

– Jag skjuter rakt igenom rutan! skrek den vite biltjuven till föraren.

Niccolo hade börjat svettas i sina varma vinterkläder. Hans röst tycktes eka i den frostbitna luften. – Föraren är förmodligen så rädd att hon inte vågar röra sig. Ta några steg bakåt och ge henne lite utrymme, föreslog han. Och låt den andra kvinnan få några sekunder på sig att ta ut barnet.

– Är det du som ger order här? Den blonde stödde armbågen mot biltaket och siktade mot Niccolo över det. – Precis som om du skulle vara en viktig person.

– Nej då, jag är bara en främling, svarade Niccolo och höjde händerna ännu högre. En som inte vill att någon ska bli skadad. Kan du inte låta mig försöka få ut dem ur bilen?

– Gör det då! skrek den svarte mannen. Han har rätt. Se till att de kommer ut ur bilen.

Den vite biltjuven hade haft ett opassande leende fastklistrat i ansiktet ända sedan Niccolo fått syn på honom. Nu blev det bredare medan han viftade med geväret och tänkte över sina möjligheter.

Till sist drog han sig några centimeter bakåt, och Niccolo kände hur hans hjärta tog igen förlorade slag. Han höjde rösten så att kvinnan i bilen skulle höra honom.

– Jag tror att det är bäst att ni kommer ut direkt. Han ger er tillräckligt med utrymme om ni stiger ur nu, men han har inte lång tid på sig.

– Helvete! Den blonde tog ytterligare ett steg bakåt och stötte emot en gammal Chevrolet som stod parkerad tätt intill Mazdan. – Hoppa ut! ropade han till föraren. Nu! Direkt!

Parkeringsplatsen var liten och trång med två bilrader och en smal ut- och infart mellan dem. Det fanns en gatlykta i var ände, och marken var täckt av sprucken asfalt. I ett hörn stod en sopcontainer som förmodligen dolde köksingången till Whiskey Island Saloon. Det var en tisdagskväll, bara några veckor in på det nya millenniet, och bittert kallt och isigt. Kvällen var för sen för middag och för tidig för att det skulle komma någon och ta en snabb sista drink före stängningsdags. Parkeringen var bara halvfull, och gatan var tyst och stilla.

Niccolo bad inom sig att kvinnorna skulle göra som de blev tillsagda och att det inte skulle inträffa något som rubbade den ömtåliga balansen. I så fall skulle kanske männen med pistolerna kunna köra iväg utan att någon blev skadad. Ett tag trodde han att hans böner skulle förbli ohörda, men sedan öppnades bildörren och en lång kvinna steg ur. Hennes kopparfärgade hår glödde i skenet från gatlyktorna.

– Du får henne inte. Hon höjde hakan. – Då får du döda mig först.

– Hotar du mig? Den vite mannen såg oförstående på henne. – Vad inbillar du dig egentligen? Jag har ju ett gevär!

– Jag tänker inte lämna henne ifrån mig.

– Det är ju bara en bil, invände den mörke mannen. Tänker du offra livet för en gammal skrothög? Han kommer att skjuta dig om du inte ger honom nycklarna.

Hon tvekade. – Bilen? Vill ni bara ha bilen?

– Hör du . . .

– Snälla ni, avbröt hon. Gör inte någon illa.

– Ge mig nycklarna då!

Föraren lade envist armarna i kors över bröstet som för att skydda nycklarna. – Inte förrän alla har kommit ut. Peggy, hjälp Ashley är du snäll.

Den blonde sprang fram och pressade geväret mot hennes hals. Samtidigt öppnades dörren på passagerarsidan och den mörkhåriga kvinnan steg ur. Hon hette tydligen Peggy och var smal, huvudet kortare än föraren och yngre än Niccolo gissat när han först fått syn på dem. Håret var mörkt och ansiktet ovalt och nästan surrealistiskt vackert, även om det just nu var stelt av skräck.

– Låt mig bara få ta ut Ashley ur bilen, bad hon.

– Ta henne och håll tyst! fräste mannen som vaktade Niccolo.

Peggy vände sig mot bilen igen och fällde fram passagerarsätet för att kunna sträcka sig efter den lilla flickan i baksätet. – Kom nu, Ashley!

Barnet tryckte sig bakåt mot ryggstödet. – Nej!

– Gör som jag säger, Ashley!

– Låt dem inte ta mig, grät hon.

Peggy böjde sig längre in och lossade flickans säkerhets-

bälte innan hon drog den lilla motspänstiga kroppen mot sig.
– Sluta konstra nu, Ashley.

– Nej! skrek flickan när den unga kvinnan lyfte ut henne ur bilen. Jag vill till mamma!

– Var snäll och låt dem komma över till den här sidan, bad Niccolo. Jag är säker på att de inte gör något dumt.

Den svarte biltjuven, som tycktes vara den som det var lättast att tala med, gjorde en gest åt kvinnan och barnet.
– Gå dit bort.

Peggy kom fram till Niccolo med sin börda, men han såg inte på henne utan på bilföraren. Äntligen lämnade hon över nyckeln.

– Var snäll och släpp henne nu. Om hon kommer hit bort är hon inte i vägen för er, föreslog Niccolo så lugnt han kunde. Vi går ingenstans förrän ni har åkt er väg. Som er vän sa är det bara en bil. Gör inte någon illa.

– Ja, släpp henne nu, upprepade den andre biltjuven. Vi sticker.

– Jag vet inte . . . svarade den vite och lät vapnet glida längs kvinnans hals. Hon är rätt snygg, tycker du inte det? Vi kanske skulle ta med henne som sällskap?

Den lilla flickan försökte ta sig loss ur Peggys famn. – Jag vill inte tillbaka . . .

– Så ja, Ashley, mumlade Peggy lugnande. Tyst nu.

Niccolo kastade en blick åt sidan och såg skräcken i den unga kvinnans ansikte medan hon tryckte flickan mot axeln. Den lilla började gråta. Hon var för ung för att förstå att hon inte var i någon omedelbar fara.

– Nej, låt tjejen vara, envisades den svarte mannen med högre röst. Nu ger vi oss iväg.

Den blonde tvekade ett ögonblick, men sedan tog han ett steg bakåt för att låta föraren komma undan. Niccolo trodde att den värsta var över och att händelsen skulle sluta med enbart en stulen bil, men innan kvinnan ens hunnit ta två steg grep mannen tag i hennes axlar och tryckte upp henne mot bildörren igen.

– Om jag säger åt dig att göra något så gör du det! skrek han. Fattar du?

Hennes röst darrade. – Ja . . .

– Nästa gång jag säger att du ska gå ur bilen gör du det.

– Visst.

– Och nästa gång jag befaller dig att ge mig nycklarna ger du mig nycklarna!

– Självklart, nickade hon.

– Jag tycker att du ska följa med oss. Vi borde ta reda på hur hjälpsam du egentligen är.

– Lägg av nu! invände hans kumpan. Försöker du få oss att åka fast? Då kommer det inte att bli någon mer gång. Nu sticker vi härifrån. Han gick långsamt baklänges mot Mazdan medan han varnande riktade vapnet mot Niccolo och kvinnorna.

Niccolo bet ihop käkarna, men visste bättre än att säga något mer. Den blonde var maktberusad, och nästa logiska steg var att han skulle döda någon för att få visa hur tuff han var. Till och med det lilla barnet tycktes känna hur spänt läget var eftersom hon upphörde att snyfta.

– Stick då! Den blonde grep tag i kvinnans arm och knuffade henne hårt mot bakre delen av bilen. – Gå dit bort.

Niccolo såg det lättade uttrycket i den andre mannens ansikte när mazdaföraren snubblade fram för att ställa sig hos Niccolo och de andra. Då bröts tystnaden av tjutande sirener, och natten lystes upp av virvlande ljus.

– Fräls oss ifrån ondo . . . viskade Niccolo.

– Helvete! Vi måste härifrån! Ta ungen! skrek den blonde och viftade med geväret mot sin partner.

Den mörke mannen såg vettskrämd ut nu. – Är du galen?

– Ta ungen! De släpper inte ut oss härifrån om du inte gör det!

Niccolo tog några steg åt sidan för att skydda Peggy och barnet. – Nej, åk ni bara. Jag ska tala om för polisen att ni inte har skadat någon. Och jag kan hålla dem kvar här medan ni . . .

För andra gången den natten snodde den svarte mannen runt och riktade sitt vapen mot Niccolos bröst. Sedan kom han fram till honom med långa steg.

– Gå åt sidan nu!

En kula som avlossades på så nära håll skulle passera rakt genom hans egen kropp och troligen skada flickan eller någon av de två kvinnorna, det visste Niccolo. Och han tvivlade inte det minsta på att ett skott verkligen *skulle* avlossas om han envisades med att stå kvar, för han såg att mannen var desperat. Han skulle skjuta vem som helst som stod i hans väg, så Niccolo steg snabbt åt sidan.

Den blonde hade redan satt sig bakom ratten. Om en sekund skulle hans kumpan slita barnet ur Peggys famn, och då skulle också Mazdan vara på väg fram mot dem. Men Niccolo visste att han inte kunde låta de båda männen ta barnet.

– Jag följer med er i stället . . . snyftade Peggy. Ta mig . . .

I samma ögonblick som bilen borde ha startat sträckte den svarte mannen fram en arm för att gripa tag i barnet. Men det enda ljud som hördes var ännu en siren följd av det smattrandet ljudet från en polisradio.

Niccolo väntade ytterligare en bråkdels sekund tills mannen var en aning ur balans och inte hade revolvern rätt riktad.

– Ner! skrek han till kvinnorna när biltjuven lutade sig fram för att ta barnet.

Samtidigt slog Niccolo med all sin kraft – och den var avsevärd – med knytnäven mot mannens handled. Han vacklade till men tappade inte balansen helt. När kvinnan med det kopparfärgade håret kastade sig mot Peggy och barnet för att få ner dem på marken svängde mannen vapnet mot Niccolo och sköt.

Niccolo hade inte tid att hitta på någon bättre plan, så han sänkte huvudet och rusade framåt med huvudet som murbräcka. Den beväpnade mannen föll baklänges av styrkan i Niccolos anfall samtidigt som polisbilen körde in på parkeringsplatsen.

Dörrar slängdes igen och någon grep tag i Niccolos armbåge och drog upp honom. – Det finns en till i bilen. Han blev förvånad över att höra sin egen röst, för den tycktes ha förlorat all kraft. – En biltjuv till. Han har ett gevär . . .

Han pekade på Mazdan, som förvånansvärt nog inte hade rört sig ur fläcken. När han försökte fokusera blicken på bilen såg han en figur som tycktes vara insvept i flera lager kläder försvinna bakom sopcontainern. Han undrade var den vite biltjuven hade hittat plaggen och varför ingen annan märkte att han flydde.

En polis satte handklovar på mannen vid Niccolos fötter och en annan gick med dragen pistol fram mot Mazdan.

– Han har redan kommit undan . . . Niccolos huvud började fyllas av grå dimma. – Han flydde ditåt!

– Du har blivit skjuten. Det var bilförarens röst.

Niccolo kände hennes hand på sin axel. Hans högra arm brände, och varken det eller surrandet i huvudet var normalt.

Sedan hörde han förarens röst igen, och den här gången skrek hon. – Megan . . . Hjälp den här mannen! Han har blivit skjuten!

Polisen som stått nerböjd framför dem reste sig och drog med sig sin fånge. – Det är bättre att inte flytta honom. Var snäll och sätt er här. Vi kallar på hjälp.

– Flytta på er allihop!

Den här gången hörde Niccolo en annan kvinnoröst. Det var inte förarens och inte den mörkhåriga Peggys, för hon snyftade fortfarande någonstans bakom dem. Och den tillhörde definitivt inte barnet. Den nya rösten var en aning hes och musikalisk och hade just nu en dånande altton. Niccolo höjde huvudet och var helt säker på att han såg Jeanne d'Arc på väg ut i strid. Hon höll händerna knutna, och rättfärdighetens ljus strålande ur hennes ögon.

Jeanne d'Arc tog befälet. – Ring vem ni vill, men den här mannen tänker jag ta hand om själv! Ni andra ser till att det blir städat här på min parkeringsplats!

Marken tycktes dra Niccolo till sig som en magnet, och han

kände hur armar försökte dämpa hans fall. När ögonlocken föll ihop undrade han varför den illustrerade bok om änglar som han fått när han konfirmerades hade avbildat Jeanne d'Arc som blond.

Jeanne d'Arc var ju en kraftig liten kvinna med hår i samma färg som de flammor som uppslukat henne.

2

– Stå inte där och glo, Sam Trumbull. Antingen hjälper du de här människorna till rätta, eller också flyttar du på dig. Sätt fart nu!

Megan Donaghue föste barens trognaste stamkund åt sidan så att polisen som hjälpte den skäggige främlingen kunde komma fram till hörnbordet.

Arbetsdagen hade varit seg. En grå dag och en mörk kväll, ingen fotboll på tv och ingen musikunderhållning heller. Deras lunchspecial hade varit den alltid lika populära potatissoppan med musslor, fisk, skinka och grönsaker, men Megan hade grovt överskattat hur mycket som skulle gå åt. Det var fortfarande över tjugo liter kvar, och potatisen blev oduglig i frysen. Hon var ändå tvungen att frysa soppan och sedan kunde hon servera den till släkten om en månad. De visste bättre än att klaga.

Nej, det hade faktiskt inte varit någon höjdare till tisdag. Bartendern hade meddelat att jukeboxen var trasig, och när hon var ute i köket hade någon dragit fram en cigarr och gjort luften ännu kvalmigare. Ändå hade hon inte alls varit beredd på ljudet av polissirener utifrån parkeringsplatsen, ännu mindre på det hon fått se där.

Det våldsamma slutet på en bilstöld.

En skottskadad främling.

Någons vettskrämda lilla flicka.

Och, märkligast av allt, hennes två systrar – av vilka den ena inte hade varit hemma på över tio år. Megan gjorde som hon alltid brukade göra när hela hennes värld vändes upp och ner – hon tog kommandot.

– Casey, sätt dig ner, och res dig inte på minst tio minuter.

Megan gjorde en gest åt lillasystern att sätta sig vid ett bord bredvid främlingens. Casey hade inte varit i det här rummet sedan hon var sjutton år, men nu som då behövde hon tas om hand.

Sedan vände sig Megan till sin yngsta syster, som höll hårt om det okända barnet. Peggy borde inte ha varit där utan i Athens, där hon skulle ta sin collegeexamen om ett halvår.

– Sätt dig du också. Inga protester. Jag vet inte varför du och Casey är här, men ingen av er är i form att göra något åt det just nu.

Peggy Donaghue och barnet sjönk ner på närmaste stol.
– Vi ville överraska dig. Casey körde ner från Chicago och hämtade upp mig på busstationen.

– Ja, det var verkligen en av kvällens överraskningar. Megan hukade sig ner framför sin syster, men hon såg mest på det lilla barnet i systerns knä. – Det var otäckt en stund där ute, eller hur? fortsatte hon med lägre röst. Vill du ha en läsk och lite popcorn?

Den lilla brunhåriga flickan var mycket allvarlig och stirrade bara på henne. Ögonen var stora och förvånansvärt nog torra. Till slut skakade hon på huvudet, men hon sa inte ett ord.

– Jag kan slå vad om att du har ett väldigt fint namn, försökte Megan, och att du dessutom har en väldigt bra förklaring till att du kommit just hit.

Casey svarade i flickans ställe. – Hon heter Ashley och jag har hand om henne ett tag. Du kan förresten sluta oroa dig för mig, Megan. Jag klarar mig bra. Trots det sjönk hon ner på en stol innan hon ens talat färdigt.

Megan ville ta Casey i famnen och trösta henne, för både Casey och Peggy fanns i hennes blod och dunkade i hennes hjärta. Banden som förenade dem var starka, men under årens lopp hade de blivit utsatta för många påfrestningar och hon visste bättre än att prova dem just nu.

I stället vände hon uppmärksamheten från systrarna och Ashley till främlingen. För den här mannen var definitivt en främling. Megan hade en barägares minne för ansikten, och hon var säker på att hon aldrig hade serverat honom. Han var storväxt och bredaxlad men absolut inte överviktig. Ansiktet var ovalt med kraftiga linjer och mycket mörka ögon. Håret var nästan kolsvart, precis som det välansade skägget.

Polisen som hjälpt mannen in var ung och oerfaren, och han rynkade pannan när främlingen stödde sig mot honom.

– Jag tycker att det skulle vara bättre att han kom till ett sjukhus.

Megan viftade undan hans ord. – Läkaren sa att han skulle klara sig bra här en stund. Jag gör rent hans arm, och sedan kan han åka in och sy några stygn när han känner sig bättre. Någon härifrån följer med honom.

– Det var tur att kulan bara nuddade vid honom.

Främlingen höjde huvudet. – Såret har inte påverkat min hörsel, påpekade han.

Megan böjde sig ner bredvid honom. – Hur känner du dig?

– Det var du som kom ut och tog över alltihop, eller hur?

– Någon var ju tvungen att göra det. Hon tillät sig att le en aning. – Du är hjälte nu, så du ska väl inte klaga.

Han gjorde en grimas. – En fallen hjälte.

– Javisst, du svimmade, eller åtminstone gjorde du nästan det. Det behöver du inte skämmas för. Du blev skjuten och alla svimmar när de blir skjutna.

– Hur vet du det?

– Det låter väl inte orimligt. Förresten, vem är du?

– Jag heter Niccolo Andreani, men du kan kalla mig Nick.

– Jag heter Megan Donaghue. Bilen de där kräken var ute efter är min syster Caseys. Det var hon som körde. Min lillasyster Peggy är den som sitter med barnet i knäet.

– "Trevligt att träffas" låter kanske lite malplacerat i den här situationen.

Megan tyckte om hans röst. Den var djup och låg men mer

lugnande än dominerande. – Hamnade du bara mitt i det här av en slump? Det måste ha varit en fruktansvärd chock.

– Nej, han råkade inte bara gå förbi, invände Casey från det andra bordet. Jag såg honom komma in på parkeringsplatsen med händerna över huvudet. Du såg att vi behövde hjälp, eller hur?

Megan reste sig. – Det var tur att du var beredd att ta den risken.

– Jag måste gå tillbaka dit ut, insköt polisen. Hör av er om ni kommer att tänka på något eller har något att tillägga. Han såg bestämt på dem allihop.

– Jag vill veta vad som hände med mannen som satte sig i min bil, förklarade Casey innan den unge polisen hann gå. Jag vill veta *exakt* vad som hände.

Megan vände sig mot Casey, för systerns ton överraskade henne.

– Det är något av ett mysterium, svarade polisen. När jag kom fram till bilen satt han hopsjunken över ratten, och vapnet låg vid sidan av honom på sätet. Han hade en bula stor som ett gåsägg i ena tinningen. Den kommer att ge honom en våldsam huvudvärk, det kan jag slå vad om. Är du säker på att du inte slog till honom? Det kanske var något slags försenad reaktion?

– Nej, hon slog honom inte, invände Niccolo. Han höll ett gevär mot hennes hals.

– Jag skulle ha slagit till honom om jag bara hade fått en chans.

Casey hade aldrig varit någon skönhet, men förr hade hennes livlighet kompenserat bristen på perfektion. Nu tyckte Megan att systern såg äldre och mer sliten ut än hon borde ha gjort vid tjugoåtta års ålder.

– Jag fick för mig att jag såg någon . . . Niccolo tystnade.

– Vem då? undrade polisen.

– Jag vet inte. Jag kanske bara inbillade mig det, men när jag såg honom trodde jag att det var biltjuven som försökte fly sin väg.

– Någon slog i alla fall till honom, det vet vi säkert, förklarade polisen. Kan ni ge mig en beskrivning av mannen?

– Det fanns ingen annan där. Casey tvingade in lite liv i sin röst. – Jag skulle ha sett om någon hade sprungit därifrån.

– Men hur förklarar du då att tjuven låg utslagen över ratten? frågade Niccolo.

– Kanske han och den andre skurken hade grälat innan de bestämde sig för att stjäla min bil. I så fall kunde han ha fått ett slag i huvudet tidigare så att det var därför han ramlade ihop. En fördröjd reaktion som han sa. Hon nickade mot polismannen. – Inte vet jag.

– Tänk på vad ni har sett. Allihop. Och låt oss få veta om ni kommer på något nytt, avslutade polisen och gick därifrån.

– Jag såg inte heller någon. Peggy tittade ner på barnet och tycktes bli förvånad över att upptäcka att det satt i hennes knä.

Casey reste sig upp. – Det beror på att det inte *var* någon där.

– Vart är du på väg? undrade Megan.

– Jag ska bara hämta lite Jamesons, för jag förmodar att du fortfarande har några flaskor stående här i närheten, svarade Casey och lämnade dem.

Megan såg på Niccolo igen. – Du tänker väl låta mig titta på din arm? Om du försvinner medan jag letar reda på förbandslådan efterlyser jag dig.

– Ett liv som eftersökt rymling är inget som lockar mig, log Nick.

Hon drog förvånat efter andan när hon märkte hur hans leende påverkade henne. Det var inget strålande leende, och hon tvivlade på att hans blodtryck stigit så mycket att han kunde klara av det, men det blixtrade till så oväntat att det fick henne att hejda sig.

Peggy reste sig. – Är lägenheten där uppe fortfarande ledig?

Tankarna virvlade runt i Megans huvud. – Ja, hyresgästerna flyttade ut för några veckor sedan. Det är inte särskilt snyggt för jag har inte haft tid att måla om och lägga in nya mattor, men du och Casey kan bo där om ni vill. Det finns mer utrymme där än hemma hos mig.

– Då bryr jag mig inte om den där drinken utan går upp och lägger mig i stället. Tala om för Casey att jag tog med mig Ashley. Jag tror att vi behöver lite lugn och ro båda två.

Den lilla flickans ögon var stora, men inga tårar rann nerför hennes kinder. Megan hade inte haft så mycket kontakt med små barn, men hon tyckte att Ashley var söt med sitt fina, bruna hår och hjärtformade ansikte. Hon undrade också hur i all världen flickan hamnat hos Casey.

Och varför hade Casey kommit tillbaka till Whiskey Island Saloon efter att i åratal envist ha hävdat att hon aldrig mer skulle sätta sin fot där? Megan hade träffat sin syster då och då under de senaste åren men alltid på andra platser, som till exempel Caseys lägenhet i Chicago. Hon hade aldrig förväntat sig att få se sin syster i baren igen.

– Säg till om det är något du behöver. Megan sträckte fram handen och strök Ashley över håret. – Vi kan talas vid senare.

– Det är inget som inte kan vänta. I morgon räcker bra. Peggy gick därifrån med Ashley i famnen.

– Hon har gått igenom en hel del i dag, påpekade Niccolo. Det har de gjort båda två, förresten.

Megan visste inte vad hon skulle svara. Hon önskade att kvällens händelser bara varit en mardröm och kunde fortfarande inte tänka riktigt klart på det som hänt, så hon bytte ämne i stället.

– Jag har aldrig sett dig här förut. Bor du i närheten?

Han skakade på huvudet men gjorde sedan en grimas. – Det kan man väl säga att jag gör. Jag bor borta vid kyrkan.

Casey kom tillbaka med en flaska och några glas i handen. – Var är Ashley?

– Peggy tog med henne upp. Det finns plats för er alla tre i den gamla lägenheten.

Casey nickade. – Jag låter dem slå sig till ro lite innan jag tittar till dem. Huset bjuder på en omgång.

Megan förstod att hon inte skulle få sina miljoner frågor besvarade omedelbart, så hon ryckte bara på axlarna. – När livet ger dig en citron ska du strunta i saften och ta en whiskey direkt. Hon tog flaskan från sin syster och hällde upp några centimeter i glasen.

Hon var dotter, barnbarn och även barnbarnsbarn till en barägare, och själv ägde hon också en bar. Därför drack hon sällan och hon visste att hon aldrig skulle göra det när världen började snurra baklänges. Men i kväll tänkte hon inte på det utan tömde genast sitt glas.

Whiskeyn värmde hennes hjärta, själ och mage. Hon kunde förstå den maniska längtan efter drycken och den önskan att glömma som ibland motiverade hennes gäster. Spriten gav färg åt deras grå liv, lockade fram berättelserna och tinade upp hjärtan som varit frusna av skräck.

Megan förstod också vilken kraft alkoholen hade, och hon visste att det fantastiska undret i den kunde förstöra liv.

Den hade nästan krossat hela hennes familj.

Hon smällde glaset i bordet. – Jag kommer tillbaka med förbandslådan om en liten stund, och då förväntar jag mig att ni båda sitter kvar och väntar på mig precis här.

Niccolo var inte säker på varför han fortfarande satt kvar vid bordet, för yrseln som nästan fått honom att ramla ihop hade gått över nu. Han hade svimmat en gång tidigare, när han lämnat blod, och förmodade att reaktionen i kväll hade varit något liknande. Hans arm brände och när de drog bort ärmen på hans arbetsskjorta skulle såret säkert börja blöda på nytt, men han tvivlade på att det behövde sys. En stelkrampsspruta skulle däremot vara bra.

Orsaken till att han satt kvar var nog helt enkelt att han inte hade någon bättre plats att gå till. Hans hus var tomt och föga inbjudande, mer en arbetsplats än ett hem. Ignatius Brady, präst i den heliga Birgits församling och hans ende vän i staden, var bortrest för att gå en kurs. Grannarna på ena sidan var unga och yrkesarbetande och hade fullt upp med sitt eget liv, och den kurviga grannkvinnan på andra sidan hade ett misstänkt stort antal manliga besökare som lämnade huset efter en kort stund och då såg gladare ut än när de kommit.

Niccolo passade på att se sig omkring. Som bar betraktad var Whiskey Island Saloon en juvel. På utsidan var det gamla trähuset glanslöst och enkelt, och väggarna var målade i brunt, utan några kontraster. Skylten var diskret men vacker med gaelisk skrift. Den enda ytterligare antydningen om att huset hade rötter i Irland var tre treklöver utskurna i en segmentbåge ovanför dörren.

Men inredningen var något helt annat. Större delen av lokalen hade paneler i mörkt trä, valnöt gissade Niccolo, som av allt att döma hade funnits på plats i ett halvt århundrade. På två av väggarna var ytan ovanför panelen målad i en djup, skogsgrön färg, och där hängde affischer med bilder av vindsvepta kustlinjer och pastorala små stenhus.

Där fanns också porträtt av allvarliga män och kvinnor från ett annat århundrade. Det var familjegrupper, barn på ponnyer och präster i svart. Ovanför bardisken hängde en handskriven skylt med texten:

> Trí buna an ólacháin:
> maidi n bhrónach
> cóta salach
> pócat folamha.

Sedan kom översättningen med mindre bokstäver:

> De tre felen med att dricka är
> en plågsam morgon
> smutsiga kläder
> och tomma fickor

Stolarna var försedda med dynor och såg ut att vara tillräckligt bekväma för att gästerna skulle klara många timmars drickande. Tv:n i ena hörnet var toppmodern och hade en enorm, platt skärm. Lokalen var större än Niccolo trott när han såg baren utifrån. Han kunde föreställa sig att de packade in flera hundra personer där på Sankt Patricksdagen, då irländarna firade sitt nationalhelgon.

– Du har inte varit här förut, eller hur?

Niccolo såg på Casey Donaghue och skakade på huvudet.

– Då valde du en bra kväll för ditt första besök, tyckte hon.

Han log snett. – Jag var bara ute och promenerade.

– En sådan här kväll? Temperaturen sjunker för varje minut. Det kommer att vara flera decimeter snö i morgon bitti.

– Jag vet. Jag var på väg hem.

– Tack ska du ha, Niccolo. Jag känner inte många som skulle ha gjort det du gjorde.

Niccolo ryckte på axlarna, för han tyckte att han bara gjort vad som kunde väntas av honom. – Du var en hjältinna själv. Jag såg hur du kastade dig över Ashley och din syster på slutet.

Även hon ryckte på axlarna och såg ut att känna sig lika osäker som han själv. Han betraktade henne ett ögonblick. Casey hade ett smalt, kantigt ansikte omgivet av ett underbart, vågigt hår. Om hon, Megan och Peggy var systrar hade den högre makt som delat ut gensammansättningen inom familjen koncentrerat sig på att få fram olikheter.

Tanken förde honom tillbaka till Megan Donaghue. Hon var kortare än Casey, som var lång och smal som en vidja. Megan var mer kompakt och hennes ansikte var nästan rektangulärt. Hon påminde faktiskt om en feminin Huckleberry Finn. Det röda håret som fångat hans uppmärksamhet när han höll på att svimma var ett virrvarr av pojkaktiga lockar som tycktes ha ett eget liv.

– Äger ni den här baren? frågade han. Du och dina systrar?

– Ja, visst är den vår, svarade Casey och gjorde en grimas. Alkoholisterna och poeterna, grabbarna från den gamla goda tiden och whiskeytenorerna, allt är vårt arv. Jag har inte varit här på många år.

Niccolo blev förvånad. – Det känns som en trygg plats.

– Det stämmer. Dessutom vet alla vad man heter.

– Gör det något?

Casey log, men det fick inte hennes spända ansikte att slappna av. – Den här baren kan svälja hela ens liv och få en att glömma att det finns en riktig värld utanför dörren. Fråga Megan får du höra.

Niccolo märkte att Megan kom tillbaka innan han fick syn på henne. Hon gick på samma sätt som hon tydligen gjorde allting annat – mycket livligt – och därför kändes det i luften när hon kom.

Megan ställde en sliten förbandslåda på bordet framför honom. – Vi tvättar av dig lite och ger dig en drink till, och sedan skjutsar Barry in dig till sjukhuset där de tar hand om dig lite mer. Barry är vår bartender. Jag säger till honom att han ska vänta på dig där och skjutsa hem dig också. Megan nickade mot en skallig man i grön polotröja som stod bakom bardisken.

Niccolo hade ingen särskild orsak att gå med på något av det hon föreslog, men han hade heller ingen anledning att inte göra det. – Är du säker på att du inte vill följa med själv och se till att det blir ordentligt gjort? frågade han Megan.

Hon tog inte illa upp, men hon kastade en bestämd blick på honom. Ögonen var bärnstensfärgade, och hon hade långa ögonfransar. – Vi kan göra det här på två sätt, Nick. Antingen mjukt och försiktigt eller också hårt och snabbt. Du får välja själv.

Niccolo behövde inte kavla upp ärmen på skjortan, för den låg redan söndersliten mot den skadade huden på hans överarm. Han stödde bara armbågen mot bordet och lät henne börja arbeta.

– En gång i tiden ville jag faktiskt bli sjuksköterska. Hon drog försiktigt bort tyget från såret.

– Syster Duktig, förmodar jag?

Megan drog lite på munnen. – Jag har ingen aning om varför jag trodde att det skulle vara roligt, och jag har sannerligen fått ta hand om tillräckligt med dårar ändå. Du anar inte hur många jag har plåstrat om vid det här bordet. De kommer in hit och längtar efter att få slåss. Vi uppmuntrar det naturligtvis inte, och så fort vi ser vad de är ute efter serverar vi dem inget mer. Men ibland händer det ändå.

– Från det att hon var sjutton år har hon pysslat om dem och samtidigt talat om för dem vad hon tycker, berättade Casey. Lite som en mor och lite som moder Teresa.

– Men jag bryr mig inte om vad som händer med dem, förklarade Megan och lyfte mycket försiktigt upp hans arm. Inte det minsta.

Casey fångade Niccolos blick och höjde ena ögonbrynet en aning.

– Det här kan göra lite ont, varnade Megan.

Hon höll något kallt och fuktigt mot hans arm, och han bestämde sig för att hon hade rätt. Underligt nog trivdes han ändå med den nya erfarenheten. Berodde det på att han var glad över att han överlevt? Än så länge hade han knappt börjat tänka på vilka konsekvenser kvällens händelse kunde ha fått.

Niccolo orkade inte längre hålla ögonen öppna. Något sorgligt och avgjort keltiskt hördes från en bandspelare som stod bakom bardisken. Röken från cigaretter blandades med jästlukten från nybakat bröd. Megans händer var mjuka, och dunkandet i hans arm påminde honom om att han fortfarande var vid liv.

När han tittade upp igen upptäckte han att Casey hade gått. Han hade fått påfyllning i sitt glas och Megan stod framför honom med armarna korslagda över brösten. Hon log inte, men hennes ögon lyste.

– Det här bordet är ditt för all framtid, Niccolo Andreani, sa hon med sin lite hesa röst. När du än vill ha det. Och det här är din flaska, och när den är urdrucken kommer det att stå en precis likadan här. Du kommer aldrig att vara en främling här, och du behöver aldrig betala en enda dollar för något du vill ha.

Niccolo ville ha många olika saker, men han undrade om han kunde hitta någon enda av dem på en bar.

I så fall skulle det vara höjden av ironi.

3

Casey var fortfarande så skakad av det som inträffat på parkeringsplatsen att hennes händer darrade. Hon hade alltid varit modig, men nu visste hon att händerna troligen skulle darra fortfarande när hon vaknade nästa morgon.

När biltjuven hållit sitt vapen mot hennes hals hade det senaste året passerat revy i hennes huvud. Hon såg misstagen och mindes alla frågor som plågade henne, men mest av allt förstod hon vilket skräckinjagande ansvar hon hade för Ashley. Visserligen var den lilla flickan bara hennes barn tillfälligt, men hon måste skydda henne även om det innebar att hon måste offra sin egen framtid.

– Mamma?

Casey stänkte lite vatten i ansiktet och torkade bort det med en handduk. Hon tvingade sig att låta lugnande när hon svarade. – Inte mamma, raring. Det är Casey, det kommer du väl ihåg? Jag är bara här i badrummet och tvättar ansiktet.

– Mamma . . .

Casey öppnade dörren till det lilla vardagsrummet där Ashley låg hopkrupen i soffan. Hon hade just vaknat efter att ha sovit några minuter.

Peggy tog flickan i famnen innan Casey hann fram, och Casey satte sig ner bredvid dem. – Ashley, raring, ingen kommer att göra dig illa, försäkrade hon. Polisen tog hand om de elaka farbröderna.

Ashley snyftade till och stoppade tummen i munnen. Casey såg att hon fortfarande var stel och motsträvig i Peggys armar.

Det mörka vardagsrummet var inte stort. En brun soffa i mockaskinn och två klädda stolar stod längs väggarna, och framför dem fanns ett lågt bord.

– Hon kommer att lugna ner sig, försäkrade Peggy sin syster. Ashley behöver bara sova ut ordentligt. Jag tror att hon kommer att känna sig bättre i morgon bitti.

– Det var synd att det här skulle hända. Vi var förmodligen på fel plats vid fel tillfälle.

– Jag tror aldrig att det har hänt något liknande. Vi har haft slagsmål på parkeringsplatsen, men aldrig något sådant här. Jag ska be Megan installera något slags övervakningskamera och kanske några fler lampor.

– Vi hade tur att det slutade som det gjorde. Casey såg oron i systerns ögon. – Vet du, Peggy, den här kvällen skulle ha skakat om den tuffaste. Jag väntar bara på att tårarna ska börja rinna.

Peggy drog ett djupt andetag. – Ashley har knappt sagt ett ord.

– Jag tog med något för att du skulle bli lite gladare, Ashley. Casey stack händerna i bakfickorna innan hon knöt dem och sträckte fram dem mot flickan. – Gissa i vilken hand det finns.

Ashley rätade på sig lite i Peggys knä, men sa ingenting.

– Jag ska ge dig en ledtråd, fortsatte Casey. Det är tillräckligt litet för att få plats i min hand, men handen är inte det bästa stället att ha det på.

Förut hade Ashley tittat ner på sina egna händer, men nu såg hon på Caseys.

– Kan du gissa vilken hand det är? undrade Casey.

Ashley skakade på huvudet. Hon tycktes vara rädd att göra fel.

– Jo då, jag slår vad om att du kan gissa det, envisades Casey. Försök bara, jag vet att du kommer att hitta rätt.

Ashley snyftade till och skakade åter på huvudet.

– Jag ska hjälpa dig lite till. Casey flyttade sig närmare. – Jag sa ju att den inte passar i min hand. Nej, den passar mycket bättre i din mun. Men den kommer inte att stanna kvar där länge.

Ashley rynkade pannan. – Godis, svarade hon till sist.

– Du är så klok. Casey visade ingen förvåning över att Ashley äntligen sagt något. – Jag visste att du kunde gissa det! Du är alldeles för bra för det här. Gissa nu vilken hand det är.

Peggy rynkade också pannan, för hon ville att Casey skulle sluta. Ashley borde inte behöva misslyckas med något i kväll, inte ens med en enkel lek.

– Den där, sa Ashley till sist. Hon pekade på Caseys högra hand.

– Ser du nu? Jag sa ju att du skulle ta rätt och det gjorde du. Casey öppnade högerhanden, och där låg en chokladbit inslagen i färgglatt papper. – Titta!

– Och den där! Ashley såg inte förvånad ut utan lutade sig framåt och pekade på Caseys vänstra hand. – Får jag se den också.

Casey visste att det var hon som såg förvånad ut i stället. – Men du har ju redan vunnit. Du gissade rätt första gången.

Ashley höjde blicken och väntade.

Casey log och öppnade vänsterhanden. Där låg ytterligare en chokladbit. – Nu kunde jag inte lura dig, eller hur?

– Mmm . . .

Ashley tog båda chokladbitarna och sjönk tillbaka ner i Peggys knä. Hon tog god tid på sig och vek prydligt ihop omslagspapperet när hon ätit upp innehållet. När papperen var lika små som smulor reste sig Casey upp.

– Du är ganska bra på det där. Peggy log mot systern.

– Tror ni att ni kan sova nu båda två?

Peggy såg på Ashley och sedan nickade hon. – Jag tror i alla fall att det är en bra idé att försöka.

– Jag tar upp din resväska från bilen lite senare. Välj vilket sovrum du vill ha, så tar Ashley och jag det andra. Jag hjälper dig att få henne i ordning så att hon kan lägga sig, men sedan måste jag gå ner innan Megan kommer inrusande för att ta hand om oss allihop. Då slipper ni i alla fall orkanen Meg i kväll. Hon sträckte ut armarna och nu kom Ashley glatt i hennes famn. Casey kramade den lilla flickan och kysste hennes hår. – Klarar ni er tills jag kommer upp för natten?

Peggy svarade för dem båda. – Ja då, det går fint.

*

Casey skyndade sig nerför trappan och gick sedan in i det lilla förrådet mellan barens två toaletter. Hon stängde dörren och satte sig på en trave kartonger med mobiltelefonen i handen, tog upp en papperslapp med ett telefonnummer ur fickan och slog numret. Det ringde åtta gånger innan en kvinna svarade.

– Grace, det är Casey.

Det dröjde ett ögonblick innan den andra kvinnan sa något. – Du hade tur som fick tag i mig. Vi kommer att ändra det här numret i morgon.

– Jag vet det. Hör på nu. Jag måste berätta om något som hände i kväll. Casey redogjorde för händelsen på parkeringsplatsen och avslutade med nyheten att alla var i säkerhet, även Ashley.

Grace var tyst en liten stund till. – Hur går det för henne?

– Jag tror att hon klarar det bra.

– Har du haft någon möjlighet att tala ostört med henne?

– Inte mer än korta stunder, medgav Casey. Det är svårt att få henne att prata. Hon säger ingenting och gråter inte.

– Vad är ditt intryck av det här?

– Jag tror att det var några lokala skurkar som ville ha min bil. Mot slutet bestämde de sig för att Ashley skulle vara en bra gisslan, men mer än så är det inte.

– Hit kan hon inte komma. Men vi kanske skulle flytta henne någon annanstans?

– Hon har precis börjat känna sig trygg tillsammans med mig, och hon har haft det så svårt. Jag vill verkligen inte flytta henne igen om det inte är absolut nödvändigt. Men dyker det upp något här hör jag av mig direkt, och under tiden ska jag hålla ögonen öppna.

– Jag kan inte ge dig det nya numret än, men du vet vem du ska ringa för att få det, sa Grace.

– Javisst.

– Ge henne en kyss från mig är du snäll.

– Det är klart.

– Och en stor kyss från . . . någon annan.

– Det vet du att jag gör, försäkrade Casey.

– Se efter henne ordentligt.

– Du vet att jag gör det också.

Ett klickande talade om att samtalet var slut.

Casey satt kvar ett ögonblick och lyssnade på ljuden utifrån baren. När Megan och hon var barn hade de byggt fort av kartongerna och stolarna här inne medan de lyssnat på skratten och musiken. Whiskey Island Saloon hade varit en trivsam plats med moderns lätta värme och faderns välljudande tenor.

Ingen hade sjungit The Gypsy Rover eller The Rising of the Moon lika ofta eller bra som hennes far. Casey log vemodigt, men sedan försvann leendet. Hon måste tala med Megan. Den här kvällen hade fört med sig en lång rad överraskningar, och nu måste hon ge sin syster ännu en.

*

Megan hade inte förväntat sig att Casey skulle komma till henne där hon stod bakom bardisken. Hon var till hälften färdig med att fylla en bricka med mörkt och ljust öl. Dessutom skulle hon servera två halvlitrar Guinness, men det kunde hon klara ensam och därför försökte hon fösa undan sin syster.

– Uppståndelsen har lagt sig nu. Gå dit upp i stället. Jag klarar det här tills Barry kommer tillbaka.

Megan var orolig, för Caseys ansikte var fortfarande blekt och oroligt trots att det var över en timme sedan dramat fått sin upplösning. Hon misstänkte att systern behövde både gråta ut och sova ordentligt, men hon trodde inte att Casey skulle unna sig att göra vare sig det ena eller det andra.

Casey började tappa upp öl med van hand. Det var många år sedan hon fått lära sig den fina konsten av deras far, men Megan visste att hennes syster bland annat hade arbetat på barer för att klara sig igenom skolan.

När hon var klar med den första ölen såg hon på Megan.

– Jag kommer precis där uppifrån, Meg, och jag behöver tala med dig.

– Då får du göra det medan vi jobbar. Så fort Barry kommer tillbaka måste jag börja i köket. Jag höll på att diska kastruller när jag hörde sirenerna, och morgondagens bröd står i ugnen.

– Har du ingen kvällskock?

Barens kvällskock var en collegestudent som gjorde ett så bra arbete när han dök upp att Megan inte gav honom sparken för alla de gånger han inte visade sig.

– Han heter Artie och jobbar extra här medan han studerar. Men han kom inte ihåg förrän i eftermiddags att han hade ett stort prov i morgon.

– Du måste skaffa dig någon du kan lita på, menade Casey.

– En som är pålitlig med den lön jag betalar? Finns det någon sådan?

– Jag diskar, så kommer du och pratar med mig när du kan.

Megan tog brickan. – Tänk inte ens på det. Gå tillbaka dit upp i stället. Jag kommer när jag är färdig, och då kan vi prata hela natten om du vill. Du kan börja med att berätta för mig vad du gör här och varför du helt plötsligt uppträder som mor till någon annans barn. Hon hejdade sig ett ögonblick. – Om jag hade vetat att du skulle komma skulle jag ha slaktat den gödda kalven. I stället gjorde jag potatissoppa.

Casey log inte. – Jag behöver prata med dig nu.

Megan rynkade pannan. Casey ville gärna ha sin vilja fram, det var ett släktdrag. – Då får du fylla skålarna med popcorn.

Jag serverar det här så länge. Kanske får vi en möjlighet att talas vid om några minuter.

Det tog mer än en minut men mindre än tio innan de fick ett litet avbrott. Då satte de sig i ena änden av baren där Megan hade överblick över sina gäster. Sam Trumbull, en liten livlig man som nästan var barens maskot, försökte ställa in sig hos sällskapet som just blivit serverat. Det skulle inte dröja länge förrän de beställde en öl åt honom också, Megan hade sett det hända förr.

– Jaha, var börjar vi då? frågade hon. Hur länge tänker du stanna?

– Det beror på hur länge du låter mig vara kvar.

Megan blev så häpen att hon inte visste vad hon skulle säga.

– Jaså, är det så illa? undrade Casey. Vill du inte ha mig här alls?

– Det vet du att jag vill! Baren är precis lika mycket din som min. Det är bara det att . . . Du sa att du aldrig skulle komma tillbaka, och nu är du plötsligt här och vill stanna tills vidare?

– Jag sa inte att jag *vill* stanna kvar, men jag behöver någonstans att bo och ett arbete, meddelade systern sakligt. Så enkelt är det.

– Du har en lägenhet och ett arbete i Chicago.

– Inte nu längre. Jag har hyrt ut lägenheten i andra hand och sagt upp mig på jobbet.

– Men du tyckte ju så mycket om det? utbrast Megan häpet.

– Du har aldrig arbetat med barn som far illa, så det är nog svårt att förstå. Jag är utbränd.

Megan pressade henne inte utan backade undan en aning och kände sig för. – Hur är det med barnet då, Casey? Behöver hon också någonstans att bo?

– Ashleys mamma är en vän till mig som har det svårt just nu. Till slut fick hon jobb i Milwaukee, men hon har inget bra ställe att bo på och inte tillräckligt med pengar för att kunna ordna något för dottern medan hon arbetar. Det är bättre om hon kan komma till rätta lite innan hon tar dit Ashley, och därför gick jag med på att sköta om henne en tid.

Megan påpekade inte att inte heller Casey hade någonstans att bo eller något arbete. Det här var inget bra tillfälle att diskutera just det. – Min bartender på dagtid slutade i dag, och lägenheten där uppe står ju tom, sa hon i stället. Tror du att du klarar av jobbet och kan bo där?

– Om jag har kunnat klara allt som redan hänt så . . . Casey skakade på huvudet, som om det var något mer som bekymrade henne. – Meg, hela den här historien i kväll var förfärlig.

Megan fick en klump i halsen. – Ja, det var den verkligen. Alltihop var fasansfullt.

– Ett bra sätt att komma tillbaka hem på, eller hur? Peggy och jag ville överraska dig. Vi tyckte att det var dags för en återförening, och jag kände att det skulle betyda mycket om vi hade den här. Hon gjorde en paus. – Efter allt vi har varit med om.

– Det vet du att det gör. Megan försökte sig på ett leende. – Men de där biltjuvarna kastar en ganska lång skugga efter sig.

– Jag hade lust att köra över dem. Så fort jag fick syn på dem förstod jag vad de var ute efter, men de hade redan vapnen framme och jag kunde inte riskera att de började skjuta på oss. Ashley satt i bilbarnstolen, så det skulle ha varit lätt för dem att träffa henne.

– Har du skuldkänslor för att du inte kunde förhindra det? Är du tokig? utbrast Megan.

– Kanske inte skuldkänslor, det är mer som om jag hade misslyckats med något. Det är mitt livs historia. Ytterligare en sak som jag inte kunde göra rätt.

– Men du var ju så modig. Jag hörde att du kastade dig över Ashley och Peggy när Niccolo slog till revolvermannen.

– Niccolo kom från ingenstans. Det var som om Gud hade sänt en räddande ängel.

Megan fnyste till. – Niccolo kom bara förbi. Folk gör så, och ibland önskar de att de inte hade gjort det.

– Meg, det var inte bara Niccolo som kom från ingenstans.

Megan såg frågande ut medan hon väntade på fortsättningen.

– Det var någon annan där, sa Casey till sist.

– Jag förstår inte vad du pratar om.

– Den där blonde som höll vapnet mot min hals . . . började hon.

– Jag hoppas att de låser in honom i hundra år.

– Han kommer att vara ute igen till min nästa födelsedag, men det är inte det jag menar. Casey drog ett djupt andetag som om hon återupplevde händelsen. – Han tog mig i armen och knuffade mig mot bakluckan på bilen. Jag lyckades nätt och jämnt hålla mig upprätt, men jag snubblade i alla fall fram till Niccolo, Peggy och Ashley. Den blonde hade bilnycklarna och det tar bara en sekund att starta bilen. Men han fick aldrig i gång den.

– Eftersom han på något sätt blev skadad.

Casey nickade. – Kommer du ihåg att Niccolo sa att han såg någon smita iväg?

– Ja, men han var nära att svimma så han var inte mycket till vittne. Och sedan sa du att det inte var någon där.

– Men det *var* det, Meg. Jag såg honom också.

Megan var tyst ett ögonblick, men Casey förklarade sig inte. – Vad är det du försöker säga? Att du har ändrat åsikt? Poliserna kommer att förstå det. Jag är säker på att de inser vilken spänd situation du var i.

– Jag har inte ändrat åsikt, jag talade helt enkelt inte om för dem vad jag såg.

– Varför inte det?

– Därför att det kan ha varit Rooney. Jag tror att mannen som flydde bort från bilen var Rooney, och jag ville inte att någon annan skulle få veta det.

4

Niccolo hade fel i fråga om stygnen och rätt när det gällde stelkrampssprutan. Det var inte särskilt mycket folk på akutmottagningen, de flesta var antagligen för kloka för att bli skjutna en så här kall kväll. En läkare stack in huvudet i Niccolos lilla bås, och en sjuksköterska kom tillbaka lite senare för att sy tre stygn. Barry, som visade sig vara en riktig fantast när det gällde amerikansk fotboll, pratade nertagningar, passningar och löpningar hela vägen hem till Niccolos hus.

Nu stod Niccolo ensam i hallen på det nyligen framtagna lönngolvet och funderade över vilka möjligheter han hade. Han kunde gå och lägga sig. Det skulle vara det klokaste. Eller också kunde han sätta på värmen i det rum en trappa upp som fortfarande hade alla väggarna kvar och försöka läsa lite. Han skulle också kunna ta bilen och köra tillbaka till parkeringsplatsen innan snön började falla och alla spår efter det som hänt i kväll var försvunna.

Under de två senaste åren hade Niccolo fått för vana att välja det alternativ som var minst logiskt, och därför gick han och letade reda på en ficklampa.

Åkturen blev inte lång. Både hans hus och Whiskey Island Saloon låg tekniskt sett i Ohio City, ett område på Clevelands västra sida som en gång varit en egen stad. Det var ett paradoxalt område. Statushöjningen hade börjat flera årtionden tidigare men hade aldrig riktigt slagit igenom. Vissa av Ohio Citys arkitektoniska ädelstenar var bebodda och hade renoverats på ett underbart sätt, medan andra höll på att förfalla fullständigt.

På Niccolos gata fanns både några av de bästa och några av de värsta exemplen. Lockout Avenue, där Whiskey Island Saloon låg, hade däremot alltid tillhört arbetarklassen och gjorde det fortfarande. Villorna och trädgårdarna var små och välskötta, rena drömhusen för de invandrare som slet på stålverken, på Cuyahogafloden och i hamnen vid Eriesjön.

Niccolo parkerade inte på barens parkeringsplats, där det nu stod fler bilar än tidigare på kvällen. I stället körde han förbi den och parkerade i nästa kvarter, och gick sedan tillbaka längs trottoaren samma väg som han gått tidigare. Han stannade till vid infarten till parkeringen på samma plats som förut. Där stod han länge och såg ut över asfaltplanen. Det var ingen bilstöld på gång, och det krävdes ingen förhandlare. Han behövde inte bli hjälte en gång till i kväll, och det kände han sig innerligt tacksam över.

Han var inte säker på vad han egentligen letade efter, men han visste bättre än att skynda på processen. Medan han stod där på trottoaren upplevde han på nytt scenen som utspelats tidigare, placerade personerna på rätt ställen och tänkte igenom vad som hänt. När han var nöjd och kände att han plockat fram allt han mindes gick han in mellan bilraderna och undersökte marken med hjälp av ficklampan.

Sex cigarettfimpar, två barkvitton och en tom papperspåse senare var han framme vid platsen där Casey Donaghues bil fortfarande stod parkerad. Han lyste med ficklampan på alla sidor av bilen, och när han inte såg något ovanligt sjönk han ner på händer och knän och kikade in under den.

Niccolo hörde en dörr slå igen och sedan röster på gatan, men de passerade och försvann medan han låg kvar i samma ställning och undersökte det första anmärkningsvärda föremålet han hittat. Han lade sig ner på mage och sträckte sig förbi ett av framhjulen för att få tag i vad som såg ut att vara en skosula. När han började resa sig med den i handen hörde han en välbekant röst bakom sig.

– Det var en förbaskad tur att jag kände igen den där bakdelen, annars skulle jag ha sparkat till så mycket jag orkade.

Niccolo vände sig om med sulan i handen. – Jag visste inte att min bakdel var så speciell.

Megan granskade honom noggrant, men hon sa inget utan väntade på en förklaring.

– Jag borde ligga hemma och sova, erkände han.

Hon nickade som om hon instämde, men sa fortfarande ingenting.

– Det är så att jag älskar mysterier. Jag har en obotlig längtan efter att hitta svaren på alla livets gåtor.

– Vad är det för svar du hittar under min systers bil? undrade hon.

– Jag försöker ta reda på om den sammantagna effekten av rädsla och en lätt skottskada kan få en man att se i syne.

– Och vilken slutsats har du kommit fram till?

Niccolo lade märke till att Megan inte hade någon kappa på sig. Hon var klädd i en kortärmad, vit polotröja och kakibyxor och hade en grön scarf om halsen.

– Du är inte klädd för ett långt samtal utomhus.

– Jag skulle kasta soporna. Hon nickade mot containern.

– Jag kan vänta.

Han trodde att hon skulle tala om för honom att det inte var så viktigt att hon ville komma tillbaka för det, men hon försvann utan att säga ett ord. När hon återvände hade hon tagit på sig en saffransgul täckjacka.

– Vad var det du hittade under bilen?

Han höll fram sulan. – Kanske ingenting.

Hon tog den försiktigt och med en min av avsky.

– Den där kommer inte från någon vanlig sko, påpekade han medan hon undersökte sulan. Ser du hur sliten den är? Tre hål och ett är fortfarande lagat med tidningspapper.

Megan lämnade tillbaka sulan på ett sätt som antydde att hon inte kunde bli av med den fort nog. – Och?

– Jag såg ingen inne i baren som hade sådana här skor,

gjorde du det? Den tillhör någon, tydligen en man, som inte har en sådan tur att han har råd att gå in och ta en öl.

– Det där förstår jag inte.

– Mannen jag såg i kväll, som förmodligen var den som slog ner biltjuven, hade bylsiga kläder, berättade Niccolo. På avstånd såg han nästan ut som en mumie. Om vi nu säger att det fanns en man här kanske han hade på sig en hel veckas skjortor och tröjor för att hålla kylan stången. Han kanske inte ens har någon riktig rock eller så tar han på sig alla sina kläder därför att det är bättre än att dra omkring dem i en varuvagn.

– Casey sa ju att det inte var någon här, påminde Megan honom.

– Hon var upptagen med att försöka skydda sin syster och flickan, så hon höll inte ögonen på bilen hela tiden.

– Såvitt jag förstod var du också rätt upptagen, påpekade Megan.

– Jag såg bara en glimt av honom.

– Var det före eller efter det att du var nära att svimma?

Niccolo tänkte precis som tidigare att det gjordes mycket ansträngningar för att försöka bevisa att han hade fel. Först hade Casey kommit med invändningar och nu gjorde hennes syster detsamma.

Han bestämde sig för att ändra taktik. – Du serverar väl mat?

– Den bästa i staden, meddelade hon stolt.

– Har du några som letar igenom containern efter rester?

– När kvällen är över kan vem som helst som är hungrig komma till bakdörren och få resterna. Det är välkänt här i trakten. Om det hade kommit några i kväll skulle de ha fått potatissoppa.

Han blev förvånad och kände sig lite tillplattad. – Hur länge har det varit så?

Megan log och tycktes vara lite mindre på sin vakt. – Vill du ha en historielektion?

– Ända tills temperaturen sjunker några grader till.

Hon började gå mot bortre änden av parkeringsplatsen,

förbi containern, och Niccolo följde efter henne. Under några magra kanadapopplar och pilar stannade hon på det frusna gräset. De befann sig på en kulle, något som var ganska sällsynt på Clevelands västra sida.

– Vet du vad det där är? undrade Megan.

Niccolo såg ut över en tätort som påminde om andra i delstaterna vid de stora sjöarna. Längst borta i öster låg Clevelands centrum, en galax av artificiella ljus och en horisont som aldrig fått det beröm den förtjänade. Den nya fotbollsarenan syntes tydligt, liksom ett antal av stadens historiska broar och byggnader.

Närmare dem, norrut och bortom en sexfilig motorväg, fanns ett industriområde. Han kunde se pyramider av järnmalm, en mängd järnvägsspår och sedan Eriesjön som gnistrade i vinternattens stjärnljus.

– Utsikten är bättre på dagtid. Megan lade armarna i kors och stoppade in händerna i jackärmarna. – Då kan man se två fyrar och Huletterna.

– Huletterna?

– Det är kranar som är större än de flesta av byggnaderna här. Efter 1912 användes de för att lasta av malmen från båtarna som transporterade den över Stora sjöarna. Det var snabbare och billigare än att ta kål på ytterligare en generation irländare.

– Var de dina förfäder?

– Det sägs så. Irländarna alltså, inte kranarna.

Niccolo var alltid intresserad av historia, men han undrade vad det här hade med mannen på barens parkeringsplats att göra. – Vad var det egentligen du ville visa mig?

– Vet du vad de kallar det här? Hon gjorde en gest mot området mellan motorvägen och vattnet, ett landskap som dominerades av malmhögar och järnvägsspår.

– Ingen aning.

– Whiskey Island, whiskeyön.

För första gången förstod han meningen med namnet på baren. – Varför det?

– Den första whiskeyfabriken i nordöstra Ohio anlades här i början av artonhundratalet, när Cleveland inte var något annat än träskmark och mördande vintrar. Lite senare slog sig irländarna ner på Whiskey Island eftersom ingen annan ville ha marken, och plötsligt tyckte alla i Cleveland att området hade ett lämpligt namn.

Niccolo började känna sig road. – Är det inte bara en skamlig fördom?

Megan såg på honom. – När de var som flest fanns det i alla fall fjorton barer på Whiskey Island.

Han visslade tyst.

– Det är ingen ö, även om det förmodligen har varit det en gång i tiden, utan en halvö. Men du frågade hur länge vi har delat ut mat. På trettiotalet var det en blomstrande småstad där ute, och mina föregångare kom helt enkelt in i den vanan. De höll på med det i flera år, naturligtvis helt informellt. Alla som behövde fick en tallrik soppa utan att någon ställde några frågor. När sedan depressionen kom serverades det mat här på parkeringsplatsen varenda kväll. Vid stängningsdags kom männen upp hit och hämtade kvällens rester, och man har berättat för mig att min familj såg till att det alltid blev mat över så att det fanns något att dela ut.

– Har baren tillhört er familj så länge?

– Ja, ända sedan huset byggdes i slutet av artonhundratalet. Innan dess bodde mina förfäder också där nere. När de fick det bättre ställt och började tala om att flytta vägrade de att ge sig iväg så långt att de inte längre såg Whiskey Island. De ville inte glömma varifrån de kom och det har ingen av oss gjort senare heller.

Niccolo tänkte på hur ovanligt det var. Samtidigt visste han att hans egna föräldrar skulle ha förstått hur släkten Donaghue kunnat fästa sig så starkt vid ett charmlöst förortsområde.

– Du menar att ni har hjälpt behövande länge, och att någon av dem har lämnat kvar skosulan under din systers bil?

– Nej, det är nog troligare att den låg där redan när Casey parkerade bilen. Den kan mycket väl ha legat där i flera veckor.

Han tittade ner på vägen under dem. Slänten som ledde dit var brant men inte oframkomlig, och motorvägen var inte särskilt hårt trafikerad vid den här tiden. En man till fots kunde ta sig ner och över vägen utan att råka illa ut, och han kunde göra det långt innan någon kom på tanken att leta efter honom. I det här fallet rörde det sig om åtskilliga timmar.

Niccolo bestämde sig för att köra ner till Whiskey Island och ta en närmare titt på området. – Kanske mannen jag såg i kväll var ute efter en gratismåltid? föreslog han.

– Om han hade stannat kvar skulle han ju ha fått det, påpekade Megan. Han behövde inte fly sin väg.

– Tänk om han var rädd för att få bekymmer efter det han gjort?

– För att han förhindrade en bilstöld?

– Du tycks vara fast besluten att övertyga mig om att jag bara inbillade mig att jag såg honom?

Megan svarade inte genast, och när hon gjorde det lät hon likgiltig. – Vi kommer aldrig att få veta det. Jag trodde bara att du skulle tycka om att höra lite historia. Det är en bra bakgrund om man snokar omkring.

– Snokade jag omkring?

– Det kan man kanske säga.

Han lade ena handen på hennes axel. – Om jag nu snokar omkring kan jag väl få fråga om en sak till?

– Bara jag kan hjälpa till så . . .

Niccolo lät handen sjunka. – Tidigare i kväll, när biltjuven försökte få din syster att stiga ur bilen . . .

– Casey?

Han nickade. – Casey tycktes vara orolig för att männen skulle ta Ashley.

– Det försökte de ju också, eller hur? De tänkte använda henne som gisslan.

– Nej, jag menar före det, när det inte fanns någon anledning att tro att de ville ha något annat än bilen. Och flickan såg ut att vara rädd för samma sak.

– Hon är ju bara en liten unge och var alldeles vettskrämd. Gör inte barn allting till något personligt? Megan lät uppriktigt osäker och förvånad.

– Det verkade lite konstigt i alla fall.

Megan stod tyst en liten stund, men sedan vände hon sig om och började gå tillbaka över parkeringsplatsen. – Det vet jag faktiskt ingenting om, Nick. Jag har inte ens haft tid att ta reda på särskilt mycket alls om Ashley ännu. Men varför är du så intresserad av det? Jag tycker att det låter som en småsak.

Niccolo förvånade sig själv med att skratta urskuldande. – Ingenting blir smått när man har haft en konfrontation med en beväpnad sociopat. Jag kanske förstorar upp allt och försöker hitta en mening där det inte finns någon.

Men egentligen visste han varifrån hans intresse för den "inbillade" mannen kom. Av orsaker som han inte tänkte avslöja varken kunde eller ville han släppa tankarna på mannen som varit insvept i flera lager kläder.

Hon stannade utanför barens bakdörr. – Är du inte för gammal för sådant här? Vet du inte att det mesta som händer oss är fullständigt godtyckligt och utan den minsta mening?

Megans kinder var täckta av snöflingor. Först nu märkte Niccolo att snön som Casey förutspått tidigare hade börjat falla. Han såg hur snöflingorna landade på Megans kortklippta lockar och fastnade i hennes ögonfransar, och han fylldes av en egendomlig längtan efter att sträcka fram handen och fånga en snöflinga som lade sig till rätta på hennes nästipp.

Men han höll kvar händerna i fickorna. – Jag vet inte säkert, Megan, men jag är inte övertygad om att du verkligen tror på det där.

– Om du skulle slå vad om det skulle du förlora pengarna.

– Den risken kan jag ta, log han.

Hon stelnade till. – Du råkade gå förbi här i kväll och kunde lika gärna ha gått ett kvarter längre bort. Naturligtvis är jag glad över att du inte gjorde det, men jag tror inte att det var en del i någon gudomlig plan att du hjälpte oss i kväll.

Niccolo log åt hennes knappt dolda ilska. – Jag kan nästan höra hur dina förfäder här på Whiskey Island vänder sig i sina gravar, Megan Donaghue. Du gör säkert korstecknet så fort jag vänder ryggen till.

– Det skulle i så fall vara första gången på ett årtionde.

– En avfallen katolik . . .

– . . . är fortfarande en katolik? Knappast. Inte förrän påvestolen inrättar en församling för ateister.

Det var dags att låta henne gå tillbaka in. Niccolo förstod att han fortsatt prata för att han inte kände sig redo att bryta kontakten. Det var en ovan känsla, och först hade han inte ens förstått den. Under ett ögonblick visste han inte riktigt vad han skulle göra.

– Kanske kan jag somna nu, sa han slutligen. Det är i alla fall bäst att jag går hem och försöker.

– Var det vad det här handlade om? Sömnsvårigheter?

– Snarare obesvarade frågor som höll mig vaken, förklarade han.

– Då har du alltså fått de svar du ville ha nu?

Än en gång tänkte Niccolo på att det fanns en väldig energi i samtalet även om det på ytan föreföll nästan överdrivet nonchalant. – Egentligen inte.

– Då är jag ledsen att du hamnade i en återvändsgränd. Men jag antar att det inte fanns något mer att hämta här.

Två saker slog honom, för det första att Megan var fast besluten att övertyga honom om att han inbillat sig saker och för det andra att hon var tillräckligt klok för att förstå att han bara skulle bli mer intresserad om hon protesterade. Han undrade om Megan Donaghue innerst inne *ville* att han skulle upptäcka mer, även om hon kanske inte ens hade erkänt det för sig själv.

Megan öppnade bakdörren, nickade och gick sedan in och stängde den efter sig.

Parkeringsplatsen var tyst igen när Niccolo gick därifrån.

Snöflingorna smälte under hans fötter när han vårdslöst svängde fram och tillbaka med ficklampan vid Caseys bil en sista gång innan han lämnade den.

Det var nära att han missade manschettknappen. Den låg precis bakom vänstra framhjulet, och om inte ficklampan fångat upp en oväntad ljusglimt skulle han aldrig ha fått syn på den. Han gick fram och plockade upp den.

Manschettknappen var av guld och märkligt utsirad. Ljusglimten han fått syn på kom från två rader diamanter som bildade ett par sammanflätade S.

Niccolo var ingen expert på smycken, men han behövde bara kasta en blick på manschettknappen för att se att den var gammal och troligen värdefull. Han undrade vad han skulle göra. Biltjuvarna hade fångats medan de begick sitt brott, så knappen kunde inte på något sätt vara ett bevis som polisen hade behov av. Han tvivlade faktiskt på att den hade något alls med bilstölden att göra, åtminstone inte direkt.

Men den hemlöse mannen, som han blev alltmer övertygad om att han sett, kunde mycket väl ha tappat knappen. Om han sökte igenom allmänna sopor för att hitta något att sälja tog han säkert hand om även sådana här personliga saker. Den märkliga manschettknappen kunde mycket väl komma från honom.

Niccolo funderade över vad han skulle göra, men han hade bestämt sig redan innan han stoppade ner knappen i fickan.

5

Klanen Donaghue älskade att ställa till fest, trots att medlemmarna under årens lopp kommit allt längre ifrån varandra. När Bobby Donaghue tappade en mjölktand firade de det, och när Kyle Donaghue Flanagan utsågs till Cuyahoga Countys revisor firade de det också. Och om Kyle – som i familjen kallades Långfingrade Pete – hade blivit avstängd från tjänsten på grund av oetiska aktiviteter skulle de kanske ha firat till och med det.

De nuvarande Donaghues tillhörde tredje eller fjärde generationen efter den hungersnöd som fått deras svältande förfäder att tränga ihop sig i små, överfyllda skepp för att ta sig till Amerika. Skräcken för att inte ha mat för dagen hade minskat med varje generation, men viljan att fira till och med de minsta ögonblicken i livet hade inte avtagit.

De flesta av festerna gick av stapeln på Whiskey Island Saloon. Det hade varit en minnesvärd, våldsam fest vid millennieskiftet – så minnesvärd att det faktiskt hade varit förhållandevis lugnt sedan dess medan släkten återhämtade sig. Men redan kvällen efter bilstölden och Caseys oväntade hemkomst var firandet i full gång igen. Megan hade anat det och förberett köket ordentligt. Om inte annat skulle potatissoppan försvinna snabbt och aldrig behöva se en skymt av frysen, och då hade de i alla fall biltjuvarna att tacka för något.

– Hur är det med min favoritsysterdotter?

Megan utsattes för en morbrors ölstinkande omfamning.

Det var Dennis, hennes mors äldste bror. Att gifta in sig i klanen Donaghue värderades lika högt som att ha blodsband om inte den nya medlemmen predikade eller gjorde sig märkvärdig. De ingiftas släktingar accepterades också, särskilt om de hade en droppe irländskt blod i ådrorna.

– Jag mår bra, morbror Den. Hon kramade honom tillbaka och knuffade sedan undan honom. – Nu går du över till Coke, eller hur?

– Vill du att jag ska skåla för mina systerdöttrar i sådant blask?

Dennis Cavanaugh rynkade pannan så magnifikt att glasögonen med sköldpaddsbågar gled nerför den branta näsan.

– Jag vill att du ska *sluta* skåla för dem.

Megan visste vilka i familjen hon skulle gräla på, vilka hon skulle lirka med och vilka hon skulle säga nej till. Morbror Dennis hade en gräns vid två glas, för när han hade fått fler var han svårare att bli av med än flugorna på en hundlort. Det hade hon fått veta redan som barn efter ett minnesvärt svirande. Den gången hade Dennis helt enkelt flyttat in hos hennes föräldrar, och det hade tagit dem en hel vecka att få iväg honom.

– Ta en tallrik potatissoppa så tänker du inte så mycket på törsten. Megan klappade honom på en av de yviga polisongerna.

– Är det Rosaleens?

Megan nickade. Rosaleen var Megans farfars farmor, och hennes rätter hade utgjort huvuddelen av Whiskey Islands Saloons meny ända sedan baren öppnades. Recepten var legendariska, inte bara inom familjen utan även hos en stor del av befolkningen i närheten.

Dennis sken upp av förväntan. – Du tänker förstås inte tala om för mig vad det är du blandar i för att få den så krämig?

Megan låtsades tänka efter och öppnade munnen som om hon skulle börja säga något. Men så stängde hon den igen och log finurligt.

– Din skurk! gormade han.

– Peggy? ropade hon till systern som kom gående med en bricka med tomma glas. En potatissoppa. Megan pekade på sin morbror. – Och en Coke.

Peggy kastade en slängkyss till morbror Dennis och gick iväg för att ställa ifrån sig brickan i köket.

Casey kom fram till dem. Som kvällens hedersgäst bar hon åtsittande svarta sammetslångbyxor och en broderad, guldfärgad tunika som var så elegant att den skulle ha ställt till kaos i ett harem. Klädseln passade henne.

Hon gjorde en grimas. – Jag tar en paus från söta barndomsberättelser, trevliga anekdoter och fängslande små hågkomster av keldjur, barndomsvänner och lekstugor byggda av kartonger.

– Då har du kommit till rätt ställe, förklarade Dennis för henne. Jag ska säga som det är: du var en riktig busunge, och din välsignade mor tillbringade mer tid med att försöka förmå de heliga systrarna i klosterskolan att inte kasta ut dig än hon tillbringade i baren här.

– Lägg av med det där irländska uttalet, morbror Den, insköt Megan vänligt. Du har bara varit på Irland en gång, på en tvåveckorsresa.

– Men vilka fantastiska veckor det var!

Casey kysste honom på kinden. – Det är så uppiggande att lyssna på en ärlig man. Mina år på annat håll tycks ha suddat bort mitt förflutna.

– Du har varit borta för länge, menade Dennis. Du kan inte förvänta dig att alla ska komma ihåg vilken hondjävul du var.

– Var försiktig nu, annars kanske jag börjar tro att jag inte har varit borta tillräckligt länge, varnade Casey.

– Vi har saknat dig, raring, var och en på sitt eget sätt. Du hade ingen rätt att hålla dig borta från familjens sköte så länge. Han kysste henne på kinden och gick iväg för att delta i en annan diskussion.

– Har du roligt? undrade Megan torrt.

– Vad tror du?

Megan lade huvudet på sned. – Jag tror att du är överväldigad. Det är länge sedan du var här.

– Ja, det var precis den här typen av sammankomster som övertygade mig om att vi borde sälja baren.

Megan insåg att de inte var långt ifrån det ämne som de inte hade diskuterat på många år, det som skapat klyftan mellan dem. – Och det är precis sådana här sammankomster som fortfarande övertygar mig om att vi inte ska göra det.

– Ja, du har ju fått som du ville, och här står vi nu och har en till.

– Är du verkligen så olycklig över att ha släkten samlad omkring dig?

– Vad ska jag säga? Jag har ju påstått att jag aldrig skulle gå in genom den här dörren igen, och nu står jag här i alla fall. Casey suckade. – Så fort jag behövde hjälp kom jag springande till dig och Whiskey Island Saloon.

En kusin kom fram och drog iväg med Casey, och Megan gick ut i köket för att ta en paus från alla människor. Såvitt hon kunde bedöma fanns det ungefär femtio välgångsönskare där, utöver stamgästerna och några få som bara hade tittat in. Under omständigheterna var det en liten grupp, men vintern hade fört med sig en riktigt otäck influensa och de flesta Donaghues med småbarn eller hemmaboende gamlingar hade stannat hemma för att undvika den.

I köket hittade hon Peggy, som stod och öste upp potatissoppa i en djup tallrik. Artie, den ofta frånvarande kvällskocken, tog sig förmodligen en välförtjänt paus.

Megan slogs som alltid av hur söt hennes yngsta syster var med det mörka håret och en mörkare version av hennes egna bärnstensfärgade ögon. Peggys ansiktsdrag var mjukare än Megans och Caseys och hennes smidiga kropp fylligare. Men det mest anmärkningsvärda var den fullständiga tilltro till mänskligheten som syntes i alla hennes rörelser och gester. När Peggy var liten hade Megan varit rädd att hon skulle bli vän med en yxmördare därför att hon var övertygad om att han var en snäll man som bara behövde några goda råd.

– Du skulle inte ha klarat dig utan mig i kväll, sa Peggy över axeln. Det har blivit rena djurparken här.

Sedan historien om bilstölden tryckts på lokaltidningens förstasida hade Megan fått ta emot en mängd telefonsamtal och oväntade besök från oroliga släktingar som velat försäkra sig om att systrarna verkligen mådde bra. Vid tolvtiden hade hon förstått att hon kunde förvänta sig en invasion på kvällen, så det var bara att börja planera, ringa in beställningar och laga mat. Hon hade inte haft en lugn stund på hela dagen och inte hunnit prata ordentligt med vare sig Casey eller Peggy.

– Det är härligt att ha dig hemma, svarade Megan, men om du inte hade varit här skulle någon ha tagit ett extra pass för att hjälpa till. Du borde egentligen göra viktigare saker.

– Vad kan vara viktigare än en familjeåterförening?

Megan visste bättre än att börja fråga ut Peggy just nu, men hon kastade i alla fall fram en trevare. – Jag är så glad över att du och Casey är här, men jag trodde att skolan började den här veckan?

– Det gör den.

– Och det spelar ingen roll att du missar några dagar?

– Jag var bara hemma två dagar under jullovet. När Casey talade om för mig vad hon tänkte göra gick sjukhuset med på att jag tog ledigt några dagar.

Under läsåret arbetade Peggy deltid som receptionist på en akutmottagning. Arbetet var inte särskilt välbetalt, men det gav god praktik inför de medicinstudier som hon hoppades få påbörja till hösten. När sjukhuset schemalagt henne över julhelgen hade hon varit tvungen att gå med på det för att få behålla arbetet.

Megan lade ena handen på Peggys axel. – Du känner ju mig och vet att jag alltid oroar mig. Men jag vill inte att du ska tro att du behöver agera medlare mellan Casey och mig, ifall det är därför du är här.

– Kan jag inte bara komma hem när jag vill, utan någon särskild anledning?

– Jo, det är klart, och jag har saknat dig, sa Megan mjukt.

Men jag är ledsen över den där historien på parkeringsplatsen i går kväll.

– Oroa dig inte. Om några dagar kommer jag bara att se på den som en god inblick i hur ett par psykopater tänker. Lite gratispraktik på nära håll, du vet?

Megan vände systerns ansikte mot sitt, så som hon ofta brukade göra för att se om det fanns några spår efter skador eller något tecken på att Peggy var olycklig.

– Säg inte att du funderar på att läsa psykiatri?

Peggy log. – Varför inte? Vi behöver väl en psykiater i släkten?

– Skojar du? Du kommer att bli så upptagen med dina släktingar att du inte får tid för någon annan.

– Det är inga problem, jag tar bara dubbelt betalt. På samma sätt som du alltid har tagit dubbelt betalt för deras drinkar.

– Jag kräver dem inte på för mycket, det är de som ger för mycket i dricks. Men tänk om du får morbror Den på din soffa? Megan låtsades rysa till. – Är det inte bättre att du läser idrottsmedicin? Det finns inte en enda sportfåne i det där gänget.

– Vi behöver väl inte bestämma det nu? Om jag inte går ut med potatissoppan till morbror Den vet man aldrig vad han hittar på.

Megan sänkte handen. – Sätt upp mig på listan för ett riktigt långt, trivsamt samtal är du snäll. Jag skulle vilja komma i kapp med vad du har gjort.

Peggys leende försvann. – Nej, du vill fråga ut mig, och då är det inte mer än rätt att jag varnar dig. Jag vill inte bli korsförhörd. Jag behövde bara vara här tillsammans med mina systrar och ta det lugnt ett tag.

Det fanns en skarp klang i Peggys mjuka röst som förvånade Megan. – Hur länge?

– Så länge jag behöver. Kan du respektera det?

Megans invändiga radar signalerade ett nödrop, men hon nickade. – Javisst. Jag finns här när och om du vill prata med mig. Annars håller jag mig till vädret och nästa års fotboll.

Peggy slappnade av en aning. – Det finns alltid bra lag att satsa på.

– Om de inte förlorar, ja.

Peggy ställde tallriken på en bricka. – Bit ihop nu.

Megan följde efter sin syster ut i baren igen, och där småpratade hon med fler släktingar och stamgäster och fyllde på några glas innan hon gick fram till ett hörnbord nära dörren, där Peggy satt och pratade med en faster och farbror. Frank Grogan reste sig och sträckte ut armarna när Megan närmade sig, och hon gick pliktskyldigast fram för att få en kram och en kyss.

Deirdre Grogan omfamnade henne också. Hon var en liten, feminin kvinna, som alltid tycktes vara nära att avslöja en viktig hemlighet. En gång i tiden hade hennes hår haft samma kopparfärg som Caseys, men under de senaste åren hade det – med lite hjälp – mognat till samma färg som champagne. Både Deirdre och hennes make var ledigt klädda, men hennes tröja var handstickad av en berömd designer och hans kavaj skräddarsydd.

Paret Grogan var inte så färgstarka som en del av de andra släktingarna, men de var vänliga och skötsamma. Deirdre avsatte varenda ledig minut åt kyrkans välgörenhetsarbete, och Frank, som var en framgångsrik affärsman, ställde alltid upp när någon av släktingarna behövde en referens eller ett lån. Paret hade alltid betraktat flickorna Donaghue som de döttrar de aldrig fått själva. Under Peggys barndom hade de varit hennes extraföräldrar och sett till att flickan aldrig saknade något. De hade försökt göra samma sak också för de äldre och mer aggressivt stolta Megan och Casey, men där hade de inte lyckats lika bra.

– Peggy berättade precis om sitt arbete, förklarade Deirdre.

Megan visste att Peggys arbete var ett känsligt ämne. Paret Grogan var tillräckligt välbärgade för att kunna hjälpa Peggy genom college, och de hade upprepade gånger erbjudit sig att göra det. Men Peggy hade envist tackat nej och bara låtit dem betala för hennes läromedel, ingenting annat. Det hennes lön inte täckte fick hon med hjälp att ett väl tilltaget stipendium.

– Personalen har varit fantastisk när det gäller att instruera mig så fort de haft möjlighet, berättade Peggy. Jag har lärt mig en del enklare arbetsmoment, och en av läkarna låter mig alltid få ställa frågor medan han arbetar när jag inte har något annat att göra.

– Du har fina referenser för medicinstudierna, konstaterade Frank. Och med dina betyg kan du söka in precis var du vill. Du vet att vi tänker hjälpa dig.

– Vi har satsat Peggys andel av barens vinst för att hon ska kunna använda dem till sina studier, förklarade Megan bestämt. Det har vi gjort ganska länge.

Peggy sken upp. – Eftersom alla har så gott om pengar att dela med sig av kan ni väl slå er ihop och skicka mig till Aspen i några månader i stället. Om jag får lite skidåkning och coloradosol kanske jag inte bryr mig om skolan mer.

– Det är bättre att vi köper skidor åt dig när du har tagit din examen, tyckte Deirdre.

Alla skrattade och den spända stämningen lättade.

Megan började gå tillbaka mot köket, men när hon kommit halvvägs upptäckte hon förvånat att hennes farbror hade följt efter henne.

– Megan. Han lade ena handen på hennes axel och tog inte bort den ens när hon stannade. I stället förde han henne till ett förhållandevis lugnt hörn. – Jag måste få tala med dig.

– Vi kan diskutera medicinstudierna när de väl är ett faktum, började hon. Hon har inte ens gjort något val än.

– Det här handlar inte om Peggy, raring.

Ordet "raring" skrämde henne, för till skillnad från Dennis var Frank försiktig med ömhetsbetygelser och känslor. Han tycktes inte ens ha förstått vad han sagt, men han drog handen genom det tunna håret på det sätt som han alltid gjorde när han inte riktigt trivdes med situationen. Det stora adamsäpplet guppade upp och ner när han harklade sig.

– Jag fick ett besök i morse som jag tänkte att du kanske var intresserad av att känna till . . .

Megan förstod att en av dem var tvungen att gå rakt på sak. – Av vem?

– En man som hette Niccolo Andreani.

Tankeförmågan kortslöts för ett ögonblick, och det dröjde några sekunder innan hon kunde svara. – Kom Nick hem till er?

– Nej, nej. Jag skulle ha sagt det direkt. Det var på mitt kontor. Han . . . Frank avbröt sig som om han just insett vad hon egentligen sagt. – Då känner du honom?

– Farbror Frank, det var Nick som förhindrade bilstölden. Jag hoppades att han skulle komma hit i dag för att fira. Kanske borde jag ha skickat någon hem till honom för att tala om det. När hennes farbror varit tyst alldeles för länge fortsatte hon. – Vad gjorde han på ditt kontor, och varför berättar du det för mig?

– Han kom inte direkt till kontoret. En av mina arbetare hittade honom när han snokade omkring på området.

Hon förstod att han menade sitt fabriksområde. När Frank Grogan slutat high school började han jobba på järnvägen på Whiskey Island, och en kväll efter arbetet hade han kommit till Whiskey Island Saloon för att släcka törsten. Där hade han träffat den unga Deirdre, barägarens blonda dotter. En kort tid därefter hade den tafatte och slätstrukne ynglingen gift sig med den underbara Deirdre, gett sig av till Vietnam och återvänt med fickorna fulla av medaljer och flera tusen dollar i pokervinster. Dessutom hade han kommit till insikt om att världen höll på att förändras och att det var bäst att han förändrades med den.

Han hade investerat i en nergången grustäkt nära järnvägsstationen, och med hjälp av hårt arbete och sunt förnuft hade han förvandlat grustaget till ett lyckat miljondollarföretag. Numera hade han sitt finger med i ett dussin olika företag, men han hade behållit huvudkontoret på Whiskey Island där han trivdes bäst.

– Vad ville Nick då?

Megan såg Barry komma med en bricka åt deras håll, men viftade undan honom. Hon visste redan att hon måste avsluta samtalet snabbt och sedan komma och hjälpa till.

– Han sa att han hade sett en gammal man bege sig åt vårt håll kvällen före och trodde att han kunde bo på Whiskey Island. Mannen var tydligen klädd i flera lager kläder som om han varit hemlös.

Det knöt sig i magen på Megan. – Och han sa inte var han hade sett honom?

– Nej, han var lite vag när det gällde det, och jag visste inte om . . . Frank skakade på huvudet. – Jag borde ha förstått sambandet eller frågat ut honom mer. Niccolo Andreani sa bara att han hade orsak att tro att den hemlöse gått över motorvägen i går kväll och hamnat ute på Whiskey Island. Han ville veta om det fanns några hemlösa där ute.

– Jag vet inte riktigt varför du talar om det här för mig . . .? Men egentligen var hon betydligt säkrare på det än hon ville vara.

– Vi har fått in rapporter, Megan. Iakttagelser, kan man säga.

– Iakttagelser? Av vad?

– En man. Ingen har sett honom ordentligt, men de har fått glimtar av honom och beskrivningen är oftast densamma: han är av medellängd och bär flera lager av gamla kläder. Frank tystnade och ryckte sedan på axlarna. – Rött hår. Och han haltar.

Megan slöt ögonen, men det kunde inte få bort bilden av mannen som Frank beskrev.

Frank sänkte rösten. – Var den här hemlöse kraken inblandad i bilstölden? Var det därför Niccolo var nere på ön och ställde frågor i morse?

Megan suckade och tittade upp igen. – Nick påstår att han såg en man fly när polisen hade kommit, och det var inte någon av biltjuvarna. Tvärtom, han oskadliggjorde en av dem så att polisen kunde få fast båda två.

Frank var tyst.

– Casey tror också att hon såg honom, sa Megan till sist.

– Kände Casey igen honom?

Megan svarade inte på frågan. – Det kan inte ha varit Rooney, farbror Frank, om det är det du menar. Ingen har sett en skymt av Rooney på över tio år, så han måste ha vandrat iväg till den stora baren i himlen.

– Låt inte din faster få höra dig prata på det där sättet, Megan.

– Oroa dig inte. Jag tänker inte säga något om Rooney över huvud taget.

– Din vän Andreani kan ändra på den saken.

Hon var på väg att gå, men nu hejdade hon sig och vände sig om igen. – Vad menar du med det?

– Bara att han verkar vara fast besluten att hitta mannen han såg, vem det än är. Han är inte bara nyfiken utan nästan besatt av tanken. Vet du varför det är så?

– Niccolo är en främling här. Han hade inte ens satt sin fot i baren förrän i går kväll. Jag skulle tro att han är tacksam mot mannen därför att han räddade dem. Om det nu var så det gick till.

– Jag tycker att du ska tala med Andreani, fastslog Frank.

– Varför det?

– Därför att han kommer att fortsätta ställa frågor. Och om den hemlöse är . . .

– Det är han inte . . . Megan insåg att hon hade höjt rösten så mycket att de som satt närmast hade vänt uppmärksamheten mot henne och Frank. Om hon inte aktade sig skulle de snart befinna sig mitt i en folksamling, och därför sänkte hon rösten till en svag viskning. – Jag ska tänka på vad du har sagt.

– Jag försökte själv få Andreani på andra tankar, Megan. Om det inte är nödvändigt vill jag inte att han väcker upp gamla minnen. Men han kanske skulle behöva höra det från dig.

– Ja, jag ska fundera på saken.

Frank log sorgset. – Jag finns alltid här om du behöver mig, och jag ska göra allt jag kan. Men låt oss inte blanda in Deirdre eller Peggy. Inte än.

– Inte *alls*. Och var snäll och säg inget till Casey heller.

– Nej, det ska jag inte göra, lovade farbrodern.

*

Ingen tyckte bättre om att roa sig än Casey. Hon hade talang för det och visste hur man väljer rätt man att göra det tillsammans med. Under kvällens fest hade hon träffat en som var lastbilschaufför och försökte se ut som Elvis Presley. Earl hade en före detta fru och två barn och ville inte hamna i en sådan situation igen. Han var nykomling på Whiskey Island Saloon, men inte för Casey. Hon hade träffat hundratals Earl i sitt liv och visste precis vad hon kunde få och inte få av honom.

Först hade hon uppmuntrat honom bara för att han inte var som släktingarna. Earl var en av de få i baren som inte kände till hennes bakgrund och hade bestämda åsikter om den. Under kvällens lopp hade hon flirtat med honom men samtidigt hållit sig på sin kant, och nu såg hon att han förväntade sig att hon skulle bli mer tillmötesgående.

– Är du säker på att vi inte kan smita iväg härifrån en liten stund, raring? frågade han där han satt på en stol i ena änden av bardisken. Han grep tag i Caseys hand och tryckte den hårt mot sitt mellangärde.

Eftersom han ställt samma fråga i lite olika versioner var femte minut under den senaste halvtimmen började hon känna sig irriterad. – Jag kan inte gå någonstans, det är ju min välkomstfest.

Hon brydde sig inte om att nämna Ashley, som blivit presenterad för släkten och sedan förpassats till övervåningen tillsammans med en tonårig barnvakt. Casey ville inte överväldiga den lilla flickan – Casey själv var tillräckligt överväldigad för dem båda.

– It's my party and I'll cry if I want to . . . sjöng han falskt.

– Vad menar du?

– Det är en sång, men du är för ung för den. En flicka. Min flicka.

– Jag är inte din någonting, Earl. Och jag har redan talat om att jag måste stanna här i kväll. Casey drog till sig handen.

– Vad säger du om en öl till?

– Jag vill inte dricka så mycket att jag inte kan prestera något.

Casey trodde inte att det var sin egen version av Elvis Blue Suede Shoes han syftade på. – Du får väl leta reda på någon annan att prata med. Alla är snacksaliga här, så det borde inte vara något problem. Mina släktingar har verkligen fått talets gåva. Det är faktiskt en fördom om irländare som stämmer.

Earl såg fullständigt nollställd ut. Han tycktes ha lika mycket fantasi som en digitalklocka, och Casey gissade att hon dragits till honom därför att hon inte behövde koncentrera sig på vad han sa.

Hon klappade honom på kinden. – Bry dig inte om det där. Leta bara reda på någon som du kan prata med.

Ansiktet fylldes av irritation. – Jag tänker inte stanna kvar här. Antingen följer du med mig nu, eller också letar jag reda på något ställe som är roligare än det här.

Casey tyckte inte om hot och nu började hon inse att hon inte tyckte om Earl heller. Han såg bra ut i sina åtsittande jeans och hade en underläpp som skulle ha passat perfekt i Elvis film Blue Hawaii, men han tycktes också ha stjärnans höga uppfattning om sig själv.

Hon höjde hakan. – Som du vill, stick då.

– Vem tror du egentligen att du är? Han reste sig från barstolen. – Inbillar du dig att du är för fin för mig? Du är ju ingenting, utan bor bara här ovanpå en bar.

– Men du är förstås något väldigt speciellt eftersom du släpar på bananer från New Orleans till Chicago och förmodligen stoppar i dig tillräckligt med tjack för att kunna springa mil efter mil.

Hans ansiktsuttryck blev nollställt igen. Troligen insåg han att han blivit förolämpad, men han visste inte riktigt hur.

– Nu sticker jag. Jag kan fixa något bättre än det här. Mycket bättre.

– Då tycker jag att du ska göra det.

Han knuffade henne åt sidan och började gå mot dörren. Men han hade inte hunnit många steg förrän en annan man ställde sig i vägen för honom.

– Vet du om att du precis knuffade undan damen där?

Mannen var inte riktigt lika lång som Earl, men hans kroppsställning var hotfull. Det såg egendomligt ut eftersom han bar en klassisk, grå kostym och hade tummarna lätt instuckna i byxfickorna.

– Flytta på dig!

– Det tror jag inte, svarade mannen lugnt. Du är skyldig damen en ursäkt.

Casey kände igen mannens röst, men hon kunde inte placera den. – Hör du, bryr dig inte om det, bad hon. Låt honom gå bara.

Mannen skakade på huvudet. Han hade kort, mörkt hår till skillnad från Earls tuppkam och polisonger, och ansiktet var tilltalande utan att ha några speciella drag. Det var ett perfekt ansikte för den som ville förbli obemärkt.

– Jag tror att han behöver säga det. Det skulle kännas bra för hans samvete. Eller hur? De sista orden riktade han till Earl.

– Försvinn! Earl fräste precis som Elvis på äldre dagar.

– Inte förrän du har bett om ursäkt.

– Känner jag dig? undrade Casey.

Innan mannen hann svara gick Earl till anfall. Främlingen tog ett steg bakåt och höjde ena armen för att avleda Earls manöver, samtidigt som han flyttade sin egen tyngdpunkt framåt. Earl vinglade till och snurrade runt ett halvt varv, och hans motståndare vred om armen bakom ryggen på honom och höll den fast där.

– För-låt mig . . . Främlingen uttalade orden lugnt och tydligt. Han bad inte om ursäkt utan demonstrerade hur det skulle göras.

Earl såg på Casey. Hon visste inte vem av dem som var mest förvånad. – Säg det bara, uppmanade hon honom med låg röst. Eftersom baren var så fylld av folk hade de inte dragit till sig någon större uppmärksamhet än, men det kunde snabbt förändras. – För allt i världen, Earl. Säg det nu, och försvinn sedan härifrån.

Earl mumlade något som lät tillräckligt likt "förlåt mig" för att främlingen skulle bli nöjd. Han släppte sin fånge, men Casey såg att han inte slappnade av utan höll sig beredd ifall Earl skulle kasta sig över honom igen.

– Du har precis missat det bästa sex du skulle ha fått under det här årtiondet. Earl slätade till sin t-shirt i ett misslyckat försök att återupprätta sin värdighet.

– Ha det utan mig, svarade Casey trött. Du kommer inte att märka någon skillnad.

Earl tog några steg åt sidan förbi främlingen och gick raskt mot utgången. Casey såg efter honom tills han försvunnit, och sedan vände hon blicken mot främlingen.

– Känner jag dig?

– Hänger du fortfarande ihop med förlorarna, Casey? Pundarna och de utslagna?

Orden fick henne att ilskna till. – Jag använder inte droger. Det har jag aldrig gjort, och jag väljer mina vänner efter det.

– Ja, det har du nog rätt i. Ungarna du var tillsammans med var hårdare på utsidan än på insidan. Men det var inte många av dem som tog några akademiska examina heller.

– Vad är det här? En attack på alla som inte bär kostym?

– Inte alls. Jag vet många män i kostym som har mindre hjärna än din vän Earl, och en del av dem styr det här landet. Nej, det här är snarare en presentation, ett sätt att locka fram minnena. Jag var en av de där förlorarna. Han log sorgset, och då kände Casey igen honom.

– Jon Kovats. Hon lade huvudet på sned som om en annan

vinkel skulle ge henne mer information. – Har inte vi haft det här samtalet tidigare?

– Jo, för länge sedan.

Egentligen hade samtalet varit en långvarig och ofta avbruten diskussion. Casey och Jon hade gått i samma skola, en överfull allmän high school med två grupper av elever: de som hoppades kunna göra något av sina liv och de som sökte efter enkla lösningar. De hade hamnat i samma klass därför att de båda hade hög intelligenskvot och en önskan att göra något av den, och tillsammans hade de gjort uppror och skolkat från lektioner när de kunnat och pluggat ihop när de inte kunnat det.

Under åren hade de blivit nära vänner och rivaler om de högsta betygen.

– Du har alltid haft ett svagt öga för stackare. Jon satte sig på den stol som Earl nyss lämnat och såg på henne.

– Det har jag inte alls. Däremot var jag aldrig lika mycket snobb som du.

Casey lade märke till flera saker hos honom som inte hade känts viktiga tidigare: de djupt liggande bruna ögonen, den kantiga hakan och inte minst att den gänglige tonårsrebellen förvandlats till en bredaxlad man i kostym.

– Jag? Inte var jag någon snobb. Jag kommer från en lång rad ungerska lantbrukare och föddes med jord under naglarna.

Casey lyfte upp en av hans händer för att se på fingrarna. – Du måste ha skrubbat dem.

– Hej, Casey. Han kramade hennes hand.

Hon svarade med en kliché. – Det var länge sedan.

– Ja, det var det verkligen. Du försvann från jordens yta efter high school. Ingen visste vart du hade tagit vägen.

Det där ville hon inte gå in på. – Jag fick höra skvallervägen att du också lämnade Cleveland.

Jon lutade sig bakåt mot bardisken. – Det är inget stort mysterium. Mina föräldrar väntade bara på att jag skulle gå ut high school. Sedan packade de ihop och flyttade till en liten stad söder om Columbus. Pappa köpte en bilfirma där.

– Och du följde med dem?

– Nej, jag reste så långt bort jag kunde komma. Till San Francisco och sedan till Stanford för att studera juridik.

– Då är det inte så konstigt att ingen kunde hitta dig.

– Var det någon som kunde hitta dig då?

– Inte var det särskilt lätt i alla fall. Casey förklarade inte varför, utan i stället räknade hon snabbt efter hur länge sedan det var hon träffat Jon. Hon tyckte inte om svaret. – Det är tio, nästan elva år sedan vi sågs. Du studerade juridik, sa du. Är du advokat?

– Jag arbetar på distriktsåklagarkontoret numera.

Casey tänkte på hur Earl sett ut när han haft armen uppvriden bakom ryggen. Hon gissade att långtradarchauffören vunnit fler bråk än han förlorat.

– Är det där du har lärt dig att försvara dig?

– Nej, det lärde jag mig hos Los Angeles-polisen.

Hon höjde frågande på ena ögonbrynet.

– Efter college visste jag inte riktigt vad jag skulle göra, förklarade han. På den tiden var jag inte säker på om jag ville fånga skurkarna eller sätta dem i fängelse, så jag var polis ett tag innan jag fortsatte läsa.

– Du har alltid haft en starkt utvecklad känsla för rätt och fel, konstaterade Casey. På något sätt förde hennes ord tillbaka samtalet till den punkt där det inletts. – Det är likadant med mig. Mina vänner kanske inte uppfyller dina höga krav, men jag är försiktig. Inga berusade, inga drogade och inga våldsamma.

– Bara sådana som du inte behöver prata med, eller hur? Sådana som inte lyssnar.

Han mindes en hel del trots att det var över tio år sedan de skilts åt. – Välkommen hem, Jon.

Han log. Det var ett sexigare leende än hon mindes, inte riktigt en gammal god väns. – Du är fortfarande samma gamla Case, eller hur? När jag kommer för nära sanningen stänger du mig ute.

– Varför har du kommit tillbaka till Cleveland? Dina föräldrar har flyttat härifrån, men trots det bytte du ut solskenet i Kalifornien mot det här?

– Ja, det gjorde jag. Han sa inte mer.

Någon lade handen på Caseys axel, och hon vände sig om.

Peggy såg ursäktande på henne. – Barnvakten sa att hon var tvungen att gå, så jag betalade och skickade iväg henne. Hon påstod att Ashley sover lugnt, men jag kan ta en paus och titta efter om du vill. Hennes blick gled över till Jon.

Casey presenterade honom snabbt. – Peg, kommer du ihåg Jon? Du var fortfarande ganska liten när han och jag gick ut high school.

Peggy log artigt, men när hon sedan mindes honom sken hon upp. – Jag kommer ihåg dig. Du brukade läsa för mig, serier och sagor. Peggy och Jon utbytte några gamla minnen tills Casey ursäktade sig och drog sin syster åt sidan.

– Du har inget emot att titta till Ashley?

– Nej, men det här stället kokar. De där två borden där borta . . . Peggy pekade. – . . . och de två i hörnet behöver ses till, och jag vet att det är fler som vill ha potatissoppa.

– Titta till henne är du snäll och ta en liten paus, så tar jag hand om borden. Sedan kan vi sätta upp babyövervakaren i köket så att vi hör om hon vaknar.

Casey såg efter sin syster medan hon förberedde sig för att avsluta samtalet med Jon. Kvällen hade tagit en överraskande vändning, och hon kände att hon inte hade full kontroll längre. Det var en känsla som hon inte alls tyckte om.

Men när hon vände sig mot bardisken igen fick hon ännu en överraskning.

Jon Kovats var borta.

6

Megan hade en lägenhet på tredje våningen i ett smakfullt tegelhus på Edgewater Drive. Läget passade henne bra, för hon kunde promenera till både sjön och ett köpcentrum. Vördnadsvärda lönnar stängde ute det mesta av det naturliga ljuset, men lägenheten hade breda fönsterbänkar som hon fyllt med växter. Det fanns en frukostvrå med inbyggda bänkar, och sovrummet var tillräckligt stort för en antik säng i körsbärsträ. Hon hade köpt den efter hårda förhandlingar med en antikhandlare och sedan själv reparerat den. Dessutom hade hon hittat en byrå och ett toalettbord i samma trä i andra, liknande butiker.

Lägenheten var inredd med fynd från loppmarknader och auktioner. En samling tekannor stod uppradad på en hylla i köket, och i sovrummet stod en gammal tillbringare på en byrå. Den innehöll alltid friska blommor, också på vintern. Sängen pryddes av ett överkast som avbildade en blomsterträdgård. Det var sytt av niohundra sextiotvå färgglada sexhörningar som klippts ut ur fodersäckar vid ungefär den tid då huset byggdes.

Sent en kväll hade Megan räknat sexhörningarna, och när hon kommit till tre hundra hade det gått upp för henne att de flesta andra kvinnor i hennes ålder hade betydligt roligare saker att göra på kvällarna.

Megan älskade sin lägenhet, men hon älskade ensamheten ännu mer. Som barn och tonåring hade hon aldrig haft något eget. Att vara ensam hade betytt fem minuter i badrummet. Hon hade delat säng med Casey eller Peggy – och med båda när det var åska. Till och med nu kändes sängen tom, särskilt när det regnade, även om hon tyckte om att vara ensam.

På torsdagsmorgonen vaknade hon till ett duggregn som hon misstänkte skulle förvandlas till hagel eller snö ganska snart. Hon låg kvar i sängen med händerna under nacken och stirrade upp i taket.

Hon hade förberett Rosaleens irländska köttgryta föregående kväll och låtit den stå och sjuda i ugnen. Vid lunchtid skulle Casey med hjälp av Peggy servera den och andra rätter till arbetare från områdets fabriker som tittat in för att få en bit mat och en Guinness eller stadens eget Crooked River Ale, och någonstans i en annan värld skulle Rosaleen kråma sig av stolthet.

Megan önskade att hon kunnat åka till baren, men i stället var hon tvungen att söka upp Niccolo Andreani. Hon hade vridit och vänt på sig större delen av natten, och duggregnet hade bara varit en av orsakerna till att hon känt sig orolig. Hon hade tänkt på sina systrar, som oväntat kommit hem för att stanna, åtminstone för en tid. Sedan hade hon föreställt sig hur Niccolo undersökte Whiskey Island, där deras farfars farmor en gång i tiden sökt efter vildväxande lök, plockat sparris bredvid järnvägsspåren och klagat över bristen på fisk i den oljeförgiftade Cuyahogafloden som flöt förbi hennes lilla skjul på Tyler Street.

Men det var inte Rosaleen Donaghues spöke som Megan var rädd för.

Eftersom önsketänkande aldrig åstadkommit något tvingade hon sig att stiga upp, och någon timme senare parkerade hon sin gamla Chevrolet utanför Niccolos hus. Då hade hon redan kört runt lite och undersökt de närmaste omgivningarna. Som flicka hade hon roat sig med att i fantasin förvandla gamla förfallna hus och föreställa sig dem med ny färg och prunkande trädgårdar. Framför sig hade hon sett breda verandor där man serverade te eller läsk vid bord täckta av blommiga dukar, och hon hade klippt ut tidningsbilder på balkonger med massor av snickarglädje och fönster fyllda av krukväxter. Bilderna hade hon klistrat upp i ett hörn av rummet hon delade med systrarna, och så ofta hon kunnat hade hon sett på dem och flytt från en verklighet som var mindre tacksam att vistas i.

Nu var det länge sedan hon tänkt på leken, men här såg hon att det fanns andra som också lekte den. Husen hon åkte förbi var i olika stadier av renovering, men det var helt klart att en del av dem var i händerna på riktiga konstnärer.

Megan steg inte ur bilen på en gång. Eftersom Barry hade kört Niccolo hem efter sjukhusbesöket hade han kunnat beskriva vägen för henne, men han hade inte sagt något om själva huset. Det hade två våningar och en stor veranda som var perfekt för en barnaskara.

Det var alltså ett hus för en familj.

Tidigare hade hon inte tänkt på att Niccolo kunde vara gift. Han hade blivit skjuten men inte ringt hem efteråt, och han hade accepterat Barrys skjuts till och från sjukhuset som om det inte funnits något annat alternativ. Dessutom hade han varit ute och gått ensam och kommit tillbaka till Whiskey Island senare på kvällen utan att ha någon fru i släptåg.

Medan Megan försökte samla sig öppnades dörren och ett mörkhårigt huvud stack ut. Det följdes av en bar arm som sträckte sig efter en hoprullad tidning. Huvudet höjdes, och hon såg att det tillhörde Niccolo. Trots den låga temperaturen var han klädd i shorts och en vit tshirt.

Megan visste att det fortfarande var tidigt, men hon hade inte känt till Niccolos vanor. Nu önskade hon att hon tänkt igenom sitt besök lite bättre. Han såg ut att just ha vaknat efter en skön sömn, och hon trodde inte att han ville ha sällskap förrän han fått åtminstone en kopp kaffe i sig.

Och hur var det med frun som säkert hörde till ett så stort hus? Det fanns förmodligen barn också.

Hon satte mycket stilla i bilen och hoppades att Niccolo inte skulle få syn på henne. Så fort han gått tillbaka in skulle hon köra sin väg. Sedan skulle hon komma tillbaka senare, då hon slapp hitta en fru i morgonrock och småbarn som fortfarande hade nattens blöjor på sig.

Men det var redan för sent. Niccolo stod och kikade på bilen med tidningen tryckt mot bröstet. Föregående kväll hade hennes Chevrolet stått parkerad bredvid Caseys Mazda, och Megan förstod att han kände igen den. Med sina rostfläckade dörrar och fyra olika blå färger var bilen omöjlig att ta miste på.

Niccolo var förmodligen barfota, annars skulle han säkert ha gått ut på gatan direkt. Hon suckade och öppnade dörren för att försäkra sig om att han inte skulle göra det ändå. När hon tagit några steg stannade hon bakom motorhuven.

– Jag kan komma tillbaka senare. Trädgården på framsidan var inte stor och huset låg nära gatan, så hon behövde inte skrika.

– Varför det?

För ett ögonblick trodde Megan att han undrade varför hon ville komma, och det kändes överraskande oartigt.

Niccolo gjorde en grimas, och hon anade att kylan började kännas i hans bara armar och ben. – Jag menar, varför ska du komma tillbaka senare när du är här nu? förklarade han.

– Är du säker på det? Jag kommer inte och stör någon?

Han rynkade pannan, och hon kunde se att han hade svårt att fatta något före morgonkaffet. – Du menar en fru eller flickvän?

– Ja, något i den stilen, erkände hon.

– Jag bor ensam med undantag av en eller annan mus, och de har redan fått besked om vräkning.

Bilden av en fru i långt nattlinne försvann. – Jag kan vänta tills du har druckit kaffe, erbjöd hon sig.

– Kom in i stället, och ta en kopp du också.

Det lät positivt så hon började gå uppför infarten. – Du kände igen bilen, antar jag? frågade hon när hon kommit upp till honom på verandan. Borta Bra är lite speciell.

– Borta Bra?

– Peggy döpte bilen till det.

Han höll upp dörren. – Varför det?

– När jag kommer några kilometer från min lägenhet och stänger av motorn vägrar bilen att starta ungefär varannan gång. Det har den alltid gjort. Men parkerar jag utanför lägenheten eller vid baren startar den alltid.

– Jag är nog lite trög så här på morgonen, för jag fattar ändå inte varför den heter Borta Bra.

– Borta bra men hemma bäst.

Han stönade, och Megan kunde inte klandra honom. I hennes familj fanns det tusentals sådana tokiga skämt. Släkten Donaghues psyken var sammansvetsade av humorn, och utan den skulle de alla bli hopplöst missmodiga.

Uttrycket i hans ögon var vänligt, men också forskande. Han hade inte den beräknande, knappt återhållet lystna blicken som män ofta använde mot kvinnor, utan visade ett intensivt, intelligent intresse.

– Gå inte bort från den smala vägen till köket, förmanande han. Du kan komma vilse och aldrig mer hitta tillbaka.

– Det är ett fantastiskt hus.

– Kan du avgöra det?

– Absolut. Stilen är gotisk renässans, eller hur? Förmodligen är det de ursprungliga dekorerade gavlarna, så jag hoppas att du renoverar dem. Valsade valvbågar håller upp verandan. Megan insåg att hon skröt. – Förlåt mig, men jag är intresserad av arkitektur och älskar gamla hus.

– Varför ber du om ursäkt?

– Därför att det är en sak att kunna något och en annan att mala på om det.

– Det där låter som en mer avancerad version av det mödrar säger till sina döttrar, påpekade Nick.

– Och vad är det?

Han höjde sin djupa röst något. – Låt aldrig en man inse att du är klokare än han, Megan. I så fall kan du aldrig fånga en karl.

– Och jag som inte ens visste att det var det jag försökte göra.

Niccolo log. – Du ber om ursäkt för att du tog upp mitt favoritämne. Jag är fascinerad.

– Var inte det. Jag försöker gå någon kurs i ett ämne som intresserar mig varje termin.

– Och arkitektur är ett av dem?

Det fanns mycket som intresserade henne. Litteratur, psykologi, fysik . . . Megan hade aldrig avlagt något examen, men om hon lade ihop alla sina kurser skulle hon kanske upptäcka att hon hade så många poäng att det räckte till en.

– Jag har gått några kurser, medgav hon. Och jag skulle gärna vilja se de andra delarna av huset. Men om du är upptagen eller inte vill, så . . .?

– Om det bara fanns något att visa upp. När jag köpte huset var det en katastrof invändigt, och tyvärr är det nog fortfarande rätt illa.

Megan förstod att han hade rätt, åtminstone om de övriga delarna av huset var som hallen. På de ställen där putsen fortfarande fanns kvar på väggarna var den samlad i klumpar, och de öppna elektriska ledningarna såg livsfarliga ut. Innertaket tycktes däremot vara nyrenoverat, så tydligen hade Niccolo fått något gjort i alla fall, och en underbar antik taklampa som troligen varit gasdriven en gång i tiden lyste upp hallen. Färgen i trappan upp till övervåningen hade antingen flagnat rejält, eller också hade Niccolo börjat skrapa den.

– Just nu jobbar jag med trappan, sa han som om han läst hennes tankar. Jag har tagit bort fyra lager färg och vet fortfarande inte riktigt vad jag hittar under dem. Och från golvet har jag slitit bort två lager vinyl och tre lager linoleum. Originalet bestod av breda ekplankor, men de gick inte att rädda. Nu är jag nere vid undergolvet, som är i massiv lönn. Med lite ansträngning ska jag nog kunna renovera det.

Megan tittade ner. "Lite ansträngning" var definitivt en underdrift. – Det kan bli underbart fint om du bara kan hitta någon metod att rädda det.

– Det finns nog inget annat sätt än att ta det bräda för bräda.

Hon visste inte om hon någonsin träffat en man med så mycket tålamod. En man som hade en sådan självkontroll och var beredd att vänta med belöningen tills arbetet var lyckosamt slutfört borde vara en enastående älskare.

Tanken förvånade henne, och hon övergick hastigt till ett annat samtalsämne. – Är det säkert med alla de här öppna kablarna?

– Ja då. Ingenting av det du ser här är inkopplat. Jag byter ut de gamla dåliga kablarna lite i taget. I de viktigaste rummen har jag redan dragit om dem, och resten tar jag så fort jag hinner. Han gick runt henne och fortsatte längs den smala korridoren. – Jag ska visa vad jag har gjort mer.

De avslutade visningen av bottenvåningen i köket, och vid det laget var Megan mycket imponerad. Huset började vakna till liv under Nicks skickliga händer. Han var i färd med att förvandla en fårad, böjd gammal änkefru till en charmerande och överdådig jungfru. Hela grundstommen fanns kvar, men alla slitna lager som tillkommit under årens lopp skrapades systematiskt bort.

– Det är svårt att se hur det ska bli, det vet jag. Han pekade på ett runt bord i ett hörn, och hon sjönk lydigt ner på en stol med tvärribbat ryggstöd där hon kunde se på honom.

– Inte om man använder fantasin, invände hon. Då är det lätt att se förbi de nerrivna väggarna och slitna golven. Jag kan föreställa mig hur det var och hur det kommer att se ut när du är färdig.

Medan Megan talade såg hon sig omkring i köket. Nick var sannerligen en skicklig hantverkare, men han var ingen inredare. Inget rum hon sett hade haft mer än några få möbler, och trots att han börjat renovera även köket i takt med resten av huset fanns det inte mycket som avslöjade mannens personlighet. Ett kylskåp, två köksskåp över diskstället, några bänkar täckta med vaxduk och ett målat golv där färgen var delvis avskrapad.

– Jag började arbeta här inne, men som du ser är jag långt ifrån färdig. Han gick fram till diskbänken under köksskåpen och tog en glaskaraff från kaffebryggaren. – Espresso?

Megan gjorde en grimas. – Jag är pjoskig med kaffet.

– Massor av mjölk?

– Och tre skedar socker. Hon skrattade åt hans ansiktsuttryck. – Ja, jag skäms över det.

– Dricker du riktigt kaffe eller är det pulver som gäller? ville han veta.

– Riktigt kaffe om det finns.

– Lita helt och hållet på mig.

Den tanken var alldeles för intressant. – Inga problem, jag provar på det mesta åtminstone en gång.

Niccolo fortsatte prata medan han fyllde kannan med vatten och tog fram kaffet. – Min filosofi är att försöka göra huset lättare och bekvämare att bo i samtidigt som jag behåller allt som gör det vackert och unikt.

– Har du renoverat många hus före det här?

– Nej, det här är mitt första. Åtminstone på egen hand.

– Menar du att du börjat arbeta åt dig själv efter att ha arbetat tillsammans med någon annan?

Han sa inget medan han gjorde i ordning kaffet, och Megan fick en känsla av att han inte visste vad han skulle svara. Medan hon väntade betraktade hon honom och njöt av hans smidiga, maskulina rörelser. Hon hade haft fel när hon trott att han var barfota, för han bar mörka sandaler. För inte så länge sedan hade hans shorts varit ett par perfekta jeans. T-shirten såg ut att komma från en plastförpackning med tre, inte från någon märkesbutik. Hon tyckte att den enkla klädseln passade ihop med hans romerska anletsdrag, även om han också skulle se snygg ut i en smoking.

Han stängde av kaffebryggaren. – När jag var i tonåren jobbade jag hos min far. Han är en noggrann hantverkare och vägrar lära sig nya och snabbare sätt, och därför är han också en fattig man. Min storebror Marco har ett eget byggföretag och bygger ett nytt hus på högst sex veckor. Han vägrar göra någonting på samma sätt som förr i tiden. Själv har jag hamnat någonstans mitt emellan.

– Berätta vad du har gjort här, bad Megan. Vilken del kommer från din far och vilken del från din bror?

Niccolo log, och ansiktet förvandlades från allvarligt till underbart. – Marco finns i väggarna. Det här rummet var bara hälften så stort förut. Det fanns ett pentry där du sitter och en inbyggd spiraltrappa där borta, men jag tog bort alltihop utan att skämmas det minsta. Min far finns i köksskåpen, antar jag. De har inte suttit där tidigare, utan jag köpte dem av en skrothandlare. De skåp som fanns här när jag flyttade in var bara att hugga upp till ved.

Köksskåpen var inte många, men de var magnifika. I lönn, gissade hon, och med ett enkelt, nästan primitivt utförande som framhävde träet mer än någon dekor kunnat göra.

– Är det här alla du tänker sätt upp? undrade hon.

Han skrattade. – Du måste se källaren för att förstå det här ordentligt, men tänk dig tio sådana här i olika stadier av renovering. Någon gång har de blivit målade i guldgult, och färgen sitter som berg.

Hon visslade mjukt.

– Jag fick köpa dem för nästan ingenting, men jag betalade ändå för mycket.

– Köket kommer att bli fantastiskt. Hon kunde föreställa sig resten också. Det här var helt enkelt "före"-fotografiet i heminredningstidningarna hon älskat som tonåring. "Efter" borde bli väl värt att vänta på.

– Jag hoppas att någon kommer att tycka det, anmärkte han.

Megan såg frågande på honom.

– Jag renoverar för att sälja, förklarade han. Huset är ett affärsprojekt. Köp billigt, renovera med hjälp av eget arbete och sälj dyrt. Men här i trakten blir nog inte priset så högt.

Hon kände en märklig besvikelse.

Niccolo tog ut mjölk ur femtiotalskylskåpet och hällde upp den i en rostfri tillbringare. Sedan vände han sig om mot henne, lutade sig mot diskbänken och lade armarna i kors.

– Det var inte för att se på huset som du kom, eller hur Megan?

Hon började trumma med fingrarna mot bordet som om hon skulle svara i morsekod, men sedan tvingade hon sig själv att sluta. – Nej, det var det inte. Och inte för kaffet heller, även om jag är övertygad om att det kommer att smaka bra.

– Varför kom du då? frågade han.

Megan visste precis vad hon skulle svara och hur hon skulle säga det. Ändå tog det henne några sekunder att formulera orden. – Du pratade med min farbror Frank i går morse. Frank Grogan.

Niccolo rynkade inte direkt pannan men hans ansiktsuttryck förändrades. – Är du släkt med alla i Cleveland?

– Nej, bara med rätt många på västra sidan.

– Det måste jag försöka komma ihåg, nickade han.

– Farbror Frank berättade för mig att du har gått omkring på Whiskey Island och ställt frågor om en hemlös man.

– Du och jag tycks ha hamnat mitt i centrum av informationsflödet. Vad vet du mer om mig?

– Jag skulle vilja att du slutade fråga om honom, Nick.

– Jag tycker om när folk går rakt på sak.

– Då kommer vi inte att få några problem med varandra, för det är enda orsaken till att jag är här.

– Bra, men du har utelämnat några saker. *Varför* till att börja med. Du sa ju själv att det inte fanns någon man på parkeringen, påminde han. Varför bryr du dig om ifall jag fortsätter undersöka något som jag bara inbillade mig?

– Därför att det kan ha varit någon där i alla fall.

När Megan såg hur han tog emot upplysningen undrade hon hur hon någonsin kunnat inbilla sig att hon kunde få honom att tro något annat.

– Vad är det som har fått dig att ändra dig? sa han till sist.

– Tiden, antar jag. Jag har haft lite tid att tänka på saken.

– Och vad har hänt under de timmarna som övertygat dig om att jag kanske såg någon?

Hon hade vetat hela tiden att det här inte skulle bli lätt.

– Vi var alla väldigt upprörda i går kväll, och ingen av oss tänkte klart.

– Jag tror faktiskt att du tänkte väldigt klart, påstod Nick. Det var därför du försökte övertyga mig om att jag hade sett i syne.

Megan försökte med en annan taktik. – Farbror Frank fick mig att ändra åsikt.

Niccolo vände sig mot diskbänken och hällde upp kaffe och mjölk, och hon väntade med att svara tills han var klar.

– Sanningen är att jag inte ville tro på det då, men mannen du såg kan ha varit någon vi kände en gång i tiden. Möjligheten är inte särskilt stor, men det kan vara så. I så fall handlar det om en äldre man som har bott här i trakten och som ingen har sett på mycket länge.

Han stod fortfarande med ryggen vänd mot henne. – Hur länge?

– Många år. Vi trodde att han hade dött och har vant oss vid den tanken.

Niccolo kom fram till bordet med två muggar. – Nu då?

– Man kan väl säga att det är svårt att acceptera att någon har kommit tillbaka från de döda.

– Jag vet inte det. En ganska stor del av världens befolkning tror på åtminstone en återuppståndelse. Han gick tillbaka till köksbänken och hämtade en sockerskål och skedar.

Megan tog lite socker och rörde om. – Om det är den mannen som jag tänker på är det en sorglig historia. I flera år försökte människorna här hjälpa honom, men han vägrade låta dem göra det. Han ville bara vara i fred. Han skulle inte vilja att någon hittade honom igen och började om med samma sak.

– Men mannen jag såg i går var en hjälte, Megan. Han förhindrade ett brott trots att han riskerade sitt eget liv, envisades Nick. Förtjänar han inte att någon säger något om det till honom? Han kanske vill ha hjälp nu? Tänk om det var därför han var på parkeringsplatsen?

Bordet var så litet och Niccolo så nära att Megan nästan kunde känna värmen från hans kropp. Det kändes konstigt att sitta så här, intimare än hon hade tänkt sig. Trots det lutade hon sig framåt.

– Nick, du känner inte den här mannen och förstår inte situationen. Hur kan du lägga dig i det här utan vidare? Du är ju en främling för oss alla och definitivt för honom.

Niccolo drack lite espresso innan han ställde ner koppen.

– Jag tycker om att berätta historier. Får jag berätta en för dig?

– Jag trodde att det var vi irländare som var historieberättare.

– Vi skulle kunna tävla om det gen för gen och stereotyp efter stereotyp. Ingen har kunnat berätta en historia som min farfar. Men låt mig få försöka.

Megan insåg att hon var tvungen att låta honom berätta, annars skulle hon inte kunna få besöket att sluta så som hon ville.

Han lutade sig bakåt på stolen och lade ena armen på bordet. – Förr bodde jag i en av de mer välbärgade förorterna i Pittsburgh. Jag kommer från en liten stad i sydvästra Pennsylvania, så det var naturligt för mig att slå mig ner i den trakten. Byggnaden jag arbetade i var stor och mycket gammal, och det var mitt ansvar att sköta om den.

– Var du fastighetsskötare?

Niccolo log en aning. – Snarare . . . skötselansvarig. Jag bodde i närheten och såg till saker och ting. Dessutom arrangerade jag olika slags sammankomster och möten. En morgon när jag kom dit hittade jag en hemlös man sovande bredvid trappan. Byggnaden var naturligtvis låst, men det fanns alkover på båda sidorna om trappan. De var skyddade mot det värsta vädret men ändå öppna utåt. Sådant kan man förvänta sig mitt inne i staden, men i en förort tror man inte att man ska stöta på världens sociala problem, åtminstone inte precis vid ytterdörren. För många människor är det en av orsakerna till att de valt att bo där.

Megan hade ingen aning om vart historien skulle leda, men hon märkte att hon ville få reda på det. – Fortsätt.

– Han var gammal. Tandlös och smutsig. Ja, han såg ut som tusentals andra i samma situation. Jag väckte honom och skickade iväg honom därifrån. Nästa morgon var han tillbaka och likaså morgonen därpå. Det var på sensommaren, och det gick väl hyggligt att sova i alkoven. Jag fick för vana att ge honom lite kaffe och ett bröd, ibland lite frukt. Sedan gav jag honom några dollar, inte så mycket att han kunde köpa sprit men så att det räckte till en smörgås längre fram på dagen. Han berättade att han brukade äta middag vid ett soppkök eller i ett härbärge för hemlösa inne i staden. Men där ville han inte stanna över natten, eftersom han inte kände sig trygg tillsammans med andra utslagna. Det var en av de få gångerna som han talade med mig om något speciellt.

– Fick du veta något om honom?

– Jag bad honom berätta lite om sig själv, men han hade inte mycket att säga. Han hette Billy och hade kommit till Pittsburgh från New York, men det var ungefär allt jag fick ur honom. Så småningom slutade jag försöka ta reda på mer. Det verkade meningslöst, och dessutom hade vi andra ämnen att diskutera – till exempel att han fortsatte sova i alkoven.

Niccolo drack av sin espresso, och Megan undrade om han såg mannen för sin inre syn.

– Hösten hade kommit då, och det började bli kallare. Några andra hade upptäckt att Billy sov i alkoven. De var inte glada över att jag hade tillåtit det, och vi diskuterade vad vi skulle göra med honom. Han stannade längre och längre varje morgon, tills det blev så att folk fick gå runt honom för att komma in i huset. Ibland urinerade han på trappan. Jag förmodar att det var omöjligt för honom att hitta en bättre plats. Han var inte särskilt bra på att städa upp efter sig heller. Varje morgon lämnade han kvar tidningspapper och annat skräp, och det var inte alltid jag hann plocka undan det innan någon annan hittade det. Nu var han inte osynlig längre, och det var det ingen som tyckte om.

Nick suckade. – Till slut sa jag till Billy att han fick lov att flytta för gott, men han brydde sig inte om mig. En natt när temperaturen sjönk ringde jag polisen och bad dem arrestera honom för lösdriveri. På det sättet fick han tillbringa natten i fängelset, men där var det åtminstone varmt. Det avskräckte honom inte heller, utan han kom tillbaka natten därpå och nästa natt också. Jag hittade ett natthärbärge för hemlösa på andra sidan staden och körde själv dit honom. Det låg så pass långt bort att jag var övertygad om att han skulle bli någon annans problem, så att vi kunde återvända till våra normala, bekväma liv.

Megan log inte. – På samma sätt som när man släpper ut en herrelös hund långt hemifrån. Om den blir överkörd av en bil slipper man i alla fall få reda på det.

Niccolo ryckte inte till, men hon såg att anmärkningen träffade en öm punkt. – Två kvällar senare var Billy tillbaka. Jag hotade med polisen igen, och när inte det gjorde något intryck på honom ringde jag till dem. De kom och hämtade honom, och den gången lovade de mig att de skulle ta hand om situationen.

Han tittade sorgset ner i sin kopp. – Jag ville inte att det skulle sluta på det sättet, men jag såg ingen annan möjlighet. Han kunde ju inte stanna där. Vintern hade kommit tidigt det året, och det var bitande kallt. De andra . . . som använde byggnaden, var orubbliga. Jag var tvungen att ta i med kraft så att jag blev av med honom.

Megan lutade sig bakåt. Niccolo kunde inte på något sätt veta hur hårt hennes hjärta dunkade. – Vad hände?

– Domaren vägrade ta upp fallet, och Billy släpptes ut på gatan igen. Det fanns behandlingsprogram för sådana som han men väntelistorna var kilometerlånga, och hjälplägenheter och privata rum var allihop fyllda till bristningsgränsen. De lokala fängelserna hade också fullt, och där satt förresten sådana som hade större moraliska svårigheter än Billy. Därför fanns det inget annat att göra, det var bara det att ingen tänkte på att tala om det för mig. Det fanns för få poliser och för många fall, men jag utgick ifrån att allt var under kontroll. Niccolo tittade upp. – Det trodde jag också att det var, ända tills jag gick uppför trappan en morgon och hittade Billy ihjälfrusen i alkoven.

Megan svalde hårt. – Ihjälfrusen!

– Det är en syn som jag inte vill se någon mer gång.

Det snurrade runt i huvudet på henne. – Men jag förstår inte precis vad det där har med . . .?

– Efteråt, fortsatte han som om hon inte sagt något, hade jag svåra skuldkänslor, och jag visste att jag var tvungen att göra något för att förhindra att händelsen upprepades. Bredvid vårt hus fanns en större villa som stod tom. Det hade den gjort under alla bekymren med Billy, och därför gick jag till vår styrelse och bad dem göra om den till ett härbärge för hemlösa. Det skulle skötas humant och vara tryggt för dem som bodde där, med rådgivning och arbetsträning och vettiga program mot missbruk.

– De sa nej, gissade Megan.

– Jag vill inte säga att de var känslokalla. Alla for illa av att se Billy, även de som varit mest ihärdiga i försöken att få bort honom från vår trappa. Men allihop var överens. Om vi öppnade ett hem som det jag hade föreslagit skulle det locka fler hemlösa till vårt område, och det var det ingen som ville. Därför bestämde de att vi skulle ge ett bidrag till hemmet på andra sidan staden i stället. De skulle ordna en fin middag med dans till en lokal orkester, och när alla utgifter var betalda skulle överskottet gå till ett bidrag i Billys namn. Alla hade roligt, och alla var säkra på att det var tillräckligt. Mer än någon kunde förvänta sig . . .

– Alla utom du.

– Alla utom jag. Niccolos läppar förvreds till en grimas.

Megan upptäckte att hon inte hade rört sitt kaffe, så hon lyfte muggen. Det var fantastiskt gott, men drycken tycktes stelna i magen. Hon ställde ner muggen igen och lade för första gången märke till att den var prydd med bilden av en katedral. Medan hon följde katedralens form med fingrarna fortsatte Niccolo tala.

– Har du just förstått det, Megan? Han ställde frågan mjukt och utan någon ironi.

Hon nickade. – Byggnaden var en kyrka . . .?

– Ja.

– Och det gjorde det ännu värre för dig, eftersom du hade trott att kyrkans folk skulle vara snällare och bättre än andra.

– Nej, det hade jag inte. Jag visste att de inte var mer än människor.

Megan slutade föra fingrarna över muggen och såg i stället på Niccolo. – Varför blev du så upprörd då? Om du förstår att människor inte är mer än människor oavsett vart de går på söndagsförmiddagarna? Du försökte hjälpa Billy. Vad kunde du ha gjort mer?

– Allt. Han log sorgset. – Du förstår, jag var präst i församlingen. Jag var Billys präst också. Gud hade gett mig honom, men jag svek dem båda. Och nu är jag bara en snickare som ser hemlösa män där det inte är meningen att de ska vara.

7

Fader Ignatius Brady, pastor i den heliga Birgits församling, tyckte om livets finesser. I sitt sökande efter kvalitet besökte Iggy marknaden på Ohio Citys västra sida för att hitta de färskaste varorna. Han var omtyckt av marknadens slaktare, som visste vem han var och visade honom sina mest utsökta läckerbitar. Sent på torsdagsförmiddagen tittade Iggy in hos Niccolo för att visa honom en rumpstek, så fint utskuren att den förtjänade en piedestal med hedersinskrift.

Niccolo visste vad som förväntades av honom, så han tog tacksamt emot det senaste fyndet och bjöd in Iggy att dela det med honom samma kväll.

Precis klockan sex kom Iggy tillbaka. De två männen omfamnade varandra, och sedan följde Iggy med Niccolo till köket där Megan tidigare på dagen serverats espresso och en sorglig historia.

Niccolo väntade tills Iggy valt sin favoritstol innan han gjorde en gest mot en flaska på köksbänken. – Jag har något som du kommer att tycka om, en speciellt fin *barolo* som en kusin tog med till mig från Italien i somras.

Iggys asketiska ansikte mjuknade av förtjusning. Han var trettio år äldre än Niccolo, en liten knatte till man som måste ta spjärn mot den milda sommarvinden för att inte blåsa bort. Iggy var mer andlig än köttslig, en helig man vars död bara skulle medföra en obetydlig förändring av hans tillstånd.

– Du är alltför god mot mig.

Iggy blev alltid förtjust över vänlighet och ständigt lika

överraskad. Han var den ende uppriktigt ödmjuke man som Niccolo någonsin träffat.

– Det är bara början. Niccolo höll fram och visade den värdefulla vinflaskan som en äkta vinkypare innan han sökte reda på korkskruven. – Jag har lagat köttet efter min mors favoritrecept, så du kommer inte att bli besviken.

– Hur har du gjort då?

– Jag har låtit det sjuda i en speciell röd sås, och vi äter ångkokt spenat till.

– Och pasta?

– Naturligtvis.

Även om Iggy bara skulle ta några bitar skulle han njuta oerhört av dem. Nu vred han på nacken för att kika mot spisen. – Snart?

– Ja då, men först ska vi smaka på vinet, skrattade Niccolo.

– Vilken fest! Iggy satt tyst tills de hade skålat. – Huset börjar ordna till sig, min vän.

– Gör det? Niccolo slog sig ner hos honom vid bordet. – Nu för tiden ser jag bara allt jag inte är färdig med.

– Det stämmer bra överens med ditt sätt att se på livet.

Niccolo funderade över hans ord. – Det är konstigt att du aldrig har sagt det förut.

– Jag har sagt det på många olika sätt, menade prästen. Det är en välsignelse att vara den sortens människa samtidigt som det är en förbannelse. Om du inte kunde se det som inte är färdigt skulle du aldrig veta vad du borde göra härnäst. Men den sortens människor störtar ofta från osäkerhetens klippor.

– Är det dagens predikan? log Nick.

Iggys skrynkliga, tunna ansikte sken upp, och hans leende visade upp ett stort gap mellan framtänderna. – Vi kan väl säga att jag arbetar på den.

– Då antar jag att du ser den andra sidan av det också. En man som inte kan se på det han gjort och känna tillfredsställelse kan aldrig bli lycklig.

– Det är klart.

Niccolo lutade sig bakåt och snurrade sakta på vinglaset i

sin hand. – Du behöver inte oroa dig, Iggy. Jag känner mig stolt över det jag åstadkommit.

– Vilken man som helst som förändrat sitt liv måste tvivla på vad han gjort och vart han är på väg – och känna sig osäker på värdet i båda delarna.

Niccolo tänkte på vännens ord medan de smuttade på vinet. Han och Iggy trivdes så bra tillsammans att tystnaden mellan dem aldrig var något annat än en vila. Ignatius Brady hade varit hans lärare och förtrogne ända sedan han gick på prästseminariet. Iggy hade varit med när Niccolo prästvigdes och på det sista mötet som avslutade hans liv som församlingspräst. Under alla år hade Iggy aldrig klandrat honom för någonting.

– Jag ångrar ingenting, svarade Niccolo till slut. Varken åren i församlingen eller att jag slutade. Jag känner fortfarande att Gud är närvarande i mitt liv, men nu är det ingen som översätter hans ord. Jag måste hitta min egen tolkning.

– Känner du att du lyckas med det?

Niccolo skrattade. – Det har hänt en hel del medan du varit på kurs.

– Jaså minsann. Jag var ju bara borta en vecka.

Nick reste sig och gick bort till spisen. Han tog fram ett paket med bandspagetti och lade ner pastan i vattnet som just börjat koka upp på en av de bakre plattorna.

– Jag såg Billy, men den här gången kanske han räddade mitt liv. Trots att jag inte kunde rädda hans.

Iggy verkade inte förvånad. – Vill du berätta om det?

– Känner du en kvinna som heter Megan Donaghue? Hon driver Whiskey Island Saloon på Lockout Avenue.

– En stor del av Clevelands affärer uträttas på den baren. Vid lunchtid kan man se många av traktens politiker där. Och alla i familjen Donaghue är medlemmar i församlingen, så jag känner dem väl allihop. Han utvecklade inte den senare delen, och Niccolo visste att han inte skulle göra det.

Han vred upp en annan platta så att spenaten började ånga ordentligt. – Jag blev presenterad för några i familjen Donaghue på ett handgripligt sätt. Medan han avslutade förberedelserna för måltiden berättade han för Iggy om bilstölden och om Megans besök på morgonen. – Hon påstår att den gamle mannen är någon härifrån som inte vill ha hjälp, avslutade Niccolo sin redogörelse. Han stängde av plattorna och lade upp spenaten i en skål och det skivade köttet i en annan. Ovanpå köttet hällde han en kraftig tomatsås.

– Tror du henne? undrade Iggy.

– Ibland är en del av sanningen lika oärlig som en lögn.

– Då tror du alltså att hon undanhåller något?

Niccolo väntade och hoppades att Iggy skulle säga något mer, men tystnaden förlängdes medan han avslutade uppläggningen av maten. När han bar fram rätterna till det lilla bordet såg Iggy överförtjust ut.

– Vad tror du om saken? frågade Nick slutligen.

– Att du har rätt. Gud arbetar inom dig, och en liten bagatell som frånvaron av en vit krage om halsen har inte avskräckt honom. Men du har rätt i fråga om en sak till, och nu är det upp till dig att hitta rätt nyckel.

– Betyder det att du inte tänker hjälpa mig? Kan du inte ens ge mig lite bakgrundsinformation?

– Det finns inget jag kan säga dig, hävdade prästen.

Niccolo visste bättre än att pressa sin vän. Han om någon var medveten om vikten av att aldrig svika ett förtroende som lämnats under en bikt.

– Jag har en sak till. Han tog upp manschettknappen ur fickan och lät den ligga kvar i handflatan. – Efter händelsen på parkeringsplatsen gick jag tillbaka och hittade den här bakom bilen. Jag är nästan säker på att det är mannen jag talade om som har tappat den.

– Men kan inte ett ganska stort antal människor ha gjort det?

Niccolo förklarade hur han resonerat. – Och den låg bakom hjulet. Ingen hade kört över den.

– Det är en vacker sak, tyckte prästen. Gammal, och förmodligen värd en hel del pengar.

– Det är möjligt att den verkligen tillhör mannen och inte är något han hittat. I så fall kan det här vara hans initialer.

– Då måste han ha haft en väldig otur i livet.

– Initialerna är S.S.

– Jag måste säga att det ser lite bekant ut. Iggy rynkade pannan. – Men jag kan inte komma på varför.

– Ser manschettknappen bekant ut?

– Nej, men bokstäverna. De är sammanflätade på ett ganska märkligt sätt, som om det är något mer än bara ett enkelt monogram.

Niccolo förstod vad Iggy menade. – Ja, kanske det.

– Jag ska tänka på saken, lovade vännen. Om jag kommer på något ska jag naturligtvis tala om det för dig. Men det är en sak till som jag vill berätta.

Iggy slöt ögonen och sänkte huvudet över tallriken med kött. Han andades in doften genom näsan medan Niccolo lade undan manschettknappen.

– Vad då?

– Jag tror att Billy hade mer att säga dig än du har kunnat ta emot än så länge, så det förvånar mig inte att han har kommit tillbaka.

*

Söndagen var den svåraste veckodagen för Niccolo. Under de långa månaderna av obeslutsamhet och sökande efter Billys död hade han undrat hur det skulle kännas att någon gång gå i mässan igen. När han var församlingspräst hade varje vecka varit en fjäder som vridits upp alltmer ju närmare söndagen kom och hänfört återtog sitt ursprungliga läge när söndagsmorgonen grydde.

Visst hade det funnits andra mässor, andra händelser och göromål som han känt mycket för. Men på söndagarna, när oblaten förvandlades till kött och vinet till Kristi blod och han själv varit instrumentet för den heliga omvandlingen, hade alla delar i hans värld fallit perfekt på plats.

En ihjälfrusen kropp på en kyrktrappa hade förändrat den saken för all framtid.

Söndagen efter Megans och Iggys besök försökte Niccolo engagera sig i *New York Times* och en inspelning av Bohème. Kvällen före hade han pliktskyldigast bevistat mässan och försökt låta bli att räkna misstagen Iggys nya assistent gjorde. Nick kom ihåg att han också gjort sina misstag som nybliven präst. Värst hade det varit den gången han snubblade på fållen till mässkjortan och föll över räcket vid nattvardsgången. Där hade han legat utsträckt som om han frivilligt erbjudit sin nacke till giljotinen.

Han åt en kanelbulle inköpt på ett närbeläget bageri och drack två koppar av sin egen espresso. Sedan insåg han att varken Puccini eller korsordet skulle fånga hans intresse, så han tog på sig sina varmaste vinterkläder och gick ut.

På infarten såg han att hans bil, en Honda i en obestämbar grå nyans, hade fått besök. Två pojkar i nedre tonåren satt på bagageluckan och gick inte därifrån när han kom närmare.

– Hallå där, mina herrar. Niccolo stannade några meter från bakre stötdämparen och granskade ungdomarna. – Vad händer här då?

En av pojkarna var svart och den andre vit, och det fick Niccolo att tänka på biltjuvarna. Han tyckte att det var roligt att se att integrationen äntligen började fungera också i den här delen av staden, även om det senaste exemplet på det lämnade en del övrigt att önska. Den mörke pojken hade konstfärdiga flätor i karibisk stil och mycket mörk hud. Den vite hade slätt och stripigt, axellångt hår och en första antydan till skäggstubb i små tussar.

– Ingenting. Den mörke pojken log, men leendet lyste inte upp hans ögon.

Den vite slickade sig om läpparna. Han skruvade nervöst på sig ett ögonblick, men sedan nickade han.

– Jag känner inte alla mina grannar ännu. Niccolo gick fram och sträckte ut en behandskad hand. – Jag heter Nick Andreani.

Ingen av ungdomarna tycktes vilja ta handen, men till slut grep pojken med flätorna den och skakade den. Hårt. Alldeles för hårt. – Bra att du har ett namn, sa han. Det är något som alla behöver.

Niccolo släppte inte greppet utan höll fast trots att pojken försökte dra undan sin hand. – Jag väntar på ditt.

– Varför bryr du dig om det?

– Jag vill veta vilka det är som sitter på min bil.

Den mörke låtsades bli förvånad. – Är det här din bil?

Niccolo visste att de bara låtsades, men han höll fast handen i alla fall. – Hur är det med dig då? frågade han den ljuse. Har du något namn?

Pojken såg ut att vara rädd att Niccolo skulle gripa tag i honom också. – Josh. Och han där heter Winston.

Niccolo släppte Winstons hand. – Det var trevligt att träffa er.

– Visst . . . Winston kastade ur sig ordet som om det varit en svordom.

– Bor ni här i närheten?

Josh såg på Winston som för att fråga vad han kunde säga och inte säga.

– Vad spelar det för roll om vi gör det?

– Winston, låt mig säga en sak på en gång. Det här är bara ett vanligt samtal. Inga knep, inget försök att ta reda på vem du är och vad du heter så att jag kan ringa polisen. Du sitter på min bil, och vi låter bara tiden gå tills du går bort från den. Det är allt.

– Så du tänker inte ringa till någon? Josh såg inte på Winston den här gången.

– Varför skulle jag göra det? undrade Nick. Ni sitter ju bara där.

– Jag tänker inte gå ner, förklarade Winston. Jag tycker om att se folk gå förbi, och det här är en bra plats att göra det på. Pojken såg trevlig ut när han log, vilket han gjorde nu. Inte heller den här gången syntes det mycket i hans ögon, men leendet i sig var en förbättring.

– Den blir inte så bra när bilen börjar röra sig, invände Niccolo vänligt. Då kommer folk att se *dig* passera i stället.

Josh gled ner. – Kom nu, Winston.

Men Winston rörde sig inte. – Det är en tjej som brukar gå ut med sin hund här, och jag sitter bra.

– Vad gör du när hon går förbi? frågade Nick.

Frågan överraskade Winston, och förvirringen fick honom att tappa den tuffa masken så att han såg betydligt yngre ut. Det talade om för Niccolo att det här bara var uttråkade ungar som inte hade mycket annat att göra en söndagsmorgon, inga blivande gängledare eller ungdomsbrottslingar med tjocka mappar hos områdets socialarbetare.

– Jag vet ett bättre ställe att sitta på, fortsatte han.

– Jaså minsann? hånlog Winston.

– Ni kan sitta på min verandatrappa.

Winston tycktes inte förstå vad han menade.

– Där borta. Niccolo pekade.

– Är du inte rädd att vi ska . . . Ja, ha sönder något eller så? undrade Josh.

Niccolo kunde inte låta bli att le. – Titta på huset. Vad skulle ni kunna ha sönder?

– Varför bor du på ett sådant ställe, förresten? Winston gled smidigt ner från bagageluckan och lyckades se ut som om han aldrig hade hotat med att stanna där för evigt.

Niccolo låtsades inte märka det. – Jag reparerar det och gör allt jobbet själv. Har ni snickrat något någon gång?

– Skojar du? Josh skrattade nervöst. – Min gubbe skulle flå mig levande om jag kom i närheten av hans verktyg.

Niccolo visste bättre än att svara på anmärkningen så som han skulle ha velat. I stället vände han sig till Winston. – Du då? Pojken ryckte på axlarna. Trots kylan var han bara klädd i en tunn denimjacka, men Nick sa inget om det heller utan gick fram till förarplatsen på bilen. – Om ni fortfarande är kvar när jag kommer tillbaka kan jag visa er vad jag gör.

Winston blev genast misstänksam. – Varför det? Tänker du lura in oss i huset och göra något med oss?

Det knöt sig i magen på Niccolo när han tänkte på allt som de här barnen måste vara rädda för. – Just det. Jag tänker visa er huset och ge er varm choklad därför att det är kallt ute i dag. Ingenting annat. Men det är klokt av dig att undra och ännu klokare att fråga.

Winstons tuffa mask kom på plats igen. – Det är så vi är. Vi är rätt smarta, han och jag.

– Bra. Världen behöver alla begåvningar den kan få.

Niccolo lyfte handen till avsked och satte sig i bilen. När han startat den och vände sig om såg han att pojkarna gått ur vägen för honom. Det verkade vara ett gott tecken, så han backade ut och började köra mot Whiskey Island.

*

Få städer hade som Cleveland trettio tunnland prima tomtmark obebyggda mitt inne i centrum, och ännu färre hade lediga tomter vid sjön eller floden. Staden hade planer för de oanvända områdena på Whiskey Island, men de var fortfarande hett omdiskuterade och under tiden var en del av halvön övergiven.

Niccolo hade inte bott i staden så länge, men han visste att Cleveland på tio år hade förvandlats från "Misstaget vid sjön" till Mellanvästerns mest expanderande stad. Här fanns flera berömda idrottslag, en symfoniorkester som många räknade in bland världens främsta, ett antal högt ansedda museer och sjukhus som gav vård i världsklass. Varsamt restaurerade teatrar lockade toppartister och påkostade produktioner, och i de stora parkområdena runt staden samlades vandrare och naturälskare av alla sorter.

Men hur ambitiösa kommunens politiker än var kunde de inte åstadkomma allt på en gång, och Whiskey Island väntade fortfarande på sin tur. Halvön var ett industriområde med en saltgruva under Eriesjön som försåg hela norra Ohio med salt till isiga vintervägar. En mängd lastfartyg färdades på floden och sjön, och en flitigt använd järnväg korsade halvön.

Längst västerut, längs sjön, vittnade två övergivna fyrtorn

om sjöns våldsamma stormar och stadens historiska betydelse som hamnstad. Ännu längre västerut låg den mark där det en dag skulle byggas restauranger och andelslägenheter som en ytterligare lockelse för de turister som just börjat upptäcka Clevelands charm. I halvöns nordöstra hörn väntade en ny småbåtshamn på finansiering och byggnadstillstånd, och det var dit Niccolo körde. Under sin förra upptäcktsfärd hade han täckt in det han kunde av resten av Whiskey Island, men mycket var avspärrat, privat område. Han hade frågat ut alla han träffade, från säkerhetsvakter till förbipasserande arbetare, men hade inte fått veta särskilt mycket. Niccolo skulle förmodligen ha gett upp sitt sökande om inte Megan kommit på besök.

Vägen till den nya marinan var gropig. Förra gången hade han fått veta att en grupp lösdrivare fram till helt nyligen hade bott i fallfärdiga skjul nära stranden. Numera var skjulen borta, och det antogs även lösdrivarna vara. För inte så länge sedan hade också vilda hundar och en och annan vitsvansad hjort haft sitt hem där, och marken var fortfarande så lite exploaterad att Niccolo lätt kunde föreställa sig det.

Han körde upp på en låg kulle och parkerade bilen där. Sedan gick han längre upp mot floden för att få en bättre utsikt över den närmaste fyren vid den gamla kustbevakningsstationen.

Marken var fylld med jord blandad med malmstycken och färggranna krukskärvor. Han undrade vad en arkeolog som sökte igenom marken skulle hitta. Vilka spår efter tidigare invånare låg begravda under flera ton nittonhundratalsskräp?

När han kom fram till floden ställde han sig på fördämningsvallen och såg på den smala raden med restauranger och barer som lyste i vintersolen. Eftersom säsongen varit mildare än normalt hade sjön aldrig frusit till, och det var fortfarande en viss trafik på floden. På håll såg han att bron hade öppnats för att släppa igenom ett fartyg,

Efter ett par minuter vände Niccolo söderut genom skogen. Trots att staden låg så nära kändes den här delen av Whiskey Island som rena landsbygden. Den tycktes hålla andan och leva någonstans mitt emellan det förgångna och framtiden, i en tid som inte var riktigt närvarande.

Skogen var inte särskilt tät. På andra sidan visste Niccolo att han skulle hamna på någon av de konstgjorda dyner av malm, sand eller salt som fick halvön att likna ett månlandskap, så i stället för att fortsätta rakt igenom skogen gick han fram och tillbaka. Han förväntade sig ingenting men höll ögonen öppna efter allt.

De största träden växte i grunda hålor i marken, och när han gick in bland dem sluttade marken neråt tills han nådde ett område där jorden var svart och oblandad. Han hittade flera vrak efter husbåtar och såg också sinnrika konstruktioner av pinnar och grenar som påminde om bäverhyddor.

Niccolo var trött och frusen, och han funderade på att ge upp när en hög grenar fångade hans uppmärksamhet. Den kunde ha samlats ihop genom vindens och vattnets rörelser, men han fick för sig att det var något medvetet över den. Grenarna och drivveden täckte en grund sänka, och de såg lite för prydliga ut för att vara ditlagda av naturen.

Han gick fram till sänkan och stannade precis ovanför den.

– Är det någon där? När det inte kom något svar upprepade han frågan lite högre.

Eftersom det fortfarande inte hördes något böjde han sig ner och undersökte högen. Han såg att några av de mindre grenarna var hopflätade för att hållas på plats.

– Jag letar efter någon, sa han utan att tänka sig för. En man som kan ha räddat mitt liv.

Det var fortfarande tyst omkring honom.

Han gick runt till andra sidan och upptäckte ett hål där grenarna inte gick ända fram till kanten av sänkan. Det lilla utrymmet där innanför hade rensats rent från stenar och skräp och täckts med flera lager tidningspapper och plastpåsar. I jämförelse med den här hålan hade Billys alkov i kyrkväggen varit rena lyxhotellet.

Niccolo undrade vad det var för slags människa som valde att leva så. Vad hade fört honom – eller henne – dit? Varför hade han inte sökt hjälp? Var han alkoholist eller mentalsjuk? Eller hade han ett kriminellt förflutet?

Vem det än var som bodde där hade han ansträngt sig ordentligt för att försvinna från samhället. Något hade drivit honom att begrava sig där, och därför skulle han inte uppskatta Niccolos närvaro. Så mycket hade Megan Donaghue haft rätt i. Trots det rev Niccolo en sida ur sin fickkalender och skrev ett meddelande där han bad mannen eller kvinnan ta kontakt med honom. Han uppgav namn, adress och telefonnummer och kastade sedan ner papperet i hålet.

Det kunde ha slutat med det om inte papperslappen singlat iväg och lagt sig mellan en tidning och en plastpåse på en plats där den kanske aldrig skulle bli upptäckt. Niccolo ställde sig på knä, sköt försiktigt undan några grenar och stack sedan in huvudet genom hålet. Han sträckte in armen och tog tillbaka meddelanden, men när han sökte med blicken efter en bättre plats att lägga det på upptäckte han en pappersbunt som låg precis utom räckhåll för honom.

Fundersamt såg han på den, skamsen över att snoka men samtidigt rädd för att missa något viktigt. Minnet av Billys ihjälfrusna kropp fick honom att bestämma sig, så han böjde sig längre ner och lyfte upp bunten.

Den var tunn, inte mer än ett par sidor som var sammanbundna med en smutsig snörstump. Han satte sig på huk och knöt upp knuten. Överst i högen låg en mycket gammal barnteckning som föreställde tre primitiva figurer, kanske barn som dansade. Under den fanns ett fläckat och trasigt tidningsurklipp. Artikeln tycktes handla om något som hänt i Cleveland för länge sedan, och han kunde urskilja namnen James Simeon och Miljonärsgatan. Han skrev upp namnet James Simeon för att inte glömma det innan han lade artikeln ovanpå teckningen.

Det sista pappersarket var ett svartvitt foto. Två finklädda unga flickor satt på en soffa och tittade rakt in i kameran. En av dem höll ett mindre barn i knäet, en liten söt unge med ett rart leende.

Men det var de äldre flickorna som fångade Niccolos uppmärksamhet, eller snarare den som så beskyddande kramade barnet. Hennes röda, lockiga hår ramade in ett rektangulärt ansikte som inte hade förändrats särskilt mycket under de år som gått sedan bilden togs.

Någonstans på floden bakom honom signalerade ett fartyg att bron än en gång måste öppnas. Det lät som om Whiskey Island med sin rika historia och sina dolda hemligheter kallade på honom från en plats precis utom räckhåll. Vilka historier kunde marken berätta? Vilka liv hade påbörjats och avslutats där? Hur många i dag levande människor hade kommit till tack vare dem som stått ut med livet på den gudsförgätna platsen?

Var mannen som tagit fotografiet en av dem?

Niccolo stirrade med fuktiga ögon på bilden och undrade varför han inte redan tidigare insett sanningen om den hemlöse mannen.

24 maj 1880

Under de mörkaste nätterna, när inte ens det fladdrande skenet från en ljusstump lyser upp mitt rum, har jag i alla fall minnet av dagen att glädja mig åt. Jag har begravt de döda, smort de döende och bett för män och kvinnor som desperat klänger sig fast vid de usla liv de har. Och allt jag gjort har berört min själ.

Men det bästa är ändå när livet börjar eller går in i ett nytt skede. Att hålla ett skrikande spädbarn i famnen och döpa det i den helige Andes namn, att dela ut den första nattvarden eller att förena två människors drömmar till en dröm, ett liv, ett hjärta.

Det är det jag har gjort i dag, och jag har ännu inte träffat några mer tilldragande landsmän än dessa två. Kvinnan är obeskrivligt vacker, trots den svåra överresan som kräver sin tribut även av de friskaste av de ungdomar Irland skänker oss. Mannen är stark men samtidigt svag på det sätt som de bästa av oss är. Han älskar kvinnan, och inga av de bekymmer som väntar dem kommer att dämpa ljuset i hans ögon.

För de kommer att få bekymmer. De är fattiga de här två, fattigare än många andra i min stackars utarmade hjord, och de har ingenting annat än sin gemensamma dröm till hjälp under de kommande åren. Men de ser naturligtvis bara drömmen. De känner ungdomen sjuda i ådrorna och vet inget om ödets nycker. De tror att de kan arbeta och spara och så småningom uppfylla sina drömmar en efter en.

I dag kunde jag inte förmå mig att tala om för dem att människans dröm inte alltid är Guds, att de måste acceptera det öde Han har i beredskap för dem, att alla deras lidanden har en mening och att det måste vara tillräckligt.

Jag kunde inte säga det, för i dag var min egen dröm att de på något sätt skulle uppnå sin.

Tids nog får jag ändå trösta dem.

Ur dagboken skriven av fader Patrick McSweeney, den heliga Birgits församling i Cleveland, Ohio.

8

Whiskey Island
maj 1880

I grevskapet Mayo på Irland ärvde en god man ingenting av välsignelse. Inte marken hans förfäder hade brukat i århundraden och inte den fallfärdiga stuga där hans familj kurat ihop sig och sökt värme hos varandra under vindpiskade vinternätter. I Mayo ärvde en god man bara fördömelse. Rätten att ge markägaren det han skördade. Och rätten att se sina barn och föräldrar insjukna och dö när en ny potatisskörds spirande, gröna skott svartnade och löstes upp till giftigt damm.

Från sin far och farfar hade mannen ärvt hatet mot inkräktare och orättvisor, och om han hette Terence Tierney hade han också fått en intensiv längtan efter att lämna det vindpinade Mayo för evigt och bege sig till Amerika, det förlovade landet.

Den dagen då Terence gick ombord på skeppet som skulle föra honom till Cleveland i Ohio visste han inte mycket om platsen han var på väg till. Hans äldste bror hade rest till Ohio före honom, och med hjälp av församlingsprästen hade Darrin skrivit hem två gånger innan han dog. Båda gångerna hade han också skickat pengar till familjen.

Arbetet var hårt, skrev Darrin, men det *fanns* åtminstone arbete. Lönerna var låga, men de *fick* i alla fall lön. Han bodde på en plats som kallades Whiskey Island, där det också bodde andra människor från Mayo. Där fanns kyrkor och en sjö som var så stor att han ibland drömde att den slukade honom på samma sätt som oceanen han korsat slukat den man han varit tidigare.

Darrin skrev naturligtvis inte allt det där, men Terence hade själv alltid varit en drömmare så han kunde läsa mellan raderna på papperet som fört Darrins tankar tillbaka till Irland. I sitt andra brev berättade Darrin att han hade ett hus som var så stort att de fick plats allihop. Först hade han sparat pengar för att kunna köpa huset, och nu sparade han för att kunna ta över familjen.

Sedan kom det inga fler meddelanden. Efter flera månader fick de ett brev från fader McSweeney i den heliga Birgits församling i Cleveland, och precis som tidigare tog de med det till sin egen präst för att få det uppläst. Han förklarade för dem att Darrin hade dött i en olyckshändelse i hamnen. Pengarna den gode pastorn från Ohio skickade var det som fanns kvar av Darrins sista lön.

Vad skulle hända med Darrins hus nu när han hade gått till den sista vilan?

En gång hade det funnits fyra söner Tierney, som föddes friska och starka trots hungersnöden som plågade landet. Som pojke hade deras far, Thomas, räddat livet på grevskapets störste markägare, och när svälten kom till Mayo första gången hade samme man räddat Thomas och hans familjs liv.

Men när den andra svältvågen kom hade det bara varit Darrin som hade möjlighet att rädda det som fanns kvar av familjen. Marken hade bytt ägare, människor hade dött, och ingen kom längre ihåg den modige unge pojken Thomas, som nu var en utmärglad gammal gubbe.

Vid det laget var familjens båda mittenpojkar redan borta. Den ene hade rest till Liverpool och aldrig mer hört av sig, och den andre hade dött av en sjukdom som kunde ha botats med näringsrik kost om det bara funnits någon.

Precis som tusentals familjer före dem samlade familjen

Tierney ihop alla sina resurser för att kunna skicka Darrin till Amerika. Därifrån skulle han rädda dem alla. Och när Darrin dog skickade de Terence i hans ställe med hjälp av Darrins sista lön. Det blev trettiosju dollar kvar när resan med Cunardlinjen var betald, och pengarna packades ner i en korg tillsammans med den mat familjen kunde få ihop. Under överfarten vakade Terence över den som om den varit en skattkista.

Nu bodde Terence i Darrins hus på Tyler Street på en plats som kallades Whiskey Island. Han hade inte haft några höga förväntningar, så han hade inte blivit besviken när han upptäckt att huset bara var ett skjul som var hopsnickrat av överskottsvirke och hade tjärpapper till väggar. Tomten var lika liten som en engelsmans hjärta, så huset hade inte blivit större än två rum på framsidan och ett kök på baksidan. En ranglig trappa ledde upp till ett rum på övervåningen där det ständigt droppade från det läckande taket. Den fula Cuyahogafloden rann förbi ytterdörren, och bakom huset låg sjön.

Men det var hans. Och nu skulle det bli Lenas också.

En kväll i maj stod Terence tillsammans med sin bäste vän i husets vardagsrum. Det fanns bara en sittplats, och han undrade nervöst vad hans brud skulle tycka.

– Du har haft tur, vet du det, Terry?

Han petade på den stärkta kragen som skavde i nacken. – *Aye*, det gör jag, Rowan. Lena är allt jag någonsin önskat mig, och att min familj får ha hälsan. Han böjde huvudet, och kragen skavde framtill i stället.

– Hon är vacker, din flicka. Jag kommer inte ihåg att du har berättat det för mig. Var du rädd att du skulle få konkurrens från din bäste vän?

Terence skrattade. – Knappast. Jag ville bara inte att du skulle synda genom att bli avundsjuk.

Rowan log. Den mörkhårige mannen var kraftig nog att kunna lasta av malm i hamnen tillsammans med Terence och hans landsmän, men samtidigt så klok att han skaffat sig ett annat levebröd. Han var polis, och även om han inte var i tjänst i dag var han klädd i sin uniform, en stel historia som begränsade hans rörelsefrihet.

– Den man som inte skulle vara stolt över Lena Harkin . . .

– Lena Tierney, rättade Terence honom. Han tyckte att namnet kändes magiskt att uttala.

– Lena Tierney, upprepade vännen. Åh, det är ett fantastiskt namn.

– Jag önskar bara att mamma hade fått vara med om vigseln i dag. Och pappa.

– De kommer snart.

Terence ville så gärna tro att hans vän hade rätt. Rowan var en stark och förtroendeingivande man med strålande hälsa. Hans sätt att lägga huvudet på sned och höja de kraftiga ögonbrynen talade om för världen att han förtjänade allt han hade åstadkommit.

Själv ingav inte Terence samma tillit vid första anblicken. Han var lång och mager och liknade mest en lärare eller munk. Man skulle inte kunna tro att han orkade skyffla upp malm ur lastrummen hela dagen och överleva för att komma tillbaka nästa dag. Hans fina drag vittnade inte om någon styrka, och i de blekblå ögonen fanns minnen av hunger och sjukdomar.

Lyckligtvis var hans utseende bedrägligt.

– Jag har inte kunnat spara ihop tillräckligt för att ta över mina föräldrar, sa han. Och nu när jag har gift mig . . .

– Det sägs att två kan leva lika billigt som en, påpekade Rowan. Och din Lena kommer att göra vad hon kan för att hjälpa till.

Terence visste att det var sant, men han tyckte inte om tanken på att släppa ut hustrun i världen utan hans beskydd. Whiskey Island var en bråkig, ogudaktig plats.

– Om inte hennes mor hade sänt över henne vet jag inte när jag skulle ha kunnat betala för resan.

– Förväntar sig mamman att du ska skicka efter henne också?

– Säkert, och det skulle kännas som en heder att kunna göra det. Hon har ingen annan. Mina föräldrar, Lenas mamma . . . Ja, det är upp till mig att göra allt jag förmår för att hjälpa dem.

Rowan skakade sorgset på huvudet. – Jag har ingen som behöver mig. De har antingen redan kommit hit eller gått bort. Jag skulle känna det som en ära att få hjälpa dig, Terry. Det vet du.

När han hörde vännens ord fick Terence en klump i halsen, och han lade en hand på hans axel och kramade den tacksamt. – Du är en god kamrat, Rowan. Det var du för min bror, och nu är du det för mig också. Men det räcker med den hjälp du ger genom att betala hyra för rummet på övervåningen.

– Jag kan dela sängen med någon, Terry. Du skulle kunna ha en hyresgäst till.

Terence skakade allvarligt på huvudet. – Det finns knappt plats för en, och vem utom en vän skulle stå ut med att det regnar in och vinden blåser genom springorna? Du borde bo på kullen tillsammans med andra som är på väg uppåt, inte här nere hos dem som inte är det.

– Jag bor hos min vän Terence, var det än råkar vara, förklarade Rowan högtidligt.

Terence nickade till tack. Hjärtat var fullt av känslor som han inte kunde uttrycka.

Rowan sköt bort Terences hand. – Och nu ska vi ha en "skapelse". Jag vet att du inte dricker, men i kväll behöver du en whiskey att styrka dig med. Han blinkade.

– Men Lena . . .

– Katie tar hit henne och hjälper henne att installera sig.

Katie var gift med Seamus Sullivan, en vän till Terence och Rowan som bodde på gatan bredvid i ett hus som liknade det Terence bodde i. Precis som Rowan hade paret Sullivan varit vänner till Darrin, och när Terence kom hade de blivit hans vänner också. Seamus hade tagit honom med till hamnen och hjälpt honom att söka arbete där redan under hans andra dag i Cleveland. Katie var en förnuftig kvinna som vakade över parets två små barn som en rävhona över sina ungar. Hon sparade varenda penny Seamus tjänade för att familjen en dag skulle kunna flytta upp på kullen.

Den drömmen var allmän bland människorna på Whiskey Island. Att flytta högre, bort från den illaluktande floden och Standard Oils rykande raffinaderi och från febersjukdomarna som härjade i det myggplågade träsk de kallade sitt hem.

– Jag hoppas att Katie inte gör Lena nervös, anmärkte Terence. Man vet aldrig vilka historier hon kan berätta.

– Tror du inte att flickan redan har hört mängder av historier om vad som ska hända i kväll? Om Katie säger något kommer det att vara en berättelse som överträffar dem. Men hon är en praktisk kvinna, så jag gissar att hon visar Lena hur hon ska laga hålen i taket eller sopa ur eldstaden. Rowan nickade mot träpluggen på väggen. – Ta din rock nu, Terry, och följ med mig.

Terence drack inte sprit. Han tyckte inte om smaken och ville inte veta av dryckernas sätt att påverka honom. Men han visste att Lena skulle vilja vara ensam i huset en liten stund innan han kom tillbaka.

De tjugofyra timmar som gått sedan hon kommit hade varit fyllda av en mängd aktiviteter som alla varit främmande för henne. Och vigseln samma eftermiddag hade inte varit lätt. En irländsk flicka hade inga höga anspråk, men hon hoppades i alla fall att hon skulle ha sin mor med sig på bröllopsdagen. Lena hade inte ens fått den lilla välsignelsen.

– Bara ett glas, sa han till Rowan medan han drog på sig den trådslitna överrocken. Vart ska vi gå?

Rowan dunkade honom i ryggen. – Det finns många att välja på, eller hur? Men vi går till den närmaste.

Whiskey Island var en och en halv kilometer lång och bara en halv kilometer bred, men trots det hade halvön fjorton barer. Förtvivlade män behöver verkligen sina drömmar.

Terence hade också drömmar, men i dem fanns det ingen plats för whiskeyn. Han hade drömt om Lena, och nu när hon var där drömde han om att deras föräldrar skulle förena sig med dem och om barnen som han och Lena skulle uppfostra tillsammans. Deras barn skulle aldrig plågas av hunger och sjukdomar och aldrig behöva längta efter en utbildning så som han själv gjort.

– Är du lycklig, Terry? frågade Rowan från dörröppningen. Säg att du är det.

– *Aye*, det är jag, men jag kommer att bli ännu lyckligare när de gamla har kommit hit från Mayo och vi alla har flyttat bort från den här platsen. När vi allihop sitter uppe på kullen och tittar ner på floden.

– Du ska ta vara på nuet också, rådde vännen. Tänk på att du inte lever i evighet.

Terence log och blåste ut lampan. – Då ska vi göra den här stunden till en lycklig stund.

*

Lena visste i vilket tillstånd Terences hus var, för föregående dag hade hon gått med Katie Sullivan som förkläde längs hela Whiskey Island, fram och tillbaka på gatorna, och undersökt sin nya hemort. Även om Katie inte hade pekat ut Terences hus eller ens gatan där det låg hade Lena anpassat sina förväntningar för varje steg hon tog. Hon hade inte kommit till paradiset, men det hade hon inte heller trott att hon skulle göra. Det fanns mat och arbete där. Även om västra Irlands klippiga kust gav näring åt själen hade den inte gett mycket åt hennes kropp.

– Det är inget märkvärdigt, sa Katie nu, men det duger tills Terry har råd med något bättre. Du får aldrig kritisera honom, för han arbetar hårdare än någon annan man jag känner.

Lena tog inte illa upp. Hon gissade att en del kvinnor skulle ha blivit förolämpade över Katie Sullivans sätt att ta över hennes liv så fort hon kom dit, men hon tyckte redan om den mörkhåriga, skarpögda kvinnan. Katie hade inte tid med takt och finess, och hon skulle antagligen inte förstå om någon visade det mot henne. Hon skötte två små barn och ett hus som var större än Terences och tvättade dessutom åt andra varje dag för att dryga ut den lön Seamus fick i hamnen. Katie hade alldeles för mycket att göra för att hinna med några omvägar.

– Det är ett fint hus, tyckte Lena. Det har ju tak och väggar, och jag antar att det är något slags fönster på framsidan också. Dessutom har jag utsikt över floden, så vad kan jag mer önska mig?

– Jag är glad att du tar det så. Det har inte varit något lyckligt hus, med Darrin som gick bort och Terry som varit så rädd att han inte skulle ha råd att ta hit dig.

Lena väntade medan Katie gick fram och öppnade ytterdörren. – Berättade han det för dig?

Katie steg åt sidan så att Lena fick gå in först. – Nej, Seamus talade om det. Han sa att du och Terry hade varit kära ända sedan ni låg i vaggan.

– Våra mödrar lekte tillsammans när de var barn, och det gjorde Terry och jag också. Lena log. – Jag har aldrig älskat någon annan. Det var meningen att Terry och jag skulle gifta oss.

– Ville du komma hit? frågade den andra kvinnan. Var det du själv som valde det, menar jag?

– Hur länge sedan var det du bodde på Irland, Katie?

– Inte tillräckligt länge, svarade Katie spänt.

– I så fall vet du svaret. Jag ville komma, men jag skulle ha stannat i Mayo om Terry varit kvar där. Jag skulle ha hungrat tillsammans med honom.

– Du klarar dig bättre här.

En tydligare välsignelse än så var det inte troligt att Katie skulle ge henne, och med sin nyfunna väninnas ord ringande i öronen steg Lena över tröskeln till sitt och Terences hem.

Trappan framför henne var knappt värd namnet. Den var smal och kort, och hon visste att den ledde upp till det trånga rum som Terrys gode vän Rowan Donaghue hyrde. Hon tittade inte in genom den stängda dörren till vänster, eftersom hon visste att hon troligen skulle få se en säng om hon gjorde det och det var hon inte redo för ännu. I stället vände hon åt höger och gick in genom den öppna dörren.

Rummet hon kom in i luktade fukt, och det var mörkt eftersom det var så sent på kvällen att det enda fönstret inte släppte in mycket ljus. Det fanns en eldstad vid ena väggen, och bredvid den stod en rakryggad trästol. På ett litet bord i ena hörnet stod en oljelampa, och en annan lampa trotsade tyngdlagen på den sluttande spiselkransen.

– Här behövs en kvinnas hand, konstaterade Katie medan hon tände bordslampan. Med en eld på härden och några bilder på väggarna blir det inte så illa.

– Vi kommer inte att kunna sitta framför brasan tillsammans på kvällarna, det är en sak som är säker, fnittrade Lena. Hon ångrade sig genast, men till hennes förvåning skrattade även Katie.

– Nej, om ni inte bestämmer er för att turas om att sitta på stolen. Kan du stå och sticka, Lena? Eller stoppa strumpor?

– Terry kanske inte har tänkt så långt?

– Eller också tänker han hålla dig sysselsatt i det andra rummet. Katie lyfte ett mörkt ögonbryn.

Lena kände att rodnaden steg på hennes bleka kinder. Hon hade inte bara ärvt sina förfäders röda hår utan också drabbats av deras tunna, fräkniga hy. Hon hade inget emot den, men tyckte inte om att den gjorde det så lätt att läsa hennes tankar.

– Det är inget du kommer att protestera mot. Katie vände sig bort för att Lena skulle känna sig mindre generad. – Din mamma har antagligen sagt något annat, men det är mig du ska tro på. Det finns alldeles för lite att glädja sig åt i livet, Lena, men det är en välsignelse.

Nu hade kinderna blivit flammande röda. Lena hade hundratals frågor, även om det var omöjligt för henne att ställa dem. Men Katies ord hade värmt mer än hennes kinder.

– Den gode Guden gav oss det för att gottgöra oss för

allt annat. Katie vände sig mot Lena igen. – Prästerna håller kanske inte med mig, men vad vet de? Om de insåg hur bra det var skulle de inte kunna leva i celibat längre.

Lena fnittrade på nytt. Det var ett främmande, flickaktigt ljud från en ung kvinna som inte varit flicka på flera år. Men denna kväll kände hon sig som en. Snart skulle Terence komma tillbaka, och hon skulle vara ensam med honom. Det skulle bara vara de två för första gången. Plötsligt kände hon sig mycket yngre än sina arton år.

– Vi ska ta en titt på köket, men sedan måste du gå och lägga dig. Terry förväntar sig säkert att hitta dig i sängen.

Lydigt följde Lena efter sin nya vän till köket. Det fanns en eldstad där också, med en krok att hänga kittlar på. En av dem hängde där nu, och en annan, med tre ben, stod vid kanten av härden. I ena hörnet stod ett bord och på en hylla såg hon några köksgeråd, men det fanns ingen spis.

Katie fnyste till. – Här har du inte mycket. Jag ska se vad jag kan bidra med.

– Du har redan gjort tillräckligt, invände Lena.

– Eftersom männen inte har haft någon spis har de inte lagat mycket mat, men jag har lite extra porslin och några bestick. Katies röst gjorde klart att sakerna skulle stå i Lenas kök följande dag hur mycket hon än protesterade.

– Tack, du är en sann vän. Lena sträckte sig efter Katies arbetsmärkta hand och kramade den hårt.

– Du kommer att behöva vänner, menade den andra kvinnan. Livet är inte lätt här, men vi lever i varandras skugga och hjälper varandra om vi kan.

– Och jag ska alltid ställa upp för dig.

– I så fall tjänar vi ju på det båda två. Katie såg sig omkring på nytt och skakade misslynt på huvudet. – Rent är det i alla fall, det är det bästa man kan säga.

– Nej, en sak till, log Lena. Det är mitt också. Mitt eget kök.

Katies ansikte mjuknade. – Kom nu, så gör vi dig i ordning för din make.

Hon vände sig om, och Lena följde efter henne genom vardagsrummet och hallen. Katie öppnade dörren till det lilla rum som Lena och Terence skulle dela och tände en lampa som stod på ett bord. Det var lite mindre än vardagsrummet och hade träpluggar för kläder i väggen. Förvånande nog stod det en fin, hög kista bredvid dörren, och det fanns också en kommod med handfat, tillbringare och tvålkopp.

Resten av utrymmet upptogs av en säng som knappt var stor nog för två. Den var bäddad med grova lapptäcken som tycktes vara tillverkade av slitna manskläder.

Katie drog med handen över det ena täcket. – De ser inte mycket ut för världen, det vet jag, men de är av ylle och är varma som en torvbrasa. Jag har gjort dem själv av trasor från lumpsamlaren. Du förstår, när Terry kom fanns det ingenting kvar i huset. Det lilla som Darrin lyckats skrapa ihop hade andra stackare tagit.

– Vet du hur han dog? frågade Lena. Ingen har talat om det för mig.

– Det är bäst att du inte tänker på det.

– Snälla Katie, kan du inte berätta?

Den äldre kvinnan suckade. – Det hände en olycka. Han var djupt nere i lastrummet på ett fartyg när han fick en malmlast över sig. De påstår att han dött hastigt, men det dröjde två dagar innan de hade skyfflat undan så mycket malm att de kunde få fram kroppen.

Lena ryste till. – Är det inte farligt för Seamus . . . och Terence?

– De är försiktiga. Det är de alltid.

– Det är ett förfärligt arbete de har.

– Att ösa malm är ett djävulens påfund. Dammet är så tjockt att de hostar i flera timmar efteråt, och det äter sig in i deras hud och hår tills de är röda överallt. Katie fick fram ett leende. – Men inte lika röda som ditt hår, förstås.

– Finns det inga andra jobb?

– Det här får duga. Det är i alla fall bättre än något de kan hitta på vintern, när sjön fryser så att malmbåtarna inte kommer fram. En mans arbete är hårt, men det ger hans familj mat på bordet. Hon rätade på sig. – Terry kommer snart, och jag måste tillbaka till Seamus och barnen. Ska jag hjälpa dig med kläderna?

Lena kände sig plötsligt blyg, så hon skakade på huvudet. – Nej, jag klarar mig själv. Du har varit så snäll.

Katie log. – Då så. Om det är något annat . . .?

– Nej då, det går bra. Tack för allt, Katie.

– Du kommer väl ihåg vad jag sa? Det är inte hemmets storlek som gör det lyckligt utan kärleken mellan mannen och kvinnan. Katie klappade sängen på nytt innan hon lämnade rummet.

När Lena hörde ytterdörren slå igen sjönk hon ihop på sängen och knäppte händerna i knäet. Plötsligt kändes huset alldeles för tyst, som om det inte fanns någon annan än hon i hela världen. Hon kunde inte minnas när hon senast varit ensam. Hemma på Irland hände det inte ofta, eftersom hon hade skött sin far fram till hans död och sedan sin mor som nästan dött av sorgen. På det överfulla skeppet som fört henne till Amerika hade hon inte heller varit ensam. Under de få timmarna på däck hade hon letat efter en plats där hon kunde vara i fred, men det hade inte funnits någon.

Nu längtade hon efter sin nyblivne makes röst och steg, även om hon inte visste vad hon skulle göra när han väl kom hem.

Lena reste sig upp eftersom hon förstod att Terence snart skulle vara där. Hon var fortfarande klädd, och om han kom hem innan hon hade klätt av sig och tvättat sig skulle hon bli tvungen att göra båda delarna inför honom.

Insikten fick henne att sätta fart, och på någon minut hade hon fått av sig både kjol och underkjol, blus och snörliv. Hon tog inte av sig linnet eftersom hon skulle sova i det. Strumpor och skor kom sist, och sedan nästan flög hon fram till tillbringaren. Till sin glädje fann hon att det fanns vatten i den så att hon kunde tvätta sig.

Sin lilla resväska hittade hon bredvid sängen, där Terence

måste ha ställt den tidigare på dagen. Hårborsten var sliten men älskad, och när hon tagit ur nålarna och släppt ner håret borstade hon det nästan vilt medan hon funderade på om hon skulle fläta det till natten. När ytterdörren öppnades kunde hon inte längre koncentrera sig på problemet.

Terence var hemma.

Hemma.

– Lena?

– Jag är här.

Hon trodde att han skulle komma rakt in i rummet och göra det som makar gjorde, men i stället försvann hans steg åt andra hållet.

Lena blev nyfiken. Hade hon gjort något fel? Borde hon ha suttit och väntat fullt påklädd i vardagsrummet? Tänk om han tyckte att hon var skamlös som väntade på honom i sängen?

Det hördes steg igen, först starka och sedan svagare. Hon var glad att hyresgästen, Rowan, hade valt att tillbringa natten på annat håll. Det kändes tillräckligt underligt att dela det nya hemmet med *en* man.

När Terence inte kom in i sovrummet blev nyfikenheten starkare än blygseln. – Terry, vad gör du?

– Kom hit får du se.

Lena tittade ner på linnet, som var lappat och tunnslitet. Hon ägde ingenting som bara tillhört henne själv. Kläderna hade hon ärvt av mostrar och kusiner, och snörlivet kom från hennes egen mor, som varit kraftigare än Lena när hon senast använt det.

Hon kunde inte visa sig så för Terry, men hon kände att hon måste ta reda på vad han gjorde så hon svepte ett täcke om sig. Det var tyngre än hon hade föreställt sig.

Hallen var tom när hon kikade ut genom dörren, så hon fortsatte till den öppna vardagsrumsdörren. – Terry?

Han kom ut från köket med en gungstol framför sig. Det gyllene håret glimmade i lampskenet, och medan Lena såg på honom gick han fram och ställde stolen framför eldstaden.

Först då upptäckte hon hur fin den var och slog förtjust ihop händerna. – Åh, Terry!

– Den är din, Lena. Tycker du om den?

Hon började gå fram mot honom utan att tänka på att hon bara hade linnet på sig under det kraftiga lapptäcket, som släpade på golvet efter henne.

– Den är så vacker! utbrast hon lyckligt.

– Jag ville att du skulle ha den på din bröllopsdag. Nu kan du sitta vid brasan på kvällarna, och när vi får barn kan du vagga dem här, där det är varmt.

Lena drog med handen över det polerade träet. Gungstolen hade böjda armstöd, och träet var smyckat med ett underbart, urblekt schablonmönster.

– Har du köpt den här för min skull?

– En änka utan barn sålde den till mig. Hon sa att jag hade större behov av den än hon.

Tårar steg upp i Lenas ögon. – Du är mig så kär, Terry.

Hon steg in i hans famn lika naturligt som solen går upp och lärkorna svingar sig över sommarängarna. Han lade armarna om henne som om han gjort det många gånger tidigare, som om de varit gifta länge.

– Jag har så lite att . . . erbjuda dig.

– Du har allt! protesterade hon. Du har ju dig själv.

– Lena . . .

Han lyfte upp hennes haka och tryckte sina läppar mot hennes. När hon lyfte armarna och lade dem om hans nacke föll täcket ner från hennes axlar.

Terences kropp kändes lång och hård mot hennes, och den blev ännu hårdare när han drog henne närmare. Hon hade kysst honom förr, när hennes mor vänt ryggen till, och hon hade tyckt om att göra det. Nu älskade hon det.

Hon älskade honom.

– Kom och sätt dig hos mig.

Han satte sig i gungstolen och drog ner henne i sitt knä, och sedan kysste han henne på nytt innan hon hann protestera. Hans händer hittade hennes bröst, och de var så heta att hon kände hans hud pulsera medan hans läppar gled ner mot hennes axel. Hon tyckte att hon borde säga något, men alla ord hade försvunnit ur hennes huvud.

Hon slöt ögonen så att hon inte kunde se något heller. Det var lika bra eftersom hon började bli yr i huvudet. Nu låg hans hand mot hennes bara bröst, inte ens det trådslitna linnet fanns mellan hans hud och hennes.

– Min käraste . . . mumlade han innan läpparna åter fann hennes.

Aldrig förr hade Lena betraktat kläder som något dåligt, men nu gjorde hon det. De var bara ett onödigt hinder, och när linnet gled ner mot hennes midja suckade hon av välbehag.

Terence reste sig upp med Lena i famnen som om hon inte vägt mer än en fjäder, och hon lade armarna om hans hals och kysste honom på nytt. I sovrummet stängde han dörren om dem, lade ner henne på sängen och klädde hastigt av sig. En varm bubbla av förväntan skyddade henne mot rädslan, så när han kom till henne tryckte hon sin nakna kropp mot hans.

Hon förmodade att det hon kände var fel. Hur många gånger hade hon inte fått höra att hon måste akta sig för sådana känslor och lära sig på vilka sätt de straffade sig! Men just nu mindes hon bara Katies ord, och det som uppfyllde henne tycktes komma direkt från himlen.

– Vi ska få ett gott liv, sa Terence innan han äntligen gjorde henne till sin.

– Ja, instämde hon. Och under de följande ögonblicken var hon fullständigt övertygad om att det skulle bli så. – Åh . . . ja!

17 januari 1881

Vi kommer till världen som del av en familj. Vissa av oss kommer som värdefulla gåvor, andra som prövningar som måste uthärdas. Vi tillbringar våra liv med att kämpa för frihet eller med att gömma oss i tryggheten hos dem som vårdade oss när vi var barn. Ibland svänger vi från det ena till det andra lika smidigt och regelbundet som pendeln på en klocka.

Familjen är människans största prövning, priset vi betalar för inträdet till denna världen och skulden vi bär när vi lämnar den. Jag har upplevt många sorger och glädjeämnen, men det finns inget som kan mäta sig med det ögonblick då jag vaknat i en välbekant säng och hört att de som känner mig allra bäst också vaknar.

Ur dagboken skriven av fader Patrick McSweeney, den heliga Birgits församling i Cleveland, Ohio.

9

Whiskey Island Saloon
februari 2000

I flera dagar efter festen på baren såg Casey Jon Kovats överallt och ingenstans. Han stod i kön vid bankautomaten, men när hon gick fram för att skälla ut honom fann hon att det var en häpen främling hon läxade upp. Han malde kaffe i livsmedelsbutiken, men när hon klappade honom på axeln var det en man med trubbnäsa och vikande hårfäste som vände sig om.

Casey kunde förstås ha ringt honom. Hon visste ju var Jon arbetade, även om hans hemtelefonnummer var hemligt. Om det varit en annan man skulle det ha känts helt naturligt för henne att titta in på distriktsåklagarens kontor och bjuda ut honom på lunch, men när det gällde Jon var hon alltför sårad över att han bara försvunnit. De hade varit så goda vänner.

Jon hade spelat en unik roll i Caseys liv under tonårstiden. De hade pratat om allt och varit oense om det mesta. Hänsynslöst hade de smulat sönder varandras argument och slutsatser, men när diskussionen var över för dagen fanns vänskapen alltid kvar.

– Hör du, Casey! skrek Megan utifrån köket. Det är fredag, vår jäktigaste dag. Om en halvtimme kommer vi att ha fullt av gäster där ute, de flesta av dem kraftiga män som blir retliga när de är hungriga. Vill du vara den som talar om för dem varför borden inte är färdiga?

Casey ryckte till. Hon hade stått och stirrat rakt ut i luften, men nu insåg hon att Megan hade rätt. De hade mycket att göra. – Förlåt mig! skrek hon tillbaka.

– När du är klar behöver vi hjälp här ute.

Megan skötte köket med hjälp av två assistenter, men i dag var en av dem sjuk. Casey började ivrigt torka av borden, men efter en liten stund kom Peggy fram och tog ifrån henne trasan.

– Gå ut i köket, du. Jag kan göra det här.

– Kan du ta hand om baren också? undrade Casey.

– Ja då, inga problem.

Casey log tacksamt. Peggy var ovanligt söt i dag, och hon passade bra i barens traditionella vita polotröja och gröna halsduk. Casey hade trott att hennes syster skulle ha åkt tillbaka till skolan vid det här laget, men Peggy tycktes inte ha någon brådska. Samma morgon hade hon faktiskt erbjudit sig att hjälpa till hela följande vecka, eftersom servitrisen oväntat varit tvungen att besöka släktingar. Peggy var ännu mer välkommen att stanna eftersom hon hjälpte till med Ashley också, men Casey började ändå känna sig orolig för henne.

– Hur är det med dig egentligen? Jag vet att du kom hem för att få vara tillsammans med Megan och mig ett tag, men om du hade tänkt vila upp dig också måste du känna dig besviken.

– Jag behövde ett avbrott, inte vila.

Casey såg frågande på henne.

– Ja, du vet hur det är. College är bra för vissa saker, men inte när man vill tänka över sitt liv, tyckte Peggy.

– En bar är inte precis någon tankesmedja, anmärkte hennes syster.

– Säg inte det. Ibland kan man bara räkna ut vart man är på väg om man först tar reda på varifrån man kommer.

Peggys leende lyste upp hennes ansikte, så Casey blev inte alltför bekymrad. Tydligen var det systern grubblade på inte värre än att hon kunde klara av det själv. Visserligen var hon lite tystare än vanligt, men Casey tyckte inte att hon verkade deprimerad.

– Nå ja, du har ju varit här mycket i ditt liv, och om nu

behöver vara här ännu mer är det väl inget särskilt med det. Titta på mig, bara. Casey lämnade Peggy och gick ut i köket.

Där stod Jon Kovats med skjortärmarna upprullade och diskade.

– Vad i helsike är det som pågår här? skrek Casey för att höras över radion.

Jon vände sig om, och den här gången var det verkligen han, inte en främling som liknade honom. – Megan är ute och tömmer soporna. Hon hälsade att du kunde börja skära ost.

– Jon, vad gör du här?

Han såg ut att vara orolig för hennes förstånd. – Ser du inte det?

Hon talade långsamt och tydligt som till ett barn. – Varför står du i ett barkök och diskar?

Han vände sig mot diskhon igen. – Därför att en av era medhjälpare är sjuk.

– Jag trodde att du hade ett jobb, påminde Casey. Har distriktsåklagaren gett dig sparken?

– Det här är bara ett extraknäck, försäkrade han.

Megan kom tillbaka och gick raka vägen till diskhon bredvid Jons för att tvätta händerna. – Casey, vi behöver den där osten genast.

– Megan, det här är Jon, presenterade Casey med iskall röst. Jon, Megan.

– Det vet du väl att jag känner Jon. Megan dök ner i ett skåp, och när hon rätade på sig hade hon en enorm stekpanna i handen. – Jag har känt honom sedan vi gick i high school.

Casey visste bättre än att försöka reda ut saken. – Bra. I så fall känner du honom antagligen bättre än jag, för jag har inte sett honom på tio år. Ni två kanske har brevväxlat hela tiden.

– Som om jag skulle ha tid att skriva brev! Megan hällde olja i stekpannan och lade i skivad lök.

Utan att svara satte Casey i gång matberedaren och började mata i stora bitar ost. Greta, den assistent som fortfarande var frisk, kom och ställde sig bredvid henne för att strimla sallad. Den medelålders kvinnan var oftast tystlåten, det var därför Megan uppskattade henne, men i dag var hon inte lika tillbakadragen som vanligt.

– Jag känner också Jon, förklarade hon.

Casey försökte att inte låta alltför intresserad. – Gör du? Han är visst välkänd här.

– Ja. Det var Jon som satte dit killen som gav sig på min Ralph.

Casey visste vad hon syftade på för Megan hade berättat om händelsen. Gretas make arbetade som tidningsbud på morgnarna, och för inte så länge sedan hade han blivit nerslagen och rånad. Brottslingen hade snabbt blivit gripen, ställd inför rätta och dömd.

– Var det?

– Jon sa att han skulle bura in honom på lång tid, förklarade Greta, och det gjorde han också.

Medan hon skar av ett nytt stycke ost funderade Casey på hennes ord. Hon hade verkligen lust att vända sig om och titta vad Jon gjorde, men var fast besluten att inte ge efter. Han lekte tydligen något, men hon tänkte inte vara med och leka.

Hon stoppade mer ost i matberedaren medan de andra två kvinnorna rörde sig runt i köket och skötte sina sysslor. De hade arbetat tillsammans så länge att båda visste precis vad som behövde göras, och allt gick smidigt och utan diskussioner. Doften av Megans löksoppa fyllde rummet, och ångan från diskvattnet och spisen gjorde Caseys hår trassligt.

Till slut kunde hon stänga av maskinen och bära fram osten till den långa arbetsbänken, där den skulle användas till bakad potatis, sallader och Rosaleens köttpudding, som var dagens speciallunch. Det var då hon upptäckte det som hon redan borde ha gissat.

Jon Kovats hade försvunnit igen.

*

Whiskey Island Saloon hade flest gäster mellan klockan halv tolv och halv två. Efter det var lunchrusningen över och Megans assistenter gick hem, och Megan själv lämnade ofta baren för att handla eller gå till banken. Under tiden tog hennes bartender hand om de fåtaliga eftermiddagsgästerna.

I dag hade Casey avslutat det arbete som blivit kvar och serverat eftermiddagsdrinkar till några gäster. Det hade varit lätt för henne att falla in i rutinen.

Vid femtiden blev det jäktigare igen, när baren fylldes av gäster som kom in efter arbetet. Barry anlände halv fem, och vid det laget brukade även Megan vara tillbaka. Sedan stannade de till klockan nio, då köket stängde. Kvällsmenyn var begränsad och till och med när Artie var borta kunde Barry klara det mesta, så Megan tillbringade kvällarna med att förbereda nästa dags soppa och special och baka det irländska sodabröd som serverades till alla rätter.

Denna dag kom hon tillbaka med en mängd pappershanddukar och servetter just som Casey drog på sig kappan.

– Ska du gå ut? frågade Megan nyfiket.

– Det är dags att hämta Ashley.

Megan hade nästan glömt bort flickan, men nu kom hon ihåg att Casey hade ordnat en plats i kyrkans förskola åt henne. Till och med när hon var i närheten var Ashley så tyst och lugn att man inte lade märke till henne. Megan hade varit tveksam till att ha ett barn i huset, men dittills hade flickan inte varit till något besvär.

– Tycker hon om skolan?

– Hör du Megan, vad var det där med Jon?

Förgäves försökte Megan låta bli att le. Casey hade varit ilsken hela eftermiddagen, men de hade inte haft tid att prata. Megan tyckte att hennes syster var extra vacker när hon var arg, men när Casey varit tonåring hade faster Deirdre alltid bannat henne för hennes trotsiga ansikte.

– Jon kom in genom köksingången. Du vet ju att jag alltid har tyckt om honom, så vi började prata och jag berättade hur mycket vi hade att göra. I nästa ögonblick hade han satt i gång att diska, och han var bra på det också.

– Han dyker upp och försvinner hela tiden.

Megan blev intresserad. Casey hade ett egendomligt förhållande till män och valde bara ut de största förlorarna. Hon hade till och med gift sig med en av dem, men de hade skilts igen i all vänskaplighet. Casey hade fått bilen och det som fanns kvar på deras gemensamma bankkonto mot att Stan fick den söta unga kvinnan på kontoret.

För att undvika tre män som var på väg fram till bardisken drog Megan sin syster åt sidan. – Du och Jon stod varandra så nära. Ni var praktiskt taget oskiljaktiga.

Casey gjorde en föraktfull grimas. – Vi var bara vänner, ingenting annat.

– Var det aldrig något mer än så?

– Ashley och jag blir nog borta en stund, avbröt Casey.

– Tänker ni gå ut alla tre?

– Varför frågar du så mycket, Megan?

– Varför är du så irriterad, Casey?

Casey rätade på axlarna och Megan avgjorde att faster Deirdre hade haft rätt. – Jag förstår mig på karlar, påstod Casey. Jag läser dem som en öppen bok.

– Som en serietidning, menar du väl?

– Nu är du ute på tunn is, Megan.

– Jag avbröt dig visst. Vad skulle du säga mer?

– Jag brukar förstå mig på män, och jag tycker inte om när jag inte gör det.

– Med andra ord har Jon gjort dig förvånad, fastslog Megan. Han är lika smart som du, så du kan inte förutsäga hans beteende eller handlingar.

– Tala bara om varför du ser så belåten ut, krävde systern. När hade du förresten själv en man i ditt liv senast, förutsägbar eller inte?

Om Megan haft samtalet med någon annan kvinna skulle hon ha känt sig förolämpad, men att växa upp med systrar var som en livslång vaccination mot överdriven känslighet.

– Jag tycker inte om ditt sätt att välja karlar. Den där typen du flirtade med häromkvällen var förfärlig. Säg inte att du tänker ligga med honom också!

– Jag har åtminstone möjligheten att välja! utropade Casey.

– Där fick du in en poäng, det erkänner jag.

– Äsch, förlåt mig, Meg, det var elakt. Nu är vi i gång igen, suckade hon. Jag visste att det skulle bli så här om jag kom hem.

– Jag frågade ju om du tänkte ligga med elviskopian.

Casey log. – Vi är lika förskräckliga båda två, alltså.

Megan hälsade på en grupp gäster som just kommit in och vände sig sedan mot systern igen. – Nå, tänker du göra det?

– Nej! Jag tror aldrig att han kommer tillbaka hit, förresten. Du har rätt, han var hemsk. Jag är kanske klokare än vi tror?

– Du är lika klok som någon annan, det är bara när det gäller karlar som du är bakom flötet. Men du tycker om att vara ovanpå, Casey.

– Och exakt hur kan du känna till det? log systern.

Megan slog till henne på axeln. – Det är inte ditt sexliv jag pratar om nu.

– Då kan vi prata om ditt i stället, tyckte Casey. Efter vad jag förstår var det länge sedan du var tillsammans med någon. Varför är det så?

Megan visste svaret på det, och hon misstänkte att även Casey gjorde det. Båda systrarna hade problem med tillit, och det krävdes ingen doktorsexamen i psykologi för att förstå varför.

– Jag har för mycket att göra för att hinna leta, slingrade hon sig.

– Om den rätte klev in genom dörren skulle det alltså vara fixat?

Megan tänkte på Niccolo Andreani, den tidigare fader Nick. Hon hade tänkt på honom många gånger sedan morgonen då hon suttit i hans kök och fått veta lite om hans liv. Han var den mest tilldragande man hon träffat på mycket länge, och förmodligen också den minst tillgänglige.

Hon lyfte hakan. – Nej, jag är för upptagen för att ha ett förhållande.

– Du behöver väl inte bära hela världen på dina axlar! Det kan ju hända att den faktiskt fortsätter snurra utan dig.

Det var ett gammalt argument, men den här gången gav sig inte Megan in i någon diskussion. – Jag kanske är rädd för att upptäcka att det är sant.

– Att du måste bära upp hela världen eller att den fortsätter snurra?

– Tänk vad vi två kommer att spara in på psykologkostnader om du stannar kvar ett tag.

I stället för att svara valde systern att byta samtalsämne. – Ashley och jag letar kanske upp Jon och hör efter vad han håller på med. Varför tar inte du också ledigt i kväll? Artie och Barry klarar sig själva, och lördagarna är lugna så du behöver inte förbereda något i kväll. Jag kommer ner tidigare i morgon och hjälper dig med lunchen. Förresten kan jag sätta i gång köttsoppan i kväll när Ashley har somnat.

Megan kände sig frestad, för hon var tröttare än vanligt. Hon hade varit på benen sedan klockan sex och kom inte ens ihåg om hon ätit någon lunch.

– Jag tänkte baka, försökte hon ändå.

– Det finns gott om bröd i frysen.

Megan kände att hon redan började slappna av. Hon hade flera inspelade tv-program hon ville se, och hon längtade efter ett glas rött vin, en enkel middag i lugn och ro och ett långt, hett bad.

Casey måste ha förstått vad hon skulle svara. – Duktig flicka.

– Jag är skyldig dig en gentjänst.

– Bry dig inte om det. Det är bara trevlig omväxling.

Casey tryckte Megans axel och gick ut genom dörren. Megan hörde dörren stängas efter henne, men på grund av den stigande ljudnivån i baren uppfattade hon inte att Niccolo stött ihop med hennes syster i dörröppningen förrän hon hörde hans röst bakom sig.

– Megan?

"Om den rätte klev in genom dörren skulle det alltså vara fixat?" hade Casey sagt.

Hon vände sig om. – Hej. Du kommer för sent till lunchen

och är lite tidigt ute för middagen. Men en drink får du gärna.

– Jag kom för att fråga om du vill äta middag med mig, sa Nick.

– Här?

– Nej, på något lugnare ställe där vi kan prata.

Megan fick en plågsam känsla av att hon visste vad de skulle prata om. – Jag brukar jobba till nio.

– Casey sa att du var ledig i kväll.

– När hade hon tid att göra det?

Nick log. – När hon höll upp dörren för mig och bad mig ta med dig härifrån innan du glömmer bort att det finns en värld utanför Whiskey Island Saloon.

Megan hade mycket att tala med systern om, och hon hoppades att Jon Kovats skulle vara svårare att hitta än en fyrklöver mitt i vintern. – Så nu är jag alltså ett välgörenhetsfall?

– Nej, jag hade ändå tänkt bjuda ut dig på middag. Men det var trevligt att få familjens godkännande.

Hon tyckte så mycket om hans leende. Det fanns en ömsint humor i det, och det lyste upp hans mörka ansikte som en soluppgång. – Ska vi gå hem till mig då? Jag hade tänkt fräsa lite grönsaker, och jag har räkor i frysen.

– Vill du inte hellre gå ut? Du lagar ju mat hela dagarna.

Men hon lagade inte mat åt *honom*, och hon gjorde det inte i sitt eget kök. Egendomligt nog hade hennes trötthet gått över trots frågorna som hotade vid horisonten.

– Du kan hjälpa till, föreslog hon. Jag är bra på att ge order.

– Det kan jag föreställa mig, skrattade Nick. Ska vi åka förbi mitt hus och hämta en flaska vin?

– Det är bäst ifall du vill ha något extra, tyckte Megan. Jag håller mig till billiga viner från Kalifornien.

– Jag kanske ska ta med kaffet också?

Megan log bara till svar. Hon hade sett fram emot en ensam hemmakväll, men nu upptäckte hon att hon såg fram emot den här ännu mer.

10

För att vara en så praktisk och dominerande kvinna hade Megan en överraskande originell och flärdfull lägenhet. Där Niccolo stod i hennes vardagsrum kände han sig ungefär som när han varit biktfader och fått lyssna till en främlings innersta hemlighet.

– Gör det något om jag tar en dusch och byter om först? sa Megan. Jag ska skynda mig, men det skulle vara skönt att få av sig de här kläderna. De luktar som ett helt cigarettpaket.

– Ta all tid du behöver. Ska jag öppna vinet så länge?

– Egentligen borde jag vara här och applådera, retades hon.

– Vänta med omdömet tills du har smakat på det.

Hon log och gick sedan in i sovrummet och stängde dörren efter sig.

Niccolo var glad över möjligheten att se sig omkring. Megan Donaghue intresserade honom mer än han ville erkänna. Han hade lärt känna många tilldragande kvinnor under årens lopp – att han varit präst betydde inte att han var immun mot kvinnlig charm. Det var inte på grund av celibatet han lämnat sin prästtjänst, men han hade inte heller låtsats att han skulle sakna det. Men han var smärtsamt medveten om att han var särskilt sårbar just nu, och Megan var kvinnan som rörde om i glöden.

Lägenheten var rymlig och personligt inredd, och det syntes att Megan tyckte om gammalt hantverk. Den runda trasmattan var tillverkad för länge sedan av någon som haft gott om tid och ylleremsor, och kuddarna i den blå soffan var sydda av gamla lapptäcken. Den krämfärgade filten i ena änden av soffan påminde honom om det invecklade mönstret på traditionella, irländska fiskartröjor.

Niccolo gick ut i köket och letade upp en korkskruv. Rummet var litet men inbjudande. Det fanns en keramikgris med mjöl och en keramikmus med ris, och på väggarna hängde handsydda bonader med känslosamma talspråk. Han kom att tänka på sin farmors kök, där många av släktens skatter trängdes – ofta tillsammans med släkten.

Han letade just efter vinglas när Megan kom tillbaka. Nu var hon klädd i en mjuk grön tröja som nästan räckte henne till knäna och ett par snäva långbyxor av ett slag som han visste hade ett särskilt namn även om han inte kunde komma på det. Håret var en våt, lockig massa och hennes enda eftergift åt fåfängan lite ljust läppstift.

– Har du hittat vad du behöver? undrade hon.

Plötsligt fylldes Nick av en intensiv åtrå. Känslan var så kraftfull och förödande att det var som om någon yttre makt pressade den på honom.

Han vände sig bort för att samla sig och hoppades att hans reaktion inte var lika synlig som han misstänkte. – Jag har hittat alla möjliga glas, men inga för vin. Har du inga vinglas?

– Jo, det borde jag ha sagt. De står i matsalen. Megan skrattade. – Egentligen är det ingen matsal utan ett hörn av vardagsrummet, men man kan ju låtsas.

– Skulle du kunna hämta ett par?

– Självklart, log hon.

Hon lämnade honom igen, och han påminde sig om att han var där för att prata och ingenting annat. Han hade kommit till Cleveland för att tänka igenom resten av sitt liv, inte för att påbörja ett nytt skede av det.

Megan kom tillbaka och ställde två glas på bänken framför honom. – Om vi dricker ur flaskan i kväll, får jag behålla den då så att jag kan imponera på folk?

– Vi behöver inte ens dricka ur den. Du får både flaskan och innehållet, försäkrade han.

När hon kom så nära kände han doften av hennes schampo, det var något gammaldags med syrener. Doften tycktes passa ihop med lägenheten även om den var fel på kvinnan som skötte Whiskey Island Saloon.

– Jag tänkte börja med maten nu. Du gör gott kaffe, men gillar du matlagning också?

– Nästan lika mycket som jag tycker om att äta, nickade han.

Hon hade redan börjat leta efter matvaror i ett skåp, men när hon hörde hans svar vände hon sig förvånat om. – Menar du det?

– Matlagningen var en av de jordiska fröjder som de inte tog ifrån mig. Niccolo ångrade genast sina ord, för de fick honom att tänka på den andra fröjd som han så nyligen fått tillbaka.

– Hur länge sedan är det, Nick?

Han vågade inte ens andas.

– Sedan du slutade som präst, menar jag, fortsatte hon när han inte svarade.

– Jag var inte riktigt säker på vad det var du frågade, erkände han. Egentligen lämnade jag inte prästerskapet, utan fråntogs de rättigheter och befriades från de skyldigheter en präst har. För att förklara på ett enklare sätt kan man säga att jag tog det avgörande steget för ungefär tio månader sedan.

Hennes ansikte mjuknade. – Känns det som att du gjort det rätta?

– Jag har inga problem med mitt förflutna eller nuet, försäkrade han, men det är värre med framtiden.

– Har du inga planer?

– Jag tar ett år till på mig att fundera, kanske till och med två. Det är därför jag håller på med huset. Jag tycker om att jobba med händerna, och det känns bra att något kommer till liv igen genom mitt arbete. Samtidigt tjänar jag pengar och får tid att tänka.

Megan sträckte sig förbi honom för att ta fram en kastrull. – Tycker du om basmatiris?

Ångesten fyllde honom när han insåg att han tyckte bättre om hennes kropp än om något annat i köket. – Javisst.

Megan satte på riset och tog sedan fram champinjoner, paprika, purjolök och morötter ur kylen. När hon stängde dörren igen gav Niccolo henne ett fyllt vinglas. Hon lyfte det och väntade.

– För nya vänner, skålade han.

– Ska du och jag bli vänner?

Han antog att det var samtalet de skulle ha hon syftade på, inte om deras förhållande skulle fortsätta i en annan riktning. – Jag hoppas det.

Hon smuttade på vinet. – Mmm, gudarnas nektar.

– Nej, bara en särskilt god tvåårig soave.

– Jag tycker bättre om min version. Hon ställde ifrån sig glaset på köksbänken och böjde sig ner för att ta fram något ur ett underskåp. När hon rätade på sig igen höll hon en äppelformad skärbräda i handen. – En kusin gjorde den här i scouterna, förklarade hon och visade upp den.

Nu hade hon gett honom en naturlig anledning att ta upp hennes familj, men han kände sig inte redo för det än. – En släktklenod, sa han bara.

– Ja, jag tycker det. Hon lade skärbrädan och en vass kniv på bänken framför honom. – Om du älskar att laga mat kan du väl skära grönsakerna?

– Absolut.

Hon öppnade frysen. – Varför kom du till Cleveland?

– De flesta av mina vänner och släktingar finns fortfarande kvar i området omkring Pittsburgh, och det är inte längre bort än att jag kan hålla kontakten med dem. Men viktigare är att fader Brady i den heliga Birgits församling var min mentor. Jag var här och hälsade på honom, och då fick jag se huset jag jobbar med nu. Det kändes som om allt föll på plats.

– Du kallar det aldrig *ditt* hus, bara huset du jobbar med, kommenterade Megan.

– Det är så jag tänker på det.

– Men något måste ha gjort att du valde just det huset. Det

finns många vackra gamla hus i Pittsburgh också. Du kände väl något speciellt för det?

Niccolo sköljde färdigt grönsakerna innan han svarade, och under tiden funderade han över hur personlig han kunde tänka sig att vara. – Kyrkan föredrar att vi lämnar brottsplatsen. Han log cyniskt. – Det är inte meningen att vi ska bo kvar på platser där vi tjänstgjort som präster tidigare. Och mina släktingar var inte heller glada över mitt beslut. I stället för den utvalde blev jag deras törnekrona.

– Det är orättvist, tyckte Megan. Det är ju ditt liv, trots allt.

– Efter tre generationer i Amerika är vi fortfarande tätt sammansvetsade. Ingen skär av navelsträngen. Men det var lättare för alla parter att jag flyttade en bit bort från alla andra.

– Kommer de någonsin att förlåta dig, tror du?

Sanningen var smärtsam. – De flesta i min egen generation kommer nog att göra det, men inte de äldre. Nick log sorgset. – De älskar mig därför att jag är en del av familjen, men det är det bästa jag kan förvänta mig.

– Du förlorade mycket på en gång.

Niccolo kände sig rörd. Megan lät ledsen, men det fanns också vrede i hennes röst som om hon inte kunde förstå hur hans släkt kunnat överge honom.

– Jag har självrespekten kvar, förklarade han. Gud och jag står fortfarande på god fot med varandra, och kyrkan har inte stängt sina portar för mig. Jag klarar mig.

De arbetade under tystnad en stund, tills Niccolo hade skurit färdigt grönsakerna. När Megan fick se högen visslade hon tyst. – Du kan få ett jobb på baren när du vill.

Han tänkte på hur bra det kändes att arbeta tillsammans med henne. Hon pratade inte i onödan, och förvånande nog kritiserade hon inte heller. Det fanns en egendomlig intimitet mellan dem. Det var inte som mellan gamla vänner och absolut inte som mellan älskande, men känslan var ändå värdefull och sällsynt.

– Du behöver inte stanna kvar och titta på när jag lagar maten, sa Megan medan hon satte på en wok i rostfritt stål. Om du vill kan du ta med dig vinet och slå dig ner i vardagsrummet i stället. Du har redan jobbat tillräckligt hårt.

– Det är inte jobbigt att se på dig, Megan. Hon såg förvånad ut, och han undrade vart prästårens diskretion tagit vägen. – En del tycker inte om att ha publik medan de lagar mat, tillade han för att dämpa den sista meningen. Jag går förstås härifrån om du hellre vill det.

– Var inte dum. Om jag inte tyckte om publik skulle vi få lov att stänga Whiskey Island Saloon. Jag är aldrig ensam i köket.

Han lutade sig mot ett litet bord och tog vinglaset i handen. Oljan sjöd, och det doftade vitlök och ingefära. – Vad är det för mat du serverar på baren? undrade han. Jag har aldrig sett menyn.

– På kvällarna har vi smårätter, och på lunchen finns det sallader, soppor och smörgåsar också. Och så är vi berömda för våra specialluncher med min farfars farmors recept. De är hemliga och lärs bara ut till en person i varje generation. Jag blev den lyckliga i min.

Niccolo valde sina ord med omsorg. – Vem var det som lärde dig dem. Din far?

Megan stod tyst så länge att han trodde att hon inte tänkte svara. När hon ändå gjorde det var rösten neutral, som om hon tvingat bort alla känslor.

– Jag fick dem inte genom någon ritual, om det är det du menar. När jag var i tonåren började jag laga mat i baren. Ansvaret föll på mig eftersom jag var äldst.

Niccolo undrade hur mycket han skulle pressa henne. Han hade hundratals frågor, men visste att han måste ställa dem vid rätt tillfälle.

Hon sa inget mer, och han bestämde sig för att vänta med detaljerna tills de satt vid matbordet. I stället frågade han om recepten. – Vad är det för specialrätter ni gör?

– Vårt sodabröd är till exempel Rosaleens.

– Var det din farfars farmor?

Megan nickade. Hon hällde jordnötsolja i woken, lade i morötterna och rörde om med en träsked. – Så har vi potatissoppa och löksoppa, olika köttgrytor, en soppa med korv och kål och en torsksoppa som är populär under fastan. Men jag måste erkänna att jag använder vilken fisk som helst, bara den är fin och billig. Det finns ännu fler recept, men det vi har räcker till att börja med. När jag är på humör bakar jag irländskt havrebröd och rågbröd också.

– Varför äter vi kinesiskt nu då?

– Därför att jag är en amerikansk flicka som tar intryck från många håll.

– Är det ett annat sätt att säga att du blir trött på allt det irländska?

– Just det, nickade Megan.

Han skrattade. – Är dina systrar avundsjuka på dig för att du har alla de hemliga recepten?

– Inte Casey, för hon slåss hellre än lagar mat. Peggy tycker visserligen om att jobba i köket, men hon ska bli läkare. Hon kommer att bli bra på det, för hon släpade alltid hem fåglar med brutna vingar och andra smådjur som behövde hjälp. Min faster höll på att bli galen.

– Din faster?

Megan blev tyst igen, men Niccolo väntade.

Hon lade i purjolöken och räkorna och väntade tills de puttrade muntert innan hon svarade. – Peggy tillbringade mycket tid hos vår faster Deirdre och hennes man Frank. De praktiskt taget uppfostrade henne. Det är förresten samme Frank Grogan som du träffade nere på Whiskey Island.

Niccolo ställde inte den självklara följdfrågan. – Ni tycks stå varandra nära i alla fall, sa han bara

– Jag avgudar henne. Räkorna hade blivit rosa, så Megan stängde av woken och tillsatte den ingefärskryddade sojasåsen som hon gjort i ordning tidigare. – Nu är det klart, och riset är också färdigt. Ska vi äta då?

– Jag kan knappt bärga mig.

Megan hällde upp grönsakerna på ett fat som hon hade

värmt i ugnen och garnerade rätten med rostade sesamfrön. Sedan sträckte hon fram det mot honom.

– Kan du ta in det här till bordet och komma tillbaka och hämta vinet? Jag ska bara lägga upp riset.

– Om du hade bett mig gissa hur du bodde skulle jag inte ha sagt att det var så här, anmärkte Niccolo när de hade satt sig vid det lilla ekbordet i vardagsrummet.

– Inte? Hur trodde du att det skulle vara då?

– Jag såg framför mig en modern, praktisk lägenhet i närheten av motorvägen med pool och träningslokal i källaren.

– Jag får tillräckligt med träning när jag rusar fram och tillbaka till baren, påpekade Megan.

Han började bli varm i kläderna. – Beige mattor, vita väggar utan tavlor eftersom du vill slippa besväret med att laga alla hål när du flyttar, en bäddsoffa, en fotpall eller ett soffbord som man kan ha sängkläder i. Inga husdjur eller växter, men däremot en granne som heter Hal och tittar över ett par gånger i veckan för att få råd om hur han ska handskas med chefen och flickvännen.

Hon skrattade. – Då känner du mig inte alls. Jag skulle förgås på ett sådant ställe. Men Casey skulle kanske trivas. Hon är aldrig hemma, och Hal skulle vara galen i henne efter bara några timmar.

– Men du verkar så förnuftig och praktisk.

– Du har bara sett mig när jag jobbar, påminde hon.

– Jag har sett att du anstränger dig hårt för att låtsas att saker och ting är annorlunda än de egentligen är. Han smakade på maten och fann att den var precis lika god som han förväntat sig.

Hon svalde inte betet. – Jag skulle nog inte ha föreställt mig dig i huset du renoverar heller.

– Hur tänkte du dig att jag skulle bo då? ville han veta.

– I ett gammalt hus med murgröna på väggarna och en terrass med utsikt över en skuggig trädgård. Du skulle ha en smal hustru som tog med sig jobb hem ett par kvällar i veckan och två väluppfostrade barn som satt tysta och ritade eller såg ett noga utvalt och intelligensbefrämjande tv-program innan de gick och lade sig.

– Det låter trist. Men varför döljer du den här sidan av dig själv? Han gjorde en gest runt rummet.

– Du måste förstå mitt liv för att förstå mig.

– Berätta, bad han.

Hon tuggade eftertänksam och drack sedan en klunk av vinet. – Vad tror du att du vet? frågade hon slutligen.

Niccolo hade förväntat sig precis den frågan. Han hade kanske missat den sentimentala Megan som var så uppenbar i hennes lägenhet, men hon hade också en frimodig sida som var omöjlig att förneka.

– Jag vet att den hemlöse jag såg på parkeringsplatsen är mer än ett spöke. Jag tror att han hör ihop med dig på något sätt. Niccolo tvekade. – Är han din far?

Hon suckade inte, men hon andades ut så länge att det påminde om när luften går ur en ballong. – Vad får dig att tro det?

– Det är någon som bor i skogen vid den nya småbåtshamnen på Whiskey Island. Jag hittade ett . . . Han kunde inte säga hål. – Ett skydd han hade byggt. Det låg ett foto där, och det föreställde tre flickor. En av dem liknade dig.

– Jag minns inte den bilden.

– Var det du, Megan?

– Jag vet inte. Det var du som såg fotot, inte jag.

– Är det möjligt att mannen är din far?

Hon lade ifrån sig gaffeln. – Är det möjligt att min far bor i Peru och kidnappar turister i frihetens och rättvisans namn? Ja. Kan han i detta ögonblick vara på väg uppför Kilimanjaro på händer och knän för att slå något världsrekord? Ja då. Eller lär han barn på landsbygden i Arkansas att göra kinesiska drakar? *Vet* jag var min far är eller vad han gör? Nej. Vet jag om han lever? Nej. Bryr jag mig om det?

– Gör du det?

– Inte mer än han brydde sig om de tre döttrar som han övergav.

Megan lät inte arg, åtminstone inte särskilt mycket. Hon lät inte ens ledsen, men han märkte att den delen av henne var så djupt begravd att han inte kunde se den. Hon lät som den Megan han hade trott att hon var innan han kommit dit – den självsäkra och praktiska som gick rakt på sak.

– Du tror att den hemlöse är din far, eller hur? Varför är du annars så fast besluten att hålla mig borta från honom?

– Ja, det är möjligt att det är han. Casey såg en man den kvällen då tjuvarna försökte ta hennes bil, och hon misstänker att det är Rooney. Och farbror Frank har hört att någon som liknar honom bor på Whiskey Island. Så chansen är större att det är där han håller till, snarare än att han klättrar i berg eller kidnappar turister. Förresten måste man ha ett klart huvud för de där andra sakerna.

– Är han alkoholist?

Megan ryckte på axlarna. – Jag vet faktiskt inte vad han är, annat än mannen som nästan förstörde våra liv.

– Kan du inte berätta hela historien?

Hon såg tankfullt på honom. – Varför det? Du har ju slutat jobba med sådant här nu. Du kan inte rädda varenda hemlös i Amerika bara för att en av dem dog på trappan till din kyrka.

Nu kom vreden fram. Den låg tydligen inte lika långt under ytan som sorgen. Niccolo svarade inte utan såg bara på henne tills hon rodnade.

– Förlåt mig, sa hon slutligen. Det var dumt sagt.

– Ämnet är svårt att prata om, det vet jag.

– Varför vill du veta allt det här, Nick? En del saker kan aldrig rättas till, och vissa människor vill inte bli hjälpta.

– Men han kan ha räddat mitt liv, och dina systrars och Ashleys också.

Hon blev tyst, som om hon inte ville tänka på sin far i det sammanhanget.

– Heter han Rooney? frågade Niccolo för att uppmuntra henne att berätta.

– Egentligen heter han Rowan. Det är ett vanligt namn i

vår släkt. Den förste Rowan Donaghue var gift med Rosaleen, hon med de irländska recepten. Men till och med vi barn kallade alltid vår far för Rooney, aldrig pappa.

– Vad var han för slags far innan han lämnade er? Levde er mor fortfarande då?

– Hon dog strax efter Peggys födelse.

– Så Peggy växte upp hos er faster och farbror?

– Nej, jag tog hand om henne själv tills . . . Megan drog ett djupt andetag. – Tills Rooney stack. Tills de inte längre lät mig göra det.

– Hur gammal var du då?

– Jag var fjorton när Peggy föddes. En kvinna kom hem till oss och tog hand om henne och gjorde en del hushållsarbete medan jag gick i skolan, men resten av tiden skötte Casey och jag henne. Mest jag, för Casey var bara tio och för ung för att ta ett sådant ansvar.

– Det var du också, menade Nick.

– Nej, vid det laget var jag lika ansvarskännande som en vuxen. Jag hade hjälpt mamma i flera år. Hon försökte klara allt själv, men det gick inte. Det var Rooney som hade hand om baren, men han drack mer än han serverade så mamma fick ta över. När jag var liten ägde de ett hus längre ner på samma gata, så Rooney hade nära till jobbet, men när saker och ting började gå utför förlorade de huset och det mesta av sina tillhörigheter och vi flyttade till lägenheten ovanpå baren. Den hade bara två små sovrum. Casey och jag sov i det ena och mina föräldrar i det andra.

Orden hade tumlat över Megans läppar, men nu hejdade hon sig när hon insåg hur ivrig hon låtit.

Niccolo uppmanade henne att fortsätta. – Så du tog hand om familjen medan din mor försökte ta hand om baren?

– Konstigt nog blev baren vårt andra hem. Egentligen var det där jag växte upp. När vi tyckte att det blev trångt i lägenheten gick vi ner till baren och lekte, och alla välkomnade oss. På den tiden var det ännu fler släktingar som kom dit, och mamma höll dem i stränga tyglar. Inget fylleri, inga svordomar och inga slagsmål. Hon hade dåligt hjärta och blev fort trött, men när hon ville att en man skulle gå lydde han utan protester. Om han inte hade gjort det skulle varenda en i baren ha gaddat ihop sig mot honom. På den tiden klarade Rooney fortfarande av matlagningen, men det var mamma som höll ihop allting, både rörelsen och familjen.

– Och allt föll samman när hon dog?

– Alla försökte hjälpa till för att hålla oss på fötter. Jag tog över matlagningen, men jag var för ung för att få servera alkohol. Rooney gjorde det tillsammans med anställda och släktingar som var oroliga för baren och oss barn. Hon log lite. – Varenda kväll var det alltid någon Donaghue som kom för att hjälpa till, men ingen kunna erkänna det. De kom bara in för att ta en öl eller äta lite och få en pratstund, och efter en stund stod de bakom bardisken eller i köket, serverade eller diskade eller lekte med Peggy, medan jag lagade lunchen till nästa dag och försökte läsa läxorna samtidigt.

Niccolo kunde inte ens föreställa sig hur det hade varit. Megan var ett energiknippe, det hade han själv sett, men det liv hon beskrev var inte det rätta för en tonåring.

– På det sättet hankade vi oss fram i tre år, fortsatte hon. Mina betyg sjönk, men jag hängde med i alla fall. Sedan steg jag upp en morgon för att hjälpa Peggy att gå på toaletten och såg att Rooneys sovrumsdörr var öppen och han själv borta. Han bara stack. Hon ryckte på axlarna. – Det var det sista vi såg av Rooney. Ett tag framöver påstod folk att de hade sett honom, men de historierna blev allt färre och till slut var det ingen som pratade om honom längre.

– Förrän nu, konstaterade Nick.

Hon nickade.

– Jag förstår inte hur du lyckades behålla Whiskey Island Saloon, Megan. Hur gammal var du? Sexton?

– Nästan sjutton. Men det är inte så svårt att räkna ut. Jag slutade skolan så att jag kunde stanna hemma och arbeta heltid.

– Du har målat upp en bild av en stor, kärleksfull och hjälpsam släkt. Hur kunde de tillåta det?

– De *tillät* det inte, Nick. När Rooney hade försvunnit ville släkten sälja baren och placera ut oss i olika hem tills vi var gamla nog att klara oss själva, men Casey och jag sa att vi skulle rymma och ta Peggy med oss om de ens försökte. De visste att jag menade allvar. Whiskey Island Saloon är inte mycket, men baren var det enda hem vi hade kvar, och om de hade tagit ifrån oss den också skulle det ha krossat mitt hjärta.

Hon lyfte vinglaset men drack inget utan höll det bara hårt med båda händerna. – De föreslog olika kompromisser, som att anställa någon som skötte baren tills vi blev äldre, men det skulle ändå ha inneburit att vi måste bo hos släktingar. Faster Deirdre och farbror Frank ville ha Peggy, men de var tveksamma till att ta hand om Casey och mig också. De var rädda att vi skulle diskutera vartenda beslut de fattade om Peggy, och det hade de goda skäl till. En gammelmoster i Warren sa att Casey och jag kunde få bo hos henne, men hon bodde så långt bort att vi nästan aldrig skulle få träffa vår lillasyster. De försökte med andra alternativ också, men det enda jag ville var att stanna i baren.

– Du sa tidigare att Peggy var mycket hos er faster och farbror.

Megan harklade sig. – Det var det enda vi inte kunde avvärja. Peggy bodde hos Deirdre och Frank under veckorna och kom hem de flesta helgerna, och Casey och jag hälsade på henne så ofta vi kunde. De andra släktingarna fortsatte komma och hjälpa till och vaka över oss, och de betalade villigt när vi anställde mer folk. Men det var jag som bestämde.

– Det måste ha varit svårt för dig att förlora Peggy. Det var ett konstaterande, för Niccolo hade hört sanningen i Megans röst.

– Hon var *mitt* barn. Det var jag som hade uppfostrat henne, och hon var frisk och harmonisk. Jag slutade till och med skolan för att kunna ta hand om henne, men det räckte inte. Till slut var jag tvungen att släppa henne för att inte förlora allt. Och jag hade ju Casey att tänka på också.

– Mådde hon inte bra?

– Casey har alltid varit en rebell, och när Rooney hade gett sig av släppte alla hämningar. Jag hade fullt upp skulle man kunna säga.

– Var din fars försvinnande särskilt plågsamt för henne? frågade Nick försiktigt.

– Det var Casey som behövde honom mest av oss tre.

Han kom ihåg något som Casey sagt den första kvällen. – Den kvällen vi träffades påstod Casey att hon inte hade varit hemma på flera år.

– Det stämmer. Vi grälade och hon flyttade hemifrån så fort hon hade slutat high school.

Niccolo var säker på att det fanns mer än så att berätta om den saken, men han förstod att han inte skulle få höra det i kväll. – Det måste ha varit jobbigt för dig.

– Hon skickade vykort till Peggy varje månad, men under ett par år var det ingen som visste var hon bodde. Korten kom alltid från olika ställen och var omöjliga att spåra. Sedan ringde hon en kväll. Då var hon tjugo och gick på college i Pennsylvania. Efter det ringde hon ganska regelbundet, och ett år senare åkte jag och hälsade på henne och tog Peggy med mig. Sedan tillbringade Peggy en del av varje sommarlov tillsammans med Casey, och vi höll kontakt alla tre per telefon eller brev. När Casey flyttade till Chicago hälsade jag på henne ibland.

– Men hon kom aldrig tillbaka hem?

– Nej. Megan tvekade som om hon försökte avgöra hur mycket hon skulle säga. – Inte förrän nu.

– Hur känner du nu inför allt som hände? Jag menar inte känslomässigt utan logiskt.

Hon började snurra på glaset så häftigt att det var risk att hon skulle spilla ut vinet. – Vad ska jag säga? Peggy har fått det bra. Faster Deirdre och farbror Frank avgudar henne och hon dem, och hon verkar inte tycka att vi övergav henne. Och Casey är äntligen hemma igen. Det ordnade sig till slut i alla fall.

– Men du önskar ändå att saker och ting hade varit annorlunda, konstaterade Niccolo.

– Ja, jag önskar att Rooney hade stannat och låtsats vara far tills jag var gammal nog att ta över.

– Och du är arg på honom.

Dittills hade Megan varit ärlig. Niccolo hade känt att hon ansträngt sig för att tala sanning, men nu hårdnade hennes ansikte. – Jag slösar inga känslor på Rooney Donaghue. När han lämnade Whiskey Island Saloon lämnade han också mitt hjärta.

– Vet du varför han gav sig av?

– Därför att han inte kunde handskas med verkligheten, sa hon hårt.

Det var inte ett karaktärsdrag som Rooney gett i arv till Megan. Vid sexton års ålder hade hon varit tvungen att axla oerhörda bördor, och hon hade klarat det bra. Men det fanns sorg i hennes självsäkra ord. Sorg, vrede och förvirring.

– Stod du honom nära? Medan han fortfarande var kvar hemma, menar jag.

Megan ryckte på axlarna, men Niccolo kunde läsa svaret i hennes ögon. Hon hade älskat sin oberäknelige far.

– Vad gör vi nu? frågade han.

– Inte ett förbaskat dugg. Det är det jag har försökt tala om för dig hela tiden.

– Han är ju en hjälte. Och om han bor där jag tror kan han mycket snart vara en död hjälte. Det är fortfarande vinter, och om vi får dåligt väder kan han frysa ihjäl där ute.

– Han har klarat sig hittills, så han har tydligen vissa resurser. Dessutom har han släktingar överallt här omkring. Vem som helst skulle hjälpa honom om han bad dem. Megan rynkade pannan. – Jag föraktar honom visserligen, men jag skulle inte avvisa ens en strykarkatt om den behövde mig.

– Du tycker alltså att vi ska låta Rooney fatta besluten, trots att han uppenbarligen inte kan tänka klart?

Megan satt tyst så länge att Niccolo inte trodde att hon skulle svara. – När Rooney fortfarande bodde kvar hos oss gick han ut ibland på kvällarna. Jag visste aldrig vart han tog vägen eller när han skulle komma tillbaka, så jag brukade ställa en tänd lampa i fönstret mot gatan i baren eller i lägenheten om baren hade stängt. Den fick stå där hela natten tills han hade kommit hem ordentligt.

När Rooney lämnade oss för gott berättade jag inte för någon att han var borta utan låtsades bara att han hade gått iväg tillfälligt. Tro det eller inte, men jag lyckades hålla hans försvinnande hemligt i nästan två månader, och varenda kväll tände jag lampan för att han skulle hitta hem. Till slut var det någon som räknade ut vad som hade hänt, och i en hel månad försökte släktingarna komma överens om vad de skulle göra med oss. Jag fortsatte tända den där idiotiska lampan och önska att Rooney skulle komma tillbaka, och den kvällen faster Deirdre kom och hämtade Peggy satt jag vid fönstret hela natten med lampan bredvid mig och väntade på att mina böner skulle bli besvarade.

Hon skakade på huvudet åt sin egen dumhet. – Så där höll jag på i flera månader. Jag trodde faktiskt att det inte var för sent, att allt fortfarande kunde ordna upp sig. Jag måste ha gjort av med hundratals glödlampor innan jag insåg att det fanns bättre sätt att använda pengarna.

– Han kanske inte kunde ta sig hem, trots lampan?

– Det är troligare att han inte ville. Rooney var en drömmare, en sagoberättare. Det bästa man kan säga om honom är att han var oansvarig. Jag tror att han bara bestämde sig för att låta någon annan ta hand om saker och ting. Han var trött på att anstränga sig, och då stack han.

– Men han kom ju hem igen, Megan. Han var på parkeringen utanför baren. Niccolo stoppade handen i fickan och drog fram manschettknappen. – Jag tror att han tappade den här.

Han betraktade Megan medan hon såg på knappen. Det syntes inga tecken på igenkännande i hennes ansikte. – Jag har aldrig sett den förr. Varför tror du att den är hans?

Niccolo förklarade det på samma sätt som han gjort för

Iggy. – Hur som helst är den din, Megan. Jag tror att den tillhör din far, men även om det är fel hittade jag den på din parkeringsplats.

– Jag vill inte ha den.

Det förvånade honom inte. – Den kan vara värdefull.

– Det spelar ingen roll. Om den är Rooneys har han hittat eller stulit den. Hennes röst var hård. – Den har ingenting med mig att göra.

Eftersom Niccolo inte ville diskutera med henne stoppade han tillbaka manschettknappen i fickan. – Han kanske försökte samla mod att komma in när han råkade hamna mitt i bilstölden.

Megan reste sig och började plocka av bordet. Tydligen skulle ingen av dem äta mer i kväll. – Om han någonsin tar sig fram till dörren tänker jag inte köra ut honom. Men jag tänker inte leta efter honom heller, om det är det du vill. Rooney måste själv bestämma vad som ska hända härnäst.

Niccolo insåg att han hade sagt tillräckligt för en kväll. Megan hade rätt att vara bitter, och trots allt hade hon klarat av sin fars försvinnande. Nu måste hon få handskas med hans återkomst på sitt eget sätt.

Hans uppgift var att se till att Rooney överlevde så länge att han fick möjlighet att komma tillbaka.

I köket lade Nick handen på Megans arm. – Får jag säga två saker?

– Bara två? Javisst, sätt i gång.

– Du har mycket att vara stolt över. Jag tycker att du är en fantastisk kvinna.

– Var det en eller två saker?

– Och jag är glad över att du har varit ärlig mot mig. Många skulle ha sagt att jag skulle sköta mig själv.

– Det var ungefär det jag sa, påpekade Megan.

– Jag vet, men du ändrade dig.

Hon suckade och lutade sig mot köksbänken. – Ta bara inte upp det här med Casey eller någon annan i släkten, Nick. Alla har lidit tillräckligt.

– Kan jag lita på att du berättar för dem om det händer något som de bör få veta?

– Du tänker inte ge dig, eller hur? Du kommer att fortsätta leta efter honom?

– Jag kan inte sluta nu, förklarade han bestämt.

– Nå ja, sa Megan, jag har i alla fall berättat allt jag vet, så vi två har inget mer att prata om.

– Det har vi visst.

Hon såg misstänksamt på honom. – Vad då?

– God mat och italienska viner, till exempel. För att inte tala om stora släkter och gamla hus.

Spänningen tycktes rinna av henne. – Letar du alltid efter bekymmer, Nick? Var det därför du inte kunde vara präst längre?

– Nej, men bekymren tycks söka upp mig.

Niccolo förstod att den här kvinnan kunde innebära stora problem. Ingen av dem var redo för de möjligheter som tycktes öppna sig för dem. Innerst inne var han fortfarande präst, och en del av Megan förblev tonåringen som svikits av mannen hon älskade mest i världen.

– Ska vi verkligen låtsas att allt mellan oss bara har handlat om Rooney? fortsatte han. Jag kan göra det om du vill, men det är inte så.

Hon log motvilligt. – Jag tycker om dig, Nick, men jag är urusel på förhållanden.

– Det kanske också är något vi har gemensamt, men jag har för liten erfarenhet för att vara helt säker.

Leendet dog bort, men hennes bärnstensfärgade ögon lyste. Och när han tog ett steg närmare drog hon sig inte undan. Han förde handen till hennes hår, som hade torkat nu, och smekte henne över pannan. Så lät han handen falla, och hon tittade upp på honom.

– Tack för middagen, Megan.

– Tack för vinet.

Han vände sig bort och lämnade henne medan han fortfarande hade styrka nog att göra det.

11

Att sköta en bar var för Casey lika naturligt eller självklart som att andas eller föra en gaffel till munnen. Hon kunde hålla ordning på vad gästerna skulle ha utan anteckningar eller medvetna tankar, diska och torka mängder av glas, ta emot beställningar på hämtmat i telefonen, prata med stamgästerna och ändå räkna ut vad hon skulle säga till Jon Kovats när hon äntligen hittade honom. Nu när hon tagit reda på var han bodde var det bara en tidsfråga innan det skedde.

Det var måndag lunch, och hon ställde just fram en tallrik till Charlie Ford, en gammal man som redan under hennes första arbetsdag talat om för henne att han alltid åt specialen och drack en öl. Bara en, för att han skulle klara sig till middagen. Den rosige, blåögde skämtaren hade blivit en av Caseys favoriter bland stamgästerna.

Han böjde sig fram över det kokta, salta köttet och kålen och andades begärligt in doften. – Ni behandlar oss som familjemedlemmar. Nej, kanske inte, ändå. Min mor lagade inte så här god mat.

Caseys egen mor hade inte lagat mat alls. Det var Rooney som hade varit familjens kock, när han kom ihåg det vill säga.

– Du får det sista. Casey var glad att hon hade ställt in en ordentlig portion i kylen åt sig själv innan rusningen började. – Det spelar ingen roll hur mycket Megan lagar till av den här rätten, den är visst alltid slut klockan ett. De känner väl doften nere på EMI och Van Roy. Hon syftade på två närbelägna företag, vars arbetare brukade äta lunch på baren.

Charlie log brett. – Jag väntar hela månaden på den fjärde måndagen.

Casey kände sig rörd. Vare sig hon ville erkänna det eller inte var Whiskey Island Saloon så mycket mer än bara en bar. Den var traktens samlingspunkt och en plats där de som lämnat området och flyttat kunde återse varandra. Det var inte ofta en främling kom in genom dörren. Hon undrade hur många sådana ställen det fanns kvar i dagens opersonliga samhälle, platser där man kunde känna sig välkommen och omhändertagen av människor som kände till ens bakgrund och visste vad man helst ville ha att dricka.

– När du är klar med det där ska du få en stor bit äppelpaj, lovade hon. Jag bjuder.

Han hejdade sig med gaffeln halvvägs till munnen. – Varför det?

– Därför att du är en trogen gäst. Men tala inte om det för någon.

– Kan jag få lite glass på den också?

– Absolut, log Casey.

Hon lämnade honom, fyllde på några glas och kastade en påse salta kringlor till en revisor som hade försökt få henne i säng hela veckan. Han var trevlig, men hon hade en känsla av att han betraktade hela sitt liv som ett enda stort kalkylprogram och hon ville inte tillbringa sitt med att flyttas från den ena kolumnen till den andra.

Sedan fortsatte hon till köket för att lämna nästa beställning till Megan, som var i full färd med att göra smörgåsar till ett högljutt sällskap i ena hörnet. Peggy kom också dit och började ställa fyllda tallrikar på en bricka. Eftersom systern inte tycktes vilja återvända till skolan hade Megan anställt henne som servitris.

Casey tog de två tallrikar som inte fick plats och följde efter henne.

– Varsågoda, killar, sa Peggy till de väntande männen.

– Du är sötast av alla här, sa en av dem när hon gav honom ett rågbröd med skivat kalkonkött. Det är inte mackan jag vill ha utan dig.

Peggy blev inte det minsta generad. – Jag står inte på menyn, och för att inte hamna där har jag en elak gammal gubbe utanför dörren varenda kväll.

Mannens vänner gapskrattade. Casey blev imponerad av sin lillasysters sätt att vända hela episoden till ett skämt, och när de var på väg tillbaka till köket talade hon om det.

– Det här stället finns i blodet på dig, men det är förstås ingen vidare komplimang, tillade hon.

Peggy skrattade. – Jag tycker om det vi gör här. Jag skulle kunna jobba här för evigt.

Hennes ord gjorde Casey orolig. – Hör du, jag vet att jag inte är något föredöme, men det finns bättre saker att göra i livet.

– Varför gör inte *du* någon av dem då? undrade Peggy. Det är du som alltid har sagt att du aldrig skulle komma tillbaka hit.

– Jag tar bara en paus.

– Det kanske jag också gör.

Casey kunde inte dölja sin rädsla längre. – Du tänker väl inte sluta plugga?

– Jag har inte bestämt mig än. Allt jag vet är att jag inte läser något den här terminen. Men oroa dig inte, jag har tagit så många extra poäng att jag fortfarande kan få ut min collegeexamen i sommar.

– Kan du inte berätta varför?

Peggy suckade. – Jag försöker komma underfund med vissa saker bara. Men jag har inte sagt något om det till Megan och jag skulle gärna vilja göra det på mitt eget sätt. Annars kommer hon att falla ihop fullständigt.

– Megan?

– Javisst. Hon blir ett nervvrak när det gäller oss, så hon kommer att anklaga sig själv för att hon inte ansträngde sig tillräckligt för att behålla mig efter att Rooney hade stuckit och inte lärde mig vad som är viktigt i livet. Hon tycker fortfarande att det är hennes fel att du gav dig iväg. Det är därför jag inte har sagt något.

Casey kände sig skuldmedveten. – Du är rädd, eller hur?

– Skräckslagen, erkände Peggy. Men jag ska tala om det för henne vid rätt tillfälle.

– Gör det, för jag vet att hon är orolig. Men jag är glad att du är här, och hon har verkligen nytta av oss. Ashley tycker om dig också.

– Hon är den lugnaste lilla flicka jag någonsin träffat.

Faktum var att Ashley var alldeles *för* lugn och storögd. Casey hade träffat alltför många barn som liknade henne, barn med mörka ringar under ögonen, som inte vågade tala eller göra något annat som kunde rubba den bräckliga balansen i deras sorgliga lilla värld.

– Hon trivs i förskolan, sa Casey. Det var sant. De duktiga lärarna hade erfarenhet av barn från problemfyllda familjer.

– Jag tycker att du verkar ha svårt att få med dig henne på morgnarna, anmärkte Peggy.

– Det är sant, hon vill inte gå dit, men så fort hon är där säger lärarna att hon mår bra. Visst håller hon sig för sig själv, men det är väl inte mer än man kan förvänta sig.

– Hon kommer säkert ut ur sitt skal när hennes mamma skickar efter henne.

Eftersom Casey inte kunde säga något om den saken gick hon runt bardisken och fyllde två glas med is och läsk. Peggy tog dem med sig tillbaka till männen vid hörnbordet.

Det var när Casey ställde ner smutsiga glas i en ho med varmt diskvatten bakom bardisken som hon insåg att mannen som satt framför henne inte var densamme som för ett ögonblick sedan.

– Jon!

– Du blir alltid så överraskad när du får se mig, kommenterade han med ett leende.

– Du är en riktig knöl, vet du det? kontrade hon.

– Jaså, du har saknat mig.

– Försöker du leka osynlige mannen, eller vad håller du på med? ville Casey veta. Rätt som det är försvinner du bara.

– Jag har mycket att göra, förklarade han undvikande.

– Då ska inte jag hindra dig.

– Det är något som luktar gott. Är det kokt saltkött med vitkål?

Hon gjorde en gest mot krittavlan där dagens specialrätter stod uppskrivna. – Megan lagar det bara en gång i månaden, och i dag är det rätt dag.

– Då är jag glad att jag kom hit just i dag, avgjorde Jon.

– Varför det? Du stannar ju aldrig så länge att du hinner äta.

– Jag gör det gärna om du bara slutar fräsa åt mig.

– Fräsa?

Mycket hade förändrats hos Jon Kovats, och nu såg hon att även hans leende var annorlunda. Det var långsammare och mer självsäkert, och han hade ett sätt att se på henne när han log som var särskilt tilldragande.

– Jag brukade älska att gräla med dig. Han stödde armarna mot bardisken och lutade sig framåt. – Dina ögon dansar när du tänker, och du var så vacker när du försökte försvara dina idéer.

– Det var inte mina ögon du tänkte på, Jon, hävdade hon. Du funderade på om du skulle kunna höja ditt mattebetyg eller om du skulle lyckas övertyga gamla mrs Egan om att din mor var döende så att du kunde få ledigt från biologilaborationen.

– Där har du fel.

Hon blev förfärad över att han inte tycktes skämta. – Hör du, förändra inte det förflutna. Din vänskap var det enda jag kunde lita på när jag gick i high school.

– Jag säger bara att du är vacker när dina ögon dansar. Och att jag vill ha en portion kött med vitkål.

Casey öppnade munnen för att tala om att allt var slut och att han fick lov att komma tidigare nästa månad, men plötsligt ville hon inte tjafsa mer med honom. Hon var så glad att han äntligen satt där, pojken som blivit man och som hon hoppats mer på och drömt mer om än någon älskare – eller make – hon haft.

– Du har tur, för det finns en tallrik kvar.

Han såg forskande på henne. – Du har sparat den åt dig själv, eller hur?

– Hur vet du det?

– Du kan inte dölja någonting för mig, Case. Ta in den så delar vi på den.

– Stannar du kvar då? Du försvinner inte medan jag går ut i köket och värmer den?

– Jag väntar här.

*

De delade på maten och pratade om gamla tider och ungdomsvänner. När de flesta av lunchgästerna försvunnit flyttade de över till ett hörnbord och delade på en bit äppelpaj.

– Berätta om ditt arbete, bad Casey. När blev du en rättvisans riddare? Först polis och nu åklagare.

– Jag har ett överutvecklat sinne för rätt och fel, skämtade han. Vad ska jag säga?

– Jon, under den fula ytan är du ett geni. Jag trodde att du skulle bli kärnfysiker eller hjärnkirurg.

– Jag är mer intresserad av människor än av atomer. Människor med fungerande hjärnor, alltså.

– Är det därför du har blivit åklagare? Eller tycker du bara om att bura in folk?

– Jag vill bura in bovarna så att de goda människorna kan leva i fred.

– Vad fick dig att vilja ägna livet åt just det? envisades Casey.

– En eftermiddag när jag gick på en gata i San Francisco i fullt dagsljus blev jag överfallen av två män, berättade han. Idiotiskt nog kämpade jag emot, så när de var klara med mig hade jag ingen klocka, ingen plånbok och inga hjärtslag.

Hon flämtade till. – Jon!

Han höll lugnande upp ena handen. – Jag minns det knappt.

Någon såg vad som hände och skrek på hjälp, och det fanns en läkare i närheten som kunde hålla liv i mig tills ambulansen kom. San Francisco är ingen dålig stad och det var inga skumma kvarter, utan ren otur.

– Det var dåliga människor.

– Det dröjde ett tag innan jag hade återhämtat mig, och jag fick hoppa av skolan en termin. Jon tystnade. – Jag fick problem om jag stressade, så jag var tvungen att ta det lugnt. Det var första gången i livet som jag bara satt och tänkte.

– Och då tänkte du att du skulle hämnas genom att bli polis?

– Det var mycket jag grubblade över på den tiden, log han sorgset. Bland annat undrade jag hur många som hade varit med om liknande händelser och varför vårt rättssystem fungerar så dåligt.

– Säg inte att du vill bygga fler fängelser och införa dödsstraff för bilstölder?

– Nej, men jag är inte heller den typen som anser att en seriemördare kan ursäktas med att han hade en svår uppväxt. Det finns inga lätta svar, men de bästa kommer från goda människor och jag kände att jag ville hjälpa till.

Casey var väldigt väl förtrogen med upplevelser som förändrade hela livet, så hon förstod hur Jon fattat sitt beslut. – Du är säkert bra på det du gör. Och rättvis. Jag brukade bli galen på dig för att du var så förståndig.

– Det beror på att du var hetlevrad och aldrig tänkte igenom något, menade Jon. Samtidigt föraktade du alla som påpekade det för dig.

– Jag föraktade aldrig dig.

– Nej, för jag lyssnade på dig. Och det gör jag gärna nu också.

– Det finns inte mycket att berätta, försökte hon slingra sig.

– Jo, det tror jag nog att det gör. Den smartaste kvinnan jag känner är skild och serverar öl på baren hon en gång flydde ifrån. Vad är det som har hänt?

Casey skakade på huvudet, för hon visste inte ens var hon skulle börja.

– Berätta om skilsmässan, bad han.

– Det är den lättaste biten. Stan var en av mina så kallade förlorare, även om han dolde det väl. Megan träffade honom en gång och såg rakt igenom honom. Till och med Peggy genomskådade honom, men jag var blind för allt utom hans lockiga hår och vindsvåning.

– Hur länge var ni gifta?

– Ett år. Hon skrattade till. – Den första veckan gick bra, men sedan blev allt bara värre för varje dag som gick. Stan trodde att vi var överens om att det inte gjorde något om han hade ett par älskarinnor vid sidan av eller om han fuskade med skatten.

– Det låter jobbigt.

Skilsmässan hade faktiskt kommit som en lättnad. När den verklige Stan börjat visa sig hade Casey ändå stannat kvar en tid i äktenskapet för att inte bli anklagad för att vara ombytlig. På sitt sätt hade hon faktiskt försökt.

– Det svåra var att jag började inse att jag fattar dåliga beslut. Jag har gjort många dumheter under årens lopp, och en av dem var att flytta härifrån. Men att förlora Stan var som att förlora en inflammerad tand. Jag önskar bara att jag hade sett hurdan han var redan från början.

– Varför jobbar du här? frågade Jon. Behöver Megan dig?

– Nej, hon klarar sig bra utan mig. Och det har hon ju gjort i många år.

– Varför stack du iväg då?

– Jag ville se världen.

– Det är inte hela sanningen, eller hur?

Casey var tyst en stund. – Berättade Megan något om det för dig när du var här och diskade?

– Nej, jag tror inte att Megan vill prata om det, vad det nu är. Men det behöver inte du heller göra, försäkrade Jon. Jag har ingen rätt att snoka.

Något i hans ton antydde att han skulle ha velat ha den rätten, men Casey var ändå förvånad över att det gick så lätt att prata med honom. Det var som om de aldrig hade skilts åt, men samtidigt var mannen Jon inte den kille hon en gång varit vän med.

Plötsligt ville hon anförtro sig åt honom, berätta den hemlighet som hon och Megan varit så noga med att inte nämna sedan hon kommit tillbaka. Det skulle vara skönt att slippa låtsas att det inte fanns någon klyfta mellan dem.

– Det är faktiskt ganska enkelt. Hon lutade sig bakåt. – Jag ville att Megan skulle sälja baren. Efter allt hon hade gjort för att hålla den kvar i familjen ville jag sälja den så att vi kunde dela på pengarna och fortsätta med våra liv.

Han såg inte chockerad ut. – Jag förstår varför du kände så. Du har ju många otrevliga minnen från det här huset.

– Jag tycker att det låter förfärligt egoistiskt till och med för att komma från mig. Men jag var trött på att se Megan offra sig, och jag avskydde det här stället. Det gör jag kanske fortfarande, förresten. Megan ville fortsätta driva Whiskey Island Saloon och ge det lilla hon kunde avvara till mig så att jag kunde gå på college, men jag ville se världen, få ett eget liv. Och jag ville att hon också skulle få det och inte behöva ta hand om mig längre.

– Men hon tyckte inte likadant?

– Nej, naturligtvis inte. Det här stället är hennes liv. Hon har det i blodet. Om du skiljer Megan från Whiskey Island Saloon kommer hennes hjärta att sluta slå, eller åtminstone tror hon att det kommer att göra det. Hon gjorde allt hon förmådde för att kunna behålla baren, slutade skolan och arbetade både dag och natt. Och jag ville inte ens ha den!

Jon satt tyst.

Casey drog ett djupt andetag. – Så jag stack. Det var mitt liv, tyckte jag, och jag ville själv bestämma hur jag skulle leva det. En eftermiddag träffade jag några personer som var på väg söderut, och jag följde med dem. Så enkelt var det.

– Talade du inte om det för henne?

– Nej. Jag visste att hon skulle övertala mig att stanna, och jag ville inte att hon skulle fatta besluten åt mig längre.

– Du sa ingenting till mig heller, påpekade Jon.

Casey hade stirrat ner i bordet, men nu tittade hon upp och log en aning. – Inte kunde jag tala om för dig att jag skulle ge mig iväg, jag skämdes alldeles för mycket. Jag visste hur många jag skulle såra, men jag reste ändå därför att jag inte kunde andas här. Jag var tvungen att komma bort.

– Och nu är du tillbaka.

– Det var dags, nickade hon.

– Varför det?

Hon försökte räkna ut hur hon snabbt skulle kunna berätta åtminstone en del av historien, men i samma ögonblick fick hon se att Peggy vinkade från andra sidan rummet. Hon stod vid telefonautomaten med luren i handen.

Casey reste sig genast. – Jag måste visst ta ett telefonsamtal. Kan du vänta till en annan gång?

Han reste sig också. – Inte särskilt länge.

Hon såg förvånat på honom. – Vad menar du med det?

– Vår vänskap i tonåren var en enda lång väntan för mig, Casey. Jag väntade alltid på att du skulle ha tid med mig, men jag tänker inte falla tillbaka i det nu.

– Jag förstår inte vad du pratar om, sa Casey.

– Gör du inte?

– Du var min bäste vän och vi tillbringade mycket tid tillsammans.

– I så fall vet du var jag bor, och troligen har du mitt telefonnummer också. Ring mig om du vill avsluta det här.

– Varför säger du att jag vet var du bor?

– Jag såg dig köra förbi huset i fredags kväll. Hur hittade du mig?

Hon förnekade det inte. Vad var det för mening med att försöka lura en polis som blivit advokat? – Jag fick din adress av en vän till Peggy som jobbar i samma hus som du. Men hon gav mig inte ditt telefonnummer.

– Nästa gång du kör förbi kan du komma in. Tack för maten. Jag tycker fortfarande att den är den bästa i Cleveland.

Han värmde henne med ett hastigt leende, och sedan var han borta.

Casey stod fortfarande och stirrade på ytterdörren när Peggy kom fram till henne. – Vem det än var lade han på luren.

Hon hade nästan glömt att Peggy vinkat till henne. – Förlåt mig. Frågade han efter just mig, eller var det bara en av Megans leverantörer?

Peggy ryckte på axlarna. – Han ville inte tala med någon särskild, men han ställde frågor som jag inte visste hur jag skulle besvara.

Casey lyssnade bara med ett halvt öra. – Om baren?

– Mer eller mindre. Han frågade efter någon som hette Al, och sedan ville han veta vem telefonabonnemanget stod på, om det var en privatbostad eller ett företag, vad jag hette och vad jag hade för anknytning till den som hade det här numret. Ja, sådana saker.

Nu hörde Casey äntligen på ordentligt, och en rad möjligheter blixtrade fram i hennes huvud. Den värsta var att någon hade spårat ett samtal hon ringt föregående kväll. Hon hade med avsikt ringt från barens telefonautomat i stället för att använda mobilen eller den privata telefonen på övervåningen. Nu önskade hon att hon åkt till en automat längre bort, men hon hade trott att det var säkert att ringa från baren.

– Det var förmodligen fel nummer, sa hon till slut. Eller också är det någon av gästerna som har lämnat ut numret.

– Det ringde några signaler innan jag svarade, men ingen brydde sig om det så jag tror inte att någon väntade på ett samtal. Förresten finns det knappt några gäster kvar.

Casey tittade sig omkring och såg att det var sant. Hon hade varit så engagerad i samtalet med Jon att hon inte lagt märke till vad som hände i lokalen.

– Någon kanske väntade på samtalet och hann gå innan det kom.

– I så fall undrar jag varför den som ringde inte förklarade vem han var? Han verkade mer intresserad av mig och vart numret gick.

Casey log uppmuntrande. – Det kan ha varit en försäljare. Du vet väl hur de brukar försöka etablera något slags kontakt innan de går över till det de vill sälja? Vad sa du till honom?

– Att det var en betaltelefon i en bar, att vi antagligen hade ett halvdussin gäster som hette Al och att telefonen används hundratals gånger om dagen. När han envisades ropade jag på dig.

Även om någon verkligen hade spårat gårdagens samtal var Peggys historia perfekt. Den som ringde skulle förmodligen tro att Casey gått in på baren för att ringa och sedan lämnat den igen, och eftersom hennes identitet var okänd skulle det vara omöjligt att hitta henne utan mer information.

Numret hon ringt var nytt, och många människor hade undersökt det för att garantera att det inte var buggat. Hon skulle kunna ringa Grace, men var det någon mening med att göra det bara på grund av ett oförklarligt samtal? Ashley trivdes bra och började anpassa sig till livet där. Vilket var bäst för den lilla flickan i det långa loppet?

– Jag är glad att du inte sa mer än så, nickade Casey. Om det kommer fler sådana samtal kan du lämna över dem till mig på en gång. Jag ska ta reda på vad han är ute efter.

– Det var synd att jag måste avbryta dig när du pratade med Jon. Han är trevlig, tycker du inte det?

– Jo, oftast.

– Han påminner mig om Stan.

Caseys ögon blixtrade till av vrede. – Det finns inte den minsta likhet mellan Jon och Stan!

Peggy log. – Jag är glad att du har lagt märke till det.

Hon vände sig om och gick mot köket, och Casey stod kvar och blängde efter henne.

12

Jon bodde på en kort tvärgata i Lakewood, ett gammalt bostadsområde med små tomter och prydliga hus. Många av dem hade verandor ut mot gatan, men på Jons hus hade den blivit inbyggd för länge sedan. Den blå färgen var urblekt, fönsterluckorna borttagna och taket lagat i omgångar utan en tanke på att tegelpannorna skulle passa ihop. Huset skilde sig inte särskilt mycket från grannarnas, förutom att den senaste som renoverat det haft minimala kunskaper och ingen talang.

Det var sent på måndagseftermiddagen, och Casey satt i sin bil på andra sidan gatan och frågade sig vad hon gjorde där. Hon hade hämtat Ashley strax före klockan fem och pratat en stund med hennes lärare. Sedan hade hon tänkt åka tillbaka till baren för att äta middag, men i stället hade hon hamnat utanför Jons hus.

Casey hade alltid varit populär hos det motsatta könet, så hon var inte van vid att jaga en man. Hon var inte strålande vacker, men hon klädde sig väl, dansade bra och hade inga höga förväntningar. De män som bjöd ut henne visste att hon inte ville ha något stadigt förhållande. Det var inte romantik eller dyrbara presenter hon längtade efter, bara någon att skratta tillsammans med.

Nu kom hon ihåg att hon och Jon alltid hade skrattat tillsammans – när de inte varit engagerade i livliga diskussioner. Kanske var det därför hon satt i sin Mazda och undrade om hon skulle gå fram och knacka på Jons dörr?

– Jag är trött, sa Ashley från baksätet.

Det var så olikt den lilla flickan att klaga eller ens säga en hel mening att Casey förvånat vände sig om. – Då är det bäst att vi åker raka vägen hem.

– Trött på att sitta i bilen!

Casey fattade sitt beslut. Ashley behövde komma ut, och en mans rätta personlighet visade sig snabbt om han konfronterades med ett gnälligt barn.

– Vi går och hälsar på en vän så får du sträcka på dig lite. Hon steg ur och hjälpte Ashley att ta av säkerhetsbältet och komma ur bilen. – Känns det bättre nu?

Ashley sparkade i den tunna snön på gräsmattan. Nu verkade hon belåten igen. Jons gräsmatta var vinterbrun och ojämn, förmodligen fanns det mer maskrosor än riktigt gräs i den.

De gick fram till ytterdörren och knackade på. Medan Casey väntade kikade hon in på verandan. Hon såg en tom fågelbur på ett bambubord och en blomsterställning i korg utan blommor. Sedan öppnades innerdörren och Jon kom ut på verandan. Han var klädd i urblekta jeans och en grön t-shirt som stramade över den kraftiga bröstkorgen.

– Hej, Case. Hur är det?

– Jag kan åka igen om jag stör.

– Du har ju precis kommit! protesterade han. Är det här Ashley?

Casey presenterade dem. Hon hade berättat att hon tog hand om en god väns lilla dotter, men hon var förvånad över att Jon mindes barnets namn. Ashley sa ingenting utan såg bara vaksam ut när han böjde sig ner och hälsade varmt på henne.

– Vill ni komma in? frågade han.

– Nej, vi kan väl stå här och prata och frysa ihjäl på kuppen, svarade Casey. När han sträckte på sig och öppnade dörren ytterligare steg hon in på verandan och sköt Ashley framför sig. – Snyggt ställe du har här.

Han log. – Det har tillhört en gammelfaster som var känd för sin dåliga smak.

– Fick du ärva det?

– Nej, men min far gjorde det. Han hade tänkt sälja det, men i samma veva bestämde jag mig för att flytta tillbaka hit, så vi gjorde en överenskommelse. Jag får bo här gratis mot att jag gör rent, målar om och kastar allt gammalt skräp. Men jag har hittat några intressanta saker också. Vill du se?

Det ville hon egentligen inte. Gamla hus var Megans intresse, inte hennes. Efter bara ett besök i systerns lägenhet hade Casey förstått att Megan försökte skapa ett förflutet av andra människors avlagda saker och "antikviteter". Hon tycktes vara besatt av tanken på ett eget hem, medan Casey inte ville ha någon som helst påminnelse om det hon en gång delat med sina föräldrar men sedan förlorat på grund av Rooney.

– Kom nu, manade Jon på henne när hon inte svarade. Det är roligt, och Ashley tycker säkert om det.

Casey avgjorde att det var bättre att göra en rundtur genom ett gammalt hus än att sitta och stirra på varandra över en kaffekopp. – Visst, varför inte?

Han öppnade innerdörren. – Det luktar fortfarande fukt, för jag hann inte vädra ut innan kylan kom, förklarade Jon. När jag äntligen hade fått upp fönstren var det redan oktober. Magda hade inte öppnat dem på flera år, och de var antingen övermålade eller igenspikade.

– Hon hade katter också, tydligen.

– Jaså, känns det fortfarande? skrattade han. De var borta när jag kom hit, men de lär ha varit minst tio stycken.

– Usch!

– Magda gav dem nummer i stället för namn, för hon sa att hon aldrig skulle glömma hur man räknade även om hon inte hade mycket reda på sig för övrigt.

Casey började tycka om den gamla kvinnan som bott där. – Det låter praktiskt, som något Megan skulle göra.

– Megan ser ut att må bra, förresten. Är hon lycklig, tror du?

Megan hade alltid tyckt om Jon. Ibland hade Casey faktiskt känt sig svartsjuk, och nu mindes hon hur sur hon blivit när Jon pratade med någon av systrarna i stället för med henne.

Hon drog ett finger över ett nypolerat bord. Motvilligt måste hon erkänna att Jon antagligen var rätt bra på att hålla ordning. – Hon jobbar hårt, men det har hon alltid gjort. Megan har inte mycket annat än baren i livet, men hon verkar vara nöjd med det.

– Det förvånar mig att hon inte har gift sig. Hon tycks trivas med att ta hand om människor.

– Hon kanske har fått göra det för mycket, antog Casey.

– Jag har alltid beundrat henne. Hon visste alltid vad som var bäst för er alla tre och såg till att det blev så som hon bestämt.

Casey tänkte tillbaka på hur Megan gråtit när hon måste dela Peggy med paret Grogan, hur förtvivlad hon varit när hon var tvungen att sluta skolan och hur rasande hon blivit när Casey försökt bestämma något. Hennes syster hade en sida som resten av världen aldrig fick se.

– Fortsätt in nu och tala om vad du tycker, sa Jon. Sedan ska jag visa dig de häftiga sakerna.

De stod i en smal hall, och till höger om dem låg vardagsrummet. Till vänster fanns en trappa och bakom den köket. I vardagsrummet syntes inte ett spår efter Magda.

– Jag måste ha åtminstone ett rum där jag trivs, förklarade Jon som om han läst hennes tankar. Så fort jag flyttade in kastade jag ut de värsta av de gamla möblerna, tog bort mattan och tvättade och målade väggarna så att jag kunde ta hit mina egna saker. Det är det enda rummet jag hann göra i ordning innan kylan kom.

Rummet var överfullt med möbler, men det var ändå förvånande trivsamt. Jon tycktes gilla skinn och mörkt trä. Allt var smakfullt och mycket maskulint.

– Vi gör en snabb rundtur och sedan ska jag visa dig det fina. Han böjde sig ner mot Ashley. – Vill du rida på mina axlar?

Förskräckt spärrade hon upp ögonen och drog sig in bakom Caseys ben.

Jon tog inte illa upp. – Tala om ifall du ändrar dig, sa han bara och rätade upp sig igen.

Resten av huset gick i samma stil som verandan. Magda hade tydligen bara samlat på katter, inte på snygga möbler eller konst. Ändå tyckte Casey att resterna av den gamla damens liv var rörande. På en spinett låg uråldriga notblad och en trave veckotidningar från fyrtiotalet.

– Jag tar det lite lugnt, berättade Jon. När man har kastat något är det borta för evigt, och jag vill inte sopa undan alla spår efter gammelfaster Magda. Hon förtjänar något bättre. Jag har slängt det mesta av det som var rent skräp och sålt några saker, men det här är det jag inte vill göra mig av med. Det jag ville visa Ashley.

De hade kommit upp på övervåningen, och han öppnade dörren till ett litet rum som luktade malkulor och rosor. Casey följde efter honom in och drog med sig Ashley, och när han tände taklampan flämtade hon till av förvåning.

Rummet var en barnkammare för dockor, möblerad med viktorianska korgmöbler. I en vagga låg tre antika babydockor, och i en utsökt, sammetsklädd gungstol satt två till. En gunghäst stod tyst och stilla i ett hörn, och i sadeln satt en liten cowboy med skinnbyxor och vidbrättad hatt. Tre kinesiska dockor med kläder av taft och spetsar var prydligt uppradade på en hylla bredvid garderoben. På en annan hylla satt en större docka med bruna korkskruvslockar och sjömansklänning.

Det fanns ännu fler, och en av dem var lika stor som Ashley. Den lilla flickan bara stirrade.

– Mina föräldrar visste inte mycket om det här, sa Jon. Min fars familj var fattiga bönder i Ungern, och Magda hade aldrig ett arbete som betalade mer än att hon precis klarade sig. Under större delen av sitt liv städade hon åt folk och tog emot tvätt. Sådana här dockor var dyra även på den tiden.

– Och nu är de ovärderliga, konstaterade Casey. Hon måste ha lagt ut varenda extra penny hon hade på de här dockorna.

– Det finns en gammal kvinna här i närheten som var Magdas bästa vän, och hon har berättat att Magda visade henne dockorna en dag och sa att de var hennes barn.

– Katter och dockor. Det kändes oerhört sorgligt. – Stackars gamla dam.

– Det är inte säkert att det var synd om henne. Min mor påstår att Magda hade många friare men avvisade dem alla. Om hon skulle städa och laga mat för resten av livet tänkte hon i alla fall se till att hon fick betalt.

– Så romantiskt! skämtade Casey.

Jon log, och rummet kändes genast varmare. – Hon kanske kände likadant inför barn som hon gjorde för män. Därför hade hon katter och dockor i stället.

– Vad ska du göra med allt det här? Du sa att du skulle behålla dem, men varför då? De flesta män jag känner är inte särskilt intresserade av dockor.

– Det är inte tillräckligt manligt, eller hur?

Plötsligt tyckte Casey att det var väldigt manligt. Tydligen var Jon så stark i sin identitet att han inte brydde sig om vad andra ansåg om honom.

– Jag skulle vilja att mina egna barn fick ärva den här delen av sitt förflutna, avslöjade Jon. Det skulle vara roligt att berätta för dem hur det var förr i tiden, att man lekte med kiselstenar och tunnband i stället för med datorer och att dockorna inte var fullt utrustade med kläder för alla upptänkliga tillfällen.

– Hör du, lämna Barbie utanför det här. Casey kunde inte låta bli att le. – Jag har aldrig förstått att du är så sentimental. När jag pratade om hur många barn jag skulle ha brukade du göra grimaser.

– Jag var ju i tonåren, Case. Då måste man grimasera.

– Det är klart, nickade hon.

– Men du visste redan då att du ville arbeta med barn. Du ville se till att de fick allt de förtjänade, att ingen behövde lida av hunger eller vanskötsel.

Hon kände sig plötsligt kall och gned sig över armarna.

– Du minns för mycket. Det är som att hitta en bandspelare och en massa gamla kassetter.

– Är ni hungriga? Han tittade ner på den lilla flickan som fortfarande stod tyst och bara stirrade. – Vill ni ha något att äta?

– Ashley fick mellanmål i förskolan, och för mig är det också bra tack.

– Något att dricka då?

– Ja tack, det vore gott.

Han lyfte ner dockan med sjömansklänningen. – Vill du leka med henne, Ashley? Jag tror att hon känner sig ensam när hon bara sitter där på hyllan.

Flickan rynkade pannan, men hon bröt i alla fall sin tystnad. – Hon har vänner där.

Jon nickade allvarligt. – Men dockor blir trötta på varandra. De behöver människor som leker med dem och håller dem i famnen.

– Den är värdefull, Jon, varnade Casey honom.

– Inte lika värdefull som en liten flicka.

Ashley tycktes fundera över hans erbjudande. Hon gjorde aldrig någonting snabbt eller lättvindigt. Casey förstod varför, men det skar i hjärtat varje gång hon såg det. Till slut sträckte Ashley fram armarna.

– Jag är glad att du vill hjälpa till, sa Jon. Hon sover bättre i kväll om du leker med henne.

– Dockor sover inte.

– Gör de inte? utbrast han förvånat.

– De tittar på det som händer på natten, förklarade Ashley. De vet.

Casey slöt ögonen av förtvivlan.

– Det stämmer. De vakar över oss, hörde hon Jon säga. De ser till att små flickor sover gott.

Casey öppnade ögonen igen och såg på Ashley, som tryckte dockan mot bröstet. Det skulle dröja länge innan flickans mardrömmar upphörde, och ingen docka i världen kunde förändra den saken.

De gick tillbaka till vardagsrummet, och Casey slog sig ner i skinnsoffan medan Jon fortsatte ut i köket för att hämta läsk och juice. Ashley satte sig i ett hörn med dockan framför sig och ryggen vänd åt Casey. Casey hörde att hon viskade och bestämde sig för att låta henne vara i fred. Det var inte mycket som kunde fånga Ashleys intresse, men dockan tycktes ha gjort det.

Det syntes att Jon arbetade i det här rummet när han var hemma, och nu när Casey hade sett resten av huset förstod hon varför. Hon bläddrade nyfiket igenom några papper som låg på soffbordet, men hans handstil var lika svårläst som när de gick i skolan så hon förstod inte vad texten handlade om.

När Jon kom tillbaka hade han med sig en korg med salta kringlor, och Casey hade inte hjärta att tala om att hon aldrig åt drinktilltugg. Han ställde ner en skål på golvet bredvid Ashley tillsammans med en plastkopp, men även han tycktes anse att hon inte borde bli störd.

– Du skulle ha blivit läkare. Casey gjorde en gest mot papperen hon försökt läsa. – Handstilen är perfekt för det.

– Kontrollerar du mig?

– Jag undrade bara vad du gör.

Hon blev förvånad när han satte sig bredvid henne. I tonåren hade de ofta suttit höft mot höft och axel mot axel, men det var länge sedan nu.

Han gav henne ett glas med is och juice, som hon ställde ner på bordet. Sedan lade han armen över soffans ryggstöd.

– Det där gäller en undersökning om skadegörelse på Whiskey Island, nära järnvägen. Vi trodde att vi hade fått tag i den skyldige, men det visade sig att han hade alibi. Det rör sig om ganska stor skadegörelse, förstörd utrustning och en anlagd brand. Den som gjort det åker säkert fast så småningom, men under tiden har företaget satt in extra bevakning och hundar. Han får en obehaglig överraskning om han kommer tillbaka.

– Min farbror har ett företag där nere. Grogans Grus, heter det.

– Förmodligen känner han redan till saken, men för säkerhets skull kan du ju säga till honom att han ska vara vaksam.

Casey insåg att de bara fördrev tiden medan han väntade på att hon skulle börja berätta. Det var bäst att ta tjuren vid hornen. – Du frågade varför jag kom hem just nu, sa hon.

– Egentligen var det inte någon särskilt rättvis fråga. Jag vet redan lite, erkände han.

– Gör du?

– När jag diskade i baren berättade Megan att du hade arbetat med barn som for illa i Chicago.

– Och eftersom det är ditt jobb att ställa frågor hörde du dig för i Chicago? gissade hon.

Han nickade. – Du sa upp dig utan varning och brydde dig inte ens om att tömma skrivbordet.

– Är det vad de minns av mig? Casey skrattade till. – Att jag inte kastade bort en halv ask pappersnäsdukar och några gem?

– Nej, de talade väl om dig, och ingen ville berätta varför du slutade så plötsligt.

– Ett barn som jag hade ansvar för, vars liv låg i mina händer, dödades av sin far, berättade hon. Det var jag som gav honom tillstånd att träffa barnet.

Jon satt tyst, och hon var tacksam över att han inte sa något. Det var så många andra som hade talat om för henne att det inte var hennes fel att orden förlorat sin betydelse.

– Du hade rätt förut, jag har alltid velat hjälpa barn. Kanske beror det på att jag själv behövde så mycket hjälp när jag växte upp. Så när jag hade luffat omkring och sett lite av världen skaffade jag arbete och bostad i Chicago och började läsa på college. Jag klarade mig så pass bra att jag fick ett stipendium för andra året, och efter det var det inte särskilt svårt. Jag jobbade hårt, och när jag hade tagit min examen stannade jag kvar i Chicago. Det var så nära Peggy att hon kunde komma och hälsa på mig ibland, och när jag tog upp kontakten med Megan igen kom hon också några gånger. Närmare Cleveland ville jag inte vara.

– Berätta om ditt jobb, bad han.

– Jag arbetade mellan femtio och sextio timmar i veckan och hade ansvaret för nittio familjer. Dessutom hjälpte jag domstolen med bedömningar av familjer vid vårdnadstvister. Det blev för mycket för mig, men jag hade inte vett nog att förstå det. Nu inser jag att mina klienter blev lidande, men jag har jobbat hårt i hela mitt liv och trodde att jag kunde klara det.

Jons fingrar var nära hennes axel, men han rörde henne inte utan visade bara att han fanns där om hon behövde honom.

– Hur var det med fallet du nämnde?

– Jag blev ombedd att bedöma en familj där föräldrarna låg i skilsmässa. Mrs Collins påstod att hennes make hade misshandlat både henne och barnen, i synnerhet den yngste pojken, Steven. Mannen ville inte ha vårdnaden om barnen, men han ville ha umgängesrätt och det vägrade hon att gå med på. Jag tyckte bra om mrs Collins och illa om hennes man, men jag kunde inte förklara varför.

– Hade modern några bevis för sina påståenden?

– Inte något avgörande. Det fanns inga läkarutlåtanden, inga anmälningar från grannar eller lärare, inga besök på akuten. Barnen fick genomgå en läkarundersökning, men det upptäcktes inga läkta frakturer. De hade några små ärr, men det brukar ju ungar ha.

– I så fall förstår jag inte hur du skulle ha kunnat hindra fadern från att träffa sina barn, påpekade Jon.

– Jag träffade bara Steven ensam två gånger. Första gången kom jag för sent därför att det hade varit kris i en annan familj. Steven var åtta år gammal och tyckte inte om att prata med vuxna, så jag fick inte ur honom mycket. Därför bokade jag in en ny tid, men även då var jag försenad. Vårt samtal gav ingenting, och när jag frågade om han saknade sin pappa och ville träffa honom svarade han "kanske".

– Då hade du inte mycket att gå på, Case.

– Jo, det hade jag. Det är precis det som är problemet. Innerst inne visste jag att något var fel. Jag trodde på mrs

Collins. Fadern var överdrivet vänlig, och han hade ett sätt att se på barnen som fick det att krypa i skinnet på mig. Han kunde få tyst på dem genom en enda blick, och Steven verkade särskilt rädd för honom. Det var allt jag kunde skriva i min rapport. Jag hade inga konkreta bevis, bara en känsla. Vet du hur långt man kommer med det inför en domstol? Hon skrattade hårt. – Tyvärr, mr Collins, men socialarbetaren tycker inte om ert sätt att se på barnen. Ni får ingen umgängesrätt.

– Det låter som om du gjorde allt du kunde.

Casey andades djupt. – Steven dog av en blödning i hjärnan efter sin första helg tillsammans med fadern. Mr Collins sitter i fängelse. Steven är i himlen – om det nu finns ett sådant ställe. Mrs Collins försöker fortfarande komma över chocken. Och jag tänker aldrig mer jobba som socialarbetare.

– Det var inte ditt fel, hävdade Jon.

– Nej, jag har också kommit till den slutsatsen. Visst kunde jag ha gjort mer. Om jag hade jobbat åtta timmar i veckan i stället för sextio kunde jag kanske ha fått Steven att öppna sig för mig. Eller om jag träffat honom tio gånger i stället för två. Det skulle kanske ha räckt med att jag kommit i tid och inte haft så mycket annat att tänka på. Vem vet?

– Du är inte mer än människa, Case. Oddsen var emot dig.

– *Systemet* var emot mig.

– Var det därför du slutade? Därför att du inte ville slåss mot systemet längre?

– Ja, det skulle man nog kunna säga.

– Det finns andra jobb, privata organisationer som skulle ge dig mer tid att göra vad som behövs. Varför söker du inte jobb hos en sådan?

Hon ryckte på axlarna. – Hittills har jag valt att inte göra det.

– I stället jobbar du på en bar.

– Där jag bara behöver bestämma om jag ska skära citronerna i klyftor eller skivor, nickade hon.

– Du slösar bort din begåvning.

Vreden kom så snabbt att hon inte hann kontrollera den.

– Du har ingen aning om ifall jag slösar bort något!

– Jag vet att du hade drömmar som du inte försöker uppfylla.

– Du tror att du känner mig, Jon, men det är faktiskt tio år sedan vi träffades. Du har ingen som helst rätt att kritisera mig.

Han tog hennes ena hand mellan båda sina. – Jag kritiserade dig inte, Case.

Hon försökte rycka till sig handen, men han höll fast den.

– Jaså inte! Du har ingen aning om vad jag gick igenom eller vilka skuldkänslor jag hade. Vissa morgnar kunde jag inte ens förmå mig att stiga upp ur sängen. Men du vet ingenting om det, för vi är främlingar för varandra!

– Bråkar ni? frågade Ashley från sitt hörn.

– Nej då, svarade Casey. Vi pratar bara. Högt.

Flickan återgick till att viska med dockan.

– Vi kommer aldrig att bli främlingar, sa Jon med låg röst.

Casey var trött på hans lek. Han hade inga starka band till Cleveland, och hon var bara en liten skärva av hans förflutna, något han kunde roa sig med tills han hittade något bättre. Hon hade nästan övertygat sig själv om att det var så när hon såg in i hans ögon och vreden och säkerheten smälte bort.

Jon lade handen under hennes haka för att hon inte skulle vända bort blicken. – Jag känner dig lika väl som jag känner mig själv. Jag har inte glömt någonting när det gäller dig. Eller hur jag kände mig den dagen för tio år sedan då jag fick höra att du hade lämnat staden. Det var som om någon hade släckt solen.

Casey visste inte vad hon skulle säga.

Han log det varma leende som hon börjat lära sig att känna igen. – Så jag gav mig också iväg. Jag visste att du skulle komma tillbaka så småningom, och när du gjorde det ville jag vara här och redo för vad som helst. På den tiden trodde jag inte att du skulle vara borta så länge, men det fanns mycket jag behövde lära mig. Sedan, när jag äntligen var beredd att återvända, fick jag höra att du var gift.

– Jon, du menar väl inte att du kände något annat än vänskap . . .?

– Jag har väntat länge på att du skulle bli vuxen. Och på att jag själv också skulle bli det.

– Det har ju gått tio år! utropade hon.

– Vi blommar kanske sent.

Förmodligen hörde detta ihop med hennes oförmåga att förstå sig på män. Jon hade varit hennes bäste vän, den ende utom systrarna som hon verkligen kunnat prata med. Han hade varit trygg därför att deras förhållande inte handlat om sex och saknat alla fällor som det förde med sig. Hon hade inte varit tvungen att flirta eller låtsas, utan kunnat vara sig själv.

Och hon hade trott att även han kunnat det.

Jon skakade på huvudet. – Tänkte du aldrig på att det kunde vara så?

– Nej.

– Megan vet det, påstod han.

– Berättade du det för Megan, men inte för mig?

– Jag behövde aldrig tala om det, för hon undvek aldrig sanningen på samma sätt som du.

– Det är inte säkert att jag undvek något, menade Casey. Du kanske dolde sanningen när du var tillsammans med mig.

– Jag tror inte att jag var så avancerad. Jon skakade på huvudet. – Nej, det var nog du som var rädd.

– Menar du att jag skulle ha varit kär i dig också?

– Nej. Så länge jag bara var din vän kunde du dela allt du kände och tänkte med mig, och det var så unikt att du inte ville förlora det. Om vårt förhållande hade förändrats kunde den saken också ha ändrats.

– Du får ursäkta mig, men det där låter faktiskt som amatörpsykologi.

– Gör det? Han lät nyfiken. – Jag trodde att det lät som en man som försöker förklara sig.

Den ömsinta tonen tog udden av hennes vrede, och i stället för ett utbrott fick hon tårar i ögonen. – Om du säger det jag tror har du valt en förlorare.

– Jag var skyldig dig en förklaring, men du är inte skyldig mig något. Låt oss bara vara vänner igen och ha roligt tillsammans utan att känna någon press. Sedan får vi se vad som händer.

Efter allt Jon sagt blev Casey förvånad över att han var villig att ta det lugnt. Hon hade tänkt säga att han kunde glömma ett seriöst förhållande, men han hade inte ens bett om ett.

– Men bara som en försmak av vad som kan hända . . . Han drog henne intill sig, och innan hon hann protestera kände hon hans varma, bestämda läppar mot sina.

Ett ögonblick kunde hon inte andas, inte därför att han inte tillät det utan därför att hennes kropp inte längre tycktes tillhöra henne. Hjärtat slutade slå och lungorna glömde att dra in luft. Sedan slappnade hon av i hans famn, lade armarna om hans hals och kysste honom tillbaka. Känslorna som uppfyllde henne liknade ett ljumt sommarregn.

Det var Jon som drog sig undan först. – Inte så illa för att vara en försmak, log han.

– Försöker du göra mig galen?

Han reste sig upp. – Jag följer dig till dörren.

Jon hade manipulerat, prisat, kritiserat, anförtrott sig åt och kysst henne. Det var mer känslor och samtal än Casey upplevt under hela sitt äktenskap.

– Ashley, vi ska gå nu.

Flickan kom på fötter och sträckte fram dockan mot Jon.

– Om du lovar att sköta om henne ordentligt kan du ta henne med dig ett tag, sa han. Hon behöver semester.

Ashley skakade på huvudet. – Nej, hon skulle sakna sina vänner. Jag kan komma tillbaka och hälsa på henne i stället.

Han tog emot dockan. – Gärna. Kom när du vill.

Casey bestämde sig för att köpa en docka som Ashley kunde ha i lägenheten. Kanske skulle den hjälpa henne att sova bättre på nätterna.

– Tänker du fortsätta komma till baren? frågade Casey innan hon öppnade dörren.

– Du vet var jag bor, och jag vet var du bor.

– Hur som helst är du välkommen om du har tid, fortsatte hon. Vi bakar piroger på fredag.

– Det ska jag komma ihåg, nickade han.

När Casey kom till bilen vände hon sig om och såg mot huset. Hon förväntade sig att Jon skulle vara borta, men han stod kvar och tittade på dem. Hon lyfte handen och vinkade.

Jon log till svar och stängde dörren.

13

Fader Bradys arbetsrum hade utsikt över en liten trädgård med en fontän och en stenbänk. På våren lystes den upp av påskliljor, på sommaren blommade rosorna och på hösten astrarna. Rummet var litet, men Iggy brukade säga att hela världen var hans när han drog undan gardinerna.

Niccolo stod vid fönstret och tittade ut på den nyfallna snön, som förvandlat fontänen till en bröllopstårta. Han kände sig nostalgisk när han andades in den välbekanta lukten av dammiga böcker, slitet läder och polermedel med citron.

– Tänker du flytta söderut när du går i pension, Iggy? Till någon plats där det är varmare?

– Jag försöker låta bli att tänka på det, muttrade prästen. Jag har fortfarande så mycket kvar att göra här.

– Såvitt jag förstår är din församling i utmärkt skick. Närvaron i kyrkan är god och du har inte alltför många problem trots att befolkningen förändras hela tiden.

Iggy hällde upp kaffe. De två männen träffades i arbetsrummet flera gånger i veckan innan de påbörjade sina arbetsdagar. Iggy hade aldrig sagt det, men Niccolo visste att hans mentor förstod hur mycket han fortfarande njöt av kontakten med en präst, av diskussionerna om tron och församlingen.

– Vi har våra bekymmer, sa Iggy. Men inget fasansfullt eller hotande. Det är mer att jag behöver göra i ordning allt innan jag lämnar över den heliga Birgit till någon annan.

Niccolo gick och satte sig vid bordet hos sin vän. – Som vad då?

– Jag började med arkivet i förra månaden. Vi har haft frivilliga som arbetat med det, men nu måste jag gå igenom en del av materialet själv för att se hur värdefullt det är. En del av det vi har hittat är av personlig natur, och jag vill inte gärna offentliggöra det utan att först undersöka det ordentligt. Det gäller särskilt en dagbok som tillhört en av den heliga Birgits första präster, en Patrick McSweeney.

– Den skulle kunna vara en guldgruva.

– Kanske det, höll Iggy med. Den hittades för inte så länge sedan under en trave med tio års protokoll från välgörenhetsmöten runt förra sekelskiftet. Vad jag vet har ingen läst den utom McSweeney själv.

– Då har du alltså inte hunnit göra det än?

– Niccolo, ibland gör du saker och ting så lätta för mig. Det är som om du läste mina tankar.

Alltför sent insåg Nick att han fallit i en av Iggys skickligt gillrade fällor. – Vill du att *jag* ska läsa den? Varför det?

– Därför att jag inte har tid, helt enkelt. Men en annan prästs dagbok kan jag inte lämna över till vem som helst. Den kan vara fylld med redogörelser för alldagliga händelser eller, ännu värre, för hur han gjorde av med sina pengar, men den kan också vara smärtsamt personlig. I så fall måste jag avgöra vad vi ska göra med den.

– Du kan inte förstöra dagboken, menade Nick. Den är ju ett historiskt dokument.

– Nej, men jag skulle kunna begrava den bland oviktiga papper igen. Iggy drack av kaffet. – Du är precis rätt man, fortsatte han sedan. Du har ju blivit intresserad av Whiskey Island, och förfäderna till familjen Donaghue som du är så fascinerad av var antagligen medlemmar av fader McSweeneys församling. Du kommer att tycka om historien.

Niccolo hade redan berättat om Rooney och det han upptäckt i en grop ute på halvön. Han tyckte att Iggy borde veta det eftersom han var familjens präst. Iggy i sin tur hade erkänt att han inte kommit på något mer om initialerna på manschettknappen.

– Det har inte skrivits mycket om Whiskey Island, berättade Niccolo. Jag har varit hos historiska sällskapet och hört mig för, men tydligen hade irländarna fullt upp med att överleva för de lämnade inga skriftliga dokument efter sig. Det finns ingenting om släkten Donaghue heller.

– Det är möjligt att det finns mer här i kyrkan än någon annanstans. Irländarna i Cleveland var till största delen katoliker, och det är alltid prästerna som har skött registren, påpekade Iggy. Det jag kan berätta är att livet på Whiskey Island inte var lätt. Sjukdomar, hårt arbete, hunger och död var vardag, även om de hade det mycket bättre här än de skulle ha haft det på Irland. Deras tro och humor hjälpte dem att komma igenom det värsta.

– För att inte tala om de fjorton barerna, log Nick.

– Förtvivlade män måste få glömma ibland.

Iggy reste sig och gick fram till ett glasskåp där han hade ett antal värdefulla böcker. Han låste upp det och ställde sig på tå för att nå upp till översta hyllan. När han hittat vad han sökte låste han skåpet igen och lade en läderinbunden, sliten dagbok bredvid Niccolos kaffekopp.

– Vill du titta på den här åt mig?

Niccolo var alldeles för intresserad – och alltför tacksam över allt Iggy gjort för honom – för att kunna säga nej.

Iggy harklade sig. – Kan du transkribera den?

Häpet tittade Niccolo upp. – Du skojar väl?

– Den är över hundra år gammal, och bläcket har blekts ordentligt. Du kanske är en av de sista som över huvud taget kan tyda texten. Det kan bli för sent innan jag har hittat någon annan.

– Det är ett enormt arbete.

– Jag vet, och jag är ledsen att jag måste begära det av dig. Men du är intresserad av ämnet, du har den nödvändiga känsligheten och beslutsamheten, och du har en dator till hjälp. Iggy såg på honom. – Det skulle betyda mycket för kyrkan. Och det är möjligt att det kan betyda mycket för dig också.

– Det där sista förstår jag inte?

– Du får se in i en annan prästs liv, Niccolo. En man som säkert kämpade med samma frågor som du. Kanske kommer du att förstå dig själv bättre om du läser hans dagbok.

– Du har läst den, eller hur? frågade Nick. Du vet säkert att det inte är en redogörelse över inkomster och utgifter?

– Jag har inte läst hela, men tillräckligt mycket för att veta att den innehåller mer än så. Fader McSweeney var en känslig och bildad man, och du kommer inte att bli besviken på honom.

Niccolo skulle inte säga nej vad Iggy än bad honom om. Han såg på dagboken, som var lite större och tjockare än en pocketbok. Den innehöll en mans själ.

– Det kommer att ta lite tid. Handstilen kan vara svårläst.

Han slog upp den, och när han bläddrade igenom de första sidorna såg han att han hade rätt. Bläcket var dyrt på artonhundratalet, och de små bokstäverna var säkert en nödvändighet.

– Gör vad du kan, och ta den tid du behöver, tyckte Iggy. Jag är säker på att fader McSweeney skulle ha tackat dig för det.

Niccolo lade ifrån sig dagboken igen. Han undrade om det verkligen var sant. När en man nertecknade sina innersta hemligheter, förväntade han sig då att någon en dag skulle läsa det han skrivit? Skulle fader McSweeney bli glad över att världen fick ta del av hans sorger och glädjeämnen?

Han såg på Iggy. – Ligger du vaken på nätterna och tänker ut uppgifter som håller mig bunden till kyrkan?

Iggy log vänligt. – Det behöver jag inte. Du har aldrig klippt av bandet, eller hur?

*

När Niccolo kom hem väntade hans arbetslag på honom. Han var inte säker på när eller ens om han hade anlitat de fyra pojkarna som satt på trappan. Tvärtom, han var rätt säker på att han *inte* hade gjort det. Trots det var de där, ivriga att få hjälpa till.

Först hade det bara varit Winston och Josh, pojkarna som suttit på hans bil. En eftermiddag några dagar efter den händelsen hade de gått fram och tillbaka utanför huset tills han bjöd in dem. Sedan hade de kommit varje dag efter skolan och varit där större delen av lördagen också.

En dag hade de haft Joachim med sig. Han var storväxt, bredaxlad som en hamnarbetare och smalhöftad som en fotomodell. Det korta hår som växt ut efter ett olyckligt möte med ett rakblad var kolsvart och dolde inte helt den leopardtatuering som sträckte sig från nacken till ena örat. Den fjärde pojken hade också svart hår, men Tarek var konservativt klippt och hans jeans var nya och välpressade.

Först hade de bara kommit för att se på tv och äta upp den skräpmat Niccolo hade, men efter ett par dagar började de följa efter honom runt huset. Då hade de bara varit i vägen, och särskilt Winston hade gjort honom irriterad. Pojken tycktes trivas bäst när han stod i vägen för någon. Josh visste aldrig var han skulle göra av händer och fötter, så de hamnade ofta där de inte borde vara. Joachim höll sig undan, men på grund av sin storlek var han aldrig utom synhåll. Den plågsamt artige Tarek försökte hålla ordning på de andra, och därmed orsakade han mer besvär än han avvärjde.

Efter några dagar hade Niccolo gått till järnhandeln och köpt fyra verktygslådor med hammare, skruvmejslar, tänger och skiftnycklar. Han fick pojkarna att lova att de skulle hålla sig ur vägen för honom, och för att försäkra sig om att de verkligen gjorde det hade han gett dem uppgifter. Precis som alla vuxna män älskade de att ställa till med förödelse, så att riva ner väggar var det perfekta jobbet. På rekordtid hade han en mängd gips och ruttna bjälkar att släpa undan.

Sedan kom turen till de skeva golvbrädorna. Det var fantastiskt vad pojkarna kunde åstadkomma med en kofot. Men egendomligt nog kunde de också vara försiktiga om det var nödvändigt. När Niccolo förklarade hur mycket svårare det var att reparera träarbeten än att ha sönder det lyssnade de faktiskt.

Särskilt Winston var mycket händig, och hade en häpnadsväckande självkontroll. Allt som passerade genom hans huvud fortsatte ut genom munnen, men med hans händer var det en annan sak. Han tog på sig de uppgifter som krävde mest tålamod och skötte dem utan anmärkning. Ofta arbetade han i närheten av Niccolo, men han bad aldrig om hjälp. Om Niccolo ändå gav honom råd låtsades han inte höra, men när Nick vände ryggen till följde han dem.

Trots snöfallet föregående kväll väntade pojkarna på sina vanliga platser. Winston satt i snön på det översta trappsteget och Josh ett stycke längre ner där han hade sopat undan snön. Joachim lutade sig mot en pelare, medan Tarek stod rak som en eldgaffel bredvid ytterdörren. Men i dag hade det tillkommit en ny aktör i det dagliga dramat, en mörkhyad flicka med skinande, svarta lockar och ett ansikte som avslöjade att hon var en yngre släkting till Winston. Hon satt bredvid honom och boxade honom på armen när Niccolo närmade sig.

Winston pekade vårdslöst på henne med tummen. – Min syster Elisha.

– Hej, Elisha, nickade Niccolo.

Till skillnad från sin bror hade flickan lämpliga kläder för väderleken, en tjock jacka och vantar, och även om ingen tonåring med självrespekt sätter på sig en mössa hade hon fällt upp huvan på jackan.

– Hon vill se vad vi gör, förklarade Winston.

– Du är välkommen.

Winston var inte klar med honom än. – Var har du varit? Det är kallt här ute.

Niccolo tittade på klockan. – Jag är inte sen, det är ni som är tidiga.

– Vi hade inget annat att göra.

– Sover ni inte längre på lördagar?

Joachim gäspade och sträckte på sig. – Det är för många ungar hemma hos mig. Jag kan inte sova när de kravlar omkring överallt.

– Vi går upp tidigt för att be, förklarade Tarek tyst.

Niccolo log mot honom. Han var glad över att Tarek äntligen berättade något om sig själv. – En utmärkt vana.

– Min mamma jobbar på nätterna, sa Winston. När hon kommer hem väcker hon Elisha så att hon kan ta över sängen.

– Och jag väcker Winston, inföll Elisha. Hennes djupa röst skulle ha passat bättre för en äldre kvinna. – Varför ska han sova när inte jag får göra det?

– Det kan man fråga sig. Niccolo gick förbi dem för att öppna dörren. Tarek backade respektfullt undan. – Jag ska koka varm choklad åt er så blir ni varma.

De tackade honom naturligtvis inte, men ett intresserat mumlande hördes bakom honom. Han släppte in dem och hörde belåtet att Winston befallde alla att ta av sig stövlarna eller torka av skorna innan de gick på det nyslipade hallgolvet.

Niccolo visste att det inte skulle räcka med chokladen. Det var bara Josh som såg undernärd ut, men alla ungdomarna var ständigt utsvultna. Han kom ihåg att han själv varit likadan, trots att han haft en mor och en mormor som varit allra lyckligast när de såg honom och hans bror äta.

– Fattiga riddare eller pannkakor? frågade han uppgivet.

– Tack, men jag har redan ätit frukost. Tarek vände artigt bort blicken.

– Du har säkert inget emot en till, menade Nick.

Joachim stod och hängde i dörröppningen som om han var rädd att de andra inte skulle få plats om han kom in. – Jag äter allt.

– Jag har aldrig ätit fattiga riddare, sa Winston längtansfullt.

– I så fall blir det fattiga riddare. Niccolo hoppades att han hade tillräckligt med bröd.

Det knackade på ytterdörren, och utan att ha blivit ombedd gick Joachim och öppnade. Efter ett ögonblick steg Megan in i köket, och hon såg inte ut att bli förvånad över alla tonåringar.

– Bra. Bjuder du mig också? sa hon bara.

Niccolo hade inte reflekterat över vem det var som knackat på dörren, men han hade inte heller haft en tanke på att det skulle kunna vara Megan. De hade inte träffats sedan hon bjöd honom på middag även om han hade tänkt mycket på henne. När han nu såg henne stå där i jeans och en rostfärgad tröja i nästan samma färg som håret började hans puls öka takten.

Han fick fram ett lätt leende. – Bara om du hjälper till.

– Att laga mat för en armé? Ja, det ska jag väl klara av.

Han presenterade henne för ungdomarna och studerade deras reaktioner. Mest av allt var de avvaktande, precis som han förväntat sig, men Megan lät sig inte bekomma. Hon tycktes inte ta illa upp av Winstons stirrande, Tareks utstuderade nonchalans och Joshs generade mumlande, men hon sparade sitt varmaste leende till Joachim, som entusiastiskt skakade hand med henne. Och hon hälsade på den tystlåtna Elisha som om flickan varit en vän.

– Var börjar jag? Hon kom och ställde sig bredvid Niccolo och drog upp ärmarna på tröjan. – Vad ska ni äta?

– Fattiga riddare, avslöjade han.

– Då kom jag i rätt ögonblick.

Niccolo undrade varför hon egentligen var där. Förhållandet mellan dem hade handlat om hemligheter och avslöjanden. Om hon bara hade kommit för att hälsa på hade de gått över till ett nytt kapitel.

De arbetade tillsammans som om de aldrig gjort annat. Alla fick inte plats vid bordet, så när maten var klar lät de ungdomarna sitta där och stod själva vid diskbänken och åt. Niccolo tänkte på kvällen hemma hos Megan. Precis som då kunde han känna doften av hennes hår och den mjuka värmen från hennes höft mot hans lår. Han var en vuxen man som avstått från sexuella kontakter i över tio år, men plötsligt var han osäker på om han ens hade lika mycket självkontroll som pojkarna vid matbordet.

– Nå, varför har du kommit hit? frågade han till slut. Ungdomarna diskuterade musikvideor, och det var inte troligt att ljudnivån runt bordet skulle bli lägre.

– Ja, inte skulle jag ha gjort det om jag vetat att du höll frukostbön i köket.

– Försök inte, skrattade Nick. Jag såg nog hur varmt du log mot Joachim.

– Den pojken kommer att krossa många hjärtan, bara håret växer ut.

– Du tycker alltså om stora, mörkhåriga killar?

– Det är möjligt, log Megan till svar.

– Du talade inte om varför du kom hit, envisades Nick. Men du kanske inte har någon anledning, och det är ännu bättre.

– Jag tog ledigt därför att jag ville prata med dig om en sak, men nu förstår jag att det kan bli svårt att få vara i fred.

– De går nog efter nästa måltid, gissade han. Du kan väl stanna kvar och hjälpa till, så kan vi prata senare?

Megan såg frågande ut. – Hjälpa till?

– Vi ska isolera vinden, förklarade han. Du kan titta på om du tycker att det är för svårt.

– Jag kan göra allt om jag bara jag vill, hävdade hon bestämt. Men hur fick du tag i den här arbetsstyrkan? Vilka är ungarna, och varifrån kommer de?

– De bara dök upp, och de förökade sig som kaniner. Elisha är ny, och om de fortsätter så här kommer jag att bli tvungen att be om socialbidrag för att få råd med all mat de behöver.

– Menar du att de är främlingar?

– Nej, inte nu längre.

– Sa du inte att du behövde tid för att tänka igenom vad du skulle ta dig till med ditt liv? Hur kan du göra det i det här oväsendet?

Nick skakade på huvudet. – När de är här försöker jag inte ens.

– Jag visste att du var alldeles för snäll, men inte att det var så här illa. Vad får du ut av att ställa upp för dem?

– Jag tycker om att ha dem här. Huset behöver skratt lika mycket som det behöver nya väggar och ledningar.

Det fick tyst på henne.

Han såg att ungdomarna började resa sig. – Nå, tänker du stanna och hjälpa till eller inte? Vi vill gärna ha dig kvar.

– Jag menade allvar när jag sa att jag kan göra allt jag vill, försäkrade Megan.

– Men den där snygga tröjan kommer att bli smutsig. Du kan låna en gammal skjorta av mig.

Hon log. – Den kommer att räcka mig till knäna.

– Då blir inte jeansen heller smutsiga, så det är väl bara bra.

– Okej, var ska jag byta om? frågade hon.

Niccolo insåg att Megan i hans skjorta skulle bli en svår frestelse till och med när de var omgivna av tonåringar.

14

Det dröjde två timmar innan Elisha närmade sig Megan, men sedan höll hon sig i hennes närhet hela tiden. Winston var misstänksam ända tills Megan diskret kom fram och höll i en besvärlig panel som han försökte spika fast. De andra accepterade henne så fort de såg att hon var händig och lät dem sköta sig själva även om de gjorde fel.

När det var dags för lunch var innertaket på vinden isolerat och till större delen täckt med träfiberplattor. Efter att ha ätit varma ostsmörgåsar och grönsakssoppa och frågat när de fick komma tillbaka lämnade ungdomarna huset en efter en.

– De är fascinerade av vinden, sa Niccolo till Megan när han stängt dörren efter Josh, som alltid var den siste som gick. Jag hade en massa saker som skulle ha varit viktigare att göra i dag, men jag tror att de betraktar vinden som en klubblokal. De smiter alltid iväg dit upp.

– Och därför isolerade du den och satte upp plattor?

– Isoleringen var nödvändig. Och när det gäller plattorna . . . Han ryckte på axlarna. – Jag skulle inte ha valt den sortens isolering heller om jag inte hade behövt något de kunde arbeta med utan fara. Det tar tid att räkna ut hur de ska kunna vara med utan att få i sig bly, asbest, radon . . .

– De älskar det här. Det är häpnadsväckande.

– Ingen är mer förvånad än jag. Han strök henne över armen. – Du är också en överraskning. Var har du lärt dig allt det där? Du kan verkligen hantera en hammare, och jag hörde att du lärde Elisha grundläggande elektrisk polaritet.

Megan drog sig inte undan hans beröring. – Någon måste se till att hålla taket ovanpå baren tätt. Jag klarar lite av varje.

– Jag är imponerad.

Beröm gjorde henne alltid besvärad, så hon vände bort blicken. – Har du pratat med några av deras föräldrar? Vet de hur mycket tid deras barn tillbringar här?

– Jag borde antagligen göra det, men jag har en känsla av att de här ungarna får sköta sig själva. Winstons och Elishas mamma har haft två jobb sedan deras far dog, och jag föreställer mig att hon bara är glad att de har ett varmt ställe att vara på medan hon försöker sova lite mellan skiften. Joachim har sex syskon, och han talar väldigt varmt om sin familj . . .

– Men de har inte tid med honom, avslutade Megan meningen. Hon hade sett mycket av sådant tidigare.

– Jag misstänker att de vet att han klarar sig. Han är storväxt och intelligent. Tareks föräldrar är stränga men upptagna med sin butik. Han är den ende som ringer hem och talar om var han är och har en tid då han ska vara hemma. Däremot är jag orolig för Josh, för han berättar aldrig hur han har det.

– De är din egen lilla ungdomsgrupp, eller hur? Megan kunde ha bitit sig i tungan. Hon hade inte avsett att låta kritisk eller fördömande. – Förlåt, jag menade inte . . .

– Nej, det gör inget. Han började gå tillbaka mot köket, och hon följde efter. När han frågande höll upp kaffepannan nickade hon. – Som präst hade jag egentligen aldrig tid för individer. Ju bättre jag var på mitt jobb, desto större blev församlingen och desto mindre tid hade jag att engagera mig i medlemmarnas liv. Ibland kom jag inte ens ihåg vad de hette.

Han hällde upp kaffet och lämnade gott om plats för hennes mjölk. Det var som om han hade serverat henne kaffe i många år.

– Men nu känner du att du har tid?

– Ja, och det är en stor lyx för mig.

Megan undrade om han insåg hur ensam han lät. Ytligt sett talade han om sitt arbete, men hon trodde att han egentligen syftade på möjligheten att knyta personliga, meningsfulla kontakter i sitt eget liv.

– Ungarna tycker om det, sa hon och smuttade på kaffet. Och det gör du också, det syntes tydligt.

– Varför skulle jag inte göra det?

– Alla skulle inte hålla med dig.

– Men du gör det. Det var ett konstaterande, inte en fråga.

– Jag? Det bästa man kan säga om den där skocken tonåringar är att de är lite oborstade, Nick.

Han böjde sig fram över bordet och lade en hand över hennes. – Du hade ju roligt.

– Jag stannade därför att jag ville prata med dig. Det var enda anledningen.

– Du kunde ha kommit tillbaka, envisades han.

– Det är kallt ute, så jag var inte säker på att Borta Bra skulle starta.

– Jag har inte lagt märke till att hon har svårt att starta på min infart, anmärkte han. Hon kanske känner sig hemma här?

Megan tyckte om att känna Niccolos hand mot sin. Kanske tyckte hon alltför mycket om det, men hon var inte så orolig att hon drog undan handen.

– Hittills har jag väl haft tur helt enkelt.

– Jag har inte räknat ut om du verkligen tror att du är cynisk eller om du bara låtsas.

Hon *var* cynisk, men Niccolo var fortfarande för mycket präst för att inse det. Megan suckade och lyfte kaffekoppen. Med båda händerna. – Det för mig till orsaken till att jag kom hit.

Han lutade sig bakåt och väntade, som om han förstod att det skulle dröja ett ögonblick innan hon hade samlat tankarna.

Hon drack ett par klunkar av kaffet och ställde sedan ner koppen igen. – Så här är det. Min syster har en vän som heter Jon Kovats och jobbar på distriktsåklagarämbetet. Han berättade för henne att det har förekommit allvarlig skadegörelse nere på Whiskey Island. Företaget som är värst drabbat ska ta in extra säkerhetsvakter och hundar.

När Niccolo inte svarade fortsatte Megan tala. – Casey reagerade inte särskilt på det utan råkade bara nämna det, men då berättade jag om ditt sökande och om fotot du hittade.

– Vad sa hon om det?

En stor del av Caseys svar – som hade börjat med "Vem i helvete tror du att du är som inte har talat om det här tidigare?" – var omöjligt att upprepa, så Megan bestämde sig för en sammanfattning.

– Hon är knappast en av Rooneys beundrare, men hon blev orolig förstås.

– Tror du att det kan vara er far som orsakar bekymren där nere?

– Han ställer i alla fall till problem, eller hur? Megan suckade. – Om Rooney fortfarande andas orsakar han bekymmer, sådan är han.

– Du sa att han var borta mycket innan han lämnade er för gott, mindes Nick. Men var han våldsam?

– Han slog oss aldrig, om det är det du menar, och ändå skulle det inte ha ansetts som något fel i vår släkt. Men jag minns att han deltog i större slagsmål några gånger. Han påstod att han försökte skilja parterna åt, men jag vet att han älskade det.

– Var han en man som sökte hämnd?

– Ibland pratar du som en präst, påpekade hon.

Niccolo log mot henne, ett vänligt leende med ett inslag av något mer. – Ibland känner jag mig inte som en.

Megan insåg hur spänd hon var när hon upptäckte att hon inte kunde le tillbaka. – Rooney hade inte många goda sidor, men jag måste erkänna att han inte var hämndlysten. För det mesta levde han i sin egen värld, och jag är inte säker på att han ens märkte att det fanns något han skulle ha behövt ge igen för.

– Det är ingen dålig egenskap om man tänker efter.

– Jag tänker inte på honom, eller har i alla fall inte gjort det på länge. Men nu måste jag visst göra det igen.

Niccolo nickade bara men lyckades ändå förmedla förståelse, tålamod och hopp om att hon skulle gå vidare.

– Förbaskat! Hennes händer darrade. – Var inte så där snäll, det gör det bara allt värre.

– Vad är det som blir värre?

– Jag vill att du ska visa mig stället där du tror att han bor.

Niccolos ansikte förändrades inte, och han berömde henne inte eller talade om hur moget han tyckte att hennes beslut var. Han väntade bara.

– Han är ju min far, sa hon slutligen. Det betyder inte mycket, men något måste det i alla fall innebära eftersom jag inte kan sluta tänka på honom. Kanske går det att göra något för honom. Jag tvivlar på det, för alla har redan försökt. Farbror Frank brukade ta honom med till Anonyma Alkoholister och låtsas att det var han själv som hade problem. Men ingen kan hjälpa den som inte vill bli hjälpt.

– Och du tror inte att Rooney vill det?

– Jag tror att den verkliga världen är för hård för honom.

– Megan, du står med båda fötterna stadigt på jorden. Det kan vara svårt för dig att förstå någon som . . .

– Äsch, man måste välja hela tiden, fnyste hon. Jag gör mina val och Rooney har gjort sina.

– Men nu vill du se om du kan påverka hans val lite?

– Jag vill bara få bekräftat att han inte far illa. Förresten är det mer för mina systrars skull. Casey är väldigt upprörd, och jag vet att Peggy kommer att få reda på det så småningom även om vi försöker hålla det hemligt. Megan skakade på huvudet, och hennes ögon fylldes oväntat med tårar. – Den uslingen, viskade hon.

Niccolo försökte inte trösta henne. Kanske förstod han hur mycket hon skulle avsky det. I stället satt han bara tyst tills hon hade behärskat sig.

– Jag har varit tillbaka till stället där jag hittade fotot fem eller sex gånger sedan dess, berättade han då. Det finns inget som tyder på att han har varit där. Jag lämnade ett meddelande, och det ligger fortfarande kvar tillsammans med allt annat. Det fanns ett tidningsurklipp också, om någon som hette James Simeon. Vet du vem det är?

– Nej.

– Jag har inte kollat upp det. Det kanske inte betyder någonting alls.

– Det är inte säkert att det var Rooney som var där. Tänk om någon hittade fotot och . . . Hon hörde själv hur osannolikt det lät.

– Skulle det göra dig lyckligare i så fall?

Frågan var rättvis, men Megan tyckte inte alls om den. Hon svarade inte utan satt bara tyst och stel ända tills Niccolo tog hennes hand.

– Tänk på det, föreslog han.

– Har du tid att leta efter honom nu?

– Självklart.

– Ditt liv har inte förändrats särskilt mycket, Nick. Du brukade ta hand om folk, och det gör du fortfarande. Du släpper allt om du kan vara till hjälp för någon.

– Ja, fast en del saker har förändrats, hävdade han.

Megan visste att han hade rätt.

*

En bitande vind svepte in utifrån sjön, men solen sken så att snön gnistrade i alla fördjupningar och skrevor. När de hade parkerat bilen tog Niccolo Megans arm och förde henne längs stigen in i skogen.

Han kunde tänka sig bättre tillfällen för och orsaker till en promenad vid sjön, men han njöt av att vara tillsammans med Megan och hade gjort det under hela dagen. Samtidigt önskade han att de inte varit där utan inomhus, att de lagat mat tillsammans och pratat om sådant som var viktigt för dem.

Megan hejdade sig och lyfte upp ansiktet mot solen. – En vinter var jag på Bahamas en vecka, men jag kunde inte anpassa mig utan ville tillbringa hela dagarna på hotellrummet med gardinerna fördragna. Allt det där solskenet kändes onaturligt.

Hon hade utelämnat varför hon rest dit och tillsammans med vem, men tanken på Megan och en annan man störde Niccolo. Och bara att han reagerat på det störde honom ännu mer.

– Vande du dig vid det? Han kände sig nöjd över att han lät intresserad och inte svartsjuk.

– Min . . . kamrat blev så irriterad på mig att jag fick vara ensam för det mesta.

Det var Niccolo inte alls ledsen över.

– Men det var länge sedan, tillade hon. På den tiden var jag bara belåten om allt var precis som det brukade. Nu har jag ändrat mig.

– Så nu tycker du om solen?

– I dag skulle jag antagligen vara klok nog att åka på skidsemester i stället. Snö och sol, då skulle åtminstone hälften vara välbekant.

– Det berodde kanske på kamraten och inte på vädret? Niccolo undrade vad som fått honom att kasta ur sig något sådant.

– Det är möjligt, nickade hon.

De pratade på som om ingenting särskilt skulle hända, och han trodde att Megan ville ha det på det sättet. Men plötsligt gick hon rakt på det som oroade henne.

– Hur skulle han kunna överleva här ute? Det är säkert tio grader kallt trots att solen skiner.

– Vi vet ju att han har klarat sig hittills.

– Om det verkligen är Rooney är han nästan sextio år gammal. En yngre man kanske kan anpassa sig, men som han har levt är han inte särskilt stark. Jag kan inte tänka mig att han får tillräckligt med mat och vila . . . Hon hejdade sig tvärt och knep ihop läpparna.

– Han var klok nog att smyga sig på biltjuven och slå ut honom, påminde Niccolo.

– Han kommer inte ens att känna igen mig. Jag var i tonåren senast han såg mig.

– Jag tror nog att han vet vem du är. Orden var menade att lugna henne, för egentligen var Niccolo inte säker på att Rooney mindes någonting alls.

– Han kom hem i alla fall. Om det nu var Rooney, alltså. Tror du att han kände igen Casey eller Peggy? Kanske biltjuvarna väckte några slumrande faderskänslor till liv inom honom?

Megan tänkte högt, så Niccolo svarade inte.

– Såvitt vi vet kan han ha trott att Ashley var en av oss, fortsatte hon. Det var så länge sedan. Tänk om han trodde att Ashley var Peggy?

– Vad han än trodde var han modig nog att ge sig på en beväpnad man.

– Han kanske inte vill leva?

– Vi ska nog vänta med sådana omdömen, tyckte Nick. Nu är vi snart framme.

Megan sänkte rösten. – Jag önskar att vi inte hade kommit.

– Det gör du inte alls. Du önskar att det inte hade varit nödvändigt att komma. Niccolo stannade och pekade på den grentäckta hålan. – Vill du gå fram ensam?

Hon skakade på huvudet. – Kan du inte följa med mig?

Han tog hennes hand och flätade samman deras fingrar innan han började gå igen. Det smärtade honom att han orsakat så mycket bekymmer genom att leta efter den hemlöse och hittat hålan. Själv hade han aldrig upplevt problem inom familjen. Hans föräldrar hade varit kärleksfulla och låtit honom vara barn och sedan tonåring. Han hade aldrig behövt axla tunga bördor alldeles för tidigt.

Megan sa ingenting när de stod framme vid hålan, och Niccolo undrade om hon över huvud taget kunde få fram något.

– Mr Donaghue, sa han. Det kom inget svar, och det hade han inte heller förväntat sig. Ändå kunde han inte förmå sig att se på Megan. – Mr Donaghue, upprepade han.

– Rooney, är du där? Det är Megan. Hon släppte Nicks hand och gick närmare. – Är du där nere, Rooney? Hon ställde sig på knä och förde undan grenarna så att hon kunde titta ner. – Det är ingen hemma, konstaterade hon med kvävd röst.

Niccolo böjde sig ner bredvid henne och kikade ner. Hålan var fortfarande fodrad med tidningspapper och plastpåsar, men han såg genast att något förändrats.

– Någon har varit här sedan förra gången.

– Hur vet du det?

– Mitt meddelande är borta, och papperen också.

– Papperen?

– Fotot och tidningsartikeln. Han kom ihåg något som han inte tänkt på tidigare. – Det fanns en barnteckning också. Den föreställde tre barn som dansade.

– Casey tyckte om att rita, och hon gör det fortfarande när ingen tittar på. Som liten gav hon alltid Rooney teckningar, och ibland kom han till och med ihåg att sätta upp dem på kylskåpsdörren. Då är han borta, alltså?

– Det vet vi inte. Vi vet bara att han har varit här. Eller att någon annan varit här och tagit hans saker.

– Vem skulle vilja ha dem? undrade hon.

Det var en bra fråga. Om någon från polisen eller socialen upptäckt hålan skulle de antingen ha låtsas som ingenting eller förstört den. De skulle absolut inte ha tagit bort några papper och sedan lämnat den som den var. Niccolo reste sig.

– Han kanske kommer tillbaka. Vi skulle kunna lämna ett nytt meddelande.

– Vad ska jag skriva på det? "Kom hem, Rooney? Vi behöver dig. Vi älskar dig."

Han visste att hon var sarkastisk, men svarade som om hon menat allvar. – Jag skulle inte pressa honom så hårt. Skriv att du fortfarande tänder lampan i fönstret. Det skulle han förstå, eller hur?

– Den är inte tänd, Nick. Jag vill inte ha tillbaka honom i mitt liv, jag vill bara inte att han ska fara illa. Megan försökte låta lugn, men han visste att hon inte var det.

– Ska vi gå lite längre? föreslog han. Vi kanske hittar något som tyder på att han fortfarande finns kvar i närheten?

Megan skakade på huvudet. Hon öppnade handväskan, som mer liknade en fotboll än en väska, och tog upp ett papper. "Var försiktig", skrev hon och undertecknade med namn och adress. Sedan kastade hon ner meddelandet i hålan.

När hon hade rätat upp sig igen lade Niccolo händerna om hennes kinder. – Jag är ledsen att han inte är här, men jag är glad att du ville gå hit.

Hennes ansikte var stelt, men ögonen speglade hennes sorg. Hon nickade kort som om hon ville avbryta samtalet och kroppskontakten, men trots det gled hans fingrar in i hennes hår och han drog henne intill sig. Han hade inte kunnat kyssa henne i hennes kök, då de varit fyllda av vin, mat och värme, men nu tycktes han inte ha något val. Niccolo hade inte kysst en kvinna sedan han blev vuxen, men han hade inte glömt hur det gick till.

Megans läppar var mjuka men gjorde ändå motstånd. Han visste att hon var rädd för att släppa fram känslorna och förstod också varför. Hennes kropp kändes både bräcklig och trotsig, och hon mumlade en protest.

Sedan slappnade hon plötsligt av och lade armarna om hans hals. Hon tryckte sig mot honom och började gråta. Han kysste hennes kinder, panna och hår, och till slut höll han bara om henne tills hon inte hade några tårar kvar.

15

Casey hade knappt pratat med Megan på en hel vecka. Hon hade meddelat beställningarna, och de hade diskuterat schemat och annat som hade med baren att göra, men så fort samtalet blev personligt stängde Casey sin syster ute. Hon var alldeles för upprörd för att våga öppna sig, för rädd för vad hon skulle råka säga. En gång tidigare hade arga ord skapat en klyfta mellan dem, men nu var de äldre och kloka nog att inse att det kunde hända igen.

Sent på fredagseftermiddagen förberedde sig Casey för att lämna över baren till Barry, som skulle komma in vilket ögonblick som helst.

I stället kom Megan ut från köket. – Jag har dåliga nyheter. Barry ringde just från akuten. Han har halkat på lite is som var kvar på hans trappa och fallit rakt på armen. Än vet han inte om den är bruten eller stukad, men han är inte säker på att han kan komma i kväll.

Casey tyckte synd om Barry, men hennes svar var lika kort som tidigare under veckan. – Vilken klant.

– Men det ordnar sig, jag kan ta hand om baren i kväll. Artie kan nog baka pirogerna utan mig, och jag kan komma in tidigare i morgon och förbereda lunchen.

– Ja, gör det, Megan. Vi andra är antingen för lata eller för korkade för att klara det utan dig.

– Jaså, du kan fortfarande tala i hela meningar, kommenterade systern. Jag började faktiskt undra.

Ilsket började Casey torka hyllorna bakom baren trots att det inte fanns ett dammkorn någonstans.

– Förlåt mig, sa Megan bakom hennes rygg. Jag borde ha berättat om Rooney på en gång, men det tog några dagar innan jag hade vant mig vid tanken. Jag ville väl inte tro det, jag förnekade det till och med för mig själv.

– Vi kunde ha förnekat det tillsammans, kontrade Casey utan att vända sig om.

– Enda sättet för mig att klara vår barndom var att övertyga mig själv om att världen skulle falla samman om jag inte höll ihop den. Antagligen växte jag aldrig ifrån det där, åtminstone inte när det gäller honom.

Casey kände att vreden försvann, men det var fortfarande mycket hon ville säga. – Visst är jag arg över det han gjorde mot oss, men han är min far också. Du har ingen rätt att hålla något du vet om honom hemligt för mig.

– Har du talat om det för Peggy?

Casey svarade inte.

– Rooney är hennes far också, påpekade Megan..

– Jag ville vänta tills vi vet lite mer. Casey suckade ljudligt. – Ja, ja. Du behöver inte säga det. Jag förstår vad du menar.

– När ska vi berätta det? Du får bestämma. Hon verkar må bra, men hon har trots allt hoppat av skolan en termin och det är ett tydligt tecken på att något är på tok. Tror du att hon klarar av det här just nu?

Casey tänkte efter. Peggy hade undvikit att tala om för Megan att hon inte tänkte återvända till skolan tills det inte gick att skjuta upp saken längre. Casey visste att storasystern kände sig orolig och som vanligt undrade vad hon skulle göra för att ställa allt till rätta.

– Hon måste få veta det, vad hon än har för andra bekymmer, avgjorde Casey. Det är hennes far också. Vi kan berätta det tillsammans. Kanske kan vi äta söndagsmiddag tillsammans alla tre, som vi gjorde förr i tiden?

– Du är bara ute efter lammstek med alla tillbehören, försökte Megan skämta.

Men Casey log inte. – Vad tror du att hon kommer att säga?

– Jag vet inte. Hon var så liten när han gav sig av, vilket gjorde det både lättare och svårare. Och tänk på att det inte är säkert att hon någonsin får se honom igen. Megan andades djupt. – Casey, Nick visade mig hålan på Whiskey Island som han berättade om. Jag såg var Rooney hade varit – var han kanske har bott. Det var fruktansvärt.

– Jaså, en sak till som du inte har talat om för mig?

– Du pratade inte med mig, så det var svårt att få din uppmärksamhet.

– Verkligen? Eller var du rädd att jag skulle upprepa förslaget om att vi skulle sälja baren ifall du berättade det? Tänk om Rooney kommer hit och gör anspråk på den?

– Det där har alltid varit din lösning! Sälja, sticka, börja om från början! Men om vi så bodde på Mars skulle Rooney fortfarande vara vid liv och ute där någonstans. Han skulle fortfarande vara vår far!

De blängde ilsket på varandra tills Casey vände bort blicken. – Jag ville bara att vi skulle lämna barndomen bakom oss.

– Det är omöjligt, hävdade Megan.

– Tror du inte att jag har räknat ut det vid det här laget? Varför tror du annars att jag har kommit hem?

– Jag har undrat över det.

– Jag trodde att allt som hänt skulle försvinna om vi sålde Whiskey Island Saloon. Vi skulle bli nya människor. Utan baren skulle Rooney sluta existera. Jag var bara en unge, och jag förstod inte vad det här stället representerar. Hon såg på Megan igen. – Band till det förflutna – och till framtiden. Till varandra.

Megans ansikte mjuknade. – Jag gjorde också fel som ville styra ditt liv.

Casey log en aning. – Det vill du fortfarande.

– Det är tur att du inte låter mig göra det då.

– Jag vet inte det. Om du hade fått bestämma skulle jag kanske inte ha krånglat till det så mycket.

– Du skulle inte ha lärt dig något heller.

– Hur som helst är det där över nu, avgjorde Casey. Hädanefter vill jag inte hållas utanför någonting, förstår du det? Lova att du berättar vad du vet så fort du får höra något om Rooney.

– Som du vill, men just nu tycks han ha försvunnit från jordens yta igen. Jag vet inte vad vi ska ta oss till.

– Jag vet i alla fall vad vi ska göra med baren. Om jag tar Barrys skift i kväll kan du hjälpa Artie med pirogerna. Eller också kan du ta ledigt.

– Det går inte, vi har alldeles för mycket att göra, påstod Megan.

– Ska inte du träffa Nick?

Megans ansikte var outgrundligt. – Varför tror du det?

– Jag vet inte, jag fick intrycket att ni träffas, svarade Casey svävande.

– Jag bad honom visa var han hittade fotot, det är allt.

– Ska du inte träffa honom igen då?

Megan svarade inte.

– Aldrig?

– Vad är det egentligen du håller på med, Casey?

– Uppmuntrar till romantik, bröllop och lyckliga slut, förstår du väl.

– Han har varit präst.

Casey kunde inte ha blivit mer förvånad om Megan sagt att Nick varit torped.

– Inte för att det har med saken att göra, fortsatte Megan.

– Varför berättar du det i så fall?

Hon ryckte på axlarna.

– Därför att du inser att han är en sådan som tar saker och ting på allvar?

Casey tänkte på Jon, ännu en allvarlig man med ett förflutet. Men hans lilla egenhet var inte att han älskade Gud utan att han brydde sig för mycket om henne. Eller trodde att han gjorde det.

– Det är bäst jag sätter i gång att hacka lök, sa Megan. Med det här vädret får vi säkert massor av folk. Det hade blivit varmare, och överallt dök det upp människor som tycktes ha legat i ide hela vintern. – Är det säkert att du kan ta baren?

– Oroa dig inte. Jag ska höra om Peggy kan hjälpa till. Ashley sover över hos en kamrat som har födelsedagskalas, så vi behöver inte oroa oss för henne.

– Jag är glad att du lät henne gå.

– Det har varit svårt för henne att vara borta från sin mamma, så jag har velat hålla ögonen på henne, förklarade Casey.

– Hur går det för hennes mor, förresten? Kan hon ta tillbaka Ashley snart, tror du?

Casey blinkade inte ens. – Hon hörde av sig för ett par dagar sedan, och det börjar ordna upp sig. Men hon måste spara ihop lite pengar innan hon hämtar Ashley. Just nu sover hon i en bäddsoffa hos en vän, så det är bättre om Ashley stannar hos mig ett tag till.

– Hur väl känner du egentligen den här kvinnan? undrade systern. Är du säker på att hon verkligen tänker hämta sin dotter?

– Ja då. Hon skulle göra allt för den flickan, till och med skiljas från henne om det var det bästa.

Megan såg fortfarande skeptisk ut, men hon ryckte bara på axlarna. – Jag säger till när jag hör något från Barry.

– Hälsa att jag tänker på honom.

Megan gick tillbaka till köket, medan Casey suckade över den långa kväll hon hade framför sig. Men det var kanske lika bra att hon hade något att göra. Då skulle hon inte få tid att grubbla över framtiden eller tänka på misstagen hon begått. Inte heller skulle hon hinna oroa sig för den lilla flickan som lämnats i hennes vård eller för flickans mor.

Just då kom Peggy gående nerför trappan tillsammans med Ashley. Flickan såg underbar ut i en blå plyschtröja som Casey köpt åt henne tillsammans med alla andra kläder hon hade. Hon bar en liten ryggsäck med sakerna hon behövde för övernattningen.

– Så söt du är, sa Casey. Det kommer säkert att bli väldigt roligt.

Ashley svarade inte. Hennes mörka hår var uppsatt i råttsvansar och de blå ögonen var stora.

– Jag lovar att det blir skojigt, försäkrade Casey. Jag tycker att paret Kincaid är modiga som låter tre stycken små flickor sova över hos dem. Det blir nog inte så mycket sömn för någon av er. Har du visat Peggy presenten vi köpte till Kathleen?

Flickan började leta i ryggsäcken och drog fram ett paket med blått och guldfärgat papper.

Peggy började berömma omslaget, men Casey lät sig inte nöja med det. – Tala om vad det är, bad hon.

– En bok.

– Vilken bok? Peggy älskar att läsa.

– Detlillahusetpåprärien, svarade Ashley i ett enda långt ord.

Peggy var inte lika bra på att ställa frågor som inte kunde besvaras med ja eller nej. – Är det din favoritbok?

Ashley nickade.

Casey hade inte blivit förvånad över flickans val även om boken oftare lästes av äldre barn. Hon visste att Ashleys mor hade läst mycket för henne, och förstod att det enkla livet hemma hos Laura Ingalls och hennes familj var tilltalande för ett barn som hade så fullständigt annorlunda erfarenheter.

– Vi har ont om folk här just nu, så jag måste vänta lite innan jag kör dig till festen, förklarade hon.

– Jag kan göra det, erbjöd sig Peggy.

– Bra, men jag hade tänkt fråga om du kunde hjälpa till här i kväll. Barry har skadat armen och kan inte komma, och jag är inte lika snabb som han. Megan tror att det blir mycket folk.

– Det är inga problem, lovade systern. Jag kommer tillbaka så fort Ashley har funnit sig till rätta.

Casey förklarade hur Peggy skulle åka för att komma till familjen Kincaids hus. – Ha det så roligt nu, Ashley.

Flickan log inte utan gick mot dörren som om hon var på

väg mot ännu en prövning hon måste ta sig igenom. Casey fick en klump i halsen när hon såg efter henne.

En stund senare, när allt var klart för invasionen, passade Casey på att gå ifrån baren några minuter. När hon kom tillbaka stod Jon bakom disken och tappade upp öl till hennes favoritgäst, Charlie Ford.

– Hallå där! ropade hon. Vad gör du?

– Ska du inte hälsa på Charlie, Casey?

Hon behöll sin stränga min även om det kostade på. – Var det du som fick honom att gå in här, Charlie?

– Tvärtom, jag försökte hindra honom. Vet han hur man gör det där?

Jon såg undrande ut. – Det kan väl inte vara så svårt? Jag sticker in ett glas under kranen och drar i handtaget, och sedan har du din öl. Stämmer inte det?

Casey hade försökt låta bli att titta direkt på Jon, men hon såg tillräckligt för att veta att han var klädd i mörka långbyxor och en grön skjorta som fördjupade färgen på hans hasselnötsbruna ögon.

– Nej. Han kommer att förstöra vårt rykte, eller hur, Charlie?

– Eller en god Guinness, vilket är ännu värre. Charlies mörka ögon strålade, och hon förstod att det här mycket väl kunde vara dagens höjdpunkt för honom.

Jon tycktes också ha roligt. – Menar du att man måste göra något mer? Ska jag mumla fram en irländsk bön också?

– Flytta på dig, Kovats. Du behöver en lektion. Casey knuffade till honom med höften och tyckte så mycket om det att hon gjorde det en gång till. – Titta noga nu. Hon ställde undan glaset han försökt fylla och tog ett annat. – Det här är ingen yuppiepub, så vi kyler inte glasen.

– Det gjorde jag inte . . . började Jon.

– Däremot kyler vi ölet, avbröt hon barskt. Vi försöker hålla det runt fem grader.

– Ska jag anteckna det?

– Försök hålla det i huvudet, föreslog hon.

– Ja, fröken.

– Det här är ett jobb som kräver mycket tålamod. Har du det, Jon?

– Jag tror att du redan vet svaret på den frågan, påstod han.

Casey blev förvånad när hon kände att kinderna hettade, för det var inte ofta någon fick henne att rodna. – Vi fyller glaset till omkring tre fjärdedelar. Hon visade hur hon höll glaset snett så att ölet rann längs sidan. Eftersom hon var så van stängde hon av strålen i exakt rätt sekund. – Och nu väntar vi.

– Varför det?

– Därför att ölet måste sätta sig innan vi toppar glaset.

– Hur länge ska vi vänta?

Hon vände sig mot honom, men inte så snabbt att hon inte såg glittret i Charlies ögon. – En minut eller två. Och under tiden pratar jag med Charlie. Hon såg på den gamle mannen. – Hur har du haft det i dag, Charlie?

– Jag klagar inte. Jag läste tidningen. Löste korsordet. Och tog ut hunden på en promenad.

– Sammy heter han, eller hur? Hur är det med honom?

– Han börjar bli gammal, precis som jag. Han sover mer än jag gör, men han tycker fortfarande om att gå ut och han hämtar tennisbollarna som barnbarnen kastar åt honom.

– Och hur mår barnbarnen? fortsatte hon utfrågningen.

– De är alldeles för långt bort. Men jag får i alla fall träffa dem på Sankt Patricksdagen.

– Ska du inte vara här då? Whiskey Island Saloon kan inte fira Sankt Patrick utan dig.

– I år får ni nog göra det, är jag rädd. Men jag kommer tillbaka. Det är alldeles för mycket folk i New York.

– Ja, det stämmer. Casey vände sig mot Jon. – Hör du fortfarande på?

– Det har bara gått trettio sekunder.

– Räknar du? utbrast hon förvånat.

– Jag är en uppmärksam elev.

– Nu går vi till köket och skriker åt Megan eller torkar

bardisken igen eller tappar upp mer öl och låter det sätta sig . . .

– Jag tror att jag har bilden klar för mig.

Charlie skrockade. – Tänker du göra den här killen till bartender? Vad har hänt med Barry?

När hon hade förklarat allt om den skadade armen och besöket på akuten hade det gått en minut, och hon fortsatte med lektionen. – Nu ska vi lägga till ett huvud på tre centimeter, och det ska glida lite åt ena sidan utan att spilla över.

– Glida men inte spilla, upprepade Jon.

Hon visade honom. Det fanns ingen i staden som kunde tappa upp öl som Casey, inte ens Barry. Hon skulle kunna vinna tävlingar. Det var Rooney själv som hade lärt henne konsten.

– Varsågod. Hon ställde glaset framför Charlie.

Jon lade huvudet på sned och betraktade det. – Han borde åtminstone få ett parasoll när han var tvungen att vänta så länge.

– Sådant där är bara fjant, muttrade Charlie.

De drog sig undan ett stycke så att den gamle mannen fick njuta av sin öl i fred. – Tror du att du klarar av det nu? frågade Casey.

– Med slutna ögon. Han log varmt. – Nej, kanske inte det.

– Lite ödmjukhet skadar aldrig. Det är roligt att se dig igen.

– Är det? I så fall får jag kanske bjuda dig på middag.

– Är inte det lite sent påtänkt? tyckte hon.

– Jo, men jag fick återbud till ett möte i sista minuten.

– Med en söt liten blondin?

– Nej, med en överviktig polis vid namn Joe.

– Gäller det skadegörelsen på Whiskey Island igen? frågade Casey så likgiltigt hon förmådde.

– Nej, ett mord. Jag vill helst inte servera döda kroppar tillsammans med en god pizza, men vi hittade ingen annan tid. Sedan gick inte det heller. Har du andra planer?

– Ja, tyvärr. Jag har en träff här i baren i kväll med alla som vill smaka på min Guinness.

Han såg besviken ut. – Fanns det ingen annan som kunde ersätta Barry?

– Stanna kvar och ät en pirog, föreslog hon utan att tänka efter. Jag vet inte om Barry kommer senare, det beror på vad doktorn säger.

– Blir du inte nervös av att ha mig hängande här? undrade han.

– Skojar du?

– I så fall kanske jag stannar.

Peggy kom tillbaka, och Casey vinkade att hon skulle komma och hälsa på Jon. När de växlat några ord vände sig Peggy till sin syster. – Jag lämnade Ashley, men hon verkade inte glad över att behöva stanna.

– Ashley ska ligga över hos en kamrat, förklarade Casey för Jon.

– Jaså, hon är fortfarande kvar hos dig?

– Det kommer hon att vara ett tag till. Casey undrade om Jon var ledsen över det. En kvinna med barn hade inte mycket fritid.

– Hon är en intressant liten flicka, tyckte han. Jag vet inte så mycket om barn, men hon verkar så sorgsen och ensam.

– Hon är det tystaste barn jag någonsin träffat, inföll Peggy. Visserligen har hon börjat prata lite mer på senaste tiden, men det går alldeles för långsamt.

Casey bestämde sig för att inte lämna sin syster ensam med Ashley lika ofta i framtiden. – Hon har haft det svårt.

– På vilket sätt? frågade Jon.

– För det första är hon tillsammans med mig i stället för hos sin mor.

– Jag har undrat över det där, sa Peggy. Varför är hon inte hos sin far eller någon annan i släkten?

– Det finns ingen annan, svarade Casey kort.

Det hördes ett rop från köket följt av ett skramlande, så tydligen var förberedelserna i full gång där ute.

Peggy kastade en blick på klockan. – Jag ska bara springa upp och byta om så kommer jag sedan.

– Ta det lugnt, du kommer att få springa mycket i kväll ändå.

Casey var glad över att de inte pratade om Ashley längre, och hon hoppades att Jon inte hade en polis instinkt att ställa frågor tills det inte längre fanns något kvar att ta reda på. Han var ju inte polis längre, trots allt.

Bara åklagare.

– Hur väl känner du den där kvinnan? frågade han när Peggy hade gått.

Caseys hopp dog bort. – Ashleys mamma? Vad menar du egentligen?

– Är du säker på att du har fått all information? Jag har en känsla av att något är fel i Ashleys liv.

– Om du nödvändigtvis måste veta det träffade jag henne på ett hem för misshandlade kvinnor där jag arbetade som frivillig, berättade Casey motvilligt.

– Jobbade du på ett kvinnohus?

– Varför är du så förvånad över det? När jag äntligen hade kommit ur mitt eget äktenskap ville jag hjälpa andra kvinnor som försökte göra samma sak.

Jon såg plötsligt arg ut. – Menar du att din man slog dig?

– Nej, men det finns alla sorters dåliga äktenskap och jag tyckte att jag hade lite att komma med ändå.

– Arbetade Ashleys mor också där? ville han veta.

– Hon försökte komma undan en besvärlig man, och efter några veckor ordnade allt upp sig för henne. Under tiden lärde jag känna henne och erbjöd mig att ta hand om hennes dotter medan hon sökte arbete i en annan delstat.

– Men varför är Ashley så sorgsen om allt är bra?

– Hon har också haft det jobbigt, men hon är på väg att återhämta sig nu, sakta men säkert. Men som du nog förstår går det inte över en natt.

Jon tycktes acceptera förklaringen. – Du vet säkert vad du gör.

– Tack för förtroendet, svarade Casey torrt. Men det gör jag faktiskt.

– Ska jag tappa upp några öl så att jag får träna?

Hon såg att det hade börjat strömma in fler gäster, och ännu ett sällskap kom just in genom dörren. – Nej, lägg beslag på en bekväm sittplats medan du fortfarande kan.

– Det kommer att kännas ensamt.

Dörren öppnades på nytt. – Jag vet någon du kan prata med. Hon vinkade åt Niccolo som just kommit in. När han kom fram till bardisken presenterade hon de två männen för varandra och de skakade hand. – Ska du äta middag, Nick? frågade hon sedan. Vi gör stadens bästa piroger.

– Nej, jag kom faktiskt för att prata med Megan. Är hon här?

– Jag ska titta efter. När Casey kom tillbaka ett par minuter senare stod männen och pratade som om de varit gamla vänner. – Hon var tvungen att springa ut och hämta några varor till morgondagens lunch. Har ni två lust att äta under tiden? Megan kanske gör er sällskap när hon kommer tillbaka. Det är enda sättet att få i henne någon mat.

Casey såg Nicks ansikte mjukna och visste inte riktigt vad hon kände. Hon hade bara sett honom tillsammans med Megan en gång tidigare, men redan då hade hon uppfattat en gnista mellan dem. Eftersom hon fortfarande varit chockad efter upplevelsen med biltjuvarna hade hon inte varit säker, men nu blev hon övertygad om att hon hade haft rätt.

– Det finns tre sorters piroger, surkål, potatis och ost. Om ni köper sex stycken får ni en sallad till dem.

– Det låter gott, sa Niccolo. Ge mig två av varje sort. Och du, Jon?

– Det passar mig alldeles utmärkt, om jag får tappa upp två öl åt oss.

– Pojkar och deras leksaker, log Casey. Sätt i gång.

– Jag kommer snart, sa Jon till Niccolo.

Nick gick mot ett bord nära dörren.

– Det var han som försökte stoppa biltjuvarna, eller hur? frågade Jon.

– Ja, han är en av dem.

Jon såg förvirrad ut.

Ett ögonblick tillät sig Casey att göra det hon svurit på att låta bli redan för många år sedan – hon tillät sig att tänka på sin far, kvällens andre hjälte, den vildögde, ömsinte man som lärt henne cykla, joddla och berätta en historia.

Rooney, som kommit tillbaka från de döda.

– Var inte Nick ensam? undrade Jon när hon inte förklarade sig.

Casey mötte den lugna blick som var så olik Rooneys. – Nej, Nick hade hjälp av ett spöke. Hon kände tårar stiga upp i ögonen och vände sig bort. – Gå och lek med din Guinness nu, Jon. Jag kommer över till er så fort jag får möjlighet.

16

Niccolo hade inte tänkt stanna i baren, men han var glad att han gjort det när han tagit två tuggor av den smöriga potatispirogen. Casey hade inte överdrivit då hon påstått att de var bäst i staden.

Sällskapet var också trevligt. Niccolo hade känt andra män och kvinnor som liknade Jon Kovats, som var starka och ärliga och skötte sitt jobb utan att göra något väsen av sig. Han hade redan upptäckt att Jon var intelligent och hade sinne för humor – liksom att han ofta lät blicken glida iväg till Casey.

Men just nu var det honom Jon såg på. – Du har alltså tagit ledigt för att tänka över ditt liv?

Niccolo hade gett Jon en kort redogörelse för sitt förflutna, och han kände sig tacksam över att den andre mannen inte ifrågasatte hans beslut. Det fanns det så många andra som gjorde. Nu nickade han till svar.

– En man med din utbildning och erfarenhet borde inte ha några bekymmer att få jobb, fortsatte Jon.

– Jag har blivit erbjuden arbete som direktör för en välgörenhetsorganisation, men jag vill inte syssla med administration.

– Vill du ha något mer personligt?

Det personliga som uppfyllt Niccolos tankar alldeles för mycket den senaste tiden klev in på Whiskey Island Saloon just i det ögonblicket. Han betraktade henne medan hon gick fram till bardisken för att tala med sin syster. Casey pekade mot deras bord och knuffade iväg Megan åt det hållet.

Och Megan stelnade till som om hon stålsatte sig inför en strid.

Niccolos hjärta gjorde en störtdykning. Han hade inte pratat med Megan sedan dagen då han tagit med henne till Whiskey Island. På vägen hem hade hon suttit tyst, och han hade inte hört något från henne efter det. Han visste att hon var arg på honom för att han hade sett kvinnan som gömde sig under de många lagren av smärta och behärskade tårar, kvinnan som fortfarande sörjde sin far trots att hon avskydde det han gjort mot henne.

Megan såg inte precis entusiastisk ut när hon kom fram till bordet. – Casey påstår att ni äter oss ur huset. Hon såg på Jon och undvek Niccolos blick.

Jon reste sig och drog ut en stol. – Du kan väl göra oss sällskap?

– Jag . . .

– Casey har berättat att du inte har ätit på hela dagen. Du är inte till nytta för någon om du inte sköter om dig själv.

Megan tvingade fram ett spänt leende. – Casey är en skvallerbytta.

– Vi vill gärna att du sätter dig, sa Niccolo.

Nu kunde hon inte undvika honom längre. Hon hade fastnat i en fälla, för hon visste att det skulle vara oartigt av henne att vägra. – I så fall får det gå fort.

– Du kan dela tallrik med mig om du vill, erbjöd Nick. Det finns så det räcker till oss båda.

– Nej tack. Vad är det för mening med att driva det här stället om jag inte ens kan få en egen tallrik?

Han log mot henne. – Jag skulle darra av skräck om jag jobbade åt dig.

– Då skulle jag känna att jag hade lyckats.

Hon satte sig ner, och Casey kom med en öl åt henne och nya åt männen. – Jag har redan beställt mat åt dig, sa hon till Megan. Säg inte att du inte har tid.

Jon tog Caseys hand. – Sätt dig här du också.

– Jag kan inte. Kanske senare när jag har hunnit i fatt lite.

Då kan Artie komma ut och ta hand om baren en stund. Hon lämnade dem igen.

– Hon klagar över att jag inte sköter mig, men hon har varit på benen hela dagen, kommenterade Megan.

Jon skålade med henne. – Jag vet inte vem av er som är värst.

Megan smakade på ölen och lutade sig sedan bakåt. – Jag visste inte att ni två kände varandra.

– Det gjorde vi inte heller. Inte förrän i kväll

– Har Jon berättat att han är galen i historia? frågade Megan.

– Nej, så långt hade vi inte hunnit. Nick vände sig mot Jon. – Vilken period intresserad dig mest?

– Alla.

– Jon, gjorde inte du något specialarbete om traktens historia när du gick i high school? Jag har för mig att Casey hjälpte dig med det.

Jon visslade till. – Vilket minne du har, Megan. Det var väldigt länge sedan.

– Jag tyckte väl att det lät intressant.

Niccolo var inte förvånad. Han föreställde sig att den unga Megan ansett sig veta för lite om sin egen familjehistoria och tacksamt sugit åt sig all information hon råkat snappa upp.

– Jag kallade det "Cleveland vid sekelskiftet", mindes Jon. Casey och jag gick längs hela Euclid Avenue och tog foton och skrev bildtexter. En studie av Miljonärsgatan före och efter.

– Miljonärsgatan? upprepade Niccolo fascinerat.

– Den kallades så. Under avenyns glansperiod fanns det folk som hävdade att den var vackrast i världen.

Niccolo kände till Euclid Avenue. Det var en av de stora genomfartsgatorna i centrum, med parkeringsplatser, snabbmatsrestauranger och affärsföretag. Men det var absolut ingen paradgata.

Jon tycktes förstå vad han tänkte. – Jag vet, det är svårt

att tro det i dag. Men under tiden före inkomstskatten hade Cleveland en stadig inflyttning av välbärgade industriledare, och de byggde fantastiska bostäder vid Euclid Avenue. De tävlade med varandra om att vara flottast och modernast.

– Jag kan inte tänka mig att någon av dem var irländare, insköt Megan. Mina förfäder lastade fortfarande av malm nere i hamnen.

– Och mina slet ont i järn- och stålverken, sa Jon. Vid ett tillfälle fanns det fler ungrare i Cleveland än i någon annan stad utom Budapest, och gott om andra invandrare från Östeuropa också. De var billig arbetskraft.

Niccolo förstod vart Megan ville komma. Han blev arg på sig själv för att han inte tagit sig tid att kontrollera tidningsurklippet han hittat i hålan nere på Whiskey Island.

– Vet du något om en man vid namn James Simeon? frågade han Jon.

– Alla som är intresserade av lokalhistoria känner till honom.

– Berätta, bad Megan. Jag vet inte heller vem det är.

Peggy kom med Megans tallrik och gick sedan därifrån igen.

Jon lutade sig bakåt. – Är ni säkra på att ni har tid?

– En sammanfattning, tack. Megan sa inget mer utan kastade sig genast över sina piroger.

– James Simeon var en av stadens höjdare. All michiganmalm som Megans förfäder lastade av gick raka vägen till järnverken där mina förfäder förädlade det – och många av fabrikerna ägdes av James Simeon. Mannen var lika genial som hänsynslös. Simeons järn och stål exporterades över hela världen, men han skaffade sig många fiender på vägen. Han myglade för att undvika konkurrens och lät sina arbetare slita hårt under otrygga förhållanden, så när han försvann var det ingen som blev ledsen.

– Försvann? Niccolo fick fram frågan först, men han såg att Megan inte var långt efter.

– En vintermorgon var han bara borta, och trots hans förmögenhet och förbindelser fann man aldrig ett spår efter honom.

– De kunde inte dragga hela sjön, förstås, anmärkte Niccolo.

– Nej, men du har rätt i att alla gissade på sjön. Han försvann i januari, innan sjön hade frusit till för vintern, och man trodde allmänt att någon blivit trött på honom, tagit med honom ut på en båttur och kedjat fast ett stenblock vid hans ben. När jag var liten skrev tidningen fortfarande om försvinnandet med några års mellanrum. I Cleveland sågs det som århundradets mord.

Niccolo undrade varför Rooney hade sparat en av artiklarna.

– Vad hände med företaget efter Simeons död?

– Hans fru sålde tydligen allt och lämnade staden, berättade Jon. Företaget slukades väl att någon konkurrent, och huset revs precis som så många andra när Miljonärsgatan skulle moderniseras och förvandlas till dagens Euclid Avenue. De föll offer för framåtskridandet skulle man kunna säga. Men Rockefeller och några till krävde faktiskt att deras hem skulle förstöras efter deras död, så att ingen annan kunde bo där. De var förmodligen skräckslagna för att någon av Megans förfäder skulle klättra så högt att de fick möjlighet att köpa det.

– Eller någon av mina, inföll Niccolo. Italienarna var inte heller populära.

Jon nickade allvarligt. – Numera finns det i alla fall inte mycket kvar av Miljonärsgatan, så Rockefeller kan vila lugnt i sin grav.

– Men inte Simeon, sa Megan. Hans grav är nog inte fridfull var den än är belägen.

De avslutade måltiden, och sedan gick Jon för att tala med Casey – eller för att ge Megan och Nick en chans att vara ensamma. Niccolo tyckte att det bara dröjde en minut innan hon förklarade att hon måste arbeta igen.

– Jag har saknat dig. Han lade sin hand bredvid hennes men avstod från att röra vid henne.

– Du vet var jag finns, anmärkte hon.

– Jag trodde att du kanske ville vara i fred och tänka över allting.

– Det var omtänksamt av dig.

– Hade jag rätt? undrade han.

– Jag är trött på att bli pressad, Nick. När det gäller min far tycks du ha en egen syn på saken. Min är annorlunda, och det känns som att du förväntar dig känslor som jag inte har.

– Är det din far eller oss du pratar om nu?

Hon mötte hans blick. – Kanske båda delarna.

– Jag vill inte pressa dig på något sätt. Det var *du* som kom hem till mig, och det var *du* som bad mig följa med dig till Whiskey Island.

Han såg motstridiga känslor i hennes ögon. Megan visste att hon hade varit oresonlig, men samtidigt kunde hon inte kontrollera allt som uppfyllde henne.

– Jag kanske inte lämnade dig i fred tillräckligt länge?

– Nej, kanske inte.

Niccolo försökte låta bli att känna sig sårad, men sedan undrade han varför han skulle göra det. Han var en vanlig dödlig numera och hade rätt att uppleva känslor som länge varit förbjudna för honom. Varför ansträngde han sig så hårt för att bli någon han inte var?

– Jag ska hålla mig undan, nickade han. Men om jag får veta något mer om Rooney, vill du höra det då?

– Det kommer du inte att få. Om han har varit på Whiskey Island är han i alla fall borta nu, det såg jag med egna ögon.

– Det var inte det jag frågade om, och det vet du.

– Det är klart att jag vill höra det! utbrast hon.

Deras samtal var slut, och kanske också deras kortlivade förhållande.

– Ska jag betala vid bardisken? frågade Niccolo.

– Nej, jag bjuder.

Han var nära att säga ifrån, men så insåg han att det var Megans sätt att få sista ordet. – Tack, sa han bara. Det smakade verkligen gott. Han reste sig upp.

– Om du får veta något mer om Rooney . . .

– Då ringer jag, lovade han. Om du inte är inne kan jag ju lämna ett meddelande.

– Visst. Något i stil med "Megan, jag har hittat din far. Ring mig om du vill veta mer".

– Det är du som bestämt reglerna, inte jag, påpekade han. Om du inte vill ha det så, får du lov att tala om det.

Megan svarade inte, och Niccolo gissade att det berodde på att hon inte visste vad hon skulle säga. Han lade en femdollarsedel i dricks på bordet och lämnade baren.

*

Nick hade velat ha så mycket mer av Megan. Han skulle ha velat diskutera den växande gruppen tonåringar som hjälpte honom med huset. Nu hade en annan flicka börjat följa med, liksom en pojke som hoppat av high school och därför kunde komma redan innan de andra slutade skolan. Niccolo ville tala om att Elisha och Joachim ofta frågade efter henne och att Elisha var intresserad av heminredning och hade haft med sig färgprover och tidningsurklipp varje gång hon kom. Han ville berätta om "klubblokalen", vinden som ungdomarna förvandlat till ett eget ställe med hjälp av gamla mattor och möbler de hittat på loppmarknader. Nästan varenda dag var det någon av dem som hade med sig något att reparera.

Han skulle ha velat förklara att huset trots de skrikande ungdomarna och det högljudda arbetet var för tyst för honom. Det kom bara till liv när Megan var där.

Niccolo hade kommit till Whiskey Island och parkerat innan han insåg var han befann sig. Kanske berodde det på det misslyckade samtalet med Megan, kanske på att han kände en gnagande irritation över att han inte kunde hitta mannen han bara sett en glimt av, men som ändå talade till honom med Billys raspande röst.

Det var första gången han var där på kvällen, och halvön kändes spöklik i månskenet. Vita dimmor drev in från sjön, och det var alldeles tyst. Vid ett av sina tidigare besök hade han hittat en genväg in i skogen, och nu tog han den. Han rörde sig långsamt medan ögonen vande sig vid det svaga ljuset. Whiskey Island låg mitt i en storstad, men han kunde lika gärna ha befunnit sig ute på landet.

Han drog ner mössan över öronen för att skydda dem mot kylan och såg sig noga omkring efter någon annan levande varelse. Medan han tog sig framåt gick tankarna till fader McSweeneys dagbok. Även den skulle han ha velat diskutera med Megan. Han hade inte hunnit läsa så mycket i den än, men han hade i alla fall förstått vilket utomordentligt viktigt dokument det var. Genom en man som var död sedan länge kunde han se och höra människorna som en gång bott på Whiskey Island. Särskilt fascinerad var han av fader McSweeneys berättelse om Terence och Lena Tierney från Mayo på Irland. Prästen hade vigt paret och tycktes vara mycket förtjust i dem båda.

Nu gick Niccolo på en plats där paret Tierney mycket väl kunde ha gått mer än hundra år tidigare. Och han letade efter Rooney Donaghue, vars familj också hade bott här.

Plötsligt dök en man upp ett stycke framför honom, och Niccolo tvärstannade. Mannen hade sett honom, för han stirrade rakt på honom och tycktes inte vilja dra sig undan.

Nick försökte avgöra om det var samme man som han sett på parkeringsplatsen. Han tyckte nog att längden stämde, men var inte helt säker. Egentligen mindes han inga detaljer, och det fanns tillfällen då han undrade om han sett någon över huvud taget.

Hans röst lät alltför ljudlig i den kalla, stilla luften. – Jag letar efter en man som heter Rooney Donaghue.

– Fyra stjärnor ute i kväll. Fadern, Sonen och den helige Ande. Den fjärde känner jag inte till, kan vara jungfru Maria.

Niccolo tog ett steg framåt, och när mannen inte tycktes fly gick han närmare. Mannen såg fortfarande på honom, men han verkade inte rädd eller ens nyfiken. Han var klädd i flera lager kläder under en kraftig överrock och hade minst en mössa på huvudet. Troligen var han i sextioårsåldern, möjligen ännu äldre, och även om ansiktet var smutsigt var han slätrakad.

– Jag heter Niccolo Andreani.

Mannen tittade bort. – De ser på oss, förstår du. Ser till att vi är uppmärksamma.

Det fanns många fler än fyra stjärnor på himlen, men tydligen inte för den här mannen.

– Jag letar efter en man som kan ha räddat mitt liv på parkeringsplatsen utanför Whiskey Island Saloon, fortsatte Niccolo med låg röst.

– Man kommer inte undan dem. De ser en vad man än gör, var man än är. De vet . . .

Nick försökte lägga mannens drag på minnet, även om han undrade varför. Megan hade inte sett sin far på många år, och vilken man som helst i rätt ålder skulle kunna vara Rooney. Kanske skulle hon känna igen honom om hon fick se honom själv, men inte med hjälp av en beskrivning.

– Vad ser de? Vem är det stjärnorna ser?

Mannen vände sig mot honom igen. – De ser dig. Du har varit här mycket.

– Du har sett mig, men jag har inte sett dig.

– Du vet inte var du ska leta, förklarade mannen.

– Jag är inte här för att skada eller störa dig, försäkrade Nick. Jag vill bara hjälpa till.

– Det behövs ingen hjälp. Stjärnorna ser mig, så jag måste vara uppmärksam. Han drog ihop rocken som om han tänkte gå.

– Rooney . . . Han tycktes inte bli förvånad över att höra sitt namn, och det betraktade Niccolo som ett slags seger. – Tog du hand om dina saker, fotot och teckningen? De var borta förra gången jag var här.

– Gömde dem.

– Du behöver inte gömma något för mig. Jag vill inte skada dig, bara hjälpa dig. Får du tillräckligt att äta?

Mannen skrattade. – Gömde dem för stjärnorna. Sch . . . viskade han. Jag kan inte skydda . . .

– Vad är det du behöver skydda?

– Jag måste lyssna nu.

– Om jag tar hit kläder och mat, tar du emot det då? försökte Niccolo. Är det något annat du behöver?

– Kom när det är moln.

– Du är väl Rooney? Rooney Donaghue? Jag hjälper dig vem du än är, men jag skulle vilja veta om jag hittat rätt person.

– Stjärnorna tog mitt namn.

– Var du Rooney en gång i tiden?

– Jag måste lyssna.

Niccolo var ganska säker på att mannen var Rooney, men förstod att han inte skulle pressa honom mer. – Jag kommer tillbaka med mat, filtar och kläder när det blir molnigt.

– Du kan höra dem om du lyssnar.

– Stjärnorna?

Rooney skrattade tyst. – De döda.

Niccolo tänkte på alla människor som begravts på Whiskey Island, under högar av järnmalm, bredvid järnvägsspår eller i leran vid flodstranden. Han hade läst att irländarna ibland varit tvungna att begrava sina döda i hemlighet eftersom de inte hade råd med något annat.

– Är det ditt folk? frågade Niccolo.

– De döda tillhör alla som lyssnar.

– Tillhör stjärnorna också alla?

– Stjärnorna tillhör sig själva.

Rooney vände sig om för sista gången, drog rocken tätare omkring sig och linkade in bland träden. Medan Niccolo såg på honom smälte han samman med skuggorna.

Och bara stjärnorna visste vart han hade tagit vägen.

13 oktober 1881

Om Gud kunde se sin enfödde son dö i ångest på ett kors, kan vi dödliga säkert lära oss att acceptera att barnen vi älskar dör ifrån oss. Men smärtan det orsakar är fruktansvärd och blir en stor prövning för tron. Jag har sett mödrar och fäder krossas för evigt när en älskad son eller dotter dragit sitt sista andetag, och i sådana stunder har jag önskat att jag haft makt att ingripa till och med mot Guds heliga vilja. Den heliga Birgits män och kvinnor möter de värsta prövningar med mod och humor, men inget mod är tillräckligt stort för att klara av ett barns bortgång.

Medan jag läser bönerna och delar ut sakramenten måste jag be om förlåtelse för mina egna tvivel.

Ur dagboken skriven av fader Patrick McSweeney, den heliga Birgits församling i Cleveland, Ohio.

17

Whiskey Island
oktober 1881

Fyraårige Tommy Sullivan var död, och Katie Sullivan, som väntade sitt tredje barn, hade inte fällt en tår. – Han är hos änglarna nu, sa hon när sonen dog.

Efter det sa hon inte ett ord, vare sig vid den välbesökta likvakan eller när den lilla kistan av drivved som Seamus Sullivan själv snickrat ihop sänktes ner i jorden.

Katie skötte tyst sina sysslor och skrubbade sitt hus tills hennes grova fingrar blödde. Lena visste att hennes vän försökte tvätta bort febern som tagit hennes son och fortfarande kunde ta hans lillasyster Laurie. Lena visste också att uppgiften var omöjlig. Sjukdom och död trängde sig in också i de renaste hem, slingrade sig förbi de mest uppmärksamma föräldrar och slog ner på de lyckligaste och friskaste barn.

– Fader, förlåt mig för jag har syndat. Det har gått sex dagar sedan jag senast biktade mig.

Lena lyfte blicken och såg på skärmen som skilde henne från fader Patrick McSweeney. Hon höll händerna vördnadsfullt knäppta, men hjärtat var upproriskt medan hon följde den välbekanta ritualen och väntade på det ögonblick då hon fick räkna upp sina synder. I dag var de fler än vanligt, och betydligt allvarligare.

Hon var rasande på Gud.

– Något bekymrar dig, mitt barn. Berätta vad det är.

Ett ögonblick var Lena mållös. Den grinige gamle prästen i den lilla kyrkan där hon biktat sig som barn hade varit skoningslös. Han hade letat efter synder som en gruvarbetare söker efter guld och betraktat smärre förseelser som ovärdiga hans uppmärksamhet. Allra lyckligast hade han varit när han fått höra dödssynder, och han drog sig inte för att överdriva förlåtliga synder tills de passade honom. Han hade aldrig frågat vad som bekymrade henne. Om hon varit bekymrad hade hon haft anledning att vara det.

– Jag är arg, fader, svarade Lena och drog fram sjalen över huvudet som om hon ville skydda sig mot himlens vrede. Jag förstår inte varför Tommy Sullivan måste dö och varför Katie och Seamus måste lida så svårt. Vad har de gjort för att förtjäna något sådant? Vad har någon av oss gjort som förtjänar Guds vrede? Vi arbetar hårt, hjälper varandra och ger det vi kan till de fattiga trots att vi är fattiga själva. Vi travar uppför kullen för att gå i mässan, men går Gud nerför kullen till Whiskey Island? Var fanns han när lille Tommy inte kunde andas? Vad tänker han på när priset på överfarten från Irland går upp trots att Terrys lön inte gör det? Är han hos våra föräldrar medan de långsamt svälter ihjäl i Mayo?

– Det måste se ut som om Gud har övergivit dig, Lena.

– Mig? Nej, inte bara mig. Han har vänt ryggen åt alla irländare var de än befinner sig!

– Tommy Sullivan var en snäll pojke, suckade prästen sorgset. Han var viktig för dig.

– Precis som Katie fortfarande är. Nu är jag rädd att hon aldrig mer kommer att tala.

– Och därför talar du i hennes ställe?

– Någon måste ju göra det! utbrast Lena.

– Skulle det hjälpa dig att veta att hon fortfarande talar under bikten? Hon har alltså inte glömt bort hur man gör.

Lena funderade över prästens avslöjande. Kändes det bättre att veta att Katie inte alltid var stum?

– Var och en måste sörja på sitt eget sätt, fortsatte fader McSweeney. Katie har valt att göra det under tystnad tills hon litar på sin röst igen. Du har valt att sörja högljutt. Kanske hoppas du att Gud ska straffa dig och glömma Katie? Tror du att du kan avleda hans uppmärksamhet?

Lena sänkte huvudet. Tårarna brände i hennes ögon. – Jag känner mig så hjälplös.

– Det bör du göra också. Frågan om Tommys död är inte din uppgift. Du kan inte vara medlare mellan Katie och Gud. Det enda du kan göra är att vara där och lyssna när Katie bestämmer sig för att tala igen.

Lena snyftade så att hon inte kunde svara. I stället nickade hon, men hon var inte säker på att prästen kunde se det genom skärmen.

– Hur är det med din egen familj? Har du funderat på att börja arbeta själv?

Nu hittade hon rösten igen. – Terry låter mig inte göra det.

– Jag ska tala med Terence.

För första gången sedan Tommys död kände hon en strimma av hopp. – Vill ni göra det?

– Terence är en bra man, men han lider av stolthet. Jag ska påminna honom om hur syndigt det är nästa gång jag träffar honom.

Ett och ett halvt år efter bröllopet älskade Lena sin make mer än någonsin, men hon tyckte inte om att Terry ansåg sig vara tvungen att skydda henne från livets brutaliteter. Han förstod inte hur mycket plikten mot deras föräldrar bekymrade henne, hur stora skuldkänslor hon hade över att hon inte förmådde göra mer.

Terry insåg inte hur stark hon var.

Lena böjde huvudet ännu mer. – Fader, hur kan ni hjälpa mig efter allt jag har sagt i dag?

– Ber du om förlåtelse?

– Ja, svarade hon ödmjukt.

– Då tycker jag att du ska börja om med bikten igen.

När Lena lämnade kyrkan en halvtimme senare stod Rowan Donaghue och väntade på att få följa henne hem. Han sträckte fram en bukett med krysantemum som hon var säker på att han plockat i någon av de stora trädgårdarna vid husen längs Euclid Avenue som han vaktade.

– Jag tyckte att du behövde piggas upp lite, förklarade han sedan han tagit av sig hatten och bugat formellt.

Hon tog emot blommorna. Vintern stod för dörren, så det fanns inte många kvar nu. – Bröt du mot lagen när du plockade dem åt mig?

– Vad är det för slags fråga?

– En ärlig fråga, menade Lena.

– Jag är vän med familjen Wades trädgårdsmästare.

– De är underbara.

– Det bör de vara när det är du som ska ha dem.

Lena log mot honom. När hon fått höra att Terry hade en hyresgäst hade hon undrat hur det skulle gå att ha ännu en man i huset, men nu var hon glad att Rowan bodde hos dem. Han var snäll och godmodig och försökte på alla sätt göra deras liv lite lättare. Han hade också ett retsamt sinne för humor och kunde nästan alltid få henne att le, och bara det var värt att offra en del av privatlivet för.

De gick tysta en stund, förbi husen som klättrade upp längs kullen. Framsidorna stod på pelare, så att de boende kunde sitta bekvämt i skuggan av sitt eget vardagsrum. En pojke som rullade ett tunnband var nära att springa omkull dem, men Rowan grep tag i honom och höll fast honom tills han bad om ursäkt.

Vägen slingrade sig nerför kullen mot floden, och ju längre ner de kom, desto sjabbigare blev husen. De bestod mest av tjärpapp och virke som "hittats" på andra byggplatser eller räddats ur sjön. Rök steg upp från raffinaderier och järnverk, och sot lade sig på trädens kala grenar.

Lena ryste till och drog sjalen tätare omkring sig. – Det är inte konstigt att det växer så dåligt i min trädgård, Rowan. Både luften och vattnet är förgiftade.

– Det är framåtskridandets pris. En dag blir det kanske din tur att förgifta luften och få ett stort, vackert hem tack vare det.

– Om det är vad det kostar bor jag heller som jag gör, försäkrade Lena.

– Skulle du säga nej till möjligheten att bli rik?

– Ja, om det skulle göra andra sjuka, hävdade hon.

– Tänker du på lille Tommy?

– På slutet kunde han inte andas, men vad skulle han ha fått i sig om han kunnat göra det? Koldamm, rök, giftiga ångor?

– Det dör barn i feber uppe på kullen också.

– Inte lika många.

Rowan insåg tydligen att det inte gick att diskutera med henne, för han bytte samtalsämne. – Det blir kallare. Snart kommer snön.

– Och den kommer att ligga i många månader.

– Man kan åka släde på Euclid Avenue. Det är en underbar syn, Lena. I år ska jag övertala Terry att ta med dig dit.

– Han jobbar så hårt, och han är så trött på kvällarna, suckade hon.

– Det spelar ingen roll. Du förtjänar att få se tävlingarna. Om han inte följer med dig gör jag det själv.

– Jag vill arbeta så att Terry kan ta det lite lugnare. Fader McSweeney har lovat prata med honom så att han tillåter det. Hon drog ett djupt andetag. – Och om Terry fortsätter säga nej tänker jag jobba ändå!

Rowan sa ingenting, och Lena ångrade sina ord. I första hand var ju Rowan Terrys vän, och genom att berätta det här hade hon ställt honom mellan sig själv och sin make.

– Om Terry fortfarande säger nej ska jag också prata med honom, sa Rowan till slut.

– Det kan jag inte begära av dig! protesterade hon.

– Det har du väl inte gjort heller? Men jag undrar om det inte går att hitta en kompromiss?

– Hur då?

De hade kommit ner på Whiskey Island nu och gick längs de ojämna, smala gatorna mot floden. Lena lyfte på kjolarna när de gick förbi en av de många smutsiga barerna i området, där en man låg på gatan med mössan över ögonen och snarkade ljudligt.

– Om du hade en spis, en riktig spis i stället för en eldstad, skulle du kunna laga mat och sälja den i hamnen.

De flesta av Lenas grannar hade spisar, men det var en lyx hon inte ens kunde tänka på förrän hennes föräldrar kommit dit. – Mat?

– Köttgrytor, pajer, bröd, alla de där underbara rätterna du gör åt Terry och mig varje kväll. Om du lagar mer skulle du kunna sälja det till männen som jobbar i hamnen. Du är den duktigaste kokerskan som finns här omkring, så du kommer inte att få några problem att bli av med maten.

– Men jag har ingen spis, och vi har inga pengar att köpa en för.

– Jag har pengar. Han höll upp handen för att hejda hennes protester. – Jag skulle betrakta det som en investering. Du kan betala tillbaka lite i taget av det du tjänar och ge mig en summa extra för besväret. Jag vet var jag kan köpa en stor spis åt dig.

Lenas tankar snurrade, för hon hade tänkt sig att hon skulle tvätta och stryka och kanske passa barn. Hon hade aldrig haft en tanke på att hon skulle kunna göra det hon tyckte allra mest om. Men hon visste att hon var en duktig matlagerska. Det var naturligtvis en syndig tanke, men det brydde hon sig inte om. I måltiderna hon lagade åt Terry och Rowan fick hon utlopp för all sin frustration över att deras föräldrar fortfarande svalt på Irland och över att Terry inte ville låta henne tjäna pengar för att hjälpa dem.

Och över att hon ännu inte kunnat ge Terry något barn.

Allt detta, och nu också Tommy Sullivans död, hade skapat en intensiv önskan hos Lena att göra något gott mitt i deras torftiga liv. Därför hade hon anlagt ett slags köksträdgård, och varje dag gick hon till marknaden och bytte sitt nybakade havrebröd mot billiga köttben, vissnande grönsaker och övermogen frukt.

– En spis? upprepade hon tankfullt.

– *Aye*. Jag känner kokerskan hos familjen Simeon, och hon har berättat att de ska få en ny gasspis om två dagar. Hon kan säkert ordna så att jag får köpa den gamla billigt. Det kan ta lite tid innan du är van vid den, men sedan har du ett arbete.

– Men vad ska Terry säga?

– Låt mig prata med honom. Han kommer att förstå att det är bättre att du lagar mat hemma och säljer den till hans vänner än att du går bort och arbetar.

Kanske skulle det gå i alla fall!

– Jag vet inte hur jag ska kunna tacka dig, Rowan.

– Du och jag är vänner, det räcker.

*

En månad senare tog spisen upp större delen av det lilla köket, men Lena tycktes inte ha något emot det. Terence trodde att hon skulle ångra sig till sommaren, när gjutjärnsspisen värmde upp hela huset, men nu när den första snön fallit var hon överförtjust.

– Tänk så mycket bröd jag kan baka! utbrast hon. Och soppor kan stå och sjuda hela dagarna, ja, hela veckor till och med.

– Jag tvivlar på att någon av dina soppor kommer att finnas kvar så länge, sa Rowan från dörröppningen. Du ska se att varenda karl som inte har en fru som kommer med lunch till honom vill ha din mat.

Terence kände en ovälkommen spänning i magen. Han slets mellan Lenas glädje och sin egen stolthet. Att hans fru skulle vara tvungen att tjäna ihop det han inte klarade av var som en brännande skam inom honom. Men hade han inte tur som var gift med en kvinna som Lena? Och var det inte bra att de hade en vän som Rowan?

När Lena såg hans ansiktsuttryck blev hon allvarlig. – Terry, jag vill så gärna göra det här. Det ska bli roligt. Mina dagar är så långa. Eftersom jag inte har några barn att ta hand om . . . Hon tystnade.

Där hade han en annan anledning till oro. Terence hade inte kunnat ge Lena ett barn trots att han verkligen försökt.

– Och när vi får barn?

Han kunde inte tro att hon var steril, utan det var säkert bara en tidsfråga innan de hade barn att försörja. Barn som de inte hade råd med, och som kunde drabbas av samma feber som Tommy Sullivan.

Lena lyfte trotsigt hakan. – Då tar jag hand om dem medan jag lagar mat, Terry. Precis som Katie tar hand om sina medan hon tvättar.

– Jag stannade till hos Katie och berättade att spisen hade kommit, sa Rowan för att bryta spänningen mellan makarna. Hon kommer hit och tittar på den i morgon.

– Är hon så pigg redan? frågade Terence. Två veckor tidigare hade Katie fött en liten flicka, och det hade gett henne rösten tillbaka även om hon aldrig sa något om Tommy.

– Hon är nästan som förr i tiden, nickade Rowan.

– Hon är en fin kvinna, Katie Sullivan. Terence såg på sin fru. – Men inte lika fin som min Lena.

Hennes leende lyste upp rummet och värmde det på ett sätt som en spis aldrig skulle kunna göra.

– Jag tror att jag går och tar mig en hutt. Rowan lämnade dem och försvann ut genom dörren.

Terence tog Lena i famnen. – Jag vill att du ska vara lycklig, viskade han.

– Jag *är* lycklig. Hon kysste honom med en överraskande innerlighet.

På det sättet hade han också haft tur. Han hade gift sig med en kvinna som njöt av hans beröringar och av allt de gjorde tillsammans.

Till slut drog hon sig undan. – Och nu är det dags för bad och rakning.

– Var ska vi ställa badbaljan nu när spisen tar upp all plats i köket?

– Den får plats i hörnet. Vattnet är nästan varmt.

Terence förstod att han hade spisen att tacka för det också, liksom för värmen i köket som gjorde badet till ett rent nöje. Han gick och hämtade badbaljan och när han ställde in den upptäckte han att den fick plats i hörnet precis som Lena sagt. Hon hällde i flera grytor med vatten medan han drog av sig arbetskläderna, som var fulla av det röda malmdamm som också täckte hans skägg och hud.

– Vilken syn du är! fnittrade hon. Röd som ett äpple.

– Men så vacker jag kommer att vara när du är färdig med mig.

Terence satte sig i baljan med knäna mot bröstet. Vattnet räckte honom upp till magen, men han fick lite mer när Lena hällde en spann med ljummet vatten över honom.

– Böj dig framåt nu så att jag får skrubba, befallde hon.

Det gjorde han gärna. Hans arbete var slitsamt och gav honom värk i ryggen, men varje lördagskväll skrubbade Lena bort alla spår efter det och under hela söndagen såg han ut som vilken man som helst.

Terence överlät sin kropp åt hennes mjuka händer, och en stund senare skrapade den dödligt vassa rakkniven mot hans haka och kinder. Han suckade av välbehag medan hon tvättade och klippte hans hår och sedan torkade honom med en handduk som fortfarande var en aning fuktig efter hennes eget bad tidigare på dagen.

Slutligen släckte Terence lampan och förde sin hustru till sängen. Lena var omväxlande eftergiven och passionerad i hans famn, och när hon skrek av njutning fyllde han henne med sin säd precis som han gjort nästan varje kväll sedan deras bröllopsdag.

Senare, när Lena sov bredvid honom, undrade Terence om det var värre att skapa ett barn och se det dö än att aldrig skapa något barn. Så Gud hade lurat dem, ifall det nöje de hade av varandras kroppar var all glädje de någonsin skulle få.

18

Oktober 1882

Katie Sullivan hade en mängd ordspråk med sig från hemlandet, så hon hade något att säga vid alla tillfällen. "Om du inte har dina grannar har du ingen, Lena. Du behöver inte tacka mig."

Katie balanserade ettåringen Annie på höften medan hon rörde i den öppna grytan i Lenas kök. Den treåriga Laurie, som nu var äldst av barnen Sullivan, lekte lugnt i ett hörn. Det var knappt Katie nådde fram till grytan eftersom hennes stora mage tvingade henne att stå ett gott stycke från spisen. Hon skulle föda när som helst nu.

– Du arbetar för hårt, sa Lena till sin vän.

– Jag är glad att ha något att göra, kontrade hon.

– Det här jobbet är hårdare än jag kunnat föreställa mig, och det ger betydligt mindre pengar.

Lena torkade sig i pannan med förklädet. Trots att vintern var på väg var det oerhört varmt i rummet, för hon hade eldat i spisen sedan långt före gryningen. I ugnen stod tio limpor sodabröd och ovanpå spisen sjöd både en soppa och en köttgryta.

– Det beror på att du säljer maten till män som är ännu fattigare än du själv, påpekade Katie. De kan ju inte betala mer. Och hur många av dem får maten gratis?

– De är goda människor allihop, och de måste ju äta.

– Jag säger inte emot dig, försäkrade Katie. Du kan mycket väl få ge min Seamus mat när jag har fått det här barnet.

– Det skulle vara ett nöje efter allt du har gjort för mig.

– Granny O'Farrell säger att det är en pojke.

Traktens barnmorska var känd för sin förmåga att förutsäga kön, så Lena avgjorde att det var dags att prata om Tommys död. – Tror du att han kommer att påminna dig för mycket om stackars Tommy?

– Jag behöver ingen påminnelse. Tommy kommer till mig när jag sover.

Trots hettan kände sig Lena plötsligt kall. – Vad menar du, Katie?

– Han kommer till mig, min Tommy. Han saknar mig fortfarande. Du förstår, han har inte fått frid.

– Men han var ju döpt. Han är hos änglarna nu, det sa du ju själv när han dog.

– Ja, det är han, men han saknar mig ändå. Är det inte konstigt?

Lena blev tyst. Vad visste hon om bandet mellan mor och son? Kanske Tommy verkligen kom tillbaka i Katies drömmar. Hon fick kanske sin största tröst av att veta att sonen inte hade glömt henne trots att han var i himlen.

– En dag kommer du att förstå, lovade Katie.

– Jaså? Jag har varit gift i nästan tre år utan att bli med barn. Och det beror inte på att vi inte försöker, tillade hon hastigt för att inte Katie skulle reta henne.

– Det är jag säker på, kära du.

Det var för varmt i köket för att en rodnad skulle märkas, och förresten hade Lena varit gift för länge för att rodna. I stället skrattade hon svagt.

– Tänk om vi försöker för ofta?

– Har du bett fader McSweeney att be för dig?

– Ja. Och Lena föreställde sig att även Katie tagit med henne i sina böner ibland. – Det är kanske meningen att vi ska ta hit våra föräldrar först. Vi har nästan fått ihop pengarna. Nu när min mor har flyttat till sin kusin i Dublin klarar hon sig ett tag till, men Terrys mor och far behöver komma snabbt innan de blir för gamla och sjuka för att orka med resan.

– I så fall är det en välsignelse att ni inte har fått några barn än, tyckte Katie.

– Vi får hoppas att dagens middag drar in lite extra. Jag har lagat till mycket, för karlarna äter mer när det är kallt.

– Det är bra att du tänker på sådana saker.

– Snälla Katie, låt mig ge dig lite soppa och bröd för ditt arbete i dag. Då slipper du laga mat när du kommer hem.

Till hennes förvåning tackade Katie ja. – Ta så att det räcker åt Granny också, tillade hon.

Lena stelnade till. – Vad är det du säger?

– Bara att Seamus kommer att vara far till tre barn i kväll.

– Himmel! utropade Lena. Vi måste få hem dig genast. Ska jag behålla Laurie och Annie hos mig?

– Och sälja mat i hamnen med en unge under varje arm? Katie skrattade. – Granny ser efter dem, eller också hämtar hon någon annan av grannarna. Förresten vill jag ha dem i närheten så att jag inte behöver vara orolig.

Lena visste att Katie alltid oroade sig numera, även om barnen befann sig vid hennes fötter. – Så fort jag är klar med lunchen kommer jag och tar hand om dem, lovade hon.

– Då är du välkommen. Nu ger jag mig av.

– Jag följer med dig . . .

Katie gjorde en avfärdande gest. – Jag lovar att jag inte ska släppa ut pojken förrän vi är hemma. Det är bara bra för mig att gå, så bråttom är det inte.

Hon sa till Laurie att det var dags att gå, men dottern lekte att några klädnypor var en dockfamilj och hade så roligt att hon inte ville lämna dem. Lena lovade att hon skulle ta med sig precis de klädnyporna – som såg exakt likadana ut som alla andra – när hon kom över på eftermiddagen, och då följde den lilla flickan lydigt med sin mor.

Lena skyndade sig att komma iväg. Terence och Rowan hade byggt en kärra åt henne, och nu drog hon fram den till bakdörren och började lasta den. Hon var extra försiktig med grytorna, som var både heta och tunga. Hon packade brödet runt dem och gick sedan tillbaka in och hämtade en korg med äppelpajer som hon bakat av de sista höstäpplena föregående kväll.

Till slut samlade hon ihop sitt förråd av bestick och blecktallrikar. De hade kostat mycket, trots att Rowan kommit över dem när en av Whiskey Islands barer lade ner verksamheten, men nu kunde hon servera annan mat än sådan som gick att äta med fingrarna. Varje dag tog hon hem allt och diskade det för att kunna använda det nästa dag igen.

Det tog Lena femton minuter att gå till hamnen, för hon hade en otäck motvind och stannade dessutom till hos Katie för att försäkra sig om att hon och flickorna kommit hem ordentligt. Granny var redan där, och hon förutspådde att sonen skulle vara född när hans far kom hem från arbetet. Katie ropade från sovrummet och bad Lena att inte säga något till Seamus. Han skulle bara bli orolig.

– Vi ska överraska honom, förklarade Katie men hon lät inte lika pigg som hon gjort i Lenas kök.

Lena hade hjälpt till vid flera förlossningar, också en där modern dött, och innerst inne var hon glad att hon fick en stund på sig att samla mod. Hon lämnade soppa, bröd och en äppelpaj innan hon fortsatte mot hamnen.

Hur många gånger hon än gick dit vande hon sig aldrig vid åsynen av de enorma malmbåtarna. De var tillverkade av trä, men Terence hade berättat att varven, som var lika giriga efter irländska arbetare som själva hamnen, hade börjat bygga fartyg av järn.

"Vissa påstår att de aldrig kommer att flyta", hade han sagt. "Men den förste som byggde en flotte av timmerstockar fick säkert höra samma sak."

Whiskey Island var en bråkig plats. Slagsmål var vanliga, och det fanns flera kriminella gäng. Män blev ofta rånade utanför barerna, så den som var klok drack upp de pengar han hade med sig innan han gick därifrån. Trots det kände sig Lena ganska trygg. Man hörde sällan talas om brott mot kvinnor, för till och med de värsta av Whiskey Islands busar tycktes ha en inrotad respekt för det motsatta könet. En man kunde slå sin fru eller till och med våldföra sig på henne, men den som gav sig på någon annans hustru eller syster visste att hennes familj skulle hämnas på sitt eget sätt. För att inte utmana ödet gick Lena sällan ut på kvällen, men i fullt dagsljus var hon inte rädd ens i hamnen.

Terence hade berättat att malmbåtarna kunde ta så mycket som tre hundra ton järnmalm, och det tog hundra man en vecka att lasta av det. När Darrin hade arbetat där hade han fått en skyffel och en skottkärra, som han lastade full och sedan sköt uppför en rad plankor fram till de järnvägsvagnar som malmen skulle föras vidare på. Det var när en av plankorna gått sönder under honom som han blivit levande begravd.

Samma sak skulle inte kunna hända Terence, för nu fanns det ett transportsystem. Männen i lastrummen fyllde ämbar som drogs upp av mulåsnor, så han behövde inte kämpa med en tungt lastad skottkärra. Å andra sidan fick han ingen möjlighet att se solen under sin tolv timmar långa arbetsdag heller, förutom under den korta lunchrasten.

Lastrummen var djupa och väggarna lutade skarpt inåt, så ingen med cellskräck skulle ha kunnat arbeta i dem. De var iskalla på vintern innan isen lade sig och trafiken upphörde, fuktiga under vår och höst och kvävande heta på sommaren. Efter bara några minuters arbete varje morgon var luften full av damm från järnmalmen, och det letade sig också ner i männens lungor. Ingen av dem slapp undan hostan, och Lena hade många gånger legat vaken på nätterna och lyssnat på Terence och oroat sig.

Hon gick över järnvägsspåren, hoppade till när en ångvissla började tjuta och steg sedan åt sidan för att släppa fram en rad mulåsnor och en grupp arbetare som försökte komma så långt bort som möjligt från de hatade lastrummen under sin korta rast. Männen lyfte på kepsarna för henne, och hon såg att deras hår ännu inte blivit lika rött som resten av dem. En man köpte ett stycke bröd och en bit äppelpaj, men alla visste att hon inte skulle servera någon mat där. Hon hade en särskild plats vid floden där hon stod varje dag, och de måste komma dit och stanna kvar där medan de åt. Annars visste hon att alla tallrikar och bestick skulle försvinna.

Lena sökte med blicken efter Terry i mängden som vällde upp ur lastrummen, men på avstånd såg alla män likadana ut med sina dammiga skjortor, hängslen och kepsar. Hon drog kärran över den ojämna marken och ställde den på en liten kulle bredvid vattnet.

Till slut fick hon se sin make i en grupp på sex män som var på väg mot henne. Terence var längst och magrast av dem, och han hade tagit på sig den varma tröjan hon stickat åt honom och virat en sjal om halsen. Hon visste att han frös. Han var alltid kall eftersom han behövde få mer mat och vila, men han var stark och klagade aldrig.

Bredvid Terence gick Seamus Sullivan. Han var kort och mörkhårig och ovanligt knubbig för att vara en fattig man. Även om Katie inte lagade lika god mat som Lena födde hon sin familj med den äran och var stolt över vartenda kilo någon gick upp.

Seamus runda ansikte sprack upp i ett leende, och han vinkade när Lena lyfte handen till en hälsning. Han var lika sorglös som hans fru var plikttrogen. Efter sonens död hade han sörjt högljutt, druckit mycket och återhämtat sig snabbt. Han hade inte älskat Tommy mindre, men till skillnad från Katie förstod han hur lite människan kan göra för att påverka sitt öde.

– Har du träffat min Katie? frågade han när han kommit inom hörhåll.

– *Aye*, jag fick henne att stanna hemma och vila. Du får mat av mig i dag.

– Vid allt som är heligt, då ska hon föda, eller hur?

– Varför tror du det?

– Annars skulle hon vara här med lunchen.

– Jag har inget att säga om den saken, hävdade Lena.

– Vill du inte ens tala om för en man om han ska bli pappa igen?

– Inte om hans fru har sagt att jag inte får göra det.

Seamus log brett.

Terence varken kysste eller omfamnade Lena, men hans ögon välkomnade henne. – Har du något gott med dig åt oss denna kalla dag?

– Ja då. Hon lyfte på locken. – Välj nu innan de andra kommer. Du först, Seamus.

Doften av irländsk fårgryta fyllde luften. Lena hade lagt i ordentligt med rovor, potatis och morötter, precis som hon visste att männen ville ha den.

– Jag tar grytan. Seamus stoppade handen i fickan för att plocka fram pengar.

– Låt bli det där, bannade Lena honom. Jag kunde lika gärna ta betalt av min egen mor. När du har ätit färdigt kan du komma och hämta en bit äppelpaj. Hon vände sig mot sin make. – Och vad önskar min herre och man?

Terence log. – Vad får jag i kväll?

– Det du inte äter nu.

– I så fall tar jag också grytan.

Hon öste upp ännu en tallrik, och precis som med Seamus mat försökte hon få med så mycket kött som möjligt. De andra arbetarna skulle inte ha samma tur.

– Det blir snö snart, anmärkte Terence. Jag känner det i luften.

Lena kunde också känna det, och trots att snön skulle göra det svårare för henne att ta sig fram med kärran såg hon fram emot den. Under de första timmarna efter ett snöfall täcktes allt av en vit klädnad, och innan sotet från fabrikerna än en gång gjorde landskapet svart skulle allting kännas nytt och rent.

– Det ska bli slädåkning på Euclid Avenue, fortsatte Terence. Har du lust att gå och titta, Lena?

Hon blev förtjust. De föregående åren hade hon inte föreslagit det eftersom hon visste hur trött Terry var och hur mycket han måste hinna med under sin fritid. Hon var också medveten om att det plågade honom att se att männen som betalade irländarna så dåligt för arbetet i malmbåtarnas lastrum själva levde i välstånd. Det var inte långt till avenyn, men ändå hade hon bara varit där en gång tidigare. Då hade Katie tagit med henne, och de hade gått en kort sträcka av den långa, stensatta gatan som aldrig blev lerig och förundrat sig över de eleganta husen och de höga almarna.

Lena hade sett en herrgårdsbyggnad på Irland, men aldrig något som kunde mäta sig med Euclid Avenue – den ena stora egendomen efter den andra mitt i en livlig stad.

– Bara om du vill det, svarade hon Terence.

Men orden fastnade nästan i halsen. Hon ville så förtvivlat gärna gå, för de hade så lite plats för färg och skratt i sina liv. Bara en enda eftermiddag skulle hon vilja glömma föräldrarna på Irland, det hårda arbetet och fattigdomen. Hon var lycklig tillsammans med Terry och kunde inte föreställa sig ett liv utan honom, men hon var fortfarande tillräckligt ung för att hoppas på något mer.

– Ja, vi går efter det första snöfallet. Terence smekte henne över kinden, och hon förstod att det blev ett rostfärgat märke efter hans hand.

Hon log strålande och önskade att hon kunnat kyssa honom, hur opassande det än var. Men han vände sig bort för att ge plats åt andra som börjat trängas runt kärran för att köpa mat, och hon hann inte mer än vinka farväl åt honom och Seamus när de ätit färdigt och lämnat tillbaka tallrikarna. Hon serverade och serverade ända tills både soppan och köttgrytan var nästan slut. Det som blev över räckte precis till middagen.

Lena stuvade just ner de sista tallrikarna i kärran när hon hörde en välbekant röst bakom sig.

– Det ser ut som om du har haft en lyckosam dag?

Hon vände sig om mot fader McSweeney, den siste hon förväntat sig att träffa där. Han var ung, bara omkring tio år äldre än Terence, och hade brunt hår och ögon som var lika blå som sjön. Om han inte blivit präst skulle han ha kunnat lasta av malm, för han var lång och bredaxlad. Lena trodde att männen i den heliga Birgits församling tyckte om att ha en präst som kunde slåss med dem – om han hade velat.

Kvinnorna suckade också över honom, och i sina syndigaste ögonblick undrade de varför en så vacker man hade blivit kallad att leva sitt liv i celibat.

Lena sträckte på sig, så som hon alltid gjort när hon pratat med prästen där hemma. – Ja, det har gått bra, fader. Jag har sålt allt och fått en liten vinst.

– Och mättat många av våra män också. Du kan känna dig stolt.

Hon slappnade av och log mot honom. – Jag trodde att stoltheten var en synd?

Han log tillbaka. – Bara om den går till överdrift.

– Har ni ett ärende här nere?

– Nej, men en del av männen som arbetar här kommer sällan till mässan, och då och då låter jag dem förstå att jag har lagt märke till det. Det brukar få dem att komma åtminstone nästa söndag.

– Jag har soppa kvar så att det räcker åt er, men inga rena tallrikar.

– Tack, jag har redan ätit. Men jag ska gå tillbaka nu. Får jag göra dig sällskap?

– Det skulle vara en ära.

– Hur kan en så liten kvinna som du dra den här tunga kärran?

– Vi kvinnor är starkare än männen tror. Om jag var tvungen att bära ner mina grytor till hamnen i ett ok skulle jag klara det också.

– Får jag ändå dra den åt dig?

– Varför det? undrade Lena förvånat.

– Därför att mitt arbete ger mig alltför lite motion. Du vill väl inte ta ifrån mig en möjlighet att bygga upp min styrka?

– Ni vet allt hur ni ska lägga orden, fader. Hon steg åt sidan för att låta honom ta över kärran.

De gick en stund under tystnad. De flesta av männen hade gått tillbaka till arbetet, men de som var kvar lyfte på kepsarna och gav dem gott om plats att gå förbi. När de kommit över järnvägsspåren började fader McSweeney tala igen.

– Hur trivs du här, Lena? Längtar du tillbaka till Irland?

– Nej, men jag önskar att min mor vore här. När vi har tagit hit Terrys föräldrar ska vi spara till hennes resa också, men priset går upp hela tiden.

– Men det gör inte Terrys lön? förmodade prästen.

– Det finns bättre arbeten, men ju längre han stannar i hamnen, desto mindre kraft har han att leta efter ett nytt. Det är knappt han orkar gå upp på morgnarna.

– Jag önskar att jag kunde gå i god för honom, men ingen litar på mitt ord när det gäller en annan irländare.

Lena visste att det var sant. Även om en del av hennes landsmän fått arbete som spårvagnsförare eller till och med brandmän och poliser, som Rowan, hade de flesta lika usla jobb som Terence. Irländarna ansågs vara vilda, grälsjuka och opålitliga, och deras katolska tro var främmande för de flesta av Clevelands övriga invånare.

– Vi kommer att få det bättre, försäkrade Lena.

– Det är jag övertygad om.

Hon ville gärna prata om något annat och kom på det perfekta ämnet. – Fader, jag borde berätta att Katie Sullivan ska föda i dag.

– Jaså? Han lät belåten.

– Granny O'Farrell säger att det blir en pojke.

– Det skulle vara en välsignelse. Jag har bett om det.

– Ni har bett för mig också, skulle jag tro.

– Behöver du mina böner, Lena?

Hon värmdes av hans sätt att säga hennes namn. Visserligen var hon så from som hennes upproriska själ tillät henne, men det var lättare att acceptera orden från en präst hon kunde beundra, en man som verkligen tycktes älska människorna han tjänade.

– Inte mer än någon annan, svarade hon.

– Jag är inte säker på att det är sant, invände han.

– Varför det, fader? utbrast hon förvånat.

– Jag känner att du har en stark beslutsamhet att göra det du anser är rätt.

– Och därför ber ni för min själ?

– Du är otålig på Gud, och ibland går du din egen väg och inte hans.

– Om han bara låter mig få veta vad han vill ska jag gärna lyssna på honom!

Fader McSweeney skrattade. – Han visar sin vilja genom kyrkan, Lena. Säg mig nu ärligt, om du hörde Guds röst från predikstolen och Guds röst i ditt hjärta, vilken skulle du då följa?

Hon tänkte efter. – Den som var starkast, skulle jag tro.

– Det är därför jag är orolig.

– Skulle inte alla svara på det sättet?

– Nej, du är intelligentare och envisare än de flesta, och du vänder dig inte till himlen för att hitta lösningar. Löftet om ett bättre liv efter döden är en liten tröst för dig.

Det var sant, även om hon inte tänkte erkänna det. – Har ni en plan för mitt liv, fader? Är det något jag borde göra som jag inte gör?

– Ingen plan, men ett råd. Var försiktig, Lena. Fatta inte några överilade beslut. De hade kommit till den korsning där deras vägar skildes, och han sträckte fram repet mot henne.

Hon tog emot det. – Inte fattar jag några beslut. Jag försöker vara en god hustru, granne och katolik, och jag tänker inte lämna min make eller börja dricka. Jag anstränger mig att göra det som är rätt.

– Men för dig är det inte lika enkelt som det borde vara, konstaterade han.

Det var kanske sant, men hon hade ingen önskan att ändra sig. Hon kunde inte sluta tänka mer än hon kunde flyga, så hon försökte lätta upp samtalet.

– Om jag fattar fel beslut är jag säker på att ni talar om det för mig.

– Kommer du att lyssna?

– Jag lyssnar alltid på er, fader. Om hon skulle lyda var däremot en helt annan fråga.

Han tycktes förstå att det var meningslöst att säga mer.

– Hälsa Katie och Seamus att jag kommer in i morgon och besöker den nya babyn.

– Det ska jag göra. Och tack för hjälpen med kärran.

Han log mot henne, men de blå ögonen tycktes utforska hennes själ. – Gud välsigne dig, Lena.

Hon såg efter honom och försökte skjuta hans varning ifrån sig. Men flera timmar senare, när hon satt bredvid Katie och höll hennes hand medan hon födde en ny son till världen, tänkte Lena fortfarande på det fader McSweeney hade sagt.

19

November 1882

Lena hade en ny klänning, den första hon ägt som var hennes egen. Den hade inte tillhört någon moster eller kusin eller någon mer välbärgad som blivit trött på den, utan hon hade köpt det mörkgröna ylletyget i en butik som fått taket skadat under en vinterstorm. Genom att klippa till det på rätt sätt kunde hon dölja vattenfläckarna, och en vit spetskrage blev pricken över i. Rowan hade bidragit med tre knappar av valben, och Katie hade gett henne en elfenbenskam som passade bättre i Lenas röda hår. Det var fortfarande några veckor kvar till jul, men hon hade redan fått sina julklappar.

Klänningen blev färdig precis i tid till mässan och slädåkningen på Euclid Avenue.

– Är det säkert att den duger? Lena höll ut kjolen från sin smala kropp och snurrade än en gång runt framför Terence.

– Du kommer att bli yr i huvudet om du fortsätter så där, anmärkte han. Den är vacker. *Du* är vacker. Det ska bli ett nöje att eskortera dig i eftermiddag. Jag kommer att vara den lyckligaste mannen på avenyn.

Lena avgjorde att Terence inte gärna kunde berömma henne mer, så hon kastade sig i hans famn. – Vi kommer att få så roligt, Terry! Jag är så glad att det har snöat. Hon drog sig undan och log strålande mot honom.

Terence log inte tillbaka. I stället såg han bekymrad ut.

– Du har inte mycket roligt här. Du är fortfarande ung, men ingen kan tro det med tanke på hur hårt du arbetar.

– Det gör mig inget, men jag vill gärna leka också. Hon drog i hans mungipor för att tvinga fram ett leende. – Har du glömt bort hur man gör det?

Han drog henne intill sig. – Du får hjälpa mig att minnas.

Solen sken när de gick till kyrkan. För en gångs skull var det vindstilla, och Whiskey Islands skjul såg ut att ha blivit doppade i pudersocker. De hälsade på vänner som också var på väg till mässan, hela familjer med barnen i storleksordning framför sig, gamla gummor med tunga sjalar över huvudet och unga kvinnor i bredbrättade hattar. Hundar lekte i snöslänterna, tillsammans med rödkindade rackarungar som åkte nerför backen på pappskivor och brädbitar.

Kyrkan var byggd av grå sten som höll kylan borta och hoppet glödande inomhus. Mässan kunde inte dämpa Lenas goda humör. Medan hon ritualenligt knäböjde, reste sig och gjorde korstecken såg hon fader McSweeney förvandlas från en enkel präst till Guds verktyg. Hans fylliga röst fyllde kyrkan, och han var inte längre en man som kallade till gudstjänst utan en krigare som kommit för att driva bort djävulen ur deras själar.

När hon tagit emot den heliga nattvarden kändes alla hennes tvivel barnsliga och ovärdiga. Äntligen vågade hon tänka det otänkbara. Hon hade inte blött på sex veckor, och så mycket hade hon aldrig tidigare gått över tiden. Först hade hon trott att hon hade fel, att hon blandat ihop veckorna eftersom de var så lika, men när dag efter dag gick utan att hon fick sin blödning kunde hon inte låta bli att hoppas att hon väntade barn. Hade hennes böner äntligen blivit besvarade?

Terence kunde inte veta vad hon tänkte, men han valde det ögonblicket att se på henne och hon log lite trots att hon riktade blicken rakt fram. Hon undrade hur det skulle kännas att hålla Terences barn i famnen. Det skulle bli ännu ett liv som de var ansvariga för, men vilken glädje det skulle föra med sig! Inget barn kunde vara mer efterlängtat.

När de kom ut ur kyrkan hade det börjat snöa. Terence stack hennes arm under sin. – Jag har en överraskning åt dig.

Hon rynkade pannan, för han förde henne bort från vägen tillbaka till Whiskey Island. – Vad kan det vara? Jag måste ge dig mat innan vi ger oss iväg till avenyn.

– Det är det som är överraskningen, log han. Du ska inte laga mat i dag.

Lena blev överväldigad. Hon kunde inte minnas en måltid som hon inte hade hjälpt till med. – Terence, har du ...?

Han lade ett finger över hennes läppar för att tysta henne. – Vi har sparat tillräckligt, Lena. Jag frågade i fredags eftermiddag, och vi har så att mamma och pappa kan komma över. Nästa vecka ska jag köpa deras biljetter och skicka dem till Irland. När vädret blir varmare i vår har vi dem hos oss.

De hade väntat så länge på det här, och hon hade inte ens förstått hur nära de var. Om Terences föräldrar kom till Cleveland skulle de bara behöva skicka pengar till Lenas mor i Dublin. Det skulle bli trångt i deras lilla hus på Whiskey Island förstås, särskilt om det kom en baby också, men genom att bo tillsammans kunde de spara mer pengar.

Tills Lenas mor också var där och Terence hittade ett säkrare arbete. Då kunde de flytta uppför kullen och komma längre bort från framåtskridandets avgaser och den förorenade floden.

Sedan skulle Whiskey Island vara ett minne blott.

– Är du säker på att vi har så att det räcker? Det är ju vinter, och båtarna kanske inte kommer igenom så länge till.

– Ja då. Nu ska vi fira.

Terence förde henne till ett litet hotell som hon hade gått förbi många gånger på väg till marknaden. Det var inte på något sätt elegant. Gästerna var mest handelsresande som färdades från stad till stad med sina varor. Genom fönstret såg Lena att möblerna i vestibulen var slitna och att tapeterna flagnade, men för henne var det ändå ett palats. Hon drog sig förskräckt bakåt när Terence gick mot dörren.

– Det är ingen fara, Lena, försäkrade han. Det är en irländare som äger det, och jag har fått veta att vi kan äta i matsalen.

Men Lena hade sett alltför många skyltar i butiksfönster som förklarade att hon och hennes landsmän inte var välkomna. – Är du säker på det? Hur kan han ha råd med ett sådant här ställe?

– Med hjälp av hårt arbete och en stor portion tur. En dag ska vi också få det bättre, det lovar jag dig. Vi är på väg nu, Lena. Jag känner det.

Hon fick en överväldigande lust att berätta vad hon bar inom sig, men visste att hon inte skulle stå ut med hans besvikelse om det visade sig att hon hade fel. Det var bättre att vänta tills det inte längre var någon tvekan om saken.

– Jag har redan haft stor tur i livet, påpekade hon i stället. Jag träffade ju dig, och vi gifte oss.

Han kramade hennes hand. Sedan kysste han henne lätt på läpparna innan han drog henne med sig in på hotellet.

*

Terence hade i tysthet sparat så mycket pengar att det räckte till middagen och resan med spårvagnen till och från Euclid Avenue. Varje dag lämnade Lena över allt hon tjänat till honom, och varje månad lade han till sin egen lön. Han räknade noga ut hur mycket som skulle gå åt följande månad och gömde resten under en lös golvbräda bredvid deras säng. Det skulle bli en lycklig dag när han kunde tömma metallskrinet och betala för föräldrarnas resa. Men först skulle han ge Lena en rolig dag, vad det än kostade dem. Det borde han ha kunnat göra för länge sedan.

– Terry, har du någonsin sett något så ståtligt?

Han visste knappt vart han skulle vända blicken. De var de fattigaste av de fattiga som glodde storögt på de rikaste av de rika. Aldrig förr hade han åkt till den här delen av staden bara för att gå på trottoarerna.

– Nej, jag har aldrig sett något så fint, medgav han. Eller

något så orättvist. De sista orden gled ur honom innan han hunnit hejda dem.

Lena kramade hans arm. – Tror du inte att de här människorna också lider? Hon såg på honom medan han försökte behärska sig. – Jag är säker på att de är lika trötta som vi när kvällen kommer. Tänk efter, bara. Tjänare att hålla ordning på, baler och banketter att gå på, helger på landet, besök i hamnen och på järnverken för att se till att pengarna förräntar sig ordentligt. Hon skakade sorgset på huvudet. – Du borde hysa medlidande med dem.

Han skrattade. – Det är bättre att inte tänka på dem alls, utan njuta av dagen.

För till och med genom ogillandets dimma kunde han se att det var en vacker dag. De enorma almarna längs avenyn var tunga av snö som glittrade i solskenet. Själva gatan var vit, en frusen flod där slädar i alla former och fasoner dansade omkring.

– Människorna som bor här är för fina för att stå ut med spårvagnar framför husen, förklarade han. Det är därför det går att åka släde här. Och när det snöar stoppar polisen trafiken på sidogatorna så att inget ska störa slädåkningen.

– Jobbar Rowan här i dag?

– Bara på förmiddagen, tror jag, svarade han vagt. Rowan kanske hade en annan överraskning åt henne, och Terence ville inte berätta det och förstöra det roliga.

– Nu förstår jag varför han så gärna går till arbetet. Tänk att få se det här varenda dag.

Lena stannade och Terence gjorde likadant. Dittills hade de strosat och ägnat sin uppmärksamhet både åt de hästdragna slädarna och de stora husen i sina parkliknande trädgårdar, men nu insåg han att Lena var mer intresserad av slädarna.

Han hade inte förstått att det fanns så många olika sorter. En del var låga och avsedda för tävlingar. De drogs av en häst och tog bara en åkande, så de var lätta och smidiga. Många var målade i glada färger eller utsirade och förgyllda, och några pryddes av landskap eller djungelmotiv som var rena konstverken. Det fanns större slädar också, som drogs av två hästar. De hade ett högt säte framtill för kusken och bakom det ytterligare två säten mitt emot varandra för passagerarna. De mest påkostade var draperade med fina skinn och detaljer i guld eller silver, medan andra var betydligt blygsammare och vissa inte mer än trälådor på stålmedar. Men alla gled fram över snön som svanar på en damm.

– Hästarna, Terry! Titta på dem! Lena pekade på ett par bruna hästar med likadana vita stjärnor i pannan. Släden de drog gick långsamt just nu, och hästarna lyfte hovarna högt i perfekt samstämmighet. – Ser du på seldonen? Hon pekade på betslen, som var prydda med silverbeslag och plymer.

Alla hästarna på avenyn hade bjällror, men de här hade girlanger med bjällror runt halsen, och Terence föreställde sig att inte ens en änglakör kunde låta vackrare.

– Jag undrar hur det känns att åka släde? sa Lena drömmande. Som att flyga, antar jag.

– Ja, när de tävlar är det nog så. Men Rowan tror inte att det blir så mycket tävlande i dag. Söndagarna är lugnast.

– Det beror på att irländaren jobbar alla dagar utom söndagen. Varför skulle någon ge honom ett gratisnöje på hans lediga dag?

Han skrattade. – Det räcker bra med husen och slädarna. Än har de inte hittat något sätt att ta betalt av oss för att vi går här.

– Tyst med dig, annars kanske de försöker.

De strosade vidare framåt. Terence var intensivt medveten om att de befann sig utanför den bekymmerslösa världen, men under en enda eftermiddag kunde de i alla fall få betrakta den. Vid ett ställe värmde de sig vid en brasa. En försäljare sålde bakade potatisar direkt ur askan, och Terence köpte en som de bollade mellan sig för att värma händerna. När den började kallna åt han upp det han inte matade den protesterande Lena med.

En stund senare stötte de ihop med Rowan. – Där är ni ju, sa han. Jag har letat efter er.

– Vi hoppades att vi skulle träffa på dig här, svarade Lena.

De två männen utbytte en blick och Rowan nickade kort. Sedan vände han sig mot Lena igen. – Vad du är vacker i din nya klänning!

– Tycker du verkligen det?

– Nu kommer hon att snurra runt för dig också, varnade Terence honom. Jag trodde att det var slut med det.

Lena såg retsamt på honom. – Det är en makes plikt att beundra sin hustru i all evighet.

– Det är inte svårt när det gäller dig, insköt Rowan galant.

– Lyssna på din vän nu, skämtade Lena.

– Jag ser inte att min vän har någon egen dam, kommenterade Terence retsamt.

– Då har du inte tittat tillräckligt noga. Rowan vinkade åt någon som stod bakom dem, och när Lena och Terence vände sig om såg de att en leende ung kvinna i en enkel, grå kappa kom gående mot dem. – Får jag presentera miss Nani Borz.

Alla hälsade. Nanis brytning skilde sig från deras, men den avslöjade att inte heller hon var född i USA. Hon hade svart hår och blekblå ögon, en kort näsa och en kantig haka som dominerade över de andra dragen. Men hennes leende var vänligt, och hon tycktes verkligen vara glad över att få träffa dem. Terence tyckte genast om henne.

– Nani har tjänst här på avenyn, förklarade Rowan. Hennes familj kommer från en by nära Budapest.

– Jag är kammarjungfru hos familjen Simeon. Nani plockade med kappan, men hon verkade inte nervös utan snarare så full av energi att hon var ovan vid att stå stilla.

– Vilket hus är det? frågade Terence nyfiket. Jag gissar att det är den Simeon som äger malmen jag skyfflar varenda dag?

Rowan nickade. – James Simeon är känd vida omkring för sitt järn och stål. Vi kan gå åt det hållet. Han bjöd Nani armen, och sedan gick de vidare alla fyra i bredd.

– Tycker du om ditt arbete, Nani? undrade Lena. Hennes

röst var vänlig, och Terence förstod att även hon tyckte om kvinnan.

Nani svarade inte genast, och när hon gjorde det var rösten låg. – Mrs Simeon är en god kvinna. Allt jag gör för henne är . . . hur säger man? Det känns bra.

– De har haft tur som fått Nani, insköt Rowan. Hon gör två personers arbete utan att klaga.

– Jag är glad att jag har ett jobb, sa Nani. Det är svårt för en sådan som jag att hitta något över huvud taget.

– Och huset? Är det också ett palats, precis som alla de andra här?

Lena gjorde en gest mot egendomen de just gick förbi. Den låg mitt på en enorm gräsmatta och var ett mästerverk i tegel och sten med torn och flyglar.

– Mr Simeon väljer alltid ut det bästa.

– Det var där jag fick tag i din spis, Lena, berättade Rowan. Så fort James Simeon fick höra att det fanns något bättre på marknaden ville han ha bort den gamla.

Terence försökte föreställa sig hur det var att leva på det sättet, men det var omöjligt för honom. Deras världar var så olika att Simeon lika gärna kunde ha bott på en annan planet.

– Där framme börjar spårvagnen gå igen. Rowan pekade flera kvarter framåt. – Slädarna vänder här och åker tillbaka samma väg, och när de vill tävla är det där de startar. Den som inte vill vara med drar sig åt sidan och låter de andra passera.

– Där är Simeons hus. Nani pekade också. – Från övervåningen kan jag se när de tävlar, och det är så vackert att jag får hjärtklappning.

Terence såg skorstenar bortom de kala träden, men han förstod att huset var väl dolt för insyn på sommaren. De gick närmare, och när han kunde urskilja mer flämtade han till. Alla egendomarna på Euclid Avenue gjorde honom avundsjuk, men den här var byggd för att vara det finaste Amerika kunde visa upp.

– Han måste ha en enorm förmögenhet, suckade Terence.

– Ja, men han föddes inte rik, påpekade Nani. Mr Simeon är ingen gentleman. Jag kommer visserligen från en fattig by i ett land långt borta, men så mycket vet jag.

– Har han ett dåligt sätt? undrade Lena.

– Den fattigaste i min by kan lära sig ett fint sätt, anmärkte den andra kvinnan.

– Vad är det då?

Nani blev tyst, men Terence var så hänförd av huset att han knappt märkte det. För hans otränade öga liknade det en medeltida borg. Varenda detalj var imponerande, och i de vänliga omgivningarna var det enastående i både mäktighet och storlek. Simeons hem var byggt för att skrämma och utmana.

– En gentleman vet vem han är, svarade Nani slutligen. Han behöver inte göra något för att få andra att förstå det.

– Men det gör mr Simeon? manade Rowan på henne.

– Han är aldrig grym, men han vakar över allt för att se till att det är . . . perfekt.

– I så fall kan du känna dig stolt som har bestått provet, tyckte Terence.

Hon skrattade, och ljudet bröt den egendomliga spänning som gripit tag i dem. – Jag skulle vilja stanna där för evigt för mrs Simeons skull. Hon behöver de vänner hon kan samla omkring sig. Och jag får så bra betalt att jag kan stå ut med mycket. Det ger mig möjlighet att hjälpa min familj.

De fortsatte sin promenad fram till platsen där slädarna vände.

– Titta, sa Rowan och pekade på en släde som stod stilla på andra sidan gatan. Den där kusken ser ut att leta efter ett par passagerare.

– Inte sådana som vi i alla fall, svarade Lena.

– Jo, det var precis vad jag tänkte, invände Rowan. Ska vi fråga?

– Ja, man vet inte vad som finns i grytan förrän man har lyft på locket, som Katie brukar säga, instämde Terence.

Men Lena höll honom tillbaka. – Släden måste tillhöra någon, och de kommer inte att tycka om att vi åker i den, även om vi får göra det för kusken.

Rowan tog hennes andra arm. – Jag har blivit lovad en tur i dag. Släden tillhör min chef, och jag får låna den som tack för en tjänst jag gjorde honom.

Egentligen var det en betalning för ett vad som Rowan hade vunnit. Terence hade fått höra hela historien.

– Nani, visste du om det här? frågade Lena.

– Nej, jag hade ingen aning!

– Har du åkt släde någon gång förut?

Nani slog ihop händerna. – Aldrig!

– Då är det på tiden, bestämde Rowan. Kom nu, mina damer, så att vi kommer iväg innan snön smälter.

De gick över gatan, och männen hjälpte kvinnorna upp i släden. Den var inte lika stor som en del av de andra de sett, men de fick plats alla fyra på de två sätena. Det fanns buffelskinn att krypa in under, och en kolvärmare för fötterna.

Lenas ansikte lyste av glädje, och Terence förstod att hon skulle minnas färden under resten av sitt liv. Även om lyckan log mot dem och de fick gott om pengar skulle hon aldrig glömma den här dagen.

Hästarna, en grå och en brun, satte iväg. De var omaka och släden hade inte några fina utsmyckningar, men Terence hade aldrig känt sig lyckligare. Det gick allt fortare, men de saktade in när en skinande svart släde med guldinsignier på dörren kom utfarande från ett av husen.

– Det är mr Simeon som kör! utbrast Nani. Tänk om han ser mig?

– Du är ju ledig i eftermiddag, påpekade Rowan. Då får du göra vad du vill, även ta en slädtur tillsammans med en god vän.

Hon såg lugnare ut. – Förresten kommer han att vara borta innan vi vet ordet av. Hans hästar är de bästa på avenyn, och släden är specialtillverkad i New York.

Men Nani hade fel. Den andra släden for inte iväg, utan

Simeon höll in den tills de kommit jämsides och då lät han den fortsätta framåt i samma takt som de. Den hade fyra passagerare, tre kvinnor och en äldre man. Simeon själv satt på kuskbocken klädd i päls och med en mössa av bäverskinn nerdragen över öronen. Han hade skarpa drag och egendomligt blek hud. Ögonbrynen var svarta och kraftiga, och mustaschen nådde nästan ända ner till hakan. Terence passade på att ta sig en ordentlig titt på honom medan han pratade med deras kusk.

– Kan de springa de där? skrek Simeon.

– Om jag tillåter det, svarade deras kusk, en man som presenterat sig som Shep.

– Låt dem göra det då, utmanade James Simeon. Mina längtar efter ett ordentligt lopp.

Terence rynkade pannan. Damerna i Simeons släde försökte fånga hans uppmärksamhet, och en av dem, en smal kvinna med rödblont hår, hade lagt handen över munnen. Men James Simeon brydde sig inte om dem utan lät blicken glida över passagerarna i den andra släden. En varning blixtrade till inom Terence när han såg mannens ögon dröja sig kvar vid Lena.

En sekund gick och sedan ännu en. Då vände sig Simeon mot Nani och nickade igenkännande innan han såg på Shep igen. – Men du kanske inte vågar? Han ökade farten, och bjällrorna gav ifrån sig ett allt vildare klingande.

Rowan lutade sig framåt. – Jag är rädd att vi skrämmer damerna! ropade han åt Shep.

– Jag är inte rädd! Lena lutade sig ivrigt framåt.

– Du hörde vad damen sa. Simeon lyfte piskan och slog den över ryggen på hästarna, som var lika svarta som släden. De sköt genast iväg framåt.

Terence höll andan och undrade om Shep skulle anta utmaningen. Det fanns andra ekipage på gatan som var bättre lämpade att tävla med Simeon, lättare slädar som drogs av fullblod, men Shep ryckte på axlarna och satte fart på sina hästar.

– Vad gör du! skrek Nani.

– Håll dig fast och njut! ropade Lena. Vi flyger ju.

Rowan började skratta hjälplöst. – Hon är din fru! skrek han till Terence. Det kan du gärna ha.

Terence hade först blivit förargad över Lenas dumdristiga uppträdande, men nu kände han sig upprymd. De tog in på Simeon, och det dröjde inte länge förrän hästarna rusade framåt nos vid nos.

– Det där var bara en uppvärmning! ropade Simeon och piskade åter sina hästar så att de satte fart.

Terence trodde att Shep skulle ge sig. De hade haft sitt roliga, och han hade visat att det fanns kraft även i hans hästar. Men i stället slog han med tömmarna mot deras ryggar så att de också ökade farten. Inom några sekunder hade de kommit i fatt igen.

Långsammare ekipage framför dem drog sig åt sidan för att låta dem passera, men en liten gul släde hade svårt att hinna undan för Simeons ekipage. Terence blev förskräckt när han insåg att mannen inte tänkte hålla in sina hästar. Kusken på den gula släden fick undan sitt fordon i sista sekunden och skrek upprörda svordomar efter Simeon.

– Nu räcker det, Shep, sa Rowan skarpt. Du skrämmer damerna.

Men Terence såg att damen bredvid honom inte var det minsta rädd. – Är det inte härligt, Nani? ropade hon.

Nanis ansikte var lika vitt som snön som sprutade omkring medarna, och hon böjde sig framåt som om hon mådde illa.

– Sakta ner, Shep! befallde Rowan. Rösten var strängare än Terence någonsin hört den tidigare.

Kusken lydde äntligen och drog i tömmarna tills Simeons släde var långt framför dem. Den gamle mannen såg ut att undra vad som kommit över honom.

Simeon saktade också farten. Den rödblonda kvinnan i släden grät hysteriskt bakom honom.

– Det där är mrs Simeon, berättade Nani. Hon kommer

inte att sova i natt, och då måste jag vara hos henne hela tiden.

– Ta det lugnt, Nani. Du skulle nog ändå inte ha sovit efter den här åkturen, sa Rowan.

Simeon lät dem komma i fatt och lyfte på hatten för Shep. – En annan dag, kanske?

– Inte om ni inte bryr er om vilka ni kör på, muttrade Shep.

– Jag körde väl inte på någon? Simeon vände blicken mot Lena utan att bry sig om de övriga. – Tyckte ni om tävlingen, frun?

– Ja, svarade hon med hög, klar röst. Men jag skulle ha tyckt ännu mer om den om vi haft en ärlig chans att besegra er.

Han skrattade, ett kusligt, rostigt ljud som fick Terence att rysa. – I så fall får vi ordna det. Allt för att behaga en vacker kvinna. Simeon vände sig framåt igen och manade på hästarna. Inom ett ögonblick försvann han och hans passagerare i ett moln av snö.

– Vilken konstig man, kommenterade Lena efter en stunds tystnad. Är han alltid så där, Nani?

– Han vill att allt ska vara perfekt, det sa jag ju, och han gör vad som helst för att det ska bli så. Han skulle säkert ha kört över den där andra släden om den inte hunnit undan.

Lena lutade sig mot Terence, och han lade armen om hennes axlar. Svartsjukan Simeons ord framkallat försvann när hon tittade upp på honom och log varmt.

– Jag föredrar en man som skaffar sig det han vill ha på ett ärligt sätt, förklarade hon. Även om allt han äger får plats i Simeons skafferi.

*

Deras älskog den kvällen var så ljuv att den gick rakt in i hjärtat på Lena. Hon visste vad det hade kostat Terence att ge henne den här dagens upplevelser, och hon visade honom på alla sätt hon kunde hur tacksam hon var över att han offrat sin vilodag. Han somnade i hennes famn, och hon rörde sig inte ens när ena armen började kännas stum.

När Terence steg upp nästa morgon hade hon tänt i spisen och lagat en stadig frukost på ägg och potatisbullar åt honom och Rowan. Medan de åt började hon förbereda den lunch hon skulle sälja nere i hamnen senare på dagen. Hon var inte trött utan upplivad av hotellbesöket, slädfärden och det faktum att hon ännu inte hade fått sin blödning.

– Jag går till marknaden i eftermiddag, sa hon. Så ni ska få en god middag i kväll.

Terence log mot henne. – Det ser jag fram emot.

När de ätit färdig tog Terence på sig rocken och kepsen, kysste Lena och gav sig av. Rowan följde efter honom i sin uniform.

Lena hade en mängd planer för dagen. Hon måste tvätta, och på vägen till hamnen tänkte hon hälsa på Katie och lilla Neil. Innan hon gick till marknaden skulle hon besöka kyrkan, och hon ville också hinna med att gå med soppa till en granne som var sjuk.

Tio minuter innan Lena skulle dra iväg med kärran dök Seamus Sullivan upp i dörren. Hon hade känt sig glad och lycklig, men Seamus förtvivlade ansikte gjorde henne iskall. För ett ögonblick fick hon inte fram ett ord.

– Katie?

Han skakade på huvudet. Också Seamus tycktes ha svårt att tala.

– Inte babyn, väl? Är det Laurie eller Annie?

Seamus harklade sig. – Det hände en olycka . . . i lastrummet. En talja gick sönder, förstår du. Terence hade just fyllt ämbaret och skickat upp det . . .

Lena hörde hans röst, men kunde inte förstå orden. – Terence?

– De tog honom till sjukhuset. Jag har kommit hit för att hämta dig och följa med dig dit.

Hon ville säga att han hade fel. Inte Terence. Han var aldrig oförsiktig. Inte hennes Terry, som arbetade så hårt och som skulle köpa biljetter åt sina föräldrar den här veckan, det första steget bort från fattigdomen.

När hon inte sa något besvarade han frågan hon inte kunde ställa. – Det ser illa ut, Lena, du måste vara beredd på det. Någon har gått och hämtat fader McSweeney. Han väntar på oss där.

20

December 1882

Katie hjälpte till så mycket hon kunde. Hon kom redan i gryningen varje morgon för att hjälpa Lena laga lunch till männen i hamnen, och Lena visste att hon var vaken till sent på kvällarna för att ta hand om sin egen strykning. Lena försökte få henne att stanna hemma, men hennes vän vägrade låta sig avvisas. Nu när Terence var skadad hade familjen ingen annan inkomst än den Lena tjänade på sin mat. Men Katie blev alltmer sliten och irriterad på sina barn, och Lena visste att hon själv hade åldrats tio år över en natt.

Terences högerben hade krossats på fyra ställen när ämbaret med malm ramlat ner över honom. Den trasiga kedjan hade slagit till ena sidan av ansiktet och allvarligt skadat armen, som nu låg bredvid honom lika oanvändbar som benet. Hans kind läktes, men han skulle inte ha kunnat le även om han haft anledning.

– Vad sa doktorn i går kväll? frågade Katie tre veckor efter olyckan. Hon knådade deg utan att bry sig om att Neil skrek efter mat i en korg bredvid henne. – Hade han något nytt att komma med?

Lena längtade efter att ta upp Neil och trösta honom, men hon var också upptagen. Precis som de övriga fick den lille pojken lära sig att livet inte alltid var lätt.

– Nej. Hon höll rösten låg även om hon trodde att Terence sov. Det var allt han kunde göra.

– Sa han inget om när Terry kan bli bättre?

– Han säger att vi måste vara tålmodiga och att det är ett mirakel att Terry fick behålla armen. Men vad är det för slags mirakel om han inte kan använda den? Eller om han inte kan gå när spjälorna kommer av?

– Säg inte så där. Den heliga modern håller er i sina händer, och du får inte tvivla, hör du det?

Lena tänkte att tron nog var bra och god, men hon förmådde inte skjuta bort tvivlen. – Om hon vakar över oss kanske hon kan hjälpa mig att hitta ett arbete? Du och jag kan inte fortsätta så här längre, Katie. Vi är alldeles slut båda två, och jag tjänar så lite. Och snart finns det ingen malm att lasta ur förrän våren kommer.

– Vad kan du göra annars? Du måste ju ta hand om Terence också.

Lena hade tänkt mycket på den saken. – Problemet är att jag säljer min mat till män som är så fattiga att de knappt har råd att betala mig. Om jag höjer priset är det ingen som kan köpa något.

– Men skulle rikare män köpa mat från en enkel träkärra?

Lena hade funderat över det också, men hade inte hittat någon lösning på problemet. Katie hade rätt, män som hade råd att betala vad hennes mat var värd föredrog att äta bekvämt på en restaurang eller i sitt eget hem.

– Jag måste ta tjänst, sa hon till slut. Jag har inte råd att arbeta för fattiga män längre.

– Och inte bo hemma? Katie lät chockerad.

– Jo då. Jag måste hitta arbete som kokerska i ett hus där jag får gå fram och tillbaka. Rowan arbetar på avenyn och känner människor i de flesta av husen, så han kan hjälpa mig.

– Vem ska ta hand om Terence då?

– Du, förklarade Lena. Jag ska betala dig för det. Du kan komma hit tre gånger om dagen och hjälpa honom tills han inte behöver dig längre. Nu är du ju här mycket mer utan att få någon betalning alls.

– Det är dig Terence behöver.

Lena torkade av händerna innan hon vände sig mot sin vän. – Katie, före olyckan hade vi sparat ihop tillräckligt med pengar för att betala resan för Terrys föräldrar och ändå klara oss över vintern. Nu är det borta allihop. Sjukhuset och doktorn har tagit det mesta, och resten gick till Irland den här veckan. Vi skickar hem pengar varje månad, och jag vågar inte tänka på vad som händer om vi slutar göra det. Terence behöver mig, men det gör också hans föräldrar och min mor. Vi måste börja spara igen, och nu när inte Terence kan arbeta är jag den enda som kan få ihop pengar. Förstår du inte det?

Katie såg förtvivlad ut. Hon knådade färdigt degen utan att svara och tvättade sedan händerna och lyfte upp den stackars Neil. När hon satte sig på en stol för att amma honom kom de två flickorna som hade lekt tyst i vardagsrummet fram och ställde sig vid hennes knän.

Lena tänkte på barnet hon trodde att hon burit. Tre dagar efter olyckan hade blodet kommit. Det var ingen normal menstruation utan en häftig blödning som fortsatte och fortsatte som om kroppen sörjde på sitt eget sätt.

Om det hade funnits någon baby var den borta nu, men minnet av den dröjde sig kvar. Det var naturligtvis bäst som skett, för hur skulle hon ha kunnat klara den här prövningen med ett barn i magen eller vid bröstet? Men trots det önskade hon mer än någonsin att hon haft en del av Terence inom sig. Hon skulle ha behövt det hoppet.

– Har du pratat med Terence? frågade Katie till slut.

– Nej.

– Vad tror du han kommer att säga?

– Vad *kan* han säga? Jag har inget val förrän han kan försörja oss igen. Du skulle göra samma sak, vad Seamus än ansåg.

Katie förnekade det inte. – Jag tänker inte ta emot någon betalning för att se till honom, sa hon bara. Det gör jag gärna. Han lider, Lena, det förstår du väl?

– Ja då, det gör jag.

– Lidandet kommer att göra honom till en bättre människa, försökte Katie trösta henne. Och du kommer också att bli bättre.

Men Lena kände sig bara trött och missmodig. Och hennes älskare och käraste vän låg och sov i deras säng, men ännu hade inte lidandet gjort honom heller till en bättre människa.

Terence var arg, både när han låg tyst och grubblade och vid de få tillfällen då hade talade till henne. Han var arg när hon bytte lakan och när hon försökte lägga över honom en filt, arg när hon gav honom mat och när hon inte gjorde det. Allra argast var han när hon måste hjälpa honom att gå på toaletten. Hans värld hade exploderat när en kedja brast, och han tycktes inte längre ha något hopp för framtiden.

– Han är inte lätt att sköta, sa hon slutligen. Jag förstår om du ändrar dig.

– Man ska aldrig gråta över spilld mjölk, bara slicka tillbringaren. Terence och jag ska göra det bästa av situationen.

*

För Terence var den ena dagen den andra lik. Det hade varit samma sak i lastrummen ända tills han slutade för dagen och fick gå hem till Lena. Då blev varje dag ett nytt äventyr. De hade alltid något annorlunda till middag, någon liten godsak som Lena lagat till eller fått tag i på marknaden. Kvällarna hade också varit olika. Lena brukade sitta i sin gungstol framför brasan och sticka yllesockor eller en ny halsduk åt honom. Ibland lagade hon något eller arbetade på ett broderi som kunde lysa upp deras enkla tillvaro. De pratade om vad de skulle göra när de inte längre var tvungna att skicka hem pengar, var de skulle bo och vilka blommor Lena och de äldre kvinnorna skulle plantera i trädgården.

Hon brukade berätta om sin dag, om vad hon sett när hon gått sina ärenden, vilka hon pratat med och vad de hade sagt. Själv hade han bidragit med det han kunde, även om det inte skvallrades mycket i lastrummet på en malmbåt. Men han hade beskrivit småsaker, och hon hade lyssnat intresserat.

Vad hade han nu att prata om? "Lena, jag försökte röra armen i dag men det går fortfarande inte. De kunde lika gärna skära av den. Benet gör så ont att jag knappt står ut. I morse såg jag att du ömkar mig och tycker att jag är ful med min ärrade och insjunkna kind. De har sagt att jag hade tur som klarade ögat, men det hade varit bättre att jag förlorat det och sluppit se ditt medlidande."

Tänk att hans liv hade blivit så här.

Rummet var bitande kallt i dag, till och med under de tunga täcken Katie hade gett dem. Terence hade legat där i en hel månad, och det lilla rummet de en gång hade funnit så stor njutning i hade blivit ett fängelse. Han kunde sitta upp, och med Rowans hjälp kunde han till och med släpa sig ut i vardagsrummet och sitta framför brasan om kvällarna. Men han ville sällan göra det. Vad hade han att bidra med? Och benet värkte så fruktansvärt varje gång han rörde det att det inte var värt ansträngningen.

Ibland tyckte han att sysslolösheten var värst. Terence hade arbetat i hela sitt liv, men nu kunde han inte göra annat än sova. Han hade aldrig lärt sig att läsa, även om han alltid önskat att han fått göra det. För sonen till en fattig arrendebonde var skolan en oöverkomlig lyx. Därför hade han inga böcker som kunde hålla honom sällskap och inget arbete för sin friska arm. Han kunde inte ens förströ sig med onyttiga saker.

Det allra värsta var dock att hans skador hindrade honom från att vara nära kvinnan han älskade. Han kunde inte hålla henne i famnen eller tränga in i henne eftersom det skulle kunna göra skadan i benet värre. Hon ville fortfarande att han skulle röra vid henne, trots hans oanvändbara arm och ben och skadade ansikte, men inte ens det förmådde han göra.

Det knackade mjukt på dörren, och Lena steg in med hans lunchbricka. – Jag är på väg till hamnen, Terry. Är det något du vill att jag ska hälsa dina vänner?

Han hade inga vänliga ord till någon, inte ens till henne,

så han blev arg över att hon frågade och brydde sig inte om att svara.

Hon kom närmare. Rowan hade skaffat ett sängbord så att Lena kunde ställa Terence mat där. Innan han kunde sitta hade hon matat honom också, men nu var det hans egen uppgift, hur svår den än var.

Hon visade honom vad som fanns på brickan trots att han inte var intresserad av det. – Försök äta upp allt. Du måste hålla dig stark.

– Varför det? Hans röst lät egendomlig, eftersom ärret hade dragit upp hans ena mungipa.

– För att du ska bli bättre. Tror du att vi tänker låta dig tyna bort? Du behövs, och det vet du. Även om du inte vill bli bättre så att du kan vara en riktig make åt mig igen behöver du hjälpa till att försörja din familj.

Hon hade aldrig tidigare talat så till honom, och orden gjorde honom rasande. – Jag kommer inte att bli bättre! Hur ska jag kunna försörja familjen när jag bara har en arm? Ska jag sätta mig på torget och tigga?

– Ja, om du inte kommer på något annat! Hon ställde ner brickan så häftigt att soppan skvimpade över kanten. – Jag kan själv köra dit dig i kärran. Så eländigt som du uppför dig kommer alla att tycka synd om dig. Du kanske tjänar så mycket pengar att du kan köpa dig ett hus på avenyn! Hon slog händerna för ansiktet som om hon just insett vad hon sagt.

Terence fick inte fram ett ord. Att hon inte kunde förstå hur mycket hans liv förändrats, att hon inte insåg hur omöjlig påminnelsen var för honom, var den yttersta förödmjukelsen.

När han inte sa något sträckte hon på sig. – Behöver du något innan jag går?

– Ge dig iväg bara.

Hon försökte inte be om ursäkt utan vände sig bara bort. – Då gör jag det. Och jag blir borta en bra stund.

Han ville inte bry sig om det, men det gjorde han. – Varför det?

– Därför att jag ska gå till Euclid Avenue och söka arbete.

– Vad är det du säger!

Lena vände sig mot honom igen. – Du hörde vad jag sa. Kokerskorna i ett av husen behöver hjälp, och lönen är nästan den dubbla mot vad jag tjänar i hamnen. Med hjälp av den klarar vi oss över vintern tills du kan börja arbeta igen. Jag har redan bett Katie att hon ska komma hit flera gånger om dagen och hjälpa dig medan jag är borta. När jag kommer hem på kvällen gör jag i ordning middagen åt dig. Det är inte omöjligt att jag kan ta med mig mat hem ibland.

– Nej! Terence sköt upp sig till sittande trots att det var en fruktansvärd ansträngning. – Nej! Jag förbjuder det.

– Det kan du inte. Vi har inget val. Hon höjde hakan. – Vi klarar oss inte som det är nu. I så fall får vi sluta skicka hem pengar. Vill du att jag ska skriva till våra föräldrar och säga att de inte kan förvänta sig mer från oss?

Det kändes som om han skulle kvävas. – Vilket hus? fick han fram. Hon tvekade tillräckligt länge för att bekräfta hans värsta misstankar. – Det var Nani Borz som ordnade det här, eller hur? exploderade han. Rowan bad henne förstås lägga ett gott ord för dig hos den allsmäktige James Simeon?

Lena nickade. – Ja, och det kommer jag alltid att vara tacksam för.

– Det är ju Simeon som har lagt mig här, förstår du inte det? Det var hans skepp som skadade mig! Hans malm!

Lena bleknade. – På dig låter det som om han kom ner i lastrummet och hade sönder kedjan.

– Han bryr sig inte det minsta om sina arbetare. Utrustningen är gammal och det kommer att hända fler olyckor.

– Säkert, men han är inte värre än andra, det har du själv sagt. Nu har han gått med på att ge mig det här jobbet om jag duger. Det är mer än andra skulle ha gjort.

– Vet han att jag blev skadad på hans båt? undrade Terence.

– Nani nämnde det för honom.

– Jag vill inte ha hans välgörenhet!

– Men det vill jag. Lena lade armarna i kors över bröstet.

– Han betalar sina tjänare bra. Om jag arbetar hårt vill jag ha betalt för det. Jag vill hjälpa våra föräldrar och ta hand om dig . . .

– Jag vill inte att du ska ta hand om mig!

Hennes ögon fylldes av tårar. – Skulle du hellre vilja att jag lät dig svälta?

– Ja!

– Det tänker jag inte göra i alla fall. Hon vände sig om och gick mot dörren.

– Gör inte det här, Lena, bad Terence. Hitta ett annat hus att arbeta i om du måste, men inte Simeons.

– Jag känner inte till någon annan plats, och prat fyller inga magar, Terry. Jag måste ta det som erbjuds, annars får både vi och de vi älskar svälta.

Hon svepte ut genom dörren, och ett ögonblick senare hörde han henne lämna huset. Ute hade det börjat snöa häftigt, och han föreställde sig hur besvärligt det måste vara för henne att dra kärran till hamnen och ställa upp den medan snön vräkte ner och kylde av grytorna. Hon skulle få stå ute i ovädret medan männen skyndade ut, snabbt åt sin mat och sedan rusade ner i lastrummen igen.

Efter det skulle hon alltså ställa kärran på någon säker plats och gå till Euclid Avenue.

Terence hade bett henne att inte byta ut sin eländiga försäljning mot den jämförelsevis lätta tjänsten i James Simeons hus. Och trots allt visste han innerst inne, i det hörn av sitt hjärta som fortfarande älskade Lena och till och med livet, att hon borde ha lyssnat på honom.

*

– Ni är halvt ihjälfrusen och droppar på min matta!

Lena darrade till och sänkte blicken. – Jag är verkligen ledsen, men jag har varit ute i snön hela förmiddagen. Det fanns inget sätt att undvika det.

Kokerskan harklade sig. Hon hette Esther Bloomfield och var en storväxt kvinna som uppenbarligen smakade på allt hon lagade till. Nani hade berättat att personalen kallade henne Bloomy.

– Räta upp er så att jag får ta en titt på er, befallde hon.

Lena kunde inte förmå sig att sluta hacka tänder. Hon tänkte på dagen före olyckan, den där perfekta, gyllene dagen då hon och Terence promenerat i timtal utan att frysa. Men i dag sken inte solen och det blåste iskallt från sjön. Hon antog att hon haft tur som överlevt utan att förfrysa fingrar och tår.

– Nani säger att ni kan laga mat.

– Ja, det kan jag. Lena visste bättre än att säga för mycket.

– Och ni har erfarenhet?

Med så få ord som möjligt berättade Lena hur hon sålde mat i hamnen. – Det blir aldrig något kvar, slutade hon stolt. Jag är känd för mitt sodabröd och mina soppor och grytor.

– Mr Simeon tycker om en god gryta då och då. Om ingen ser att han äter den, tillade kokerskan med lägre röst.

Lena log inte, för hon tyckte att världen var märklig när den rike skämdes för att äta den fattiges favoriträtt.

Bloomy såg på Lena genom de stålbågade glasögonen. Hon var gråhårig, och mager i ansikte trots de breda höfterna och den fylliga barmen.

– Berätta hur ni skulle förbereda en höna om ni hade någon.

Det var inte många gånger Lena fått en sådan möjlighet, men hon förklarade vad hon skulle göra. Sedan gick de över till andra rätter, grönsaker, bröd och puddingar. Lena svarade när hon kunde och erkände sin okunnighet utan skam när det var nödvändigt.

– Men jag kan lära mig att laga till vad som helst, försäkrade hon när kokerskan tycktes ha slut på frågor. Jag vet att det låter konstigt, men det är som om maten talar till mig. Den säger vad som går bra och vad som inte gör det. Om det luktar på ett visst sätt vet jag att jag ska tillsätta lite gräslök, och om det luktar på ett annat behövs det timjan. Jag vet hur jag ska prova nya idéer i små portioner, så att jag inte slösar bort mer än nödvändigt om det inte blir bra. Och . . .

– Det räcker, nickade Bloomy vänligt. Om mrs Simeon går med på det är jobbet ert. Men ni måste komma ihåg att ni arbetar för mig. Jag säger vad ni ska göra och ni lyder. Förstår ni det?

– Jag väntar på era instruktioner, och ni kan räkna med att jag gör mitt bästa för att följa dem.

Bloomy log. – Då tror jag att vi ska komma bra överens. Egentligen tycker jag inte om irländare, men jag måste erkänna att flickorna vi haft här har varit flitiga och pålitliga. Jag hoppas att ni är likadan.

Lena vågade inte känna sig förolämpad, det var alldeles för mycket som stod på spel. – Jag lovar att ni inte ska behöver ångra att ni anställde mig, mrs Bloomfield.

– Kalla mig Bloomy, kära du. Hon pekade på eldstaden. – Gå fram och värm dig, så ska jag höra efter om mrs Simeon är ledig.

Lena spred tacksamt ut kjolarna framför brasan medan Bloomy gick för att leta reda på husets härskarinna. Hon vågade inte titta alltför mycket på de breda bänkarna, den skinande diskhon och de målade skåpen eftersom hon var rädd att det skulle föra otur med sig. I stället såg hon på den flammande elden och njöt av hettan, som inte bara kom från eldstaden utan också från ugnen och de inbyggda värmerören.

Hon försökte låta bli att jämföra det här himmelriket med sitt eget hem. Familjen Simeons hus luktade citroner och bivax, friska blommor och bakverk, medan hennes eget stank av flodvatten, fabriksrök, sjukdom och fattigdom. Hur mycket hon än skrubbade luktade hennes eget hem aldrig så här underbart. Om Terence hade legat i ett rum på övervåningen i det här huset, om han haft läkare och tjänstefolk omkring sig och fått näringsrik mat skulle han kanske ha varit betydligt bättre.

– Vad har vi här då?

Lena hade varit så försjunken i sina tankar att hon inte hört stegen bakom sig. Hon snurrade runt mot en lång, kraftig man med stor, svart mustasch och runda, svarta ögon. Även om hon bara hade sett honom en gång tidigare kände hon genast igen honom.

– Mr Simeon.

Hon neg, trots att hon befann sig i Amerika där till och med en fattig kvinna visste att alla människor var jämlikar. Tyvärr visste hon också att en rik mans hem var ett land med egna regler.

– Vem är ni? Han log inte men såg inte heller missnöjd ut.

– Lena Tierney. Jag har kommit för att söka arbete.

– Jaså? Var är Bloomy?

– Hon skulle höra efter med frun, sir. Hon vill att jag ska träffa henne innan jag blir anställd.

– Julia bryr sig inte om vem Bloomy anställer, bara hon inte behöver göra något själv. Hon har inte särskilt många . . . talanger, min fru, men en av dem är att få andra att passa upp på henne.

Lena visste inte vad hon skulle svara, så hon sa ingenting.

Han höll ett finger mot kinden och tänkte efter. Hon lade märke till att nageln var så ren att man kunde tro att den aldrig varit smutsig. – Jag är säker på att jag har sett er förut.

Med tanke på omständigheterna tyckte Lena att det var bäst att låtsas som om de aldrig tidigare träffats. – Det tror jag inte, sir.

– Har ni arbetat åt andra familjer på avenyn?

– Nej, sir.

– Vad har ni gjort då?

– Jag har lagat mat och sålt den till männen som arbetar i hamnen.

Simeon rynkade pannan som om han försökte minnas om han sett henne under ett av sina sällsynta besök där. – Och nu tänker ni överge dem?

– Nej sir, jag vill bara hålla mig varm.

Han skrattade högt. – Är ni bra på att laga mat, Lena?

– Ja.

– Och hur är ni på att tjäna?

Hon bestämde sig för att vara ärlig. – Jag är bra på att ta

emot instruktioner, och jag lär mig snabbt. Ni kommer inte att behöva skämmas över mig.

– Ni låter självsäker, menade han.

– Jag är säker på att ni inte kan hitta någon som kommer att anstränga sig hårdare. Arbetet är mycket viktigt för mig, så jag skulle kunna göra nästan vad som helst för att få behålla det.

– Vilken hängivenhet, och ändå är ni inte ens anställd än!

Lena hade försökt undvika att bilda sig en uppfattning om James Simeon. Om han betalade hennes lön behövde hon inte bry sig om ifall han var värd beundran eller förakt. Men trots det ryste hon till, och det hade inget med kylan utanför att göra. Hans ansikte var fett och ögonen för stora, som om de blivit sådan genom att snoka i andra människors liv. Han hade inte sagt eller gjort något ovänligt, men trots det var Lena övertygad om att hon borde undvika sin blivande arbetsgivare.

Han log. – Det ska bli trevligt att ha er här, Lena.

– Tack, sir. Jag hoppas att mrs Simeon håller med er.

Han skrattade som om hon skämtat. – Jag ska säga till Julia att ni är anställd. Ni kan börja i morgon.

Lena vågade inte protestera, men hon undrade hur han kunde förbigå sin fru på det sättet. Hon skulle säkert bli upprörd över det, och Lena skulle bli en ständig påminnelse om James Simeons bristande respekt för hustruns åsikter. Gjorde den här mannen alltid livet obehagligt för människorna runt omkring sig?

Hur som helst måste hon ha arbetet för att de skulle överleva tills Terence blev bättre. Hon skulle gå hem till sin make varje kväll, och så småningom skulle han åter bli den man hon gifte sig med, och han skulle hitta ett bättre jobb. Sedan skulle de skicka efter sina föräldrar och börja klättringen uppför kullen mot ett bättre liv.

Medan Lena väntade på att Simeon skulle lämna köket försökte hon intala sig att det skulle bli så, men det var bara en liten del av henne som fortfarande trodde på den framtiden.

21

Lena tyckte om att arbeta i familjen Simeons hus, även om hon var noga med att undvika ägaren. Hans hustru, Julia Simeon, var en blek kvinna, inte bara till utseendet utan också till sinnet. Den personlighet hon möjligen haft före äktenskapet hade försvunnit i skuggan av den starke, framgångsrike maken. Både Nani och Bloomy berättade att Julia tog till sig alla sin makes tankar och känslor och lydde honom i allt. Om hon någon gång hade trott på sig själv gjorde hon det i alla fall inte längre.

Arbetet var jämförelsevis lätt. Lena fick instruktioner av Bloomy, som hade varit anställd hos paret Simeon i fem år, och lärde sig snabbt hur allt skulle vara. Efter några veckor hade Lena helt tagit över matlagningen åt mr Simeon, och Bloomy ägnade sig åt att förbereda fina efterrätter och specialiteter som kunde fresta Julia Simeons klena aptit.

James Simeon tycktes vara nöjd, trots att många av rätterna kom tillbaka till köket orörda. Han låtsades äta, men ofta satt han ensam i den formella matsalen och drack utan att ens smaka på maten.

En sen kväll i slutet av tredje veckan kom han tillbaka till köket för första gången sedan den dagen då Lena anställdes.

– Bloomy sa att det var ni som hade lagat middagen i kväll.

Lena snurrade häpet runt. Simeon gick tyst, så hon hade inte hört honom komma. – Ja, sir. Tyckte ni om den?

– Vad hade ni gjort med potatisen?

Hon kunde inte avgöra om han gillat den eller inte, men

hon hade smakat på den själv och önskat att Terence också fått göra det. – Jag smälte smör och rörde ner det och potatisen i grädde. Sedan vispade jag det slätt och strödde över persilja och gräslök . . .

– Jaså, det var inte gräs i alla fall. Det såg ut så.

I vinterträdgården bakom Simeons hus hade trädgårdsmästaren en rad örtkryddor i krukor, och Lena hade blivit förtjust när hon upptäckte dem. Men nu förstod hon att hon borde ha frågat Bloomy till råds innan hon använde dem.

– Ursäkta, sir. Jag borde ha bett om lov innan jag provade något så annorlunda. Jag hoppas att det inte förstörde hela middagen för er.

– Tvärtom, det smakade gott. Och köttet också. Det var inte gräs på det heller, eller hur?

Lena insåg att han retades med henne, och om hon trott att han gjorde det för att få henne att slappna av skulle hon ha lett. I stället kände hon sig inträngd i ett hörn.

– Nej, sir, jag lovar att jag aldrig ska använda gräs i maten.

– Tycker ni om ert arbete, Lena?

Hon var förvånad över att han mindes hennes namn, för hon visste att tjänare hade blivit avskedade för att de inte smält samman med tapeten. Hennes arbetskamrater hade rått henne att hålla sig i bakgrunden och att nicka tyst åt allt mr Simeon sa, hur mycket han än kritiserade.

– Ja, sir. Jag hoppas att ni tycker om det jag gör också.

– Ni har en sjuk make, eller hur, Lena?

Terence var inte sjuk, förutom i hjärtat. Han var skadad, och hur mycket Lena än försökte kunde hon inte glömma att han blivit det på en båt fylld med James Simeons järnmalm. Men hon ansträngde sig hårt för att dölja sina känslor.

– Han råkade ut för en olycka, sir, bekräftade hon.

– Har han blivit bättre?

Spjälorna var borttagna nu, men Terence kunde fortfarande inte stödja på benet. – Nej, sir. Han blev mycket illa skadad.

Om hon hade förväntat sig medlidande eller till och med

en ursäkt fick hon i alla fall ingen. – Så det är ni som försörjer familjen? Har ni barn?

– Nej, sir.

Han lade huvudet på sned. – En vacker kvinna som ni?

– Nej, sir.

– Ni kanske inte har försökt tillräckligt?

Nu ilsknade Lena till. – Vi har inte blivit välsignade, det är allt.

– Nu blir ni kanske aldrig det.

Hon visste inte varför det spelade någon roll för henne, men hon ville inte att denne despot till man skulle tro att hon var steril, eller att hennes make inte älskade henne tillräckligt för att göra henne med barn.

– Vi kommer att få barn, sir, svarade hon utan att tänka sig för. Jag förlorade ett barn i samband med min makes olycka. Det är bara en tidsfråga innan vi får ett nytt.

Han stod tyst ett ögonblick och granskade henne som om hon varit en häst han tänkte köpa. – Min fru och jag har inga barn, sa han sedan.

– Nej, sir, svarade Lena häpet.

– Julia anser att hon är för ömtålig för att föda. Tyvärr talade hon inte om det för mig förrän vi redan hade gift oss.

– Jag . . .

Han höll upp handen för att hejda henne. – Hon hoppas att en resa till Europa ska göra henne starkare och bättre lämpad för de plikter hon har som min hustru. Tror ni att hon har rätt?

– Det kan jag inte avgöra, sir.

– Hon åker när vädret blir bättre. Simeon kom närmare, och Lena stålsatte sig för att inte ta ett steg bakåt. – Hon kanske blir borta länge.

– Jag vet att ni kommer att sakna henne.

– Jaså? Javisst, en man sörjer över sin makas frånvaro och skriver det i små fåniga brev. Det är vad man förväntar sig.

Lena låtsades att hon inte förstod ironin. – Ja, sir, och mrs Simeon kommer säkert att sakna er också.

– Det tror jag inte, Lena. Julia gråter när jag kommer till hennes säng. Hon tycker att min uppmärksamhet är avskyvärd. Jag undrar om du också gråter?

Lena visste precis vad James Simeon ville ha av henne, även om hon dittills hade hoppats att hon missförstod honom. Hon hade lust att spotta honom i ansiktet eller springa sin väg, men var övertygad om att det skulle kosta henne arbetet.

Desperat försökte hon föra tillbaka samtalet till sin matlagning. – Sir, vill ni att jag ska fråga er innan jag använder örtkryddor i maten? Jag vill gärna göra som ni är van, om . . .

– Du anser förstås att jag inte har någon rätt att diskutera det här med dig? Men varför skulle jag betala dig om jag inte kunde använda dig på det sätt som passar mig?

Lena drog ett djupt andetag för att kunna behärska den våg av vrede som steg upp inom henne. – Ni anställde mig för att laga er mat, sir. Om jag i stället gav er råd skulle jag kunna göra allt värre för er, och då skulle ni verkligen bli arg på mig, eller hur?

– Så ni vill bara diskutera potatis och persilja?

– Det är tryggare, sir. För oss båda två. Hon tvingade fram ett leende.

Simeon kom ännu närmare, och hon kände lukten av sprit. Det var inte whiskey – som hon var van vid – utan något skarpare och bittrare som fick henne att må illa.

– Inte alls, invände han. Det här är något vi verkligen borde diskutera, inte för att någon av oss behöver råd utan därför att vi har samma problem. Jag har en hustru som avskyr blotta åsynen av min kropp och ni har en make som är svårt skadad. Föraktar ni hans kropp?

Den ende man hon föraktade stod tätt intill henne, och hon vågade inte ens svara honom.

– Livet går vidare, eller hur? fortsatte han. En man blir skadad, och plötsligt får hans liv en ny inriktning. Ni måste försörja er båda två och får inte ens njuta av lite glädje när er hårda arbetsdag är över.

Lena kände hur hennes tjänst i Simeons hus försvann tillsammans med hennes behärskning. Hon tänkte på framtiden och föreställde sig hur hennes mor och Terrys föräldrar väntade på pengar som aldrig kom, hur läkaren vägrade besöka Terry därför att han inte fick betalt. Om hon förolämpade James Simeon skulle hon aldrig mer kunna få något arbete på Euclid Avenue. Hon hade hört att Simeons jämlikar inte tyckte om honom, men hon visste också att de rika höll ihop mot de fattiga.

– Jag ser att ni kan behärska er, sa han slutligen. Det är ett karaktärsdrag jag respekterar och som jag faktiskt kräver av mina anställda.

Hon mötte hans blick och väntade.

Han sträckte fram handen och rörde vid hennes hår. Som vanligt hade hon det tillbakadraget från pannan och hopfäst i en knut i nacken, men han lossade en slinga och lindade det runt sin fingertopp.

– Ni är riktigt vacker, Lena, men det vet ni säkert.

– Är vi klara nu, sir?

– Inte riktigt. Jag vill att ni ska veta att jag kan känna tacksamhet. Och jag vill bara ha det bästa, så jag väljer aldrig ut något på ett lättvindigt sätt.

Lena förstod att hon borde känna sig tacksam över att han ville ha henne i sängen och till och med lovat att visa sin tacksamhet, och hon undrade vad en kvinna i hennes ställning kunde förvänta sig av honom. Högre lön? Onyttiga presenter? Specialistvård till sin skadade make?

Det sista fick henne att börja gråta.

– Har ni ingenting att säga, Lena?

– Får jag gå nu, sir?

Han suckade, och efter en kort tvekan släppte han hennes hår. – Ja, det får ni.

– Tack . . . sir.

Lena steg åt sidan och började gå därifrån, men han hejdade henne genom att lägga en hand på hennes axel. – Ni tänker väl på vad jag har sagt?

Hon skulle tänka på honom tills hon dog och be om förlåtelse för att hon hade lust att döda honom. – God kväll, mr Simeon.

I stället för att bli arg skrattade han. – En flicka med humör. Det är inte illa. Era barn kommer säkert att bli lika hetlevrade. Det är bra för era söner, men inte för döttrarna. Han skrattade igen.

Det höga, gälla ljudet ringde fortfarande i Lenas öron när hon satt på spårvagnen en kilometer därifrån.

*

Terence kunde hoppa omkring med en krycka under den friska armen och det skadade benet släpande efter sig, men vad var det för mening med det? Det fanns inget som väntade på honom någonstans, inget arbete han klarade av, ingen lön att hämta. Inget som gav honom hans hustrus respekt.

Varenda rörelse gjorde ont, för benet hade inte läkt som det skulle. Så fort han stödde sig bara en aning på det skar smärtan som en kniv genom honom. Han skulle inte ha haft något emot smärtan om den inte varit så meningslös. Om den hade gett honom ett riktigt liv igen skulle han gärna ha stått ut med den.

Katie kom inte längre och hjälpte honom, och det var han glad över. Hennes outtömliga förråd av plattityder gjorde honom trött och irriterad. Nu kunde han själv hoppa ut i köket när han blev hungrig och hämta det Lena hade gjort i ordning till lunch. Men han gjorde sig sällan det besväret. Hans aptit var borta, och det var tillräckligt jobbigt bara att tömma blåsan.

I kväll satt han framför brasan och väntade håglöst på att Lena skulle återvända från arbetet. Rowan hade redan kommit och gått igen. Han var sällan hemma nu för tiden. Det var som om han inte stod ut med dysterheten som sänkt sig över det en gång så lyckliga hushållet. Varje dag frågade han om det var något han kunde göra, men precis som Katie hade han lärt sig att Terence inte ville ha någon hjälp. Därför blev det också allt glesare mellan erbjudandena.

När Terence hörde steg utanför huset och dörren sedan öppnades tittade han inte ens upp, men i stället för Lenas röst hörde han en mans.

– Mr Tierney?

Han vände sig mot dörröppningen och fick se Daniel Conner, den böjde, slitne läkare som behandlat honom på sjukhuset. Men han var inte ensam, utan bredvid honom stod fader McSweeney.

Terence skämdes över att han varken tvättat sig eller bytt till de rena kläder som Lena lagt fram. Det hade känts alltför besvärligt. – Jag visste inte att ni tänkte komma, muttrade han.

– Jag stannade till för att tala med den gode fadern, och vi bestämde oss för att besöka er tillsammans.

Han ville be dem gå igen, men kunde inte förmå sig att göra det. Skadorna hade inte förminskat hans respekt för prästen, och det var knappast läkarens fel att han råkat ut för olyckan.

– Får vi komma in?

Terence nickade kort, och de två männen steg in och stängde dörren efter sig.

– Hur går det för er, Terence? frågade doktorn.

– Jag kom så långt som till den här stolen. Längre kommer jag nog aldrig.

– Jag vet att ni har haft en svår tid, nickade läkaren.

– Är det vad ni har att säga mig?

– Terence, visa lite respekt, förmanade fader McSweeney. Doktor Conner är en upptagen man, men trots det tog han sig tid att besöka dig efter sin långa arbetsdag.

– Jag byter gärna arbete med honom.

– Nu räcker det, envisades prästen.

Terence slöt ögonen och väntade.

– Har det gått bättre att röra armen, mr Tierney?

– Nej.

– Har ni försökt?

Terence tittade upp igen. – Varför skulle jag göra det? Jag vet ju att det inte går.

– Visa mig. Terence stirrade misstroget på läkaren, men doktor Conner kom fram och rullade upp hans ärm. – Försök röra den nu. Jag vill se det.

Resultatet skulle bli detsamma vare sig han försökte eller inte, men Terence försökte ändå bara för att visa att han hade rätt. Armen var på väg att förtvina, och han ville få det här gjort så att han kunde täcka över den igen.

– Bra, sa Conner. En gång till.

– Bra? Det var nära att Terence skrattade. – Kallar ni det där bra?

– Var snäll och försök igen.

Terence upprepade det meningslösa försöket. Till och med efter så här lång tid blev han förvånad när armen inte reagerade. Han mindes ju hur han skulle bära sig åt för att få den att röra sig.

– Jag tror att det fortfarande finns en viss funktion kvar, sa doktorn. Musklerna försöker svara, så ni måste träna dem ofta. Men ni behöver hjälp med det. Han tog Terences arm och rörde den upp och ner, fram och tillbaka, medan Terence försökte låta bli att stöna av smärta. – Be er fru att hon gör så här så ofta ni står ut med det. Det är möjligt att ni kan få tillbaka en viss styrka.

Terence trodde honom inte. – Vet ni inte att irländarna alltid har otur?

– Nu tar vi benet, fortsatte doktorn utan att bry sig om hans kommentar.

– Jag tänker inte ta av mig byxorna inför den gode fadern.

– Fader McSweeney, kan ni lämna oss ett ögonblick?

McSweeney gick ut genom ytterdörren och stängde den efter sig. Terence lyckades lyfta sig så mycket att han kunde dra ner byxorna till fotlederna. Lukten av hans otvättade kropp fick honom att skämmas.

– Sträck ut benet så mycket ni kan.

Han gjorde det, alltför trött för att orka protestera.

Läkaren rynkade pannan. – Går det inte längre?

– Nej, stönade Terence.

– Kan ni lyfta det från golvet?

– Kanske, om ni hjälper mig upp när jag har svimmat av smärta.

– Det ska jag göra, svarade Conner strängt. Lyft det nu.

Terence började svettas när han höjde benet, först ett par centimeter och sedan ytterligare ett litet stycke innan smärtan blev outhärdlig.

Läkaren drog med händerna längs benet. – Det var svåra brott det här, erkände han. De läkte inte bra, trots att jag gjorde vad jag kunde. Jag är ledsen.

Till sin förvåning kände Terence ett sting av medlidande med doktorn. – Jag kommer väl aldrig mer att kunna använda det?

– Inte som ni gjorde förr, men med tiden kommer smärtan att minska när ni har sträckt ut musklerna. Det borde kunna bära er vikt och hjälpa er att hålla balansen när ni går omkring. Men ni måste räkna med att använda käpp.

– Käpp?

– Ja, det är allt stöd ni kommer att behöva om ni fortsätter använda benet trots att det gör ont. Och det måste ni göra. Böj foten och dra upp knäet. Stöd på benet så ofta ni kan. Det har blivit kortare än det andra, men när det är ordentligt läkt kan vi ge er en sko med extra tjock sula.

Terence stirrade fortfarande på honom. Bara en käpp! Det som en gång skulle ha låtit som en fängelsedom lät nu som ett frihetsbud.

– Men ni har fel inställning, fortsatte Conner. Ni har drabbats av ett hårt slag, men ni lever fortfarande och det kommer ni att göra ett bra tag till om det inte händer något oväntat.

– Tror ni inte att jag vet det?

– Jag har sett det här hända många gånger, särskilt under kriget. Det är ni själv som är er värsta fiende, mr Tierney. Fader McSweeney har berättat att ni har en hustru som älskar er. Och ni har tak över huvudet. Det är mer än vad många män med två friska armar och ben kan säga.

– De har åtminstone ett sätt att skaffa sig vad de behöver! utbrast Terence. Hur tror ni att en enarmad lastare som går med käpp ska kunna få arbete?

– Fader McSweeney har sagt att ni har ett gott intellekt. Använd det i stället för ryggen.

– Och vad ska jag göra med det? Jag har ingen utbildning.

– Det kan förändras. Jag ska låta prästen tala med er om den saken, men tänk över vad jag har sagt. Det är inte onaturligt att känna sig arg efter en sådan prövning som ni har gått igenom, men ni måste försöka tänka framåt, för både er egen och er hustrus skull. Livet är inte över, det har bara förändrats. Nu måste ni förändras med det.

Terence var rasande. En man med två friska armar och ben och ett ansikte utan ärr stod framför honom och mumlade plattityder. Doktorn var värre än Katie Sullivan. Ändå kunde han inte säga något, eftersom han inte bara kände vrede utan också skam.

Läkaren lade tröstande handen på hans axel, och när Terence skakade den av sig kom den tillbaka igen. – Jag säger inte att det blir lätt. Det blir ett prov på vad ni är för slags man. Lycka till.

Rummet kändes alldeles särskilt tyst när han hade gått, men det varade bara i ett par minuter. Sedan kom fader McSweeney tillbaka in. – Det är dags att du slutar sörja det som du aldrig kan få tillbaka.

– Det är lätt för er att säga, fader.

– Jag vet det, men du kommer att förlora ännu mer om du inte tar dig samman. Lena behöver en make, inte ännu en börda. Något annat är du inte för henne numera. Prästens ord var hårda, men Terence visste att han hade rätt. – Jag vigde er inför Gud tills döden skiljer er åt, fortsatte fader McSweeney. Om Lena lämnar dig nu kommer hennes själ att bli fördömd. Vill du verkligen göra det mot henne, Terence? Vill du tvinga henne att bryta vigsellöftena? Eller tänker du försöka göra något av ditt liv igen?

– Vad ska jag kunna göra?

– Det är dags att du lär dig läsa och skriva. Det finns arbete för män som kan det.

– Det finns inga skolor för sådana som jag, och jag har inga pengar att anställa en lärare för.

– Där har du fel.

Terence såg äntligen på prästen.

– Jag har talat med James Simeon om dig, berättade mannen.

– Simeon?

– Jag sa till honom att det som hände dig inte skulle ha inträffat om han hade vidtagit grundläggande säkerhetsåtgärder.

– Trodde ni verkligen att han skulle anse en irländare värd ett ögonblick av hans tid, fader?

– Han lyssnade på mig i alla fall. Simeon känner naturligtvis till din situation, eftersom Lena arbetar i hans kök.

– Trots mina protester.

– Hon hade inget annat val, svarade prästen strängt. Dina protester gjorde det bara svårare för henne.

Terence kände sig åter skamsen.

– Simeon har gått med på att betala för en lärare som undervisar dig så att du kan få ett annat slags arbete. Och när du har lärt dig det du behöver är han villig att själv anställa dig.

Terence rynkade pannan, för han kunde inte riktigt förstå det fader McSweeney sa.

– Han försöker gottgöra dig, Terence. Men han säger att du inte får tala om det för någon, för i så fall drar han in sitt stöd omedelbart. Det är bara du och Lena som får veta vad jag har talat om i kväll, men han tänker verkligen hjälpa dig.

– Nej.

Fader McSweeney väntade tyst på en förklaring.

– Han är en skurk, fnyste Terence. Jag skulle hellre ta emot pengar av en huggorm.

– Jaså minsann! Du hindrar alltså en man från att rena sin själ och dömer din fru till hårt arbete och dig själv till ett meningslöst liv bara på grund av din idiotiska, syndiga stolthet? I så fall ska jag be för din själ varenda dag under resten av mitt liv, även om jag tvivlar på att Herren kommer att lyssna på mig!

Terence hade en stor klump i halsen. – Jag vill inte ta emot något från den mannen!

– Det var synd, för du ska ändå ta emot den här hjälpen och arbeta hårdare än du någonsin gjort förut för att komma igen. Om du inte gör det tänker jag tala om för hela världen vilken ynklig varelse du har blivit, och jag tänker råda din fru att lämna dig trots att hennes själ blir fördömd!

Klumpen i Terences strupe svällde så att han inte längre kunde andas.

– Det här är din chans att göra något av dig själv, fortsatte prästen slutligen. Och du *ska* ta den! Du ska följa doktorns instruktioner så att din kropp läks så bra som möjligt, och varje dag ska du tvätta dig och äta det din hustru besvärar sig med att laga till åt dig. Du ska visa respekt för alla som försöker hjälpa dig, och du ska be dina böner som en god katolik. Och du ska studera hårdare än någon gjort tidigare, så att din familj och dina vänner kan vara stolta över dig igen. Förstår du mig?

Ingenting fader McSweeney hade hotat med skulle ha fått Terence att ge efter, men ändå visste han att han skulle göra det. För prästen hade rätt. Plötsligt såg Terence sin framtid som ett vägskäl. På den ena vägen gick han med en käpp i ena handen och en bok under armen. Lena gick bredvid honom och efter dem kom en rad barn. Den andra vägen fick han gå ensam, släpande på ett oanvändbart ben. Han hoppade fram långsamt och med stora smärtor.

Hans ögon fylldes av tårar. – Fader, vill ni höra min bikt? snyftade han.

– Med största nöje, min son.

*

När Lena kom hem var hon utmattad och missmodig. Hon var sen, men hon tvivlade på att Terence skulle märka det. Förmodligen skulle han ligga och snarka, och om han var vaken skulle han vara kall och tyst. Det ena var lika fasansfullt som det andra.

Hela vägen hem hade hon tänkt på James Simeons utfrågning. Han hade druckit, och hon visste att berusade män ofta sa sådant som de hade glömt morgonen därpå. Kanske Simeon var arg för att hans fru skulle resa bort, eller också ville han bara försäkra sig om att Lena förstod hur liten och obetydlig han ansåg henne vara. Men det tredje alternativet, att han verkligen förväntade sig att hon skulle ge efter för honom för att få behålla arbetet gjorde henne rasande och skräckslagen.

Hennes liv var så bräckligt att den nya, skrämmande möjligheten kunde krossa det fullständigt. Hur skulle hon få ihop till mat och läkarkostnader och skicka pengar till Irland om hon inte fick ha sin tjänst kvar?

Men hon kunde inte stanna. Hon vågade inte ta risken att bli ensam med Simeon en kväll. Han skulle kunna tvinga sig på henne.

När Lena öppnade ytterdörren hade hon bestämt sig. Hon skulle berätta för Terence, kanske inte allt men ändå så mycket att han förstod att hon inte var trygg längre. Om han brydde sig om henne alls skulle han bli glad över att hon lämnade Simeons hus. Han hade avskytt att hon arbetade där lika mycket som han numera avskydde allt annat i livet.

Lena blev förvånad när hon upptäckte att lamporna var tända på bottenvåningen och en brasa tänd, men hon antog att det var Rowan som gjort det. När hon kom in i vardagsrummet reste sig Terence upp. Hon spärrade upp ögonen och var nära att befalla honom att sätta sig igen, men det var något i hans hållning som hindrade henne. Han hade tvättat och kammat sig och tagit på sig rena kläder. Ärret på hans kind syntes fortfarande, men skägget hade blivit så kraftigt att det dolde mycket av det.

– Terry?

– Du kommer hem sent. Jag har varit orolig för dig.

– Det är kallt, och promenaden kändes längre än vanligt.

– Du är ju stelfrusen. Kom och sätt dig här vid brasan.

Hon gick förbi, noga med att inte röra vid honom så att han tappade balansen. – Jag ska hämta din middag så fort jag har blivit lite varmare.

– Det duger med det som blev kvar i går kväll.

Lena blev glad över att han sa så. – Ska du verkligen stå så där? Gör det inte ont i benet?

– Inte mer än jag står ut med.

– Vad skulle doktorn säga?

– Han har sagt att jag ska använda benet så mycket som möjligt, och armen också. Du ska hjälpa mig att träna den.

Hade doktor Conner varit där i dag? Och tänkte Terence följa hans instruktioner? – Sa han att du skulle bli bättre då? frågade hon häpet.

– Inte som jag var förr, men jag blir betydligt bättre om jag tränar.

– Kommer du att kunna gå? undrade hon.

– Ja, men jag måste alltid ha käpp.

– Bara en käpp?

Terence log, något som Lena hade trott att hon aldrig mer skulle få uppleva. – *Aye*. Vi kan inte förvänta oss mycket av armen, men lite mer än nu ska den kunna göra. Och det är ju ändå min vänsterarm.

Efter den fasansfulla kvällen hade hon bara hoppats att ingenting mer skulle hända. Aldrig hade hon kunnat tänka sig en sådan här hemkomst. Det var knappt hon kunde fatta vad Terence sa.

– Jag har mer att berätta. Terence sjönk ner på stolen och drog ett djupt andetag innan han fortsatte tala. – Mr Simeon har gått med på att betala en lärare åt mig. Fader McSweeney berättade det för mig i dag. Jag ska få lära mig läsa och skriva och räkna, och om det går bra kommer Simeon själv att anställa mig. Jag är säker på att han är rädd att varenda karl som skadas på hans järnverk och malmfartyg kommer att kräva hjälp om det kommer ut att han är så generös, så vi får inte säga något om det. Men för en gångs skull har vi haft tur, Lena.

Hon såg för sin inre syn hur James Simeon lindat en länk av hennes hår runt fingret. – Mr Simeon?

– Ja. Och jag är säker på att det åtminstone delvis beror på dig.

För ett ögonblick kunde hon inte andas.

– Han ser dig varenda dag och känner sig ansvarig för det som hänt oss, förklarade Terence. Från och med nu kommer han att känna att han gjort något värdefullt när han ser dig.

Lenas hjärna plockade fram mening efter mening, bild efter bild. James Simeons bleka ansikte och iskalla ögon. James Simeon som kom närmare och närmare och berättade saker om sitt äktenskap som hon inte hade någon rätt att höra.

James Simeon som tände ljuset i Terences ögon.

– Jag hade fel när jag försökte hindra dig från att arbeta i hans hus, fortsatte Terence. Förlåt mig, Lena. Jag har begått så många misstag.

Hon ville gråta, och hon skulle ha gjort det om inte tårarna hade frusit till is inom henne. Hur skulle hon nu kunna berätta vad hon bestämt sig för på hemvägen? Hon visste att Simeon inte erbjöd sin hjälp för att han hade någon djupt dold önskan att göra gott. Han gav den för att hon skulle stanna i hans tjänst tills han en dag kunde använda henne lika likgiltigt som han använde linnet och silvret på sitt matsalsbord.

Lena insåg att hon måste säga något. På sitt eget sätt hade Terence visat sin själ för henne. – Terry, jag . . .

Han höll upp ena handen. – Jag vet att jag har gjort ditt liv till ett helvete på jorden, Lena. Men det ska bli ändring på det nu. Jag ska studera hårt och lära mig så mycket jag kan, och sedan ska du kunna känna dig stolt över mig igen, det svär jag på. Om det så är det sista jag gör i livet ska jag göra dig stolt över mig.

Hon överväldigades av kärlek och föll snyftande på knä

framför honom. Han strök henne över håret med sin friska hand och mumlade mjuka ömhetsbetygelser.

Lena fortsatte gråta, men Terence skulle aldrig få veta att det inte var av glädje utan av förtvivlan. Snart skulle hon inte längre kunna känna sig stolt över sig själv.

9 februari 1883

I går kom en gammal kvinna för att tala med mig om sin makes själ. Hon hävdade att mannen, som varit död i tre år, kommit till henne i drömmen och sagt att hon måste ge allt hon hade till kyrkan. Annars skulle han aldrig komma in genom himlens portar.

Jag frågade henne hur hon skulle få mat och var hon skulle sova om hon gav det lilla hon hade till en kyrka som lider betydligt mindre än hon. "Fader", sa hon. "Jag behöver ingenting annat än er välsignelse och ett löfte att min käre make och jag, när jag dör, för alltid får vara tillsammans med dem vi älskar." För det var hon villig att ge upp allt hon ägde.

Min välsignelse kostar ingenting, och jag skickade hem henne med den tillsammans med de besparingar hon tagit med sig som en första avbetalning på den döde makens själ. Jag undrar om hon förstod hur tacksam Gud är över en sådan offervilja. Jag minns att hennes man inte var någon särskilt vänlig man, men nu när han är död har hon förlåtit honom hans fel. Genom att själv lida hoppas hon kunna rädda hans själ.

Nog måste Gud se kärleksfullt på en sådan förmåga att förlåta och en sådan tillit till den gudomliga gnistan hos en annan människa? Jag önskar att vi alla kunde följa hennes exempel.

Och att jag själv kunde förlåta lika lätt.

Ur dagboken skriven av fader Patrick McSweeney, den heliga Birgits församling i Cleveland, Ohio.

22

Februari 2000

Caseys mor, Kathleen Donaghue, hade alltid sagt att baren inte var någon ursäkt att försumma familjen. Därför hade systrarna Donaghue varje söndag klätts i sina bästa kläder för att gå i kyrkan. Sedan åt hela familjen en överdådig lunch i barens kök, ofta tillsammans med några släktingar och alltid med baren stängd.

Under åren efter moderns död hade Megan följt traditionen, och tagit över alltmer av förberedelserna vartefter Rooney drivit iväg. Till och med när han gav sig av för gott hade hon och Casey försökt fortsätta med söndagsluncherna, men de hade haft begränsad framgång. Det blev enklare måltider, och de åt dem inte varje vecka utan först varannan vecka och sedan en gång i månaden.

I dag återupplivade de traditionen. Det kändes rätt att ta upp ämnet Rooney med Peggy i en vänlig, intim atmosfär.

Casey hade tagit ner det som fanns kvar av familjeporslinet från övervåningen, och hon och Ashley hade täckt ett av borden mitt i barlokalen med en vit linneduk och ställt Kathleens älskade silverljusstakar på den.

– Du är duktig på att hjälpa till att duka, berömde Casey den lilla flickan.

– Jag hjälpte mamma. Hemma. När pappa var borta.

Casey blev förvånad över upplysningen, för det var första

gången Ashley pratade om livet före Whiskey Island Saloon. Hon fortsatte försiktigt.

– Hade ni också stearinljus?

– Mmm. Och saker att sticka in servetterna i.

– Servettringar, vad bra att du påminde mig om dem. Kom så går vi och letar på våra.

– Vi hade blommor också, berättade Ashley medan de gick tillbaka upp till lägenheten.

– Vilken sort, kommer du ihåg det?

– Rosor. De luktade gott.

– Jag önskar att vi också kunde ha rosor på bordet, men det går ju inte när det är vinter.

– Vi har inte vinter där jag bor. Jag tycker inte om snö.

– Gör du inte? Casey hittade fyra kinesiska servettringar med målade rosor. – Titta, det är ju rosor på dem. Då får vi rosor i dag i alla fall.

Ashley lät höra ett ljud som nästan lät som ett fnitter, och Casey tittade häpet på henne. Den lilla flickan undersökte servettringarna noga, som om de varit fina skatter. Hon satte en på fingret för att se hur det såg ut.

Casey kände medlidande med Ashley, och var arg på de omständigheter som fört henne dit. Hon kände sig beskyddande och upprörd över allt barnet fått vara med om, men aldrig tidigare hade hon känt något för själva individen. Nu fylldes hon av en intensiv lust att ta Ashley i famnen och ge henne en kram, men i stället harklade hon sig.

– Snö är inte så illa. Har du gjort en snöängel någon gång?

Ashley tittade upp. – Ängel?

– Efter maten kan vi klä på oss ordentligt och gå till parken, så ska jag visa dig.

Ashley tänkte efter, men inte lika länge som hon brukade. Sedan nickade hon. – Casey?

– Ja?

– Får jag träffa mamma snart? Det var första gången hon ställde den frågan.

Casey hade blivit ombedd att inte ljuga, men hon kunde inte förmå sig att berätta hela sanningen. – Jag önskar att jag kunde svara ja, men jag vet faktiskt inte när det kan bli. Men jag vet att hon älskar dig och alltid tänker på dig.

Ashley funderade. – Det är därför jag är här.

– Just det. Därför att det är det bästa för dig just nu.

– Om du hade en liten flicka, skulle du skicka bort henne då? ville Ashley veta.

– Jag skulle alltid vilja göra det som var bäst för henne, även om det var väldigt, väldigt svårt för mig.

– Hon kanske skulle gråta. Ashley mötte Caseys blick. – Det gör inte jag.

Casey visste att det var sant. – Men det får du göra. Det känns bra och det hjälper lite.

– Nej, det hjälper inte, invände barnet. De slutar inte slå en när man gråter. De gör bara så att man blir tyst.

Det knöt sig i magen på Casey. – Det är fel att slå små barn, och det är fel att säga åt dem att vara tysta när de gråter. Här kommer ingen att göra det.

Lika hastigt som hon öppnat sig drog Ashley sig tillbaka. Hon gick mot dörren med servettringarna i handen, och Casey hörde att hon fortsatte nerför trappan.

– Du är en usling, Bobby Rayburn, väste Casey med sammanbitna tänder. Jag hoppas att Gud själv dödar dig i ditt hus i Palm Beach, för om han inte gör det kommer någon som älskar det här barnet att göra det åt honom.

*

Lammsteken doftade vitlök, potatisen hade kokat i spadet från lammet och sedan brynts och över grönsakerna hade Megan hällt en sås av smör och örtkryddor. I ugnen stod en blåbärspaj – Peggys favorit – och väntade, allt för att Casey och Megan skulle kunna berätta om Rooney.

– Så fint ni har gjort det, sa Peggy. Vad är det nu ni vill få mig att berätta?

Megan lade ifrån sig gaffeln. – Vad menar du?

– Sådana här måltider fick jag alltid när jag var ledsen, som när jag hade gjort slut med en pojkvän eller fått dåligt betyg på en skrivning. Om det var särskilt besvärligt fick jag blåbärspaj också, och jag känner lukten ända hit.

– Du misstar dig. Det här handlar om syskonkärlek, inte manipulation.

– Dumheter.

– Hur är det med dig då? undrade Casey medan hon lade upp mat till Ashley. Flickan hade inte sagt ett ord sedan de var på övervåningen, men hon lyssnade intensivt på samtalet.

– Bra, försäkrade Peggy. Jag trivs bra här, och nu pratar vi inte mer om det.

– Är det en kille? envisades Megan.

– Det finns inte en man i mitt liv som är hälften så irriterande som du, svarade Peggy alltför hastigt.

– Hade du inte sällskap med någon från Cincinnati? försökte Casey.

– Det var för ett år sedan. Han flyttade till Indiana i somras.

– Så synd.

– För vem? Jag hade en annan kille vid det laget.

– Någon vi har träffat? undrade Megan.

– Nej, och ni får inte träffa honom heller. Hör ni, mina betyg är bra och jag får komma tillbaka till sjukhuset när jag vill. Tycker ni att jag verkar ha spårat ur?

Både Casey och Megan måste erkänna att Peggy såg ut att må bra.

– Då så. Nu pratar vi om något annat, avgjorde hon. Hur har du det med Niccolo Andreani, Megan?

– Jag vill inte prata om honom, men jag skulle vilja diskutera något annat som hör ihop med honom . . .

– Men jag förväntas minsann berätta allt! utbrast Peggy.

– Sluta bråka! skrek Ashley.

De tre systrarna tystnade och stirrade på flickan. Hon började äta igen, men hon såg rädd ut.

– Vi bråkade inte, försäkrade Casey.

– Jo, det gjorde vi, invände Megan och såg på Ashley. Men vi är inte arga på varandra. Vi tillhör samma familj och älskar varandra, men det är inte alltid vi är överens.

– Människor blir skadade, sa Ashley utan att titta upp.

– Nej, inte här. Peggy lade genast sin hand över Ashleys. – Megan har rätt, vi älskar varandra. Vi försöker bara ta reda på vad var och en av oss tänker och gör.

– Människor slår varandra ibland.

– Här är det ingen som slår någon, lovade Peggy.

Megan såg frågande på Casey, men hon skakade bara på huvudet.

Det knackade på ytterdörren, och Casey gick och öppnade. Det var Jon, och hela hennes dag kändes plötsligt ljusare. Så hade det varit när de var i tonåren också. De hade träffats varenda dag, och om det gick en dag utan att hon såg Jon blev hon irriterad. Med ens mindes hon hur ensam och vilsen hon känt sig under den första tiden efter att hon lämnat Jon och systrarna.

– Det var ingen som öppnade på övervåningen, och jag såg att det lyste här trots att ni har stängt, förklarade han.

Hon log varmt. – Vi äter här nere för en gångs skull. Kom in och gör oss sällskap.

– Jag vill inte tränga mig på . . .

– Du tillhör familjen. Hon grep hans hand och drog in honom. – Megan, det är Jon! ropade hon. Stör han, eller kan vi duka fram ett kuvert till?

– Hälsa honom att det redan är framdukat, men inte med det fina porslinet för det är där uppe. Jag lägger upp mat åt honom nu.

Jon hängde av sig rocken och följde med henne in. – Det här ser fantastiskt ut, sa han när han hade satt sig ner. Jag skulle gärna komma hit varje söndag.

– Du är hjärtligt välkommen, men gärna lite tidigare nästa gång så att du hinner skala potatisen, retades Megan.

De pratade om allt möjligt en stund, men sedan kom Peggy ihåg att det var något Megan velat diskutera. När hon påminde om det såg systern tveksam ut, så Casey bestämde sig för att avgöra saken.

– Jag tycker att Jon också borde få veta vad som pågår, förklarade hon.

Megan drog ett djupt andetag. – Peggy, kommer du ihåg att Nick tyckte sig se en man springa bort från bilen den kvällen då några försökte stjäla den? Någon som kan ha slagit ner den andre biltjuven?

Peggy såg frågande ut. – Jag trodde att han hade misstagit sig.

– Nej, det var verkligen någon där, och vi tror att mannen bor nere på Whiskey Island. Megan tvekade. – Jag vet inte hur jag ska kunna säga det här på ett skonsamt sätt. Det kan vara Rooney, Peggy. Vissa tecken tyder på att det är det.

Peggy bleknade, men hon sa inget.

Casey vände sig mot Jon för att ge sin syster en möjlighet att smälta informationen. – Du träffade väl aldrig vår far?

– Nej, han var redan borta när jag lärde känna er.

– Jag hade ändå tänkt berätta det här för dig. Vi vet inte att mannen vi såg var Rooney, och vi är ännu mindre säkra på att det är han som orsakar problemen där nere som du berättade om. Men det kan vara han, och i så fall behöver vi din hjälp.

– Vilka tecken? Peggys röst var förvånansvärt stadig.

Megan berättade vad Nick hade upptäckt. – Det kan finnas andra förklaringar, men det troliga är att mannen faktiskt är Rooney och att han var i närheten av baren den där kvällen därför att han en gång bodde här.

– Jag minns inte min far, sa Peggy. Jag var inte ens lika gammal som Ashley när han försvann.

– Jag minns min pappa, insköt Ashley.

Casey förstod att flickan hade lyssnat på samtalet trots att hon tycktes vara upptagen av maten. Det var synd att hon hade valt just den här dagen att komma ut ur sitt skal.

– Slog din pappa dig? ville Ashley veta.

Peggy tycktes känna hur viktig frågan var trots den chock

hon alldeles nyss hade fått. – Nej, aldrig. Han försvann och lämnade mig och mina systrar, men han slog mig aldrig.

– Jag försvann också, påpekade Ashley.

Alla tittade på Casey. – Jag tror att Ashley menar att hon och hennes mor hade det svårt hemma och har en annan situation nu. Det måste kännas som att hon har försvunnit, särskilt som hon inte är tillsammans med sin mamma för tillfället.

Ashley tycktes vara belåten med förklaringen, för hon började äta igen.

– Vad gör ni för att ta reda på om mannen verkligen är vår far? frågade Peggy.

– Jag har varit på platsen där vi tror att han har bott och lämnat ett meddelande, och Nick går dit ungefär varannan dag, berättade Megan. Mycket mer kan vi inte göra just nu. Om det är Rooney har han klarat sig själv länge och överlevt. Vi måste ta det lugnt så att vi inte skrämmer bort honom.

– Är du säker på att det inte är det du vill göra?

– En del av mig vill det, erkände Megan.

– Hur känns det för dig att höra det här, Peggy? frågade Casey.

– Jag är glad att jag är här, mumlade systern.

– Om vi får bekräftat att det är Rooney måste vi bestämma vad vi ska göra, sa Megan. Men jag vet inte vilka möjligheter lagen ger oss. Vi kanske inte kan göra något alls.

– Det beror på om ni kan bevisa att han utgör en fara för sig själv eller andra, inföll Jon. Och det är inte så lätt som det kanske låter.

– Menar du att en man som lever utomhus i det här vädret inte automatiskt skulle utgöra en fara för sig själv?

– Om han gör det för att han vill göra sig själv illa är det en sak. Men om han anser att det är det bästa alternativet finns det inte mycket att göra – om vi inte kan bevisa att han är skyldig till skadegörelsen på Whiskey Island.

Peggy vände sig mot Megan. – Tror du inte att han kommer hem om vi ber honom? Han kanske skäms och bara behöver få en knuff åt rätt håll?

Det var Casey som svarade. – Det är inte troligt, Peg. Det enda vi egentligen vet om Rooney är att han inte är normal. Hans problem kan inte botas med lite kärlek.

– Vad är det för slags problem?

Casey suckade och såg på Megan för att få hjälp, men för en gångs skull lät Megan Casey ta hand om en familjekris.

– Schizofreni, personlighetsstörning, organisk hjärnskada, alkoholism . . . Jag har ingen exakt diagnos, men det spelar ingen roll. Vad det än är, är det allvarligt och vid det här laget förmodligen kroniskt. Om han tillät det skulle vi naturligtvis kunna förbättra hans livsvillkor, men vi kan inte bota hans mentala sjukdom.

– Har han alltid varit så där? ville Peggy veta.

Casey hade funderat en hel del över den saken, och mycket av den bitterhet hon känt mot fadern hade dämpats när hon börjat tänka på honom som sjuk, inte bara försumlig.

– Tecknen fanns troligen där i flera år innan han lämnade oss, svarade hon. Men vi var för unga för att upptäcka dem och mamma var för lojal.

– Han var alltid olik andra fäder, insköt Megan. Han berättade underbara sagor, men man visste aldrig vad som var sanning och vad som var påhittat, för allt var sagor för Rooney.

– Jag önskar att jag hade känt honom, suckade Peggy. Eller att jag åtminstone fick lära känna honom nu.

Det blev tyst runt bordet. Casey ville att situationen skulle leda till något som var bättre för dem alla, men hon visste att det inte var lätt. En gång tidigare hade Rooney förändrat deras värld för evigt, och det var inte omöjligt att han skulle göra det igen.

Megan reste sig upp. – Jag hämtar pajen.

– Jag vill gärna ha koffeinfritt kaffe till den, förklarade Peggy. Hon reste sig också och gick uppför trappan för att hämta det.

Casey såg efter henne. – Jag vet inte hur det här kommer att påverka Peggy. Rooney är en främling för henne.

– Hur känns det för dig då? När hon bara suckade till svar

tog Jon hennes hand. – Följ med mig hem i kväll. Vi kan hyra en videofilm. Om du vill prata gör vi det, annars tittar vi på filmen.

Det lät perfekt, och hon tänkte just säga det när hon upptäckte att Ashley betraktade henne. – Det går inte, förklarade hon. Jag lovade Ashley att jag skulle visa henne hur man gör snöänglar i dag.

– Det kan vi göra först. Sedan kan Ashley få välja ut vilken film vi ska hyra. Jag har inget emot Disney.

– Är det säkert? Casey kunde inte minnas en enda man från sitt förflutna som skulle ha kunnat komma med ett sådant erbjudande och dessutom låtit glad.

Jon vände sig mot Ashley. – Om det går bra för prinsessan.

Hon sken upp. – Min mamma kallar mig prinsessa.

– Det passar dig bra. Prinsessan Ashley.

Ashley log mot honom, och Casey började undra om inte Jon Kovats var rena trollkarlen.

23

Efter lunchen gick Casey, Ashley och Jon ut för att leka i snön, och Peggy gick upp för att sova en stund. Megan bestämde sig för att åka hem, men hur det nu kom sig körde Borta Bra ut på vägen mot Niccolos hus. Det förvånade henne inte särskilt, eftersom han aldrig var långt borta i hennes tankar.

När hon svängde in på Niccolos gata fick hon se honom stå på grannens veranda och prata med en blonderad kvinna med utmanande klädsel. Samtalet hade tydligen pågått en stund, för kvinnan hoppade från den ena foten till den andra för att hålla värmen, men så fort Niccolo fick se Megans bil avslutade han det snabbt och kom ut till gatan.

Hon kunde inte göra annat än stanna. – Jag åkte bara förbi, förklarade hon generad.

– Stanna ett tag är du snäll. Jag tänkte faktiskt ringa dig när jag hade pratat med grannen. Hon vill sälja sitt hus och flytta till Las Vegas.

Megan såg kritiskt på den sneda verandan, de grå asbestplattorna och de trasiga fönstren som hade lagats med armeringstejp.

– Det är inte bättre inuti, sa Niccolo som tydligen läste hennes tankar. Men stommen är bra.

– Du tänker väl inte köpa det?

– Jo. Det förstör hela kvarteret, så mitt hus blir mer värt om jag renoverar det där också. Dessutom får ungarna något att göra ett tag till. Men du kan väl följa med in?

Megan ville gärna se vad Nick och ungdomarna åstadkommit sedan hon var där senast, och dessutom var hon nyfiken på varför han tänkt ringa henne.

Det luktade nymålat i huset, och från ett rum innanför hallen dånade en radio. Niccolo öppnade dörren så att Megan fick hälsa på tonåringarna där inne. De höll på att måla väggarna i en djärv men vacker mossgrön färg.

– De kommer att svimma av färglukten, påpekade Megan när Niccolo hade stängt dörren igen.

– Nej, de har alla fönstren halvöppna. Såg du inte det? De fick välja mellan att frysa och dämpa musiken, och då valde de kylan. Jag ska stänga när de har gått, för annars kommer färgen aldrig att torka.

De gick ut i köket. Niccolo var klädd i färgfläckiga jeans och en av sina vita t-shirts under en öppen flanellskjorta. Han såg fantastisk ut. När de inte sågs glömde Megan hur snygg han var, precis som hon glömde hur mycket hon tyckte om honom. Han väckte liv i något inom henne som hon inte hade ansett vara viktigt – förrän nu.

– Kaffe?

Megan tackade ja, och några minuter senare hade hon en ångande kopp cappuccino framför sig. Hon provade att dricka kaffet utan socker och upptäckte att det var häpnadsväckande gott.

Niccolo satte sig mitt emot henne med en espresso. – Hur har du haft det?

Hon ryckte på axlarna. Det fick räcka som svar. – Har du hört något nytt om Rooney?

– Jag åkte tillbaka till platsen igen, och den här gången träffade jag en man. Vi pratade, och jag tror att han kan vara din far.

Hon undrade vad hon egentligen kände. – Kan du beskriva honom?

– Inte särskilt bra. Han såg ut att vara i sextioårsåldern och var klädd i flera lager med kläder. Han var ovårdad och smutsig, men renrakad. Niccolo redogjorde för samtalet de haft. – Jag tror att han bara visar sig när det är molnigt. Han påstod att stjärnorna lyssnar och att han skyddar något från – eller kanske *åt* – dem.

– Svarade han när du kallade honom Rooney?

– Han vände sig mot mig, men när jag frågade honom sa han att han inte hade något namn. Stjärnorna hade tagit det.

Megan var tvungen att harkla sig innan hon kunde tala. – Haltade han när han gick därifrån?

– Ja, det gjorde han faktiskt. Jag trodde att skorna inte passade ordentligt.

– Rooney råkade ut för en bilolycka innan han gifte sig med mamma, och det ena benet blev aldrig riktigt bra. Han haltade inte så svårt att det hindrade honom från att gå, men det syntes tydligt.

– Han sa att han hade gömt sakerna jag hittade.

– Det är nog han, medgav Megan.

– Om vi går tillsammans nästa gång det är molnigt har vi kanske större möjlighet att hitta honom. Jag tänker ändå gå dit och lämna lite saker åt honom. Niccolo hejdade sig ett ögonblick. – Det ska bli molnigt i kväll.

– Om han hade varit en hund skulle vi kunna skicka dit djurskyddsföreningen, muttrade hon bittert. Varför finns det ingen människoskyddsförening?

– Det är alltid en svår balansgång mellan människors rätt att välja hur de vill leva och samhällets ansvar att skydda de svagaste, antog Nick. Det bästa skulle vara om vi kunde få Rooney att lämna kylan självmant.

– Tror du verkligen det går att resonera logiskt med någon som tror att stjärnorna ser allt han gör? utbrast Megan.

– Vi borde i alla fall försöka. Men det är klart att det skulle vara enklare att skicka dit någon med större erfarenhet.

– Tror du inte att jag bryr mig om min far? fräste hon ilsket. Att jag inte vill ha något med honom att göra?

– Det finns nog med i bilden, svarade Niccolo lugnt.

Hon öppnade munnen för att förneka det men fick inte fram ett ord.

– Det är en normal reaktion, fortsatte han vänligt. Din far

är ännu en börda, och du har redan burit fler än du borde ha behövt. Dessutom var det han som lade på dig de flesta av dem. Så vem kan anklaga dig om du tycker illa om att han är tillbaka?

– Jag själv. Hon svalde hårt, och vreden försvann igen. – Jag borde vara en bättre människa.

– Det borde vi alla.

Att Niccolo var så snäll gjorde saken ännu värre för Megan. – Är det nu jag ska få förlåtelse för mina synder?

– Nej, det är nu du ska sluta blanda ihop min omtanke om dig med det jag brukade jobba med. Och du ska avgöra om du vill låta mig vara en del av bekymret med Rooney eller om jag ska sluta lägga mig i det. Jag kan göra det om du vill.

Megan skämdes. Hon ville ha Nicks armar omkring sig och hon ville knuffa undan honom. Det visste han, och nu lät han henne välja. – Vill du inte dra dig ur? I så fall skulle jag förstå det, för jag har varit hemsk mot dig.

– Jag har också gjort fel. Det här var det enda jag aldrig fick lära mig något om under studierna.

Plötsligt pratade han inte längre om Rooney utan om dem. Tillsammans. Och hon ville inte låtsas att hon inte förstod det. – Jag är inte bra på relationer, menade hon och tittade ner i bordet. Det kommer jag aldrig att bli.

– Jo, det är du. Det är många människor som avgudar dig.

– Det beror på att jag tar hand om dem. Men du behöver inte tas om hand.

– Det är bra, för du har gjort tillräckligt i den vägen. Du är nära att krossas under allt ansvar. Låt mig hjälpa dig att ta hand om din far.

– Du har också tagit hand om för många, påpekade Megan.

– Hittills har vi varit tvungna att göra det var och en för sig, ensamma, sa han mjukt. Det kanske kan förändras nu.

Hon såg upp på honom och sträckte fram ena handen. – Jag kan inte garantera något. Jag vet inte vad jag vill ha – eller hur vi ska komma dit.

– Jag ber bara att du inte ska stänga mig ute på grund av att du är rädd.

– Är det allt?

Han log, och hennes hjärta hoppade över ett slag. – Tror du att det bara är du som är förvirrad?

Megans mobiltelefon ringde innan hon hann svara. Hennes ansikte blev allt allvarligare medan hon lyssnade på den som ringde.

– Det var Casey, förklarade hon när hon avslutat samtalet. Hon var i parken tillsammans med Jon när polisen ringde till honom. De har hittat en manskropp på Whiskey Island, en knapp kilometer från byggarbetsplatsen där de har haft problem. Han såg ut att vara hemlös, och Casey är rädd att det kan vara Rooney.

24

Casey hade gått tillbaka till baren med Ashley, men Jon var på platsen där kroppen hittats när Megan och Niccolo kom dit. Eftersom Nick var den som senast sett den hemlöse de trodde var Rooney skulle han åtminstone kunna se om det var samme man. Däremot var det osäkert om Megan skulle kunna identifiera sin far. Även om åren hade varit vänliga mot honom skulle han inte vara densamme – och det var inte troligt att åren *hade* varit vänliga.

Niccolo parkerade bilen, steg ur och gick runt för att öppna dörren åt Megan. Men hon var redan på väg mot två poliser som stod och frös på ett område med skräpig, oanvänd mark och snötäckta malmhögar.

En av dem kom emot henne. – Det är avspärrat här.

– Jon Kovats bad oss komma, förklarade Megan. Den ni har hittat kan vara min far.

Polismannen rynkade pannan som om han ogillade deras närvaro, men han protesterade inte. I stället suckade han och pekade mot närmaste malmhög.

– Den där vägen. Och det är ingen vacker syn. Är ni säker på att ni vill se honom just nu?

– Ja.

Niccolo tog Megans arm när de gick vidare. – Han har rätt. Du kan göra det här senare, på bårhuset.

– Varför tror folk att döden är lättare om kroppen ligger på rena, vita lakan?

– Det handlar mer om att du ska få tid att förbereda dig.

– Och oroa mig.

Han ville också få det överstökat så snart som möjligt.

– Låt mig titta på honom först, bad han.

– Nej, vi gör det tillsammans, tyckte hon.

Niccolo undrade om Megan innerst inne hoppades att det skulle vara Rooney, så att mysteriet blev löst och hennes far kunde vila i frid. Det skulle i så fall inte vara mer än mänskligt.

När de kom runt kullen såg de en grupp människor, de flesta av dem i polisuniformer. Jon stod bland dem, men när han fick syn på dem kom han dem till mötes.

– Är du säker på att du klarar det här, Megan? frågade han utan omsvep.

– Ja.

– Kan du berätta vad som hände? bad Niccolo.

– Ingenting brottsligt, såvitt vi vet. Vi får mer information när obduktionen är klar, men vi har ingen anledning att misstänka att han inte har dött av naturliga orsaker. Det kan vara en hjärtinfarkt eller stroke, eller också drack han bara för mycket så att han somnade här och frös ihjäl.

Megan tog Niccolos hand och kramade den, och han förstod att hon mindes Billy och ville trösta honom. Det var rörande att hon tänkte på honom under de här omständigheterna.

– Vi hittade flera flaskor i närheten, fortsatte Jon. Megan, jag är ledsen att du måste gå igenom det här. Casey ville göra det, men hon kunde ju inte ta med Ashley.

– Jag var äldre än Casey när Rooney gav sig iväg, så jag minns honom förmodligen bättre.

Jon vände sig mot Niccolo. – Och du såg honom på parkeringsplatsen i samband med bilstölden?

Niccolo berättade om samtalet han haft med mannen på Whiskey Island. – Om det är samme man känner jag igen honom.

– Är ni redo då?

Megan nickade, och Jon förde dem förbi poliserna och ner

i en liten sänka, där en figur låg övertäckt med ett skynke. Jon böjde sig ner och drog undan det.

– Det där är inte mannen jag pratade med, sa Niccolo hastigt.

– Är du säker? undrade Jon.

– Det var mindre än fyrtioåtta timmar sedan, och han var renrakad.

Den här mannen var yngre och hade ett långt, trassligt skägg.

Megan vände sig bort. Hon var blek, och trots kylan hade hon svettdroppar i pannan. – Det är inte Rooney.

– Det var länge sedan du såg honom, försökte Jon vänligt påpeka.

– Det är absolut inte han, envisades hon.

Hon gick undan, och Jon täckte över kroppen igen.

– Mår du illa? frågade Niccolo.

Hon skakade på huvudet. – Jag tror inte . . .

Han förde henne till en hög virke där hon kunde sätta sig ner. – Böj ner huvudet mellan knäna.

För en gångs skull protesterade hon inte utan gjorde som han sa medan hon drog djupa andetag. Till slut rätade hon upp sig igen. – Det är inte Rooney, upprepade hon. Jag trodde att det skulle vara han, men det var någon annans far eller bror eller älskade. Någon kommer att sakna honom, undra över honom . . .

– Det är inte säkert.

– Jag avskyr ett sådant här slöseri!

– Kanske gav han världen något som ingen annan kunnat ge? När Megan såg ilsket på Niccolo fick han fram ett ursäktande leende. – Ibland låter jag visst fortfarande som en präst.

– Tror du verkligen att han gav något annat än bekymmer?

– Jag kände honom inte. Men Rooney Donaghue gav världen tre vackra, intelligenta och känsliga döttrar, och han hjälpte till att skapa en varm plats dit människor kan gå och bli igenkända och bortskämda . . .

– Och få samma sprit som dödade mannen där borta.

– Ni är försiktiga och gör allt ni kan för att skydda era gäster.

Hon fick tårar i ögonen. – Världen är en sorglig plats, Nick.

– Bara ibland. Han förde hennes hand till läpparna och kysste den. – Ibland är den fylld av mirakel och möjligheter. Kom, jag följer dig hem.

– Min bil står ju kvar hemma hos dig.

– Då åker vi dit då.

Megan tycktes tänka efter onödigt länge. – Ger du mig något att dricka?

– Det är klart.

– Och mat?

– Det vet du.

– Håller du om mig?

Hans andedräkt brände i bröstet. – Så länge jag får.

– Då åker vi hem.

*

Megan kunde inte sluta darra. Målargänget hade gått hem efter telefonsamtalet från Jon, och Niccolo hade stängt alla fönster och vridit upp termostaten. Nu hade Megan fått på sig en av hans ylletröjor, som nästan räckte henne till knäna, och höll båda händerna om en kopp kaffe spetsad med amaretto. Men hon frös fortfarande, för det hon sett kylde ner hela hennes kropp.

Niccolo tycktes förstå det, för han hämtade en filt som han svepte om henne. Den var sydd av virkade rutor i alla regnbågens färger, även om de var urblekta.

Han såg att hon granskade den. – Min farmor virkade den åt mig när jag skulle börja på prästseminariet. Hon sa att den symboliserade mitt nya liv. Mina dagar skulle bli fyllda av olikfärgade bitar, lite av något och lite av något annat, inte som de flesta människors som var likadana år efter år. Men till slut skulle mitt liv bli en enda, vacker helhet.

– Som filten. Hon kröp ihop i den. – Hade hon fel?

– Nej. Jag hade fel när jag trodde att det var så jag ville ha det. Jag ville bli präst av helt fel orsaker, förklarade han sakligt. För att göra min familj stolt, för att bli lite heligare än alla andra. Jag ville *bli* Gud, inte tjäna honom.

Megan blev häpen över avslöjandet. – Du har visst inga höga tankar om dig själv?

– Jo, nu har jag det. Men det tog några år innan jag förstod mig själv.

– Så du längtar inte tillbaka till prästyrket?

– Det jag längtar efter är att hitta min framtid. Jag är ingen tålmodig man.

– Jag trodde att du var tålamodet självt, kommenterade hon.

– Nej, jag försöker bara hitta det. Han lade armen om henne.

Hon lutade huvudet mot hans axel och slöt ögonen – och såg en man ligga ihjälfrusen på marken. Genast tittade hon upp igen, och ett stönande trängde fram mellan hennes läppar.

Niccolo kramade om henne, som om han visste precis vad hon tänkte på. – Det var inte din far.

– Nästa gång kanske det är han.

– Vi ska göra allt vi förmår för att se till att det inte blir så, lovade han.

– Du sa ju själv att det inte är mycket vi kan göra.

– Nej, och ingenting just nu. Så du ska bara låta mig värma dig. Men jag vet inte om jag är särskilt bra på det, tillade han. Det känns som om jag har fyra armar och tio armbågar.

– Jag darrar inte längre i alla fall. Men Megan ljög, för djupt inom henne hade en annan darrning uppstått, en som varken hade med kylan eller den döde mannen att göra. – Kyss mig, Nick. Nej. Hon lade ett finger mot hans läppar. – Låt mig kyssa dig.

Han flyttade sig undan. – Det kanske inte är så bra. Förra gången blev det inte särskilt lyckat.

– Kyssen var underbar. Men kvinnan var för feg.

– Och nu? Jag vill inte att du ska undvika mig igen. Jag saknade dig.

– Jag saknade dig också. Men jag är inte bra på det här. Sex går an, men inte förhållanden.

– Då är vi nybörjare båda två.

– Vi kanske kan lära oss tillsammans? föreslog hon.

– Jag var inte beredd på det här.

Först trodde Megan att han menade att han inte var redo, att det var för tidigt. Sedan insåg hon att han hade tänkt ännu längre än hon och talade om preventivmedel.

– Jag är frisk och äter p-piller och du har levt i celibat. Det är ingen fara.

– Megan . . .

Nick sänkte huvudet, och hon kysste honom ivrigt. Hans läppar var heta, och hon undrade hur hon kunnat vara så rädd att hon skjutit undan minnet av hur underbart det var att kyssa honom. När deras näsor stötte ihop log hon mot hans läppar.

– Det här kräver alltid träning.

– Jag har inget emot att lära mig, mumlade han.

Hans ögon var mörka men lätta att tolka. Hon såg både åtrå och tvekan i dem, och bestämde sig för att ta beslutet ifrån honom. Tiden flöt omkring dem som på ett moln. Efter vad som kan ha varit sekunder eller timmar knäppte hon upp hans skjorta och drog av sig den tjocka tröjan. Han förstod vad det betydde och stack in händerna under hennes blus för att smeka den bara huden. Fingrarna var kraftiga och varma, en snickares fingrar, och varenda centimeter av hennes hud sjöd av gensvar.

Megan knäppte snabbt upp behån. – Det ska jag bespara dig. Hon hade velat skämta men blev förvånad över hettan i sin röst.

– Det här går oss ur händerna, varnade han.

– Det har det redan gjort. Hon kastade huvudet bakåt när hans händer slöts om hennes bröst.

Megan var ingen hämmad kvinna, men hon hade aldrig

tidigare upplevt den känslostorm som Niccolos smekningar framkallade. Hans oskuld och tvekan hade fått henne att tro att hon hade kontrollen över situationen, men nu kände hon en intensiv längtan efter att han skulle tränga in i henne.

Han slet av henne blusen, och hon drog av hans skjorta och t-shirt. Åtrån gjorde deras fingrar fumliga, och hon tänkte vagt på hur annorlunda det här var för henne. Niccolo hade tvingats undertrycka sin passion så länge, och nu kändes det som också hon fått vara utan den.

– Vi borde gå upp till sängen, mumlade han när de gled ner på den smala soffan.

– Det hinner vi inte. Så mycket förstod hon i alla fall, även om inte han gjorde det.

– Jag gör dig illa. Tänk om jag krossar dig?

– Det är ingen fara.

Snabbt drog de av sig resten av kläderna, och äntligen fick hon se honom naken. Han var lika vacker som hon hade föreställt sig, som en romersk krigare eller en marmorstaty av guden Zeus. Hon såg hur han stirrade på hennes korta ben, breda höfter och små runda bröst, och för första gången önskade hon på allvar att hon haft större tur när generna för utseendet delades ut till systrarna Donaghue.

Niccolo mötte hennes blick. – Du är så vacker, Megan.

När hon såg att han menade det försvann känslan och hon kände sig verkligen vacker. – Du trotsar all beskrivning, viskade hon.

– Har jag gett dig någon njutning alls? För jag vet inte om jag förmår ge dig mer. Jag vill ha dig så mycket . . .

– Du kommer att förmå mer innan den här natten är över, lovade hon. Det ska jag minsann se till. Han började säga något, men hon lade ett finger över hans läppar. – Sch . . .

Så satte hon sig ovanpå honom och sänkte sig långsamt över hans hårda kön. För ögonblicket behövde hon ingen mer njutning än hans skrik av hänförelse.

25

Andra gången Megan och Niccolo älskade var på övervåningen i en säng som var stor nog för dem båda. Niccolo visste att han fortfarande hade mycket kvar att lära sig, men han hade känt att Megan haft det skönt. Nu låg hon och vilade mot hans arm, och hans kropp glödde av välbefinnande.

– Sover du inte? Megan tittade upp på honom. – Du borde vara alldeles slut. Det där var ingen dålig uppvisning.

– Var det inte?

– Tro mig.

– Ja, det måste jag väl göra. Du har gjort mig så lycklig.

– Jag *vill* göra det, men jag är inte lätt att vara tillsammans med, varnade hon.

– Det har jag redan märkt.

– Jag behöver vara i fred ibland, och jag tycker inte om att ta hand om folk.

– Jag har sett det också. Förutom släktingar och gäster på Whiskey Island Saloon, förstås. Och Ashley och Jon . . .

– Jag menar allvar, Nick, avbröt Megan. Om du tror att det här ska leda till äktenskap och barn kan du glömma det.

– Jaså?

– Jag är inget bra på sådant.

Niccolo undrade hur någon kunde vara så omedveten om vem hon egentligen var. – Är du säker på det? Han kysste henne lätt. – Vi har all tid i världen att ta reda på vart det här leder, bara du inte stänger mig ute. Var öppen för alla möjligheter.

– Jag vill inte att du ska börja fantisera om att vi ska åldras tillsammans.

– En av mina fantasier har redan blivit verklighet i kväll, påpekade han.

*

Vid åttatiden åt de en lätt middag. Huset hade aldrig känts mer som ett hem. Det var inte längre bara ett projekt utan platsen där Niccolo börjat lära känna Megan, platsen där de älskat med varandra första gången.

Det var inte förrän de hade diskat som Niccolo tog upp ämnet Rooney igen. – Ska vi åka ut till Whiskey Island med kartongerna jag har gjort i ordning? Det ser ut att bli en molnig kväll.

– Ska du lämna kvar dem om han inte kommer? undrade Megan.

– Ja. Jag åker tillbaka i morgon, och om de inte är rörda tar jag hem dem igen och försöker en annan kväll.

– Tänk om jag skrämmer bort honom?

Nick hade också tänkt på den möjligheten, men det var egentligen inte nödvändigt att de träffade Rooney i kväll. Det viktiga var att han tog hand om det som fanns i kartongerna, och Niccolo förklarade det för Megan.

– Jag skulle gärna vilja träffa honom, för att försäkra mig om att det verkligen är han.

– Jag vet.

– Kan du vänta en stund? Jag skulle vilja skriva ett brev och berätta om oss, vad vi gör och hur gamla vi är. Vi kan lägga det i en av kartongerna.

– Javisst. Det finns papper och penna i byrån där. Han pekade. – Jag kontrollerar ungarnas jobb under tiden.

Niccolo gjorde sig ingen brådska, för han ville ge Megan tid att skriva brevet. När han trodde att hon var klar gick han tillbaka till köket. Det låg ett hopvikt pappersark på köksbordet.

Megan reste sig genast. – Jag tar min bil, så att jag kan åka hem efteråt.

Han hade förväntat sig det men kände sig ändå besviken över att hon inte ville stanna kvar hos honom. – Parkera alldeles bakom mig, bara. Det är mörkt där ute, och jag vill inte tappa bort dig.

Färden tog bara några minuter. Megan parkerade bakom Niccolos bil och gick sedan fram till honom.

– De har visst börjat bygga där borta. Han gjorde en gest mot ett öppet område. – De har stora planer för den här delen av Whiskey Island, och det kommer att göra det nästan omöjligt för Rooney att fortsätta bo här.

– Han hittar säkert en annan plats, om vi inte kan övertala honom att komma hem. Jag tror ändå inte att han har varit här hela tiden.

– Varför inte?

– Det är inte förrän nyligen farbror Frank har börjat höra rykten. Om Rooney hade varit här tidigare skulle han eller någon annan ha vetat om det. Rooney var välkänd här i trakten, och när han precis lämnat oss fick vi rapporter om att människor hade sett honom. Sedan tror jag att han lämnade staden.

– I så fall undrar jag vad det var som fick honom att komma tillbaka, anmärkte Niccolo.

– Kanske någon förvriden familjekänsla. Det var ju här släkten Donaghue bodde när de först kom till USA från Irland, och han växte upp med historier om de svåra tiderna här nere. Han kanske går bakåt i tiden.

– Jag har börjat läsa en dagbok från den tiden som är skriven av en präst i den heliga Birgits församling. Niccolo förklarade hur han fått tag i den. – Det *var* verkligen svåra tider.

– Har du stött på namnet Donaghue?

– Inte än. Det är en mycket personlig redogörelse för fader McSweeneys liv. Han nämner ett ungt par som heter Tierney, men för övrigt finns det inte särskilt många namn.

– Nu går vi, avgjorde Megan. Jag tar den ena kartongen så tar du den andra.

Han gav henne den lättaste. – Jag har en ficklampa, men jag vill helst inte använda den. Det kan finnas vakter här, och det är onödigt att de upptäcker oss.

– Gå långsamt bara, så följer jag efter dig.

De valde den stig Nick hade gått ensam när han träffade på Rooney. Det skulle ha varit lättare om det varit månsken, och när de kom till skogens djupaste del var han tvungen att tända ficklampan. Vid platsen där han sett Rooney ställde han ner kartongen.

– Ska vi vänta en stund? föreslog han.

– Om han inte kommer snart gör han det nog inte alls.

Niccolo misstänkte att Rooney redan visste att de var där, åtminstone om han befann sig i närheten. – Du kan väl berätta några minnen av din far? bad han. Om Rooney lyssnar kanske det får honom att komma fram.

– Som vad?

– Vad gjorde ni tillsammans? Var det några särskilda lekar ni lekte? Eller böcker ni läste?

– För det mesta hittade han på historier själv eller berättade irländska folksagor. Och han sjöng en sång för mig varje kväll innan jag gick och lade mig.

– Kommer du ihåg den?

Megan harklade sig och började sjunga en välkänd vaggvisa. Hon hade en klar och ren röst, och när Niccolo lyssnade på den glömde han bort kylan och mörkret i skogen. Han önskade att han kunnat lägga armarna om henne, men han ville inte göra det ifall Rooney iakttog dem.

– Det var vackert, sa han när hon tystnade.

– Rooney älskade irländska folkvisor, och han hade en underbar röst. När han sjöng på baren blev det alldeles tyst, och vuxna män som aldrig hade satt sin fot på Irland kunde börja gråta över sitt förlorade hemland.

– Du älskade honom, eller hur?

– Han var min far. Och livet tillsammans med honom var aldrig tråkigt. Hennes röst mjuknade. – Han var en bra far, men när mamma dog började han tappa greppet. Jag tror att det var hon som höll honom uppe, eller också älskade han henne så mycket att han kunde bekämpa demonerna inom sig för hennes skull.

– Jag tror inte att det fungerar så, Megan. När hon levde kanske hon hjälpte honom att dölja problemen, men mental ohälsa är inte en fråga om viljestyrka eller motivation. Jag tvivlar på att Rooney bara gav upp, som du säger.

– Kanske blev stressen i samband med hennes död för mycket för honom.

Niccolo var glad att Megan kommit så långt. – Det låter inte otroligt.

– Han kommer nog inte, Nick.

Natten blev allt kallare och mörkare. – Nej, det är lika bra att vi går. Jag åker hit i morgon och ser efter om han har tagit kartongerna.

– Rooney? ropade Megan. Är du där?

Det var alldeles tyst omkring dem.

– Det är Megan. Vi har lämnat några saker som du kanske behöver.

När det fortfarande inte kom något svar började hon gå tillbaka samma väg som de kommit. Nick lät henne gå före eftersom deras ögon hade vant sig vid mörkret nu.

De hade nästan kommit ut ur skogen när Niccolo såg en figur till vänster om sig. Han hejdade sig, men Megan var för långt framför honom för att märka det. Han visste inte om han skulle våga ropa på henne, för om det var Rooney skulle han kunna bli skrämd.

Figuren var en man, och han tog ett steg framåt så att Niccolo blev säker på att han inte bara var inbillning. – Säg till dem att sluta gräva. Niccolo undrade om han verkligen hade hört rätt, men mannen upprepade orden. – Säg till dem att sluta gräva. Stjärnorna kommer att straffa dem.

Nick öppnade munnen för att svara, men mannen var redan borta, försvunnen i den skog som skyddade honom.

26

Niccolo vaknade i ett tomt hus av att telefonen ringde envist. Det var Jon Kovats som sökte honom.

– Vad är klockan? mumlade Nick förvirrad.

– Halv tio. Blev det sent i går kväll?

Ja, Niccolo hade suttit uppe länge och tänkt på Megan och hennes far, på det han gett upp och det han fått i stället.

– Alltför sent, tydligen, svarade han. Har det hänt något?

– Jag trodde att du skulle vara intresserad av något som upptäcktes nere vid byggarbetsplatsen på Whiskey Island tidigt i morse, berättade Jon.

Nu blev Niccolo klarvaken. – Vad är det?

– Jag vill bara säga att det är ovanligt att hitta en död kropp där nere . . .

– Är det en till?

– Ja, men det är inte Caseys pappa, även om det är precis i området där du såg honom. Om det nu var mr Donaghue.

– Hur kan du veta att det inte är Rooney? Är det en kvinna? Eller en yngre man?

– Nej, det här är någon som har varit död mycket längre. Ett skelett. Jag är just på väg dit, men jag tänkte att du kanske ville följa med.

– Därför att jag har varit där nyligen? Niccolo undrade om Jon tyckte det var misstänkt att han försökte få kontakt med Megans far.

– Du är uppenbarligen intresserad av området. Men de har

hittat något egendomligt som jag tror kommer att göra dig ännu mer intresserad.

– Vad är det?

– Jag har inte varit där än. Vi kan väl titta på det tillsammans?

Niccolo tänkte på vad mannen i skogen hade sagt föregående kväll. Mannen som förmodligen var Rooney Donaghue.

"Säg till dem att sluta gräva. Stjärnorna kommer att straffa dem."

De gjorde upp om att träffas vid byggarbetsplatsen inom en halvtimme.

Niccolo kom i tid, men Jon var redan där och stod och pratade med ett par poliser. När han presenterat Nick återvände poliserna till sin bil.

– Vi väntar på rättsläkaren, förklarade Jon. Men följ med och se vad de har hittat.

Niccolo undrade om Rooney Donaghue stod i skogen bakom dem och såg vad som hände. Han borde kanske varna Jon ifall den oberäknelige mannen förberedde något slags överfall?

"Stjärnorna kommer att straffa dem."

Han bestämde sig för att vänta tills han sett det Jon ville visa honom.

På arbetsplatsen stod två grävmaskiner stilla och tysta vid kanten av en grund grop. – Varför arbetar de nu? Varför väntar de inte till våren? undrade Niccolo.

– Det gör de för det mesta, men de brukar försöka få lite gjort om det blir en period med mildare väder, som det har varit nu. De har inte mycket annat att göra på vintern.

Nick gissade att det var den oväntade aktiviteten som var anledningen till Rooneys varning. Han följde Jon längs kanten av urgrävning och sedan nerför sluttningen.

– En av grävmaskinisterna hade precis börjat arbeta här när han fick se något under jorden. Han tyckte att det såg misstänkt ut, så han petade bara lite med skopan. Det var tur att han var så uppmärksam.

När Jon pekade tittade Niccolo ner och upptäckte ett skelett som till större delen fortfarande var täckt av jord. En arm stack upp, liksom en del av en axel. Den var täckt av jord och resterna av en skjorta, och alla fem fingrarna var kvar på handen. Han såg också ett höftben och en del av en skalle och några tår som stack upp ett gott stycke ifrån den.

– Av längden att döma är det en man, sa Jon. Men det kan vara en lång kvinna också.

Det var inte alls lika otäckt att se på ett skelett som att se en död, hemlös man. Föregående dag hade Niccolo blivit påmind om Billy, om avtal som inte hållits och om sociala misslyckanden. Men den här mannen hade dött för länge sedan och hans hemligheter hade dött med honom. Kanske skulle de aldrig avslöjas.

– Har du någon idé om hur länge han har legat här?

– Rättsläkaren bör kunna göra en ganska bra gissning, förmodade Jon, men om jag har rätt ska vi kunna bestämma hans död till exakt dag.

– Vet du redan vem det är?

– Du har inte sett allt. Jon tog upp en bevispåse av plast ur fickan och räckte fram den.

Nick var noga med att dölja sin reaktion, trots att hans hjärta hade börjat dunka. – Vad är det? frågade han trots att han redan visste det.

– En manschettknapp. Den satt fast i några trådar runt ena handleden. Den är smutsig förstås, men jag är rätt säker på att det står S. S. på den.

– Vet du någon med de initialerna som har rapporterats saknad? Niccolo slet blicken från manschettknappen, som var exakt likadan som den han hade hemma i byrålådan.

– James Simeons försvinnande är ett fall som jag har försökt lösa under större delen av mitt liv.

James Simeon! "Säg till dem att sluta gräva. Stjärnorna kommer att straffa dem."

Niccolo var mållös, men Jon märkte det inte utan fortsatte tala. – Om det här är den jag tror har vi äntligen fått veta vad som hände honom. Han kom inte hit av någon tillfällighet, utan någon begravde honom. *Dödade* och begravde honom, skulle jag tro.

– Jag förstår inte, fick Niccolo fram. James Simeons initialer är ju J. S?

– Simeons Stål. Två sammanflätade S var Simeons logotyp, och han satte den på allt han ägde – vagnar, grindarna till huset, järnverken, malmbåtarna. Han ville att folk skulle lägga märke till det enda som var viktigt för honom, och när han försvann dröjde det många år innan alla S:en var borta. Någon skrev att de var som en mängd giftiga ormar som måste utrotas innan det kunde bli tryggt att bo i Cleveland.

– Simeon var tydligen inte särskilt omtyckt?

– Nej, det var säkert många som ville se honom död. Hans anställda, konkurrenter, handlare som han lurade eller förtalade. Kanske till och med hans hustru. Hon sålde allt och lämnade staden när han slutligen dödförklarades, och det fanns de som trodde att hon hade dödat honom. Jon funderade en stund. – Men hon kunde inte ha gjort det själv, för hon var i Europa när han försvann. Om det här verkligen är Simeon är det stora nyheter.

– Hur ska ni kunna avgöra det efter alla år?

– Rättsläkaren har nog några idéer, men ett DNA-test kan vara ett alternativ.

– Vad ska ni jämföra med?

– Det är det som är det svåra.

Niccolo undrade om han skulle säga något om manschettknappen han hade hemma. Men vart skulle det leda? Skulle Jon bli tvungen att hitta Rooney och ta in honom för förhör? Den risken fick Niccolo att bestämma sig för att avvakta.

– Varför ringde du mig? sa han i stället.

– Du frågade om James Simeon, och jag vet att du har varit här flera gånger och letat efter Caseys pappa. Jag tyckte att det var ett intressant sammanträffande.

Niccolo insåg att Jon förväntade sig att han skulle säga något mer, men kunde han verkligen avslöja att Caseys far av någon anledning hade sparat en artikel om James Simeon och att han förmodligen hade hittat en likadan manschettknapp här nere och sedan tappat den? Kunde han tala om att Rooney ville att grävningen skulle stoppas?

"Säg till dem att sluta gräva. Stjärnorna kommer att straffa dem."

– Det är bara en slump, invände Niccolo. Jag kan inte hjälpa dig att förklara något.

– Hör av dig om du kommer på något i alla fall, bad Jon.

– Håller du mig underrättad om vad du upptäcker?

– Javisst, om jag bara kan.

Niccolo insåg att de båda påverkades av sitt gemensamma band till systrarna Donaghue. Jon tänkte inte pressa honom av hänsyn till Casey, och för Megans skull tänkte Niccolo inte avslöja något.

De skakade hand, och Nick gick tillbaka till sin bil medan Jon stannade för att vänta på rättsläkaren. Han var så nära, men han ville ändå inte gå in i skogen och kontrollera kartongerna när Jon var i närheten. Ju mindre som sades om Rooney Donaghue just nu, desto bättre. I stället startade han bilen och körde mot historiska museet.

*

James Simeon hade inte varit omtyckt. Tonen i artiklarna Niccolo läste om Simeon och hans företag var i bästa fall bryska redogörelser för fakta, och de värsta var fulla av gliringar och elaka antydningar.

Däremot hade Simeon varit mäktig. En stor del av Clevelands arbetarklass var anställd av honom, och även om tidningarna, särskilt *Cleveland Leader*, föraktade de irländska invandrarna förstod de hur Simeons Stål påverkade stadens ekonomi.

James Simeon tycktes ha haft ett finger med i allt som hände i staden. Han satt i flera kyrkliga kommittéer, stödde konst och elitidrott och försökte tillsammans med sina grannar förgäves begränsa utbyggnaden av Euclid Avenue. Han och hans hustru Julia hade varit närvarande vid varenda större välgörenhetsfest och annan tillställning, men de tycktes inte ha hållit många i sitt eget hus. Julia var en trogen medlem av damklubbar och välgörenhetsorganisationer, men varken hon eller James nämndes en enda gång som ledare för en sammanslutning.

Simeons logotyp, de sammanflätade S:en förekom ofta på bilder, och Niccolo såg att de exakt motsvarade de som fanns på manschettknappen i hans byrålåda.

Veckan efter att Simeon försvunnit var den mest intressanta. När Niccolo suttit och läst igenom gamla tidningar i en timme hittade han den första artikeln om försvinnandet, och sedan läste han alla följande artiklar noggrant.

Julia hade rest till Europa för en längre tid, och under hennes frånvaro arbetade Simeon ännu hårdare än tidigare. Han gick hem och åt middag tidigt på kvällen, men sedan återvände han till kontoret igen. Några påstod att han saknade sin hustru oerhört, medan andra hävdade att äktenskapet aldrig betytt mer än att två människor bodde i samma hus.

När Julia kom till Europa upptäcktes det att hon väntade barn, något som var mycket oväntat eftersom hon inte blivit gravid tidigare under det sjuåriga äktenskapet. Hennes läkare uppmanade henne att stanna där hon var och inte företa den påfrestande resan tillbaka till USA. Julia sades vara ömtålig, och läkaren ville inte ta några risker med arvtagaren till Simeons förmögenhet.

Själv insisterade James Simeon på att hustrun skulle stanna hos sina släktingar i Kent, där hon kunde leva i stillhet och få den bästa vård London kunde erbjuda. Han tänkte resa dit för att vara tillsammans med henne när barnet föddes, och när hon hade återhämtat sig och barnet var tillräckligt gammalt skulle alla tre återvända till Cleveland.

I stället för en så lycklig händelseutveckling försvann Simeon bara en vecka innan han skulle resa. Julia Simeon blev så upprörd över nyheten att hon födde barnet för tidigt. Det dog under förlossningen och begravdes på en liten kyrkogård, där det blev kvar när modern återvände till Cleveland.

Den kvällen då han försvann hade mr Simeon gått hem från kontoret för att äta sin vanliga, tidiga middag. Kokerskan, mrs Bloomfield, påstod att han hade ätit med god aptit. Senare hade två av tjänarna ätit upp resterna utan att bli sjuka.

Efter middagen sa Simeon till mrs Bloomfield att han skulle gå ut under kvällen och förmodligen inte komma hem förrän sent. Han gav hela personalen ledigt till morgonen, och många av dem lämnade huset. Bara en kammarjungfru, Nani Borz, stannade hemma. Trädgårdsmästaren och hans son bodde ovanför vagnsskjulet och fanns också i närheten. Kammarjungfrun hade gått och lagt sig tidigt och sovit gott.

Följande morgon när butlern gick för att väcka mr Simeon upptäckte han att mannen inte fanns i sitt rum och inte hade sovit i sängen. Butlern frågade diskret ut de andra tjänarna, men ingen av dem hade hört något ovanligt när de kommit hem. Och mr Simeon hade inte sagt till någon av dem att han inte skulle komma tillbaka.

Ännu konstigare var att vagnen fortfarande stod kvar. På kvällarna föredrog mr Simeon ofta att köra själv, men trädgårdsmästarens son brukade spänna för hästarna åt honom. Den kvällen hade Simeon inte framfört någon sådan begäran, så antingen hade han gått till fots eller åkt med någon annan.

Butlern väntade till mitt på dagen innan han anmälde sin arbetsgivares försvinnande till polisen. Då hade han redan skickat en pojke till Simeons kontor och fått veta att mannen inte varit där heller. Han hade också tagit kontakt med kollegorna, men ingen av dem hade hört något från honom.

Först brydde sig polisen inte särskilt mycket om anmälan, för James Simeon var en rik man som hade råd att ta ledigt en dag och ville säkert inte ha polisen snokande i sitt privatliv.

Men när han inte kommit till rätta dagen därpå heller började polisen ta butlerns ord på allvar. Vid det laget hade James Simeon missat flera viktiga möten, och det började gå rykten om att något var på tok.

Under den tredje dagen var hela polisstyrkan ute och förhörde alla som kunde ha sett eller hört något av stålmagnaten. Men James Simeon var spårlöst försvunnen. Ett meddelande skickades till hans fru, och hon fick genast födslovärkar. Barnet dog vid förlossningen, och när mrs Simeon hade återhämtat sig kom hon tillbaka till Cleveland och tog kontrollen över företaget.

Sökandet pågick i månader, men så småningom dödförklarades James Simeon. Hans hustru sålde eller gav bort det mesta av parets tillhörigheter och försvann även hon. Till skillnad från sin make dök hon upp några gånger på platser där de rika samlades, alltid vid en ny mans arm, men när hon flyttat från staden tappade clevelandborna intresset för den färglösa damen.

Däremot förlorade Cleveland aldrig intresset för hennes make. James Simeons försvinnande var artonhundratalets brott. Det framfördes en mängd olika teorier, ett oändligt antal artiklar skrevs och hetsiga diskussioner fördes över en konjak. Trädgårdsmästarens son arresterades när han upptäcktes med en dyrbar klocka, men han släpptes igen när ingen kunde bevisa att den tillhört miljonären. En annan man erkände, men han kunde varken minnas var han begravt kroppen eller hur han begått mordet, och det var det femte mordet han erkände det året.

Till slut var alla överens om att James Simeon dött i ett svartsjukedrama. Om han blivit rånad skulle något av det han haft på sig den sista kvällen – klockan, de extravaganta manschettknapparna eller diamantringen – ha dykt upp så småningom. Hade det varit slumpmässigt våld skulle kroppen ha hittats i någon mörk gränd eller på en ödetomt, och det var otroligt att Simeon skulle ha begått självmord eftersom hans företag gick strålande och han såg fram emot barnets födelse.

Någon hade mördat James Simeon i ett anfall av ursinne. Men vem?

Det var eftermiddag när Niccolo hade läst färdigt den sista artikeln. Han gick för att äta något, eftersom han hoppat över både frukost och lunch. Över smörgåsar och en kopp kaffe funderade han på vad Rooney Donaghue kunde ha med mordet på James Simeon att göra. Hade han hittat skelettet när schaktningsarbetet börjat och lovat beskydda det? Men visste han i så fall vem den döde var? Tidningsurklippet Niccolo hittat i hålan tydde på att Rooney gjorde det. Hade han kopplat ihop manschettknappen med den döde mannen? Rooney var uppväxt i Cleveland och hade säkert hört historien och blivit lika fascinerad som Jon.

Den som begravt James Simeon hade gjort det så väl att hemligheten bevarats i över hundra år. Det fanns inga bekännelser på dödsbädden eller skriftliga redogörelser, utan den som känt till sanningen hade tagit den med sig i sin egen grav.

Vem var det?

Niccolo undrade om den värsta lunchrusningen var över för Megan. Han ville inte pressa henne, men längtan efter att träffa henne kändes överväldigande.

24 mars 1883

I dag har vädret varit varmare, och fåglarna, som varit borta i flera månader, återvände till trädet utanför mitt fönster.

Kanske kommer de från en plats där vintern försvinner från den ena dagen till den andra och våren stannar för gott, men så är det inte här i Cleveland. En dag som den här är bara ett löfte, men fåglarna tycks inte förstå det.

En av dem, en gärdsmyg kanske, eller en ung fink, hade tovor av torkat gräs i näbben. Hon ville säkert bygga bo och bilda familj, och på det sättet var hon inte olik den heliga Birgits unga kvinnor. Deras tankar går ofta till unga män och äktenskap vid den här tiden på året.

Hela dagen såg jag fågeln samla stickor och gräs, och jag hoppades *att* mitt träd skulle bli boplats för nytt liv även om jag fruktade att det skulle komma fler snöfall. Jag beundrade hennes mod och bad att hon skulle överleva dem.

Men långt innan det började snöa igen svepte en svart fågel ner från himlen medan hon slet i en särskilt stor pinne. Jag vet inte varför han gjorde det. Kanske betraktade han henne som ett hot, eller också ville han ha något som tillhörde henne. Eller ville han bara bevisa sin styrka? Hur som helst skrek min lilla fågel till en gång, och sedan var hon borta.

Jag har ännu inte haft mod att ta reda på om hon kom

undan oskadd eller nu ligger som en blodig hög med fjädrar under mitt fönster.

Ur dagboken skriven av fader Patrick McSweeney, den heliga Birgits församling i Cleveland, Ohio.

27

Mars 1883

Lena bestämde sig för att lära sig hur James Simeons humör svängde, vad han tyckte om och vilka vanor han hade och anpassa sina egna handlingar efter det. Om hon inte kunde lämna anställningen hos honom skulle hon hitta sätt att undvika att bli ensam med honom. Hon skulle säkert klara sig om hon bara var tillräckligt försiktig.

Det gick flera veckor, och Terence arbetade hårt med sina studier. Till och med Lena, som var hans ivrigaste beundrare, blev häpen över hur fort han lärde sig läsa. Hon hade fått mer undervisning än han, men han inhämtade snabbt det hon lärt sig under sina år hos nunnorna. På kvällarna läste han för henne ur en nybörjarbok som läraren gett honom, och hon kunde inte ha varit mer förtjust om han så deklamerat Shakespeares sonetter.

Rowan var hemma mera nu, och han brukade sitta tillsammans med dem på kvällarna och hjälpa Terence med studierna. Han hade inte fått mycket utbildning själv, men han kunde i alla fall läsa och tillsammans pusslade han och Terence ihop de svåraste orden. Den starka vänskapen mellan dem hade förnyats.

Lena ville så gärna tro att allt var bra. Mr Simeon höll sig undan från henne, och en mindre skarpsinnig kvinna skulle kanske ha känt sig trygg. Men Lena visste att även om det var spriten som fått hennes arbetsgivare att tala som han gjort skulle han förr eller senare dricka för mycket igen. Då skulle han söka upp henne på nytt, om han inte hade hittat någon annan kvinna att gå till sängs med, och den gången skulle hon inte komma undan.

Den ödesdigra dagen kom i slutet av mars, när ett par dagar med solsken och oväntad värme gjort alla lätta till mods. Lena hade precis börjat med middagsförberedelserna när Bloomy förklarade att hon måste gå.

– Men mrs Simeon ska äta tillsammans med vänner, så du behöver inte göra i ordning något till henne.

– Mr Simeon kanske också har andra planer? frågade Lena förhoppningsfullt.

– Inte vad jag vet. Jag hörde honom säga att han såg fram emot att få smaka på det du lagar åt honom.

Lenas strupe snördes samman. – Om mrs Simeon är borta kanske Nani kan komma ner i köket och hålla mig sällskap? försökte hon.

– Tycker du inte att hon har tillräckligt att göra ändå?

– Jag menade inte att hon skulle hjälpa mig. Hon passar ju upp på mrs Simeon vartenda ögonblick, så hon förtjänar verkligen att få vila. Jag tänkte att hon kunde ta en kopp te här vid härden medan jag lagar maten.

Bloomy såg tveksam ut, men hon hade bråttom också. – Du får göra som du vill, för min syster har blivit sjuk. Mr Simeon sa att jag skulle gå till henne genast.

Det gjorde Lena ännu mer förskräckt, för James Simeon var ingen generös man. Om han insisterade på att Bloomy skulle gå hade han sina egna skäl till det, och Lena var rädd att hon visste vilka de var.

– Gå du, och jag hoppas att din syster kryar på sig snart, sa hon så lugnt hon förmådde. Men om du ser Nani kan du väl be henne komma hit?

– Det var väldigt vad du var envis. Bloomy satte på sig hatten, stack ett par nålar genom den och gav sig iväg.

Lena stod alldeles stilla och blundade hårt. Hon förstod hur ett djur måste känna sig när det inser att det är omringat av jägare. Men hon tänkte inte gripas av panik utan planera ordentligt. Hon kunde fortfarande säga upp sig.

Och förlora sin ställning där och allt som följde med den? Deras enda inkomstkälla, Terences utbildning och förstärkta självförtroende och allt hopp om ett bättre liv?

Nej, det måste finnas ett bättre sätt.

Hon rörde just ner grädde i en kraftig kycklingsoppa när Nani kom in i köket. – Bloomy sa att jag skulle gå hit.

Lena blev glad och tacksam över att se henne. – Ja, Bloomy har gått ut, och hon sa att mrs Simeon skulle äta middag ute också. Så jag tänkte att du kanske ville sitta här och ta en kopp te medan jag gör färdigt mr Simeons middag.

Nani såg ut att bli förbryllad över den ovanliga inbjudan. – Men jag har saker att göra där uppe.

– Kan du inte göra dem senare?

– Mr Simeon har gett mig ledigt för kvällen. Han sa det till mig alldeles nyss, så jag tänkte gå hem.

Lena mådde illa, för hon visste att James Simeon aldrig gav tjänarna mer ledigt än han var tvungen. Hon förstod att hon måste berätta sanningen för Nani, annars skulle hennes vän aldrig stanna kvar och skydda henne.

– Nani, du vet väl att jag aldrig ljuger för dig?

– Ja, det är klart.

– Var då snäll och lyssna på mig. Med så få ord som möjligt berättade Lena om mötet med James Simeon och vad han då hade antytt. – Det är därför jag vill att du ska stanna här. Om du är i köket lämnar han mig i fred, för han vill inte ha några vittnen.

Nani hade sett alltmer bekymrad ut, och nu skakade hon på huvudet. – Jag vet att han är otrevlig, men jag har arbetat här länge och har aldrig hört någon av de andra tjänarna berätta något liknande om honom. Och han har aldrig kommit till mig och bett mig om det han ville ha av dig.

– Jag vet inte varför han har valt ut mig, men det har han gjort. Snälla du, tro mig. Det här är inget som jag inbillar mig.

Nani valde sina ord med omsorg. – Du tror säkert på det

du säger, men vi vet båda två att han dricker. Män som gör det minns inte alltid vad de har sagt.

– Han sa att hans fru gråter när han kommer till hennes säng. Är det sant?

Nani såg besvärad ut.

– Han sa att hon tänker åka till Europa snart.

Nani nickade.

– Om det där är sant måste du tro på det andra också. Förlorar jag det här jobbet har Terence ingen möjlighet att fortsätta sina studier och våra föräldrar kan aldrig komma hit. Kan du förstå vilken hållhake han har på mig?

– Han är inte så dålig som du tror, envisades kammarjungfrun.

– Då stannar du inte? Det är ju bara några timmar. Jag gör vad du vill, om jag så måste betala dig för din tid.

– Han kommer aldrig att låta mig stanna.

Lena kände att paniken var på väg. Hon hade inte tänkt igenom sin plan ordentligt, men nu insåg hon att Nani förmodligen hade rätt. Så fort mr Simeon upptäckte att Nani var i köket skulle han skicka hem henne. Han skulle inte tala om varför, men om hon vägrade skulle hon inte ha arbetet kvar.

– Det kommer inte att hända något, försäkrade Nani. Det lät som om hon skulle börja gråta, och Lena undrade om hon innerst inne visste att Lena inte hade misstagit sig.

– Gå hem då, sa Lena.

– Nej, jag stannar på övervåningen. Och senare kommer jag ner till dig.

– Senare?

– Ja, jag väntar och håller mig undan, så att han inte kan skicka iväg mig.

– Vill du verkligen göra det?

Lena trodde att planen skulle kunna fungera. Om Nani kom i rätt tid, kanske mot slutet av mr Simeons måltid, kunde Lena vara klar med sitt arbete och gå tillsammans med sin vän. Tacksamt kramade hon om Nani.

Nani gick, och Lena avslutade middagsförberedelserna.

När klockan ringde drog hon ett djupt andetag, hällde upp soppa i en djup porslinstallrik och bar in den i matsalen, där mr Simeon åt också när han var ensam.

Han satt vid bordets huvudände. Trots att rummet var mjukt upplyst av gaslampor och levande ljus liknade det en medeltida bankettsal, och James Simeon själv var kungen som alla var tvungen att betyga sin vördnad.

– Soppa, Lena? Och ingen annan är här i kväll?

Han visste mycket väl varför Bloomy inte serverade honom, men hon svarade artigt. – Nej, bara jag, sir.

– Och vad får jag förutom soppan?

– Fläskstek, sir. Palsternackor och potatis. Morötter från Kalifornien. Bloomys speciella äppelsås.

– Det är för gott för att äta ensam. Ni får göra mig sällskap.

Lena tittade upp. Det här var oväntat och mycket oroande. – Nej, det kan jag inte, sir. Tack för att ni bad mig, men det skulle inte passa sig.

– Jag bestämmer vad som passar sig i mitt hus. Förresten finns det ingen annan här. Alla har fått ledigt utom ni, så nu sätter ni er vid bordet och äter tillsammans med mig. Är det uppfattat?

Trots att hon hade uppfattat allt ifrågasatte hon honom. – Jag kanske förstår bättre om ni talar om varför.

Hon såg att han först tänkte vägra. Sedan log han. – Jag vill höra om er make, Lena. Jag vill veta hur det går för honom, så att jag kan göra upp planer för hans framtid. Ni kan berätta det medan vi äter.

Hon var fångad i en fälla och stirrade rakt in i en gevärspipa. Händerna skakade, och hon knöt dem om och om igen.

– Hämta er soppa nu!

Lena återvände till köket för att hälla upp ytterligare en tallrik soppa. Den halkade ur hennes händer och föll till golvet så att soppan stänkte upp på hennes förkläde. Men i kväll skulle hon ändå inte behöva något förkläde. I kväll skulle hon vara den här mannens sköka, inte hans kokerska. Hon slog händerna för ansiktet och försökte låta bli att gråta.

– Lena! skrek han.

Hon torkade av golvet och kastade bort det trasiga porslinet, och sedan hällde hon upp soppa i en ny tallrik och bar in den i matsalen.

– Jag trodde först att ni hade gått hem, sa han torrt. Men sedan förstod jag att ni aldrig skulle vara så dum. I så fall skulle ni inte ha något arbete kvar här, och vem på avenyn skulle vilja anställa er efter att ha hört mina historier?

– Ja, vem? Hon ställde ner tallriken på bordet och höll sig så långt bort som möjligt från honom.

– Soppan är utsökt. Ni är en kvinna med många talanger.

– Nej, bara matlagningen, sir. Några andra talanger har jag inte.

– Jag tror inte att ni gör er själv rättvisa. Ni är vacker, och om ni hade blivit född på avenyn skulle ni ha kunnat gå hur långt som helst, antog han. Ni kunde ha gift er med en president eller en senator. Kanske med mig, till och med.

– Jag är lyckligt gift med Terence. Någon annan har jag aldrig önskat mig.

James Simeon log vasst. – Vilken hängivenhet! Och det trots att er man inte kan vara till stor nytta för er nu.

– Han är allt jag vill ha . . . sir.

– Det tror jag inte. En man med hans skador kan inte uppfylla sina plikter som make. Det är verkligen synd på en så ung man och en så ung kvinna. Har jag inte rätt?

Lena svarade inte, men hon kände att hon rodnade. När hon sneglade på mr Simeon log han belåtet, som om hon gett honom det svar han ville ha.

Han sköt undan tallriken och lyfte ett glas som var fyllt med en bärnstensfärgad vätska. Hon försökte äta lite av soppan medan han smuttade på drycken, men hennes illamående blev allt värre.

– Det räcker, avgjorde han. Ni tycker tydligen inte om soppan. Ta in nästa rätt.

Lena reste sig och bar ut deras tallrikar i köket. Hon undrade när Nani skulle komma och hoppades att hon skulle vänta tills måltiden var över. Men hur stora var egentligen möjligheterna att Nani skulle komma i exakt rätt ögonblick?

Hon tog in nya bestick och lade ner dem vid tallriken framför mr Simeon. Plötsligt slog han armen om hennes höfter och drog henne intill sig.

– Besticken ligger snett, Lena. Rätta till dem. Allt måste vara perfekt.

När hon tittade ner såg hon att kniven inte låg riktigt rakt. Med darrande händer rättade hon till den.

– Det var bättre. Han kramade hennes höfter innan han släppte henne. – Vi ska inte sänka våra krav bara därför att ni äter tillsammans med mig, eller hur?

Lena svarade inte utan gick tillbaka till köket och hämtade uppläggningsfat och karotter. Då hon vände sig om för att återvända till köket hejdade James Simeon henne.

– Ni har inte dukat åt er själv, Lena. Jag bjöd in er till hela måltiden, förstår ni.

– Jag har ingen aptit, sir, och jag är rädd att jag är en bättre kokerska än sällskapsdam. Det är bättre att jag gör klar efterrätten jag förberett åt er.

– Ni ska äta tillsammans med mig, befallde han. Skynda på nu!

Hon gick och hämtade tallrik och bestick och väntade sedan på att han skulle skicka faten.

– Har ni någonsin suttit vid ett så här fint bord, Lena?

Hon lade så lite mat som möjligt på tallriken. – Nej, sir.

– Längtar ni efter lite lyx ibland?

– Nej, aldrig.

– Verkligen? Varför inte?

Hon tittade upp, och för ett ögonblick blev vreden starkare än rädslan. – Därför att överflöd inte ger någon lycka eller gör dem som har det till bättre människor. Det blir bara lättare för dem att göra andra illa.

– Inte alltid. Många av oss gör mycket gott. Vi bygger kyrkor och skolor och hjälper behövande. Som er stackars Terence, till exempel.

Lena ville fråga vad mr Simeon ville ha av henne så att han skulle sluta låtsas, men hon hade fortfarande kvar ett litet hopp om att hon misstagit sig, att han bara lekte med henne och inte tänkte gå längre.

Hon försökte vädja till hans samvete. – Att hjälpa Terence är en god gärning, sir. Jag är säker på att allt ni planerar för oss är lika vänligt.

– Ändå har alla mina goda gärningar inte gett mig det enda jag behöver. Innan jag gifte mig med Julia hade jag noga undersökt hennes härstamning, rykte och uppförande och tagit reda på om hon var en lämplig värdinna och hustru i ett sådant här hus. Han skakade sorgset på huvudet. – Det är inte ofta jag låter mig luras så.

Lena sköt runt maten på tallriken utan att kunna få i sig en bit.

– Jag lär mig av mina misstag, fortsatte han när hon inte sa något. Så nu vet jag att lite humör är lika viktigt hos en kvinna som hos en häst. Om stridslusten går ur en kvinna eller ett sto är hon inte bra till avel.

– Det här har jag ingen rätt att höra.

– Vi talar om hästar, Lena. Är ni inte intresserad av hästar?

Hon reste sig upp och tog sin tallrik. – Om ni vill ha dessert, mr Simeon, är det bäst att jag sätter i gång med den.

Han gjorde en gest att hon skulle sätta sig ner igen. – En man som kan lite om hästar inser sitt misstag så fort han tar stoet till hingsten. Om hon är så nervös och rädd att hon måste hållas av ett halvdussin stalldrängar kommer fölet inte att bli värt mycket.

– Jag vet ingenting om hästar, sir.

– Han söker sig alltså ett annat sto, fortsatte James Simeon oberört. Ett som är starkare och bättre och har större gnista. Hon kanske också är rädd i början, men när akten fortskrider förvandlas oron till upphetsning. Hingsten blir lyckligare, precis som mannen, så allt ordnar sig till slut. Till och med det första stoet blir gladare, eftersom hon får vara i fred.

Lena önskade att Nani skulle komma. Hon kände sig eländig. – Och det andra stoet, vad får hon?

– Ett varmt stall, det bästa betet, extra havre och då och då ett äpple eller en sockerbit. Livet blir mycket bra för henne eftersom mannen behöver henne.

– Det är tur att vi inte är hästar, konstaterade Lena bittert.

– Är det? Jag tycker om det enkla, och det finns inget enklare än att föda upp hästar.

Hon reste sig på nytt, och när han nu pekade på stolen igen skakade hon på huvudet. – Jag måste gå. Min make väntar på mig. Jag hinner precis göra er dessert innan jag måste ge mig av.

Lena gick mot köket utan att ägna honom så mycket som en blick. Hon kanske skulle förlora sitt jobb, men hon kunde inte sitta vid samma bord som den mannen en sekund till. Inte utan att kasta upp.

Bloomy hade bakat en sockerkaka tidigare på eftermiddagen, och Lena hade tänkt servera den tillsammans med konserverade persikor och grädde. Men nu darrade hon så häftigt att hon inte kunde vispa någon grädde, så hon strödde bara lite pudersocker över kakan.

Nu måste hon gå in till honom med efterrätten om hon inte skulle förlora jobbet. Men vad måste hon göra mer? Hålla honom sällskap medan han åt den? Överlämna sin kropp till honom när han var färdig? Om hon vägrade göra det skulle hon bli av med en generös inkomst. Terence skulle inte kunna fortsätta studera, och deras dröm om att kunna ta dit hennes mor och hans föräldrar skulle dö. De skulle inte ens kunna skicka några pengar till dem, och frågan var hur länge de skulle klara sig.

Var hon tillräckligt ung och stark för att stå ut med vad som helst för att rädda dem alla? Skulle hon få brinna i helvetet med James Simeon vid sin sida? Hon hoppades att hon inte skulle behöva välja, att Nani skulle dyka upp i sista minuten och rädda henne.

Klockan ringde otåligt, så hon bar in tallriken i matsalen

och ställde den framför honom. Sedan tog hon ett steg bakåt. – Var det allt för i kväll, sir?

– Lena, det hände just något väldigt konstigt.

Hon väntade, alltför rädd för att kunna svara.

– Jag fick syn på Nani. Jag hade gett henne ledigt i kväll, men tydligen var hon ändå på väg till köket för att dricka en kopp te tillsammans med er. Och jag som trodde att hon var hemma hos sina föräldrar vid det här laget.

Lena förstod att han hade skickat hem Nani än en gång och att hon inte haft något annat val än att gå. Om hon trotsade honom skulle hon inte ha något arbete kvar.

– Jag antar att ni skickade iväg henne, sa hon tonlöst.

– Ja, absolut. Hon har alldeles för få tillfällen att vara tillsammans med sin familj. Jag är förvånad över att ni försökte hålla henne kvar.

– Kan jag gå nu, sir?

– Jag tror inte att vi är färdiga med varandra än, Lena.

Hon nickade, och sedan återvände hon till köket. Det fanns lite disk att ta hand om, och det gjorde hon medan hon väntade på att han skulle komma. Han tog god tid på sig, och när han slutligen stod i dörröppningen log han brett.

– Släpp ut håret, Lena. Jag har velat se det utsläppt ända sedan den där dagen i december då våra slädar tävlade. Jag minns er, förstår ni, och jag vet att det var ödet som förde er i min väg igen.

Förtvivlat stirrade hon på honom.

– Släpp ut det.

– Helst inte, sir.

– I så fall gör jag det åt er.

Hon drog sig inte undan när han kom närmare, trots att varenda nerv i hennes kropp skrek att hon skulle fly. – Är det så här ni vill ha det, sir. Här i ert kök, tillsammans med er kokerska? Det finns kvinnor som försörjer sig på sådant. Vem som helst skulle vara bättre på det än jag.

Han började dra ur hårnålarna. – De är horor.

– Och vad kommer jag att vara när ni är klar med mig?

Om ni bestiger mig som en hingst bestiger ett sto kommer det att vara mot min vilja. Jag låter er göra det bara för att jag förlorar allt annars.

– Ni kan kalla det horeri om ni vill, men jag kallar det affärer. Hans whiskeystinkande andedräkt kväljde henne.

Hon vädjade en sista gång. – Det ni tar i kväll stjäl ni från en annan man.

James Simeon skrattade. – Det kallar jag också affärer. Han behöver inte längre det jag tar.

Lena slöt ögonen och stod stel och stilla. Hon tänkte inte ge honom något. Resten var upp till djävulen själv.

28

Det gick dagar och till och med veckor då livet i paret Simeons hus var precis som tidigare. Sedan gick hustrun ut för kvällen, och James Simeon skickade iväg alla tjänarna utom Lena.

Ibland väntade han tills måltiden var över, som han gjort den första gången. Sedan kom han till henne i köket, kastade upp hennes kjolar och tryckte upp henne mot ett bord eller en gång mot den fortfarande varma spisen och tvingade sig in i henne. Hon stod ut, stel och med sammanpressade läppar ovanför hans stönande kropp. Han tycktes njuta av hennes avsky för honom, som om det gjorde honom övertygad om att han inte delade henne med hennes make.

Ibland fick hon underkasta sig honom i vardagsrummet eller till och med i Julia Simeons sovrum, trots risken för upptäckt. Han tyckte om att förödmjuka henne, och hon undrade bittert om han över huvud taget skulle kunna genomföra akten med en kvinna som inte avskydde honom.

Lena överlevde genom att stänga av sina känslor. Efter första gången hade han gett henne en summa som motsvarade en veckas lön, men hon hade kastat pengarna i floden innan hon åkte hem till sin man. Hon sa till Terence att hon var sjuk och gick genast och lade sig. När han kom till henne vände hon sig mot väggen, även om det egentligen inte spelade någon roll. Terence hade inte älskat med henne sedan dagen före olyckan.

Nästa gång James Simeon gav Lena pengar behöll hon

dem. Hon hade förtjänat varenda penny, men ändå kunde hon inte förmå sig att lägga dem till deras små besparingar. Hur skulle hon kunna använda pengar hon tjänat i synd för att ta dit Terences föräldrar och sin mor från Irland? I stället gömde hon pengarna i en kruka i köket, där hon visste att Terence aldrig skulle leta. Efter det stoppade hon ner mer med kväljande regelbundenhet.

Hon tänkte aldrig på sin skrämmande underkastelse utan planerade för framtiden. James Simeon skulle snart tröttna på henne och hitta en annan kvinna att plåga, och när han gjorde det skulle hon kanske kunna få ett annat arbete utan att han förtalade henne. Med hjälp av pengarna i krukan skulle hon rent av kunna hyra ett litet utrymme och starta en servering. Ingenting märkvärdigt, utan en plats där hon kunde servera enkel mat till enkla människor och få en försörjning av det. Ett ställe där det var hon själv som bestämde och ingen hade makt över henne.

Det skulle vara rena himmelriket.

Månaden maj inleddes med varmt och skönt väder, och Julia Simeon började planera sin europaresa. Hushållet vändes upp och ner av allt packande och alla sociala tillställningar som föregick resan. Paret Simeon tänkte ställa till med en stor avskedsfest, och under veckan före den stora dagen arbetade Lena och Bloomy med förberedelserna till sent på kvällarna. Lena hade hoppats att uppståndelsen skulle hindra mr Simeon från att tränga sig på henne, men han tycktes tvärtom njuta av utmaningen.

Kvällen före festen hittade Lena honom utanför köksdörren när hon skulle gå hem.

– God kväll, Lena. Ni ser trött ut. Har ni fått slita för hårt, käraste?

Hon blev förskräckt över att se honom och satte handen för munnen för att kväva ett skrik.

Han log. – Ni blir visst aldrig glad över att se mig. Men är jag inte en god arbetsgivare? Jag har tagit hand om er make på ett utmärkt sätt, mer än någon kan förvänta sig, och jag ger er en bonus så fort jag begär något extra av er.

Lena hade lärt sig att inte visa sin vrede eftersom den bara gjorde honom upphetsad. – Jag trodde att jag var klar för kvällen, sa hon bara. Det börjar bli sent.

– Inte riktigt. Ska vi ta en promenad? Ni kan berätta vilka förberedelser ni och Bloomy har gjort inför morgondagen.

Trädgården var stor och ogästvänlig. Lena gick efter honom längs långa gångar av geometriskt klippta buskar. En del av den ursprungliga skogen hade behållits, och träden kändes hotfulla i den mörka kvällen. Det kändes som om hon befann sig i en otäck saga, på väg till häxans stuga.

Mr Simeon väntade på att hon skulle hinna i fatt honom. – Vad ska jag ta mig till utan min kära hustru?

– Precis detsamma som ni gjort när hon varit här.

Han skrattade. – Ni är kvicktänkt, Lena. Det var bland det första jag lade märke till hos er. Stolt, intelligent och vacker. Ett fullblod, trots er låga ställning i livet.

– Tänker ni ta mig här, mr Simeon, där er fru kommer att ta farväl i morgon?

– Jag kan ju ta er i hennes egen säng. Vad får er att tro att lite gräs och några träd skulle hindra mig?

För första gången gick allt motstånd ur Lena. Hon stannade, och förtvivlan och utmattning färgade hennes svar. – Låt oss får det överstökat då. Jag ska dra upp kjolarna så att ni kan uppföra er som ett brunstigt djur. Eller ska jag ta av mig kläderna, så att ni kan kasta ner mig på marken och ta mig där? Mig spelar det ingen roll, för min själ är ändå fördömd genom det ni tvingat mig att göra. Så sätt i gång bara.

Han såg häpen ut. – Ger ni upp, Lena?

– Ni har ju vunnit. Jag bryr mig inte om det här mer än något annat jobb jag gör åt er.

Han slog till henne hårt över kinden så att hennes huvud kastades åt ena sidan. Hon lyfte handen och lade den mot den brännande huden, men hon sa inte ett ord.

– Klä av er!

Lena gjorde som han befallde utan att låtsas om att han såg på henne. Hon undvek inte hans blick utan såg rakt igenom honom och vek ihop kläderna som om hon hade all tid i världen.

Han drog ner byxorna. – Lägg er på rygg.

Hon suckade och sänkte sig ner på marken, där hon sträckte ut sig och stirrade upp på stjärnorna.

Mr Simeon lade sig över henne, och hon kände hans hand mot sitt bröst. Den masserade, drog och slutligen nöp för att tvinga fram ett stönande från henne.

Men Lena stönade inte. Hon räknade stjärnorna och tänkte på alla gånger hon och Terry hade älskat. Det var inte samma sak. Den här akten var en perversion, ett offer. Hon kunde stå ut med både den och helvetets flammor om det kunde hjälpa mannen hon älskade.

– Slyna! Han slog henne på nytt.

Förvånad slöt hon ögonen, men stjärnorna fanns kvar. James Simeon försökte tränga in i henne, men hon kände att han var för mjuk. Det var egendomligt, för varenda gång tidigare hade han varit som en skolpojke med sin första hora. Ett hånfullt skratt trängde upp i hennes strupe.

Han lät höra en rad grova svordomar och slog henne igen. Sedan lade han händerna om hennes hals och tryckte tummarna mot strupen.

Lenas ögonlock for upp, och hon flämtade efter luft. Hon vred sig vilt och rev honom, men han tryckte bara ännu hårdare. Han stirrade triumferande på henne och blev hård mot henne.

När hon vaknade var hon ensam. Hon kunde äntligen andas igen, men halsen brände och kändes svullen. Då hon satte sig upp fick hon se sin arbetsgivare försvinna bakom en häck. Fler mynt än vanligt glimmade i gräset vid hennes fötter.

Hon rörde vid halsen och visste att hon äntligen hade hittat hans svaga punkt. Men om hon utnyttjade den kunde hon dö nästa gång.

Terence hade inte älskat med sin hustru på flera månader, trots att han önskade det mer än han ville andas, äta eller till och med gå utan käpp. Först hade han inte tänkt på det, eftersom varenda rörelse fick en brännande smärta att dra genom hans kropp. Dessutom hade han vetat hur deformerad och ful han var, och raseriet hade trängt undan åtrån.

Men när han börjat träna och smärtan avtog hade passionen kommit tillbaka, och numera tänkte han inte på mycket annat än att ta Lena i famnen igen.

Han var inte längre mannen hon gift sig med, och han skulle aldrig mer bli det. Kinden hade ärr som aldrig skulle försvinna, benet var fortfarande förvridet och ena armen var nästan oanvändbar. Men Lena verkade inte tycka att han var ful. När hon hjälpte honom med badet dröjde hon ömsint vid hans skador, förundrade sig över hur mycket starkare han blivit och hur mycket rakare benet var sedan han börjat använda det.

Terence hade fått för sig att Lena letade efter ursäkter att röra vid honom. På natten, när han låg vaken bredvid henne, tryckte hon sig mot honom i sömnen som om hon inte alls fann honom frånstötande. En gång hade han vänt på sig och försiktigt lagt en hand mot hennes bröst, och hon hade suckat djupt och fortsatt sova.

Tidigare hade han aldrig varit rädd för att närma sig henne, inte ens på bröllopsnatten, och hon hade alltid gett sig till honom villigt och entusiastiskt. Men nu var han orolig att det skulle bli annorlunda. Han visste att hans nyfunna självförtroende skulle krossas för alltid om hon avvisade honom.

Och tänk om hon inte avvisade honom, men olyckan hade påverkat hans förmåga att älska med henne? Åtrån hade varit borta så länge att han undrade om den delen av honom också blivit skadad.

Lena pratade sällan om sitt arbete hos paret Simeon, men han visste att hon skulle arbeta sent i kväll för att förbereda morgondagens avskedsfest för mrs Simeon. Terence började bli mer hemtam i köket, och han hade försökt hjälpa till genom att ha middagen klar på kvällen när hon kom tillbaka.

Medan han väntade undrade han vad hon skulle säga om han tog henne med till sängen efter middagen i stället för att läsa för henne. Rowan hade redan kommit och gått och skulle inte återvända förrän sent.

Terence grubblade fortfarande när han hörde Lenas steg utanför dörren. Det lät som om hon släpade fötterna efter sig, så hon måste vara alldeles utmattad. Han lovade sig själv att han skulle studera ännu hårdare, så att han snart kunde ta arbetet James Simeon erbjudit honom och lätta hennes börda.

Dörren öppnades, och Lena stod på tröskeln. Hon såg rakt igenom honom som om han inte varit där.

– Lena? Han tog ett par steg mot henne.

Hon ryggade undan, och sedan fäste hon äntligen blicken på honom. Ögonen var röda, som om hon hade gråtit.

– Vad är det som har hänt? Då såg Terence vad hon försökt dölja genom att dra kappan tätt omkring sig. Han linkade fram och drog undan den för att undersöka skadorna runt halsen. – Berätta vad som hänt, Lena! Han höll hennes ansikte mot ljuset och såg att hon hade märken på kinderna också.

Hon darrade till. – En man hejdade mig. Han ville ha pengar. När han såg att jag inte hade några försökte han strypa mig.

– Min älskade vän. Han drog henne intill sig med sin friska arm. Det kändes fruktansvärt att inte kunna smeka henne över håret med den andra.

– Han hörde någon komma och sprang sin väg innan . . . innan han kunde skada mig.

– Är du säker på det? Du döljer väl inte det värsta för mig?

– Nej, nej.

– Vet du vem det var? Var det någon vi känner?

– Jag har aldrig sett honom förr. Hon flämtade till och sjönk ihop mot honom.

Det var knappt Terence kunde stå kvar upprätt. – Har du sagt det till någon? Pratade du med polisen?

– Nej, jag ville bara komma hem. Vad kunde jag säga till

polisen mer än att mannen ville ha mina pengar, var stark och luktade whiskey? Det finns tusentals starka män som dricker för mycket på Whiskey Island.

– Vi ska berätta det för Rowan. Han kommer att be dig rapportera det. Men du får inte gå hem när det är mörkt mer. Du måste ge dig iväg tidigare.

– Jag får inte välja när jag ska sluta.

– I så fall kommer jag och hämtar dig.

– Nej! Hon drog sig undan. – Det får du inte. Det blir för ansträngande, och vi har inte råd att ta en bil. Jag ska hålla mig på gator där det är mycket folk. I kväll var jag trött och var inte tillräckligt uppmärksam, men jag ska aldrig mer vara så vårdslös.

Terence var säker på att hon inte trodde honom om att kunna jaga iväg en angripare, och han visste att hon hade rätt. Han skulle inte duga mycket till om det blev slagsmål.

– Du behöver en riktig make, sa han bittert. En som kan försörja och skydda dig, inte en vekling som jag. Jag kan inte ta hand om dig, Lena. Jag kan inte ens ge dig ett barn. Vad har du för nytta av mig?

– Det är för din skull jag lever, försäkrade hon och lade händerna mot hans kinder.

– Jag kan inte ens älska med dig.

Hon spärrade upp ögonen. – Kan inte eller vill inte? Har doktorn sagt att den delen av dig aldrig mer kommer att fungera?

Terence fick inte fram ett ord utan stirrade bara på henne.

– Eller är det din självömkan som kommit tillbaka? Jag trodde att vi var klara med det, och ändå vägrar du att röra vid mig. Men jag behöver dig. Hennes röst blev gäll. – Jag behöver dig!

– Jag är rädd, erkände han med kvävd röst.

– Det är jag också. Tårar började rulla nerför hennes kinder. – Jag är rädd för mer än du någonsin kan förstå.

– Lena . . .

Han försökte hålla om henne men förlorade balansen. Med

armen om hans rygg stödde hon honom medan han återvann den, och innan han hunnit börja fundera över orsaken till hennes utbrott kysste hon honom.

Terence var genast förlorad. Alla tankar på att motstå impulserna var borta. Hon ville ha honom och han ville ha henne. Vad spelade det för roll om det inte gick bra, om han försökte och misslyckades? Det skulle komma andra nätter, en hel livstid av nätter, och någon gång måste de börja. Om de inte kunde lappa ihop det som fanns kvar av äktenskapet skulle de bli olyckliga båda två.

Lena darrade och han försökte dra henne närmare. Någon hade gjort henne illa och velat göra ännu mer. Hon kunde ju ha blivit våldtagen av mannen som angripit henne. Vilken tur att det kom någon och skrämde bort honom!

– Lena . . . Han kysste hennes tårdränkta kinder. – Förlåt mig, käraste. Jag har varit så självisk.

– Nej, det spelar ingen roll. Men älska med mig, Terry.

Han visste inte vem som hjälpte vem in i sovrummet och av med kläderna, men när han såg på hennes nakna kropp visste han att allt skulle bli bra mellan dem. Hon hjälpte honom att lägga sig ovanpå henne, balansera på den friska armen och lägga det sneda benet mot hennes.

De hade ofta kysst och smekt varandra länge innan han trängde in, men i kväll hade de för bråttom. Det gick snabbt för Terence, och när han sjönk ner mot henne kände han sig som född på nytt.

– Åh, Terry, snyftade Lena mot hans axel.

– Gjorde jag dig illa?

– Nej, nej . . . Hon fortsatte gråta.

Han rullade bort från henne och försökte hitta ett sätt att ta henne i famnen. Hon kröp ihop hos honom och grät allt häftigare.

– Så ja, min älskade. Han smekte hennes hår och kysste henne i pannan. – Jag vet hur svårt du har haft det.

– Nej, du vet inte . . .

– Jo då, försäkrade han och kysste henne igen.

Lena grät tills hon inte längre hade några tårar kvar, och Terence smekte hennes hår tills han somnade av utmattning och tillfredsställelse.

*

Lena kunde inte ligga kvar i sängen. Bilder av James Simeon fyllde hennes huvud, och som aldrig förr önskade hon att hon kunde döda honom. Om hon haft möjlighet skulle hon ha gjort det i kväll, för allt han utsatt henne för. Allt hon låtit honom göra. Och för lögnerna hon hade tvingats till.

Tårarna var inte slut i alla fall, utan de fortsatte strömma medan Terence sov vidare. De rann nerför hennes kinder när hon reste sig upp, precis som Terences säd rann ur hennes kropp. Hans och James Simeons, och Simeons brände som syra mot hennes ömma lår.

Eftersom hon behövde Terences tröst och kärlek hade hon låtit honom få som han ville i kväll, trots att hennes livmoder fortfarande var fylld av den andre mannens gift. Men vad var hon för slags kvinna som kunde gå från en man till en annan? Vem var hon, som kunde räkna stjärnor medan en usling som James Simeon trängde in i hennes kropp? Hur kunde hon ljuga för mannen hon älskade?

Varför hade hon inte dödat mr Simeon innan allt detta hände? Hon kunde ha tagit en kökskniv och stuckit den i hjärtat på honom redan den första kvällen. Vem skulle ha trott att hon skyldig? Det hade inte funnits några andra tjänare i huset, och hon var intelligent nog att kunna sopa igen spåren efter sig och ljuga för polisen. Då skulle hon ha varit av med Simeon för evigt, och hon trodde inte att synden skulle vara större än de hon begått sedan dess.

Om Simeon varit borta skulle hon ha kunnat övertala Julia Simeon att låta Terence fortsätta med utbildningen. Lena visste att hon resonerade som en galen kvinna, men tanken på att döda James Simeon var så uppmuntrande att den torkade hennes tårar. Sedan skar plötsligt insikten om hur hon egentligen resonerade igenom dimman av ursinne.

– Heliga Guds moder! Hon blundade hårt där hon satt i sängen, medan Terence sov som han inte gjort på flera månader.

Hon var förfärad över sina tankar. Hennes själ var redan förlorad, men det här var annorlunda. Hon hade inte haft mycket att välja på när hon låtit mr Simeon få som han ville, men ett mord var något hon själv skulle utföra. Vad var hon för slags kvinna som ens kunde tänka på något sådant?

Lena hade biktat sig efter det att Simeon börjat tvinga sig på henne, men den särskilda synden hade hon inte bekänt. Hon hade bara bett om Guds förlåtelse inom sig, men visste att hon aldrig skulle få den.

Nu förstod hon vad hon måste göra. Hon skulle gå till fader McSweeney redan i kväll och få honom att lyssna på henne. Hon måste berätta vad hon hade gjort, och ännu värre, vad hon ville göra. Om hon inte biktade den här synden så fort som möjligt visste hon inte vad som skulle kunna hända med henne.

Eller med James Simeon.

Det var fortfarande tidigt. Hon och Terence hade inte ens ätit sin middag. Hon steg upp och klädde sig snabbt, och sedan gick hon ut igen medan Terence fortsatte sova.

*

Vandringen blev lång, och nattluften kändes kall mot Lenas upphettade hud. Hon undvek barerna och de mörkaste gatorna och gick uppför vägen mot kyrkan så tyst hon kunde. När hon kom fram steg hon in i mittskeppet och väntade på att ögonen skulle vänja sig vid ljusskenet.

Det fanns ingen annan i kyrkan. Hon var lika ensam som under de minuter då hon väntade på att mr Simeon skulle tömma sin säd i henne. Gud hade varit frånvarande då, och han tycktes vara det nu också.

Lena doppade fingrarna i det heliga vattnet och gjorde korstecknet trots att hon tyckte att hon smutsade ner vattnet. Hon knäböjde hastigt och skyndade sedan in i en bänkrad halvvägs uppför gången. Där böjde hon huvudet så att hon inte skulle behöva se Kristus på korset och statyn av den heliga jungfrun. Hon var inte värdig att se på dem eller ens vara där, men vart skulle hon annars gå med sin fasansfulla hemlighet?

Hon visste inte hur länge hon hade knäböjt när hon hörde steg närma sig. Det var fader McSweeney. – Lena? Hur är det med dig? Är du sjuk?

– Ja, i hjärtat, fader.

Han såg inte förvånad ut. – Har du kommit för att tala med Herren eller med mig?

– Herren vill inte lyssna på mig, fader.

– Han lyssnar alltid.

Ljusens gyllene glöd tycktes sväva runt prästens huvud, och ett ögonblick blev hon skrämd av hans skönhet. Han var en hämnande ängel och hon själv den värsta sortens synderska.

– Han lyssnar *alltid*, upprepade fader McSweeney. Det får du inte tvivla på.

– Herren lyssnar inte på obotfärdiga syndare.

– Menar du att du skulle vara obotfärdig?

– Jag ville inte begå min synd, men den tvingades på mig.

Fader McSweeneys ansikte blev bekymrat. – Vill du bikta den?

Lena tvekade. Det var därför hon kommit, men nu visste hon inte hur hon skulle göra. Skulle inte hennes synd bli ännu större om hon bekände den och sedan fortsatte arbeta för Simeon – och underkasta sig hans lustar?

– Bikten är till för allt som oroar dig. Fader McSweeney kom in i bänkraden och satte sig bredvid henne.

– Jag kan inte bikta mig.

– Varför inte?

– Även om jag vet att jag syndar kommer jag att göra det igen.

– Det låter oroande. Du vet att du syndar, men ändå tänker du fortsätta?

Hon kände sig liten inför prästens storlek och andekraft.

– Fader, tala om för mig vilken synd som är värst, att göra något man vet är fel för att skydda dem man älskar eller att låta dem gå under därför att man är rädd om sin odödliga själ?

– Du talar i gåtor.

– Jag talar om mitt liv! utbrast hon förtvivlat.

– Ska du inte berätta för mig vilken synd du har begått och varför? Jag tror att det skulle vara en bra början.

Lena blev häpen över att han lät henne bekänna där i stället för i biktstolen. Hon kände sig både tacksam och rörd när hon förstod att han försökte göra det som var bäst för henne. Men hon kunde inte berätta det, inte ens när hon satt bredvid honom i det mjuka ljusskenet.

– I så fall måste jag gissa, sa fader McSweeney. Och min gissning kommer nog att bli värre än sanningen.

– Ingenting kan vara värre, fader.

Han såg bister ur. – Har du lämnat din make och hittat en man du tycker bättre om? Tänker du bryta dina vigsellöften?

– Nej, jag älskar Terry! Jag skulle aldrig lämna honom. Allt jag gör är för hans skull!

– Och vad är det du gör? Stjäl du för hans skull? Eller ljuger?

– Jag begår äktenskapsbrott för hans skull, fader.

Prästen blev tyst, men hon såg att han knöt händerna. Hans mänskliga reaktion, känsloyttringen från en man som borde avhålla sig från sådana, lossade Lenas tunga. Hon berättade med hopplös, monoton röst vad James Simeon gjort mot henne och varför hon tillåtit det.

– Om jag hade sagt ifrån skulle jag aldrig ha hittat en annan tjänst, slutade hon. Han sa det själv. Terry skulle inte få utbilda sig, och våra föräldrar skulle aldrig kunna lämna Irland. De skulle inte ens överleva.

– Lena . . . Fader McSweeney skakade på huvudet.

– Tro mig, jag uppmuntrade honom inte, fader. Jag försökte hålla mig undan från honom och alltid vara tillsammans med andra när han var hemma. Jag klädde mig blygsamt och . . .

– Det räcker.

Hon tystnade.

– Det var alltså därför mr Simeon gjorde som jag bad när jag berättade om Terence, sa fader McSweeney till slut. Jag trodde att han helt enkelt ville ge sin goda sida en chans, men djävulen har många skepnader.

Lena hade förväntat sig vrede, eller åtminstone en runggande straffpredikan om vad hon gjort och vilket slags kvinna hon blivit. Aldrig hade hon kunnat tänka sig att prästen själv skulle ta på sig en del av skulden.

– Ni visste ingenting, sa hon. Det kunde ni inte ha gjort. Ni var inte där, så ni såg inte hur han tittade på mig ända från början.

– Mitt stackars barn!

Hon hade trott att hennes tårar var slut, men nu upptäckte hon att hon haft fel. Fader McSweeneys vänliga röst och prästerliga vrede hade rört vid hennes hjärta som ingenting annat kunnat göra.

– Du får inte gå tillbaka till det arbetet mer, avgjorde han när hon äntligen slutat gråta. Du måste bikta dig i kväll och göra bot, och du får aldrig återvända.

– Hur ska det då gå med Terry och våra föräldrar? När vädret blir bättre kan jag sälja mat i hamnen igen, men det räcker inte för att betala våra skulder. Terry måste få fortsätta studera. Han lär sig så snabbt, och snart kommer han att kunna hitta ett annat arbete. Men inte än. Han har fortfarande mycket kvar att lära sig. Och våra föräldrar kommer att få lida fruktansvärt.

– Jag ska prata med James Simeon, lovade fader McSweeney.

– Han kommer att säga att jag ljuger, och sedan avskedar han mig och berättar sin version av historien för alla som vill lyssna. Både ert och mitt namn kommer att trampas i smutsen.

– Inte bryr jag mig om vad Simeon och hans gelikar säger om mig!

– Det kan i alla fall inte leda till något gott.

– Men inte tänker du väl gå tillbaka dit? Mannens hustru ska ju lämna landet, och då får han ännu fler tillfällen att vara ensam med dig.

– I kväll tänkte jag på att döda honom, erkände hon. Inte medan . . . medan vi var tillsammans, men senare, när jag var hemma hos Terry. Jag fantiserade om hur bra det skulle kännas och till och med om hur jag skulle bära mig åt. Jag var fast besluten att göra det.

– Du *kan* inte gå tillbaka! Hör du inte vad det är du säger? Om du återvänder till det huset kommer det att hända något förskräckligt.

– Något förskräckligt *har* redan hänt, och min själ är redan förlorad.

– Nej, det är den inte, men du kommer att bli dömd för evigt om du låter det fortgå eller höjer din hand i vrede. Jag ska hitta ett sätt att hjälpa dig.

– Hur då? Är ni mäktigare än James Simeon? Eller är era vänner mäktigare? Lena började resa sig. Hon kunde inte bikta sin synd eftersom hon skulle begå den igen.

Fader McSweeney lade en hand på hennes arm. – Du ska börja arbeta hos mig. Han fortsatte tala när hon började protestera. – Min hushållerska är gammal och klagar på att hon blir trött, så det är dags att hon flyttar hem till sin dotter. Jag kan inte betala så mycket, men du får i alla fall mer än om du säljer mat i hamnen. Och jag ska själv hjälpa Terence med hans utbildning. Han kommer naturligtvis inte att få något arbete hos James Simeon, men frågan är om han skulle ha fått det ändå. Det var säkert bara en lögn för att invagga mig i säkerhet. Jag har andra förbindelser, så när Terence är redo för det kommer vi säkert att hitta något.

– Ni har inte tid, invände Lena. Hans lärare kommer till honom varenda dag.

– Då ska jag också göra det, som en botgöring.

Hon såg förvånat på honom. – Vad har ni att göra bot för?

– Jag borde aldrig ha trott på James Simeon. Jag vet vad

han är för slags människa, och jag hade mina tvivel. Men jag tystade dem och var stolt över det jag åstadkommit för dig och Terence. Jag tyckte att jag varit duktig. Och under de senaste veckorna har jag sett att du inte mått bra, men jag har inte frågat mig varför. Jag ville tro att allt var som det skulle, och för det ska jag betala så länge jag lever.

Hon lade fingertopparna mot hans hand, för han var inte längre en präst utan en vän. – Fader, det är väl ingen synd att hoppas på det bästa?

– Nej, men det är alltid en synd att blunda för det värsta.

Värken i Lenas hjärta lättade. Hon hade inte kommit för att hitta en lösning på sin fasansfulla situation, men ändå hade hon fått en. Och nu började hon inse att den kunde fungera.

– Vad ska jag säga till min make? frågade hon när de hade suttit tysta i flera minuter. Hennes hand låg fortfarande kvar mot hans.

Fader McSweeney såg bistert på henne. – Inte det du har berättat för mig.

– Säger ni att jag ska ljuga för honom?

– Sanningen kan krossa honom.

– Då ska jag säga att mr Simeon varit ovänlig mot mig. Det är i alla fall sant. Och när jag gick till er och erkände att jag inte längre kände mig trygg i hans hus erbjöd ni mig arbete hos er i stället.

– Ja, mer än så behöver han inte veta. Och säg att jag glä-der mig åt att få undervisa honom. Vi ska börja med latin också.

Hon försökte le, men ögonen fylldes åter med tårar så hon nickade bara.

Han flätade samman deras fingrar. – Vi ska gå till biktstolen nu, men jag vill att du ska höra min bikt först.

Häpet såg hon upp på honom genom tårarna.

– En präst måste älska alla i sin församling, och jag an-stränger mig mer än någon vet. Men några är kärare för mig än andra, och du och Terry finns bland dem. Förlåt mig, Lena, för att jag tillät att du fick lida så. För den del jag hade i det.

Hon kramade hans hand, och han såg ner på deras sammanflätade fingrar och skakade på huvudet.

En timme senare, när Lena nästan nått fram till sitt hem, steg en man ut genom en dörr och ställde sig alldeles framför henne.

Hon lade handen mot hjärtat. – Rowan?

– Lena, vad gör du ute vid den här tiden på kvällen?

Hjärtat dunkade hårt. För ett ögonblick hade hon trott att lögnen hon berättat för Terence blivit verklighet. Eller ännu värre, att mr Simeon själv hade följt efter henne.

– Jag har varit i kyrkan. Hon drog kappan tätare omkring sig, för en tjock dimma svepte in över Whiskey Island utifrån sjön.

– Har du varit där nu? Varför det?

Hon undrade vad hon skulle säga. Men han skulle snart få veta att hon inte längre arbetade i paret Simeons hus, så det kunde hon i alla fall berätta.

– Fader McSweeney hjälpte mig att bestämma vad jag skulle göra. Jag ska börja arbeta som hans hushållerska.

– Jag förstår ingenting. Jag trodde att du trivdes hos paret Simeon? Lönen är bra, och arbetet är inte särskilt hårt. Bloomy och Nani tycker så bra om dig, och det gör de andra tjänarna också. Och tänk på vad James Simeon har gjort för Terence.

Lena tyckte mycket om Rowan, och han var Terrys bäste vän, men hon visste att han var hetlevrad och inte skulle hålla tyst om hon avslöjade sanningen.

– Mr Simeon är inte alltid vänlig mot dem som arbetar hos honom. Han var inte snäll mot mig.

Hans ögon smalnade. – Vad har han gjort mot dig, Lena? Det måste vara något allvarligt, annars skulle du inte sluta.

– Oroa dig inte, jag kommer inte att återvända.

Innan hon hann vända sig bort grep Rowan tag i henne och vände henne mot gaslampan i hörnet. – Du har gråtit. Och du har blåmärken på kinderna.

– Det är över nu, och jag tänker inte låta dig oroa Terry

med det. Det som är gjort är gjort, men jag har en framtid nu. Snälla Rowan, grubbla inte över det som redan är avslutat.

Han släppte henne inte. – Du vet väl att du kan komma till mig om du har bekymmer, Lena?

– Ja då.

Rowan lät handen falla, men Lena såg att han inte var nöjd. Hon förstod att han skulle forska vidare i saken och göra det han ansåg sig behöva för att ställa allt till rätta. Egentligen hade hon inte varit ensam någon gång, även om hon hade känt det så.

– Kom så går vi hem.

Han höll ut sin arm, och hon tog den. De gick resten av vägen under tystnad.

11 juni 1883

En präst lever sitt liv utan kvinnor. Jag minns hur min mor och mina systrar rörde sig över golvet. Deras smidiga, skickliga händer var alltid upptagna, deras läppar uttryckte beröm eller förmaningar och deras ögon dansade omkring i stugan medan de iakttog alla i vår stora familj och bedömde var och en av oss enligt sina höga normer.

Men det var allt jag visste om kvinnor. Jag såg dem naturligtvis varje dag och kände dem genom mitt arbete, jag hörde deras bekännelser, gav dem sakramenten och begravde dem bredvid män som sällan förstod deras rätta värde. Men jag har aldrig tidigare haft tillfälle att leva så nära en ung kvinna, aldrig kunnat iaktta någon på så nära håll eller insett kraften i ett leende och den ännu större kraften i en tår. Som vuxen har jag inte heller haft möjlighet att uppleva hemlivets ömsesidiga givande och tagande, eller den ljuva överraskningen när en anmärkning eller gest fullständigt fångar min egen känsla.

Lena Tierney städar mina rum och lagar min mat, men det är bara en liten del av det hon ger mig. Om mitt liv hade följt en annan bana skulle jag ha känt mig lycklig för evigt om min hustru bara varit hälften så behaglig.

Ur dagboken skriven av fader Patrick McSweeney, den heliga Birgits församling i Cleveland, Ohio.

29

Februari 2000

Nick kom till baren just som Caseys bil bogserades bort från parkeringsplatsen. Alla tre systrarna stod och tittade på med bistra miner när bärgningsbilen drog ut den på Lookout Avenue. Han hade aldrig tidigare tyckt att de var lika, men nu såg han att deras ansiktsuttryck var identiska. De påminde honom om åskmoln som samlades ovanför sjön.

– Jag misstänker att ni har dåliga nyheter. Han gick långsamt fram mot dem och hoppades att åtminstone Megan skulle vara mindre arg än hon såg ut.

Hon lyfte handen till en hälsning. – Det är någon idiot som har hällt socker i Caseys bränsletank och skurit sönder däcken.

Han vände sig mot Casey. – Vet du vem?

– Jag pratade just med Jon. En av dem som försökte stjäla min bil har släppts mot borgen.

– Tror du att det kan vara han?

– Han eller lastbilschauffören som Case nobbade förra månaden, inföll Megan. En av våra gäster såg honom här i närheten i går.

Peggy försökte lugna ner dem. – Det kan ha varit ungar som inte hade något bättre att göra. Det fanns ingen annan bil på parkeringen i går kväll efter stängningsdags, så det behöver inte ha varit något personligt.

– Vi kommer förmodligen aldrig att få veta det, sa Casey.

Men oavsett vem som gjorde det måste jag punga ut med självrisken, eller hur? Och jag kan inte låta bli att oroa mig för att det ska hända igen.

Peggy lade armen om Caseys midja. – Följ med in nu så ska jag brygga lite örtte åt dig.

Casey gjorde en grimas, men hon lät ändå Peggy dra med henne in så att Niccolo och Megan blev ensamma på parkeringsplatsen.

– Hur mår du? frågade hon.

– Fantastiskt, svarade han och log brett. Och du?

Hon log tillbaka, men inte lika strålande som han. – Nick, jag ångrar inte att vi var tillsammans, inte alls, men jag hoppas att du inte gör upp några omöjliga planer för oss.

– Vad då för planer?

– Jag sa ju att jag inte vill ha något förhållande, påminde hon.

– Livet blir roligare om man håller sig öppen för alla möjligheter. Jag tänker inte oroa mig om inte du gör det.

– Att oroa mig är det jag är bäst på, suckade hon.

– Jag är en stor pojke, så jag klarar mig.

Hon lade armarna om honom. – Ja, det är du.

– Kan du inte följa med mig hem? Det är något jag vill visa dig.

– Nej, jag kan inte. Jag måste baka i kväll och förbereda morgondagens lunch.

– Vi kan äta en tidig middag, föreslog Nick, och sedan lovar jag att jag ska släppa iväg dig.

– Arbetslaget då?

– Vi har tur. Det var ingen som dök upp i eftermiddags.

– Jag lovade Casey att jag skulle hämta Ashley i den heliga Birgits förskola. Hon har ju ingen bil, och Borta Bra . . . Ja, Casey har inte det rätta tålamodet med den bilen.

– Vi hämtar Ashley tillsammans, så kan hon också följa med hem till mig.

– Ja, det förstås . . .

Megans ansikte var bara några centimeter från hans, och

han undrade om hon skulle känna sig pressad om han kysste henne där på parkeringsplatsen. Hon log, ställde sig på tå och tog ifrån honom beslutet.

*

Sex ungdomar väntade på Niccolos veranda när han och Megan kom dit. Han hade lämnat ett meddelande där han skrivit att han kanske inte skulle komma tillbaka på eftermiddagen, men de hade alltså valt att vänta och se.

– Jag trodde faktiskt inte att vi skulle ha sällskap. För första gången ångrade Niccolo att han någonsin släppt in Winston och Josh i huset.

– Det gör inget, försäkrade Megan. Jag har inte sett dem på ett tag, och Ashley tycker säkert om att få sällskap.

Niccolo var inte så säker på det. Ashley levde i sin egen värld, en värld som ingen fyraåring borde känna till. Han var orolig för henne, eftersom han lärt sig att känna igen tecken på barnmisshandel.

Han vände sig om och såg på flickan, där hon satt i bilbarnstolen Casey gett honom. – Det är några tonåringar här som brukar hjälpa mig att reparera huset. De är högljudda, men de är snälla.

Ashley hade suttit hopsjunken med tummen i munnen, men nu rätade hon på sig och sken upp.

– Hon tycker om ungdomar, sa Megan tyst. Det går bra.

Det gjorde det. Niccolo presenterade Ashley för tonåringarna, som var artiga men tillräckligt likgiltiga för att inte skrämma henne. När de kom in travade hon iväg efter Elisha, som hade med sig en skolkamrat vid namn Jo Ellen. Elisha tog genast med sig sin vän och Ashley för att visa dem huset.

– Det var intressant, sa Niccolo till Megan. Jag trodde att hon var rädd för främlingar.

– Ja, definitivt för vuxna främlingar. Hon är inte avslappnad tillsammans med barn i sin egen ålder heller, men äldre barn och ungdomar trivs hon med. Hon avgudar Peggy, och jag har sett henne tillsammans med mina kusiners tonårsdöttrar och det går också bra.

– Har hon några äldre syskon?

– Casey har inte sagt något om det, och inte Ashley heller.

– Pratar hon om sitt förflutna? undrade Niccolo.

– Nästan aldrig. En gång sa hon något om att hon hade försvunnit.

– Vad tror du att hon menade med det?

Megan ryckte på axlarna. – Hon saknar sin mor, det har hon sagt ett par gånger.

Niccolo tyckte att det var en egendomlig situation, men han var ändå glad över att den lilla flickan kommit ut ur sitt skal. Efter rundturen hjälpte Ashley de andra två flickorna att lägga papper på hyllorna i linneskåpet. När de trodde att Nick och Megan inte såg lät de till och med Ashley försöka spika fast papperet, och hennes leende var värt det arbete Nick skulle få med att göra om jobbet.

Efter några timmar tröttnade ungdomarna och gav sig iväg den ena efter den andra. Niccolo hade bestämt sig för att aldrig ge dem mat efter klockan fyra, för om han gjorde det skulle de säkert flytta in för gott.

Vid det här laget hade han träffat några av deras föräldrar, som kommit hem till honom en i taget för att se vad deras barn sysslade med. Han tyckte om dem han hälsat på dittills, och de hade verkat stolta över det deras barn åstadkommit.

Winstons och Elishas mor hade gått rakt på sak och frågat ut honom ordentligt innan hon visade sitt första leende. När samtalet var över hade han lovat prata med Winston om vikten av att gå kvar i skolan.

Niccolo hade inte träffat Joshs far, och av det han hört av de andra barnen förstod han att han förmodligen aldrig skulle få göra det heller. Det var nog bara en tidsfråga innan Josh flyttade hemifrån för att komma undan sin fars våldsamhet. Niccolo hade ringt ett par samtal och fått veta att myndigheterna redan hade situationen under uppsikt, men tyvärr tycktes det vara svårt att hitta ett alternativ åt pojken.

Som vanligt var Josh den siste som lämnade huset. Megan och Ashley var på övervåningen och städade, så Niccolo var ensam i hallen med pojken.

Han bestämde sig för att sluta gå som katten kring het gröt. – Du har det rätt besvärligt hemma, eller hur?

Josh harklade sig.

– Vad tänker du göra åt det?

Pojken svarade inte utan skakade bara på huvudet och stoppade händerna i fickorna på den slitna jackan.

– Som jag ser det har du ett par alternativ. Du kan försöka stå ut tills du har gått ut high school och klarar dig själv, eller också kan du be myndigheterna om hjälp att hitta ett annat ställe att bo på under några år. Nick ville vara helt ärlig. – De kommer att försöka skaffa en plats i ett grupphem åt dig, men de gör det inte förrän du ber dem eller det blir ännu värre. Men om du väntar för länge kanske de inte kan göra något för dig.

– Har du pratat med någon?

– Jag är orolig för dig.

– Det är inga problem, hävdade pojken. Jag kan ta hand om mig själv.

– Är du i fara hemma, Josh? Är du rädd att du ska bli skadad?

Pojkens ansiktsuttryck sa allt, även om han försökte dölja sina känslor. – Pappa är inte så hemsk. Det är bara när han har druckit.

– Men det gör han rätt ofta, eller hur?

Josh tittade ner på sina fötter. – Jag håller mig ur vägen för honom.

– Har ni ett stort hus?

Josh skakade på huvudet igen.

– Hur kan du då hålla dig undan?

– Jag sover över hos kompisar. Winstons mamma låter mig ligga på golvet hemma hos dem när jag ber om det. Men jag vill inte fråga henne för ofta, för då kanske hon säger nej när jag verkligen behöver det. Jag försöker gå till olika ställen, men ibland glömmer jag att ta med mig skolböckerna och då får jag skäll i plugget.

Niccolo föreställde sig att det var svårt att komma ihåg saker som skolböcker när man försökte hålla sig osynlig för att inte få stryk eller för att ens far inte skulle bli anmäld för barnmisshandel.

– Vad skulle du säga om att flytta hit?

Orden kom över Niccolos läppar innan han hunnit tänka efter. Han visste bara att Josh var en bra pojke som förtjänade ett tryggare liv. Och det fanns egentligen inget alternativ. Fadern kunde gå över gränsen när som helst och skada honom allvarligt – eller ännu värre. Och grupphemmen var överfulla, om det ens gick att hitta ett.

Men Niccolo hade ett hus, och han hade plats för Josh både i sitt hem och i sitt hjärta. – Vi måste prata med din far i så fall, fortsatte Nick. Han måste godkänna att du bor här och att jag får den lagliga vårdnaden om dig. Tror du att han vill skriva under på det, eller måste vi blanda in myndigheterna?

– Han vill inte ha mig, svarade Josh. Det är aldrig någon som har velat det.

– Jo, jag.

Det sorgsna ansiktet ljusnade, men Josh var inte den som trodde att saker och ting kunde ordna sig så lätt. – Jag ska inte vara i vägen, lovade han. Jag kan sova på vinden.

– Nej, du får välja vilket av sovrummen på övervåningen du vill ha, så skaffar vi lite möbler. Om du sover på vinden känns det som om vi låtsas att du egentligen inte bor här.

– När kan jag flytta hit? ville han veta.

– Hur dags kommer din far hem från arbetet?

– Sent.

– Jobbar han kvällsskiftet?

– Nej, men han går ut, berättade Josh.

– Då åker vi över till ert ställe om en stund och hämtar dina kläder, och så kan jag prata med din far i morgon innan han går till jobbet.

– Jag kan hjälpa till, städa och laga mat och så. Eller också kan jag skaffa ett jobb och betala.

– Var ett barn bara, Josh. Det är allt jag vill. Och gör ditt bästa i skolan.

– Jag . . . Jag är inte särskilt bra i plugget.

Niccolo blev inte förvånad. – Det kommer du nog att bli när du får det lite lugnare. Vi ska jobba på det.

Josh såg inte övertygad ut. – Jag skulle sova över hos Joachim i kväll. Vi bestämde att jag skulle komma dit efter middagen.

Efter *Joachims* middag med andra ord. Niccolo misstänkte att Josh skulle ha fått klara sig utan. – Vill du ringa honom?

– Han har ingen telefon. Kan jag gå och säga till honom på en gång?

– Javisst, men kom tillbaka i tid till middagen. Jag ska laga spagetti.

– Vill du att jag ska äta här också?

– Ja, varenda måltid, om du inte har blivit bjuden till någon annan.

Tanken att bli bortbjuden på middag tycktes vara helt främmande för Josh, men han nickade allvarligt. – Jag äter inte så mycket.

– Det är bäst att du gör det, för annars tror jag att det är något fel på min matlagning.

Josh log prövande. – Du lagar jättegod mat!

– Min är ännu bättre, hördes det uppifrån trappan. Det var Megan som kom ner tillsammans med Ashley. – Blir vi fyra till middagen?

– Josh ska gå ett ärende, men han kommer tillbaka sedan.

– Jag ska bo här! utbrast Josh.

Megan snubblade inte i trappan, men en fot blev hängande mellan två steg. – Ska du? Vad bra!

Pojken seglade ut genom dörren, men han stängde den försiktigt bakom sig som om han var rädd att han skulle väckas upp ur en dröm om han slängde igen den.

– Skojar han, Nick?

Niccolo låtsades vara förvånad över sig själv. – Nej, jag sa faktiskt att han kunde bo här. Var fanns du när jag behövde dig?

– Som om det skulle ha spelat någon roll vad jag hade sagt.

Niccolo blev allvarlig. – Han blir misshandlad av sin far. Jag kan inte låta honom bo kvar där längre.

– Ännu en Billy, alltså? Ännu en Rooney? Men den här gången är det en sjabbig unge, inte en hemlös man.

Han tyckte inte om jämförelsen, men eftersom det inte fanns någon kritik i hennes röst kunde han inte förneka att hon hade rätt. – Andra samlar fotbollar eller antika fiskeredskap.

– Jag tycker synd om den kvinna som gifter sig med dig. Hon kommer aldrig att veta vem som sover i gästrummet.

– Om jag var gift skulle jag fråga henne först.

– Och sedan skulle hon få vara djävulens advokat mot Guds röst? För du tror att du är kallad att göra det här, eller hur, Nick?

Han hade aldrig tänkt på saken på det sättet. Det lät otroligt pompöst. – Jag vet inte.

– De flesta av oss har nog med att få ihop pengar till avbetalningarna eller hitta rätt nyans på nagellacket. Vi oroar oss inte för Guds plan för våra liv, men en väldigt stor del av dig är fortfarande präst.

Niccolo tyckte att det lät som om de var på väg att börja gräla, och han försökte avvärja det med ett varmt leende. – Du är rätt kvinna att ändra på det . . .

– Hur ska någon kunna jämföra sig med dig? Du är skrämmande, vet du om det? För bra för att vara sann.

– Det där tror du inte på själv, fnyste han. Alla försöker göra det rätta, enda skillnaden är att jag berättar hur jag försöker. Det bör man göra när man är intima.

– Det behöver man inte alls. Ingen som jag har varit intim med har brytt sig om vad jag kämpat med, om det inte har varit att ta av mig kläderna.

– Det är inte intimitet, Megan, utan sex. Det är inte samma sak.

– Hur vet du det? utbrast hon. Är du en sådan expert?

I början av diskussionen hade Ashley gått ut i köket, antagligen för att kontrollera sitt hyllpapper. Nu kom hon tillbaka till hallen. – Det var en farbror vid skolan som såg ut som min pappa.

Niccolo tittade ner på den lilla flickan, som hade stannat mitt emellan honom och Megan. Han ville fortsätta diskussionen, men visste bättre än att göra det inför ett barn.

– Jaså?

– Han satt i en bil.

Megan böjde sig ner framför Ashley. – Var det din pappa, raring?

– Min pappa bor i Florida. Hon spärrade upp ögonen som om hon avslöjat en hemlighet.

– Då var det nog inte han, trodde Megan. Florida ligger långt från Ohio.

– Men du önskar att det var din pappa, gissade Niccolo.

Ashley skakade långsamt på huvudet.

– Åkte mannen sin väg? fortsatte Megan. Eller pratade han med dig?

– Åkte. Ashley sken upp. – Lisha lät mig klippa papperet. Vill ni se?

– Javisst. Du tycker om Elisha, eller hur?

– Hon är som Becca.

– Vem är det?

– Min barnvakt. Hon tog hand om mig när mamma var upptagen. Becca vet allting.

Megan log och strök håret ur pannan på Ashley. – Jag önskar att jag också visste allt. Hon kastade en blick på Niccolo. – En del människor är lyckliga.

Eller inbilska. Han förstod att hon retades med honom. – Vad skulle du ha gjort då, Megan? Skulle du ha skickat hem Josh i kväll trots att du visste vad som väntade honom? Han var rädd för att gå härifrån.

Hon rätade upp sig. – Jag skulle antagligen inte ha tänkt på det över huvud taget.

Han visste att hon ljög, men problemet var att hon inte själv insåg det. – Jag tänker börja med spagettisåsen. Du kan väl sätta på tv:n åt Ashley?

Ett ögonblick trodde Niccolo att Megan skulle hitta på en ursäkt och åka hem, men hon nickade. – Kom då, Ashley. Jag tror att det är dags för Mupparna.

– Kan jag inte få titta på nyheterna i stället?

– Nyheterna? utropade Megan förvånat.

Ashley log. – Ja, då kanske jag får se min mamma.

30

– Jag är rasande, så jag är ett uruselt sällskap. Gå din väg.

Jon steg över tröskeln till Caseys lägenhet och knäppte upp rocken. – Om jag gör det förlorar du chansen till en färd på flygande matta härifrån.

Casey såg hånfullt på honom. Hon var på ett förskräckligt humör och delade gärna med sig av det. – Vem är det som väljer dina kläder? frågade hon anklagande. Kom inte och påstå att du gör det själv, för jag minns hur du brukade klä dig. Det var inte alls så där snyggt.

– Jo, jag gör det själv. Det krävs ingen större begåvning för att ta en mörk kostym från en ställning och bära den till kassan. Han log avväpnande. – Det är kanske mannen och inte modesinnet som har förändrats?

Men Casey var inte redo att låta sig blidkas. Hon hade just fått ett samtal från bilverkstaden, och reparationen skulle gå på dubbelt så mycket som hon hade räknat med.

– Kontrollerade du biltjuven?

– Vi skickade hem en man till honom, berättade Jon, men han var inne hela kvällen och hans mor intygade det.

– Det var aldrig någon som tänkte på att en biltjuvs mor kanske inte är världens mest pålitliga? fräste hon.

– Mannen som förhörde dem var nöjd.

– Så bra då! Han är nöjd, och jag får lägga ut så mycket pengar att det skulle ha räckt till en hawaiiresa.

– Försäkringen täcker väl en del? antog Jon.

– Vem vet? Jag har inte fått besked än.

– Följ med mig bort från allt det här.

När Casey ringt för att berätta om bilen hade Jon velat bjuda henne på middag, men all uppståndelse med bärgningen och reparationen hade fått henne att skjuta undan tanken på det. Nu tog hon motvilligt fram det ur minnet igen.

– Ashley är hos Megan, men de kommer hem senare. Jag kan inte förvänta mig att Megan ska sitta barnvakt hela kvällen.

– Det är inga problem, jag tar hand om henne. Peggy kom ut ur sovrummet. Hon var klädd i en lång morgonrock och hade en handduk om huvudet, så det såg inte ut som om hon hade tänkt gå någonstans.

Då Casey bestämt sig för att flytta hem hade hon inte förväntat sig att systrarna skulle ta så stort ansvar för Ashley. Under åren då hon bott på andra platser hade hon glömt hur släkten trängde in i vardagen, lättade bördor på ett självklart sätt och lika självklart gav henne andra.

– Gör det inget då? frågade hon och hoppades nästan att Peggy kunde svara "jo". Casey var rädd att det skulle bli hennes sista kväll tillsammans med Jon eftersom hon var på så uselt humör.

Men Peggy tänkte inte samarbeta. – Varför skulle det göra något? Vi blir två här i stället för tre, det blir lite mindre trångt bara.

– Bra. Jag gör allt för att du ska slippa känna dig som en råtta i en bur.

– Gå nu, och kom inte tillbaka förrän du mår bättre.

Casey gjorde en grimas åt Jon. – Jag ska bara hämta kappan.

Jons bil var en obestämbar Sedan som påminde Casey om en civil polisbil.

– När vi gick i high school sa du att du skulle äga en Corvette innan du fyllde tjugofem, mindes hon med ett leende.

– Vad får dig att tro att jag inte gjorde det?

– Ditt livs historia.

– Luta dig bakåt och blunda, föreslog Jon. Vi är hemma hos mig om fem minuter.

– Skulle vi inte gå ut och äta?

– Jo, det kan vi göra om du vill. Eller också kan jag grilla ett par biffar i min öppna spis. Sedan kan vi tända en dånande brasa och du kan berätta om allt som bekymrar dig.

– Jag är på dåligt humör.

– Tror du inte att jag har märkt det? skrattade han.

– Om jag berättar varför kommer du att behöva en sopbil, varnade Casey.

– Jag har ett ändlöst tålamod.

– När jag är stressad festar jag, Jon. Jag pratar inte.

– Är det därför du har festat så mycket?

– Vad får dig att tro att jag har gjort det?

– *Ditt* livs historia.

Medan de körde mot Lakewood tänkte Casey på det Jon sagt. Som ung hade hon bestämt sig för att ha roligt för att jaga bort mardrömmarna. När hon flyttat hemifrån hade hon varit tvungen att anstränga sig för att inte tänka på systrarna eller Rooney, och när det förflutna överväldigade henne hade hon gått ut för att söka efter det roliga hon kunnat hitta. Hon hade inte varit noga med vilka män hon tillbringat sina ensammaste timmar tillsammans med, och hon inte heller varit noga med var hon gjort med sin kropp.

Hon slöt ögonen. – Omkring två år efter att jag hade flyttat hemifrån vaknade jag bredvid en främling en morgon. Jag visste inte vem han var eller var jag befann mig och undrade om huvudet fortfarande satt kvar på plats.

– Gjorde det det?

Det fanns fortfarande tillfällen då hon tvivlade. – Efter det skärpte jag mig. Jag blev rädd.

– Men du fortsatte att försöka ha kul?

– När jag nyktrat till den där morgonen insåg jag att jag kunde ha gjort något som skulle plåga mig under resten av livet. Det var lyckligtvis inte så, men efter det började jag spara pengar för att kunna läsa på college. Jag förstod att jag hade varit på väg åt fel håll och hoppades att studierna skulle hjälpa mig att komma på rätt spår. Jag blev försiktigare, men jag fortsatte festa när jag kunde.

– Vilken Casey är du egentligen? Den som döljer sina känslor genom att dränka dem i det som finns till hands? Eller den som räddar barn som behöver henne och sörjer över dem hon inte kunde rädda?

– Den ena utesluter inte den andra, och förresten döljer jag inte mina känslor! utbrast hon ilsket. Det är inget fel att njuta av livet.

– Gör du det?

Hon svarade inte.

Jon skakade på huvudet. – Det blir svårt när du inte kan ljuga för mig, eller hur? Det är det som är problemet med att känna varandra så väl som vi gör. Man kan försöka, men man vet att man inte har stor chans att klara av det. Det är samma sak med mig.

– Är det? Vad skulle den perfekte Jon Kovats ha att ljuga om?

– Jag vet inte. Men livet skulle vara lättare om jag kunde låtsas att jag inte var kär i dig.

Hon blev förfärad över att han sa det rakt ut. – Du är inte alls kär i mig! Det där är något du har intalat dig så länge att du börjat tro på det. Jag är bara flickan som lämnade hemstaden. Alla har något oavslutat bakom sig, något man tänker tillbaka på med nostalgi, men det betyder inte att det är äkta känslor.

Jon svängde in på sin infart och stängde av motorn. – Är det allt?

Han lät alldeles för resonlig för att det skulle passa Casey. – Vi borde ha sex, så att du kan glömma mig sedan. Då skulle du upptäcka att jag inte är så märkvärdig.

– Du menar som att ta en värktablett mot baksmälla?

– Ja, ungefär.

– Och mer än så skulle det inte vara?

– Nej, påstod hon.

– Det låter bra för mig. Nu eller efter maten?

Hon stirrade på honom. – Vad menar du?

– Ska vi ha sex nu eller efter maten? Du vill ha roligt, och jag behöver få ordning på mina känslor. Två blir botade till priset av en. Nu eller senare? Han steg ur bilen innan Casey hann svara.

Hon steg också ur och slängde igen dörren efter sig. – Du är visst rätt säker på dig själv? Hur vet du att jag skulle få roligt?

– Det kan jag nog garantera.

– Det låter som en utmaning.

Han började gå mot huset. – Inte för mig. Jag vet vad jag duger till.

– Vad skulle du säga om jag bad dig bevisa det?

– Halleluja.

– Jag tror dig inte!

– Inte? Jon öppnade dörren och gjorde en gest att hon skulle stiga in.

– Nej, jag tror att du bara försöker få mig på bättre humör.

– Där har du fel.

– Verkligen? I så fall, vad skulle du säga om jag slet av mig kläderna här i hallen och drog ner dig på gammelfaster Magdas verandagolv?

– Att du skulle vänta tills jag hinner öppna innerdörren. Grannarna är så nyfikna här. Han låste upp den andra dörren och höll upp den också.

Casey steg in och lät sin kappa glida ner på golvet. – Mannen talar stora ord.

Han drog av sig rocken och kastade den ovanpå kappan. – Det gör kvinnan också.

– Tror du verkligen att det här skulle betyda mer för mig än alla meningslösa samlag jag varit med om? Att det skulle vara skillnad bara för att vi är vänner?

– Ja.

– Mannen tänker tydligen stort också.

– Det gör inte kvinnan, och det är hennes enda verkliga problem.

Casey var klädd i en silvergrå tröja med guldbroderier, och nu drog hon den trotsigt över huvudet och slängde den på klädhögen. – Jo då, jag tänker stort. Jag har planer för framtiden, och där finns inget förhållande. Kärleken är ingen garanti, Jon. Jag har sett lika många bra förhållanden misslyckas som dåliga.

– Det har du inte alls. Han slet av sig kavajen, slipsen och skjortan och lätt alltihop falla till golvet. – Du har inte sett några bra förhållanden, för du har inte lagt märke till dem. Ända sedan din far lämnade er har du koncentrerat dig på förhållanden där något blivit fel, för de har bekräftat din syn på världen.

Hon flämtade till när hon såg Jons nakna bröstkorg och breda axlar. Det var omöjligt att förstå hur en gänglig tonåring kunnat förvandlas till en grekisk gud. Hjärtat ökade takten, och plötsligt tycktes leken ha blivit något annat. Hon hakade upp behån, men tog inte av sig den. Inte än.

– Du har en hopplös medelklassmentalitet, du som brukade ifrågasätta allt. Nu är du som alla andra.

– Och trivs med det, nickade Jon.

Hon lät behån glida nerför armarna och sedan dingla ner på de andra plaggen. Deras blickar var som fastlåsta i varandra.

– Det här är på allvar, Casey. Du kommer att låtsas att det inte är det, och det gör mig inget. Så småningom kommer du att bli arg därför att du förstår att jag betyder något för dig och det skrämmer dig. Det gör inte heller något. Men jag vill inte att du ska ge dig iväg igen. Det fungerade inte förra gången, och det kommer inte att göra det nu heller.

– Det var inte dig jag flydde från.

– Inte?

– Vi var bara ungar, Jon. Barn.

– Det jag kände för dig hade inget med ålder att göra. Och det kommer aldrig att ha det.

Tårar steg upp i hennes ögon. Hon ville ta ett steg mot honom, mot Jon, sin käraste vän. För vad hon än kände eller inte kände hade hans ord rört vid något som var begravt mycket djupt inom henne.

Men hon behövde inte ta första steget, eftersom han gjorde det. Och efter det tog de alla steg tillsammans.

*

Casey var klädd i Jons badrock, som kändes behagligt grov mot hennes hud, och Jon hade dragit på sig en gammal träningsoverall. Jackan hade dragkedja fram, men han hade lämnat den öppen så att hon kunde känna hans hud mot kinden. Biffarna var uppätna, och deras älskog ett sjudande minne som fortfarande glödde inom henne. Hon satt hopkrupen i Jons famn framför brasan och såg flammorna sluka det senaste vedträet han lagt i.

– Jag borde åka hem, sa hon utan att göra någon ansats att resa sig. Ashley kanske vaknar och undrar var jag är.

– Peggy hör henne i så fall.

Casey kände Jons hand i sitt hår. Han tycktes vara fascinerad av det, och hon undrade hur länge han fantiserat om att låta fingrarna glida genom det. Hon hade upptäckt att hon själv utforskat honom på samma hungriga sätt, som om hennes fingertoppar i många år längtat efter att få smeka hans hud vare sig hon erkänt det för sig själv eller inte.

Ändå försökte hon förneka det hon kände. – Du har inte vunnit några strider, det förstår du väl? Ingenting har förändrats.

– Säger du det?

– Ja, lite annorlunda är det kanske. Jag kan inte komma ihåg att vi har suttit så här tidigare.

– Det är mycket du inte kommer ihåg, påstod han.

Hon fnittrade till och blev häpen när hon upptäckte att hon lät som en sjuttonåring.

Jon måste ha tyckt likadant, för han vågade sig på att prata om något känsligt som orsakade en spricka i hennes försvarsmur. – Innan du går vill jag att du berättar sanningen om Ashley.

En örfil kunde inte ha gjort henne allvarlig snabbare. Han kände tydligen hur hon stelnade till, för han drog henne ännu närmare intill sig.

– Jag har sagt sanningen, svarade hon.

– Nej, det har du inte. Men försök göra det nu.

– Vem är det jag pratar med, älskaren, vännen eller distriktsåklagaren?

– Berätta så mycket du kan utan att blanda in distriktsåklagaren.

– Ingenting, i så fall. Hon försökte dra sig undan. – Jag måste gå nu.

Jon kramade henne hårdare, inte för att tvinga henne att stanna utan för att övertala henne. – Åklagaren är ledig i kväll. Vad kan en älskare göra för att hjälpa till?

– Jag kan inte säga mer än jag redan har gjort.

– Låt mig gissa då. Ashley var ett av barnen du hade hand om. Du har tagit henne från hennes hem därför att myndigheterna inte kunde kontrollera vad som hände där trots att du var övertygad om att hon var i fara.

Casey suckade. – Nej, Jon. Det skulle ju vara kidnappning.

– Skönt att jag hade fel. Han väntade, men när hon inte förklarade något började han igen. – Tog du henne med föräldrarnas tillstånd tills de kunde ordna upp sina förhållanden? Mot myndigheternas vilja?

– Nej.

Hon ville så gärna avslöja sanningen för honom, och hade han inte varit åklagare skulle hon förmodligen ha gjort det för flera veckor sedan. Situationen var påfrestande för henne, men hon tyckte inte att hon hade något alternativ.

– Ingår du i ett nätverk som gömmer barn för deras vårdnadshavare?

Hon kunde varken andas eller svara.

– Casey . . . Jon skakade henne lite. – Har du blivit galen?

– Det är en rätt bra gissning.

– Hennes mor kommer inte att skicka efter henne, eller hur?

– Jon, vad tänker du göra med den här informationen?

– Vi pratar som vänner.

Hon visste inte exakt vad Jon var tvungen att rapportera, men hon förstod att han riskerade sin karriär om han fick veta mer och inte gjorde något åt det.

– Vi avslutar det här samtalet nu. Om jag säger mer kan det bli farligt för dig.

– Det är farligt för dig varenda dag. Tala om precis vad som pågår, så får vi se vad vi kan göra åt saken.

– Jag har inte bett om din hjälp. Jag har redan hjälp . . .

– Säg inte varifrån, det vill jag inte veta.

– Ashleys mor sitter i fängelse därför att hon vägrar tala om för myndigheterna var flickan befinner sig.

– Är Ashley hennes riktiga namn?

– Ja, just nu är det i alla fall det.

Jon suckade. – Hur blev du inblandad i det här?

– Jag vittnade i mordrättegången mot fadern till den lille pojken jag berättade om, och när jag stod i vittnesbåset bröt jag ihop. Någon tyckte väl att jag hade den rätta hängivenheten, för några veckor senare fick jag besök av en person som bad mig arbeta för nätverket. Ashley är inte den enda de gömmer, och de letar alltid efter positivt inställda människor som kan hjälpa till att ta hand om barnen.

– Och du bestämde dig bara för att gå med på det?

– Jag är utbildad socialarbetare och tog naturligtvis reda på allt jag kunde om Ashleys fall. När jag gjort det var jag övertygad om att nätverket hade rätt. Ashleys far *hade* begått övergrepp mot henne. Tecknen var otvetydiga, bevisen klara, men Ashleys far är miljonär. Hennes mor är däremot utfattig, för hon har ingen egen förmögenhet och fick ingenting vid skilsmässan. När hon försökte få vårdnaden om flickan hade hon inte en chans mot honom.

– Casey, jag . . .

– Kom inte och säg att det inte går till så! Han hade massor av advokater, och de lyckades få alla bevis ogiltigförklarade!

Jon såg misstrogen ut, men han nickade i alla fall.

Casey andades djupt innan hon fortsatte tala. – Ashleys mor skickade iväg henne. Det var enda sättet att rädda flickan från en fruktansvärd situation. Hon blev naturligtvis arresterad och kan få sitta i fängelse tills Ashley fyller arton. Men hennes dotter är åtminstone i trygghet.

– Har du haft Ashley från början?

– Nej, jag är den tredje placeringen, och det kommer att bli fler, svarade Casey sorgset. Hon är en underbar liten flicka och förtjänar bättre.

– Tänk om du blir upptäckt?

– Du har ingen aning om hur försiktiga vi är.

– Du kan ändå bli upptäckt, envisades Jon.

– Då får jag ta konsekvenserna av det.

– Om Ashleys far är så rik som du säger är han henne på spåren. Var det bara domstolen och polisen ni gömde er för skulle ni ha en möjlighet att klara det, men om han verkligen vill ha tillbaka sin dotter har han anlitat en hel armé av privatdetektiver. Det är bara en tidsfråga tills någon av dem hittar er.

– Det var därför jag åkte hit. Ashley hade redan varit i Chicago för länge, och en lägenhet ovanpå en bar är ett lika bra gömställe som något annat. När de har spårat oss till Whiskey Island Saloon kommer hon redan att vara borta.

– Hon? Inte vi?

– Nej, vi måste byta familjer för att hålla henne i trygghet. Hur mycket jag än vill kan jag inte ha kvar Ashley så länge till. En dag kommer hon att flyttas, och jag får inte ens veta vart hon tar vägen.

– Tänk om hennes far redan har hittat er?

– Vad menar du?

– Du såg ju vad som hände med din bil, påminde Jon henne allvarligt.

– Varför skulle Ashleys far göra något sådant? Om han hittar sin dotter behöver han bara meddela polisen, så kommer de att ta hand om resten.

– Så enkelt är det inte, hävdade han. De skulle inte tro honom genast. Du kan förhindra en hämtning genom att påstå olika saker som de måste utreda, så han skulle inte kunna ta henne ut ur delstaten på en gång. Särskilt om någon ifrågasätter hans rätt till vårdnaden.

– Jag förstår ändå inte varför han skulle skära sönder mina däck. Det skulle vara mer i hans stil att ta Ashley och flyga tillbaka . . . hem innan jag ens fick veta att han var i staden. Men jag har faktiskt diskuterat det med min kontakt. Hon höll med mig om att det inte är hans stil och att vi förmodligen är trygga för ögonblicket.

– Vad är det här för slags liv för Ashley?

– Det är bättre än att bo tillsammans med en pedofil.

Han gjorde en grimas. – Det juridiska systemet är inte perfekt.

– Jag tror inte på att gå emot domstolsbeslut, men jag vill inte heller låta ett barn lida. Inte om jag kan förhindra det. Inte en gång till.

– Fortsätter Ashleys mor att överklaga beslutet?

– Hon gör vad hon kan. Det är svårt från fängelset, men det finns människor som hjälper henne, avslöjade Casey. Om vårdnadsdomen ändras kan Ashley äntligen få ett normalt liv, om inte kommer hon att gömmas tills hon är så gammal att hon inte längre är i fara.

– Och hennes mor kommer att sitta i fängelse hela tiden?

– Det är mycket möjligt.

Jon satt tyst så länge att Casey trodde han bestämt sig för att inte säga något mer om saken. Men när han slutligen talade förstod hon att han bara hade tänkt efter.

– Om du talar om för mig vad fadern heter och var han bor, kan jag göra en del efterforskningar.

– Du måste hålla dig utanför det här! protesterade hon. Redan det du vet nu är farligt för din karriär. Och om någon frågar kommer jag att förneka att jag avslöjat något för dig.

– Ge mig faderns namn, och låt mig bekymra mig för vad jag ska göra och inte göra.

Casey var tvungen att fråga det uppenbara. – Lovar du att inte anmäla mig? Att du inte meddelar myndigheterna i delstaten där han bor?

– Det borde du inte behöva fråga om.

Trots protesten såg hon att han förstod henne. – Och svaret är?

– Jag skulle aldrig göra något som kan skada dig. Låt mig bara se vad jag kan ta reda på. Jag ska vara försiktig så att ingenting kan leda tillbaka till dig.

– Ashley heter egentligen Alice Lee Rayburn. Hennes mor heter Dana och fadern Bobby. Han bor i Palm Beach, Florida, och det är där Dana sitter i fängelse.

– Det var synd att han inte bodde i Kalifornien. Jag har vänner där.

Casey lutade sig mot Jons axel igen. – Förstår du varför jag gör det här?

– Jag förstår att det här är den verkliga Casey Donaghue. Men du måste gå tillbaka till den smala vägen, Case. Det finns miljoner sätt att hjälpa barn. Systemet misslyckades en gång, och nu ger du igen.

– Så enkelt är det inte!

– Nej, men kan du förneka att du försöker gottgöra den där pojkens död genom att hjälpa Ashley? Du har fortfarande skuldkänslor för det som hände honom.

– Jag skyddar bara en liten flicka så att hon inte blir utnyttjad.

– Och när det här fallet är avslutat, kommer du då att hitta sätt att arbeta lagligt? Kanske inom en privat organisation som inte överbelastar sina socialarbetare?

Casey hade inte tänkt så långt, men hon insåg att Jon hade rätt. Hon betalade för det hon gjort genom att sätta sin egen framtid på spel. – Jag vet inte vad jag ska göra, svarade hon. Just nu är Ashley viktigast. Jag tar en dag i taget.

– Och hur blir det med oss? Ska vi två också ta en dag i taget?

Hon började säga "det är klart", men orden fastnade i halsen. – Du vet verkligen hur du ska lägga orden, sa hon till slut.

– Ja, visst gör jag. Han rörde vid hennes kind med varma, säkra fingrar.

Hans läppar var lika varma och säkra som händerna, och Casey överlämnade sig helhjärtat åt kyssen.

31

När Niccolo kommit halvvägs genom fader McSweeneys dagbok slutade han skriva in den svårtolkade skriften i datorn, och i stället lutade han sig tillbaka och läste. Det inträffade samma kväll då han för första gången läste Rowan Donaghues namn.

Rowan *Donaghue. Rowan* Donaghue, som mycket väl kunde vara Megan Donaghues farfars farfar.

Och hur var det med Lena Tierney, kvinnan som fader McSweeney nämnde ofta och med en sådan värme? Var hon den Rosaleen vars hemliga recept fortfarande användes på Whiskey Island Saloon?

Niccolo hade läst i dagboken att Lena Tierney börjat arbeta som hushållerska i prästgården. Fader McSweeney sa ofta det allra viktigaste på sätt som var svåra att förstå. Han var ju en Guds tjänare och tog uppenbarligen sin ställning allvarligt, så han ville säkert inte att någon som läste dagboken efter hans död skulle inse hela sanningen om hans kamp.

Men kampen var uppenbar för Niccolo, som hade upplevt många liknande känslor. Han kände igen ansträngningen att hålla fokus på uppgiften, att hålla distansen och ändå ständigt vara tillgänglig för dem som behövde honom, liksom svårigheten i att betrakta varje medlem av hjorden med samma prästerliga kärlek, att aldrig favorisera någon framför någon annan och alltid lyssna när en besvärlig församlingsmedlem sa vad han eller hon ansåg.

Nästan från början hade Niccolo förstått att fader McSweeney var en man med starka känslor. Han hade gått emot sina egna böjelser på många plan och därmed nått en förhöjd medvetenhet om världen och människorna runt omkring sig. Niccolo undrade hur det kom sig att Patrick McSweeney blivit präst. Hade han fått en äkta kallelse, eller hade han styrts till prästseminariet på grund av sin roll i familjen eller därför att han var studiebegåvad?

Vilket svaret än var, och vilka tvivel fader McSweeney än plågats av, hade han till skillnad från Niccolo inte lämnat sin prästtjänst. Iggy hade berättat att Patrick McSweeney tjänstgjort i den heliga Birgits församling ända fram till sin död i början av nittonhundratalet.

Tyvärr sträckte sig inte dagboken så långt. Den slutade strax efter ett skarpt omnämnande av James Simeon.

Klockan tre på natten efter spagettimiddagen tillsammans med Megan och Ashley stirrade Niccolo på den sista sidan och kunde inte tro att han verkligen hade en sådan otur.

Lena Tierney hade varit anställd av James Simeon innan hon började arbeta åt fader McSweeney. Det hade hänt något i det stora huset vid Euclid Avenue, något som störde fader McSweeney så mycket att han anställt henne som sin nya hushållerska.

Patrick McSweeney var särskilt förtjust i Lena, det hade Niccolo insett redan innan han börjat undra om hon kunde vara Rosaleen med de hemliga recepten. Prästen framhöll henne som ett exempel för andra irländska kvinnor på grund av hennes värme, livlighet och kampvilja. Han beskrev henne med ord som han inte använde om någon annan, så om Lena Tierney hade några brister var de inte sådana som en präst kunde upptäcka.

Sedan hade det hänt henne något, och fader McSweeneys dagbok sjöd av självförebråelser.

När Niccolo slog igen dagboken var han lika besviken som han skulle ha varit om de sista sidorna i en spännande roman hade varit borta. En historia hade berättats utan att ha kommit fram till sitt slut, och om inte fader McSweeney hade fortsatt med en annan dagbok när den här tagit slut, och Iggy i så fall hittade den i kyrkans arkiv, skulle Niccolo aldrig få veta precis hurdant förhållandet varit mellan Rowan Donaghue, Lena Tierney och James Simeon.

Han lade ifrån sig dagboken på skrivbordet innan han reste sig upp och sträckte på sig. Egentligen borde han ha sovit för länge sedan, men han kände sig fortfarande inte sömnig. Han var medveten om att han inte var ensam, eftersom Josh sov i rummet längst bort i korridoren och kanske skulle fortsätta göra det ända tills han klarade sig på egen hand. Med bara några ord hade Niccolo tagit på sig ansvaret för den unge mannens framtid, och även om han inte ångrade det undrade han hur han kunnat vara så impulsiv.

Ingen hade någonsin velat ha Josh, men Niccolo hade lovat pojken att det inte längre var på det sättet. Nu skulle han aldrig kunna vända ryggen åt honom.

Han tänkte på Megans reaktion på nyheten. Hon hade inte tyckt om hans beslut, inte därför att hon ansåg att det var fel av honom att ge Josh ett hem, utan därför att han alltid tog på sig andras bördor. Naturligtvis gjorde hon precis samma sak själv, men hon vägrade erkänna det och det gjorde det acceptabelt för henne. Hon kunde älska så länge hon inte medgav det, hjälpa så länge hon förnekade att hon gjorde det. Megan kunde ligga i hans famn och envisas med att det bara var tillfälligt. Och så länge han lät henne låtsas skulle hon kanske stanna hos honom.

Men han var inte säker på den saken, för hur mycket han än älskade henne var han också medveten om hennes brister. Hon förde ett krig inom sig, och just nu var det han som var fienden.

Niccolo gick ut i korridoren och nerför trappan. Varm mjölk med amaretto var hans mors favoritkur mot sömnlöshet. Den varma toddyn och ett antal varv på radbandet gjorde den piggaste sömnig.

Han hade just börjat värma mjölken då han hörde steg, och när han vände sig om upptäckte han att Josh stod i dörröppningen. Pojken såg inte det minsta sömnig ut, så Niccolo misstänkte att inte heller han hade sovit.

– Hur är det? frågade Niccolo.

– Jag hörde något och tänkte . . . Ja, att någon försökte ta sig in.

– Nej, det var bara jag. Vill du ha lite varm mjölk?

Josh såg misstänksam ut, men svarade ja i alla fall.

– Har du svårt att sova i en ny säng? Det måste kännas konstigt för dig att vara här.

– Månen skiner in genom fönstret.

– Vi ska sätta upp en rullgardin i morgon, påminn mig om det.

– Nej, jag klagar inte, det är bara det att jag aldrig har sett månen så där. Det finns ingen måne där min pappa bor. Josh log fåraktigt. – Jo, det finns det förstås, men man kan inte se den genom fönstren. Det är filtar över dem, förstår du.

Niccolo förstod inte alls, men nickade ändå. Han tog ut sin mugg ur mikrovågsugnen och ställde in en åt Josh.

– Och det är så tyst här. Ingen skriker.

Själv ansåg Niccolo att det var ganska mycket trafik för att vara en sidogata, men han sa inget om det. Jämfört med vad Josh var van vid låg huset tydligen ute på landet.

– Var det mycket oväsen när du sov över hos kamrater också?

– Winstons lägenhet är väldigt liten, så alla sover i samma rum. Man hör de andra andas och hosta. Han ryckte på axlarna. – Joachims hus är fullt av folk. Var man än lägger sig är det alltid någon liten unge som lägger sig bredvid en.

Ingen av familjerna hade gott om plats, men ändå tog de tydligen emot den här pojken när de kunde och Niccolos hjärta värmdes när han tänkte på det.

– Du kommer att vänja dig vid att det är tyst, men om du vill kan du sätta på radion lite lågt.

Josh såg häpen ut. – Får jag det?

– Ja, varför inte? Det viktiga är att du sover. Du orkar inte med skolan annars.

– Det går inte särskilt bra ändå, suckade pojken.

– Det är inget fel på ditt förstånd, men du har haft för mycket annat att tänka på. Nu när du bor här kan du säkert jobba lite mer med läxorna. Och jag ska hjälpa dig.

– Varför det?

Niccolo gav Josh hans mjölk och honungsburken innan han svarade. – Därför att jag kan, sa han slutligen. Det är rätt enkelt egentligen. Du behöver någonstans att bo, och jag har plats för dig. Och du behöver en vän också, och det vill jag gärna vara.

– Varför har du inga egna barn? Du tycker ju om ungar.

– Jag har varit katolsk präst. Orden kom så naturligt att Niccolo insåg att han vant sig vid sitt förflutna och inte längre tvekade att tala om det. – De gifter sig inte, så därför har jag inga barn.

– Är du inte präst längre?

– Nej, inte som förut.

– Min pappa säger att de bara ljuger i kyrkorna.

– Jaså, svarade Niccolo.

– Men han är arg på nästan allting.

– Det är skönt att inte du är det, tyckte Nick.

– Jag blir också arg ibland.

– Det blir alla.

– Du med?

– Ja då. Niccolo smuttade på mjölken.

– Du blir inte arg på Winston i alla fall. De är alltid arga på honom i skolan. Men det har blivit bättre sedan vi började komma hit.

Nick blev förvånad. – Varför det?

– Winston är smart, även om ingen märker det. Om han får bestämma får han saker gjorda. Han räknar ut hur det ska gå till, men i skolan vill de inte att han ska göra det. De vill bara att han ska vara tyst och lyda, och det är han inget bra på. Men dig lyssnar han på, för du låter honom jobba själv. Och det har gjort det lite bättre i skolan också.

Aldrig tidigare hade Niccolo hört Josh säga så mycket på

en gång. – Du är en lojal vän, och jag är glad att Winston vill vara här. Han kommer nog att bli duktig på något som är viktigt.

– Winston? utbrast Josh häpen. Han som tänkte sluta skolan. Vi skulle . . .

Niccolo höjde ögonbrynen och väntade.

– Rymma, mumlade Josh. Men han var orolig för sin mamma och Elisha.

– Ingen av er ska sluta skolan, sa Niccolo vänligt.

– Winston säger att du tjatar på honom. Han tycker inte att du har med hans skola att göra.

– Jo, det har jag så länge han kommer hit. Tycker inte du det?

Josh tänkte efter. – Det kanske är därför han vill vara här. För att han vill att du ska tjata, menar jag. Då kan han gå kvar i skolan och skylla på dig.

– Du borde bli psykolog, log Nick. En sådan måste förstå hur andra människor tänker, och det är väldigt bra att ha den egenskapen.

Josh spärrade upp ögonen. – Driver du med mig?

– Människor som förstår andra kan hjälpa dem så att de inte begår samma misstag om och om igen.

– Jag har ju sett pappa göra precis det i åratal, så jag har väl fått en viss träning, antog pojken.

Niccolo lade sin hand på hans en sekund. – Det är klart.

– Jag skulle kunna tala om vad det är för fel på honom, men han lyssnar inte på mig. Han borde sluta dricka, och sluta skylla på andra när det blir fel för honom.

– Det skulle säkert vara en bra början.

– Och sluta slå folk, fortsatte Josh ivrigt.

– Just det.

– En gång satte de honom i fängelse för att han hade slagit till en kille.

– Var bodde du då?

– Min mamma levde fortfarande. Jag bad att hon skulle lämna honom medan han var borta, men hon sa att pappa tog hand om henne. Det gjorde han egentligen inte, men hon var för full för att märka det.

Niccolo ställde ifrån sig koppen. – Du har inte haft det lätt.

– Det kanske är därför jag har lärt mig varför folk gör som de gör.

Tanken gladde pojken, och det var definitivt ett bättre sätt att se på det förflutna än att tycka synd om sig själv. Josh hade långt kvar, men Niccolo trodde att han skulle klara sig. Trots allt som hänt honom hade han en positiv inställning till livet och en vilja att göra något vettigt av det.

Kanske skulle det bli något bra av Winston också. Det gladde Niccolo, som inte hade tänkt sig att det han gjorde för ungdomarna skulle ha någon effekt på lång sikt. Han hade bara betraktat sitt hus som en plats där de kunde hålla till utan att råka illa ut. De kanske lärde sig något praktiskt som de hade nytta av senare i livet, och samtidigt gav de hans liv färg och innehåll.

– Varför fortsätter ni egentligen att komma hem till mig? Ni får ju bara jobba här. Jag vet att ni inte har särskilt mycket att göra här omkring, men något roligare måste det väl ändå finnas?

Josh rynkade pannan och funderade.

– Det finns inget svar som är rätt eller fel, försäkrade Niccolo.

– Nej, jag tänker bara efter. Men jag tror att det är för att det aldrig känns fel att vara här. Det gör det överallt annars. I skolan tycker de att jag är dum för att jag inte har gjort läxan eller inte vet svaret på frågorna, och hemma är det ännu värre. Till och med hos de andra killarna är det fel att vara hela tiden. Jag tar upp plats som de behöver, och ibland äter jag av deras mat också. Men det känns inte som om jag är i vägen här. Du ger mig saker att göra, och om jag gör fel blir du inte arg utan visar bara hur det ska vara. Det är tryggt att gå hit. Jag vet att ingen kommer att göra mig ledsen.

Niccolo undrade om en mans kallelse kunde vara något så enkelt.

– Jag börjar bli sömnig, sa Josh.
– Det kan bli så när man har pratat en stund.
Pojken reste sig. – Tack för mjölken.
– Det var så lite. Sov gott.
– Vad?
– Hoppas att du får trevliga drömmar.
Josh log blygt. – Ja, det får jag kanske.

*

Sankt Patricksdagen var årets händelse på Whiskey Island Saloon, men Megan behövde aldrig anställa extra personal eftersom släkten Donaghues traditioner föreskrev att alla hjälptes åt. Hennes vanliga gäng bredde fyra smörgåsar i minuten ute i köket, och släktingarna serverade dem tillsammans med öl. En keltisk musikgrupp, där några kusiner ingick, spelade hela dagen och långt in på natten.

Tillställningen var så populär att alla som ville ha middag måste beställa den en vecka i förväg, och trots att Megan fyllde köket till bristningsgränsen blev det alltid ont om mat framåt kvällen. Men så länge det fanns Guinness kvar var det ingen som klagade.

Två dagar före den stora dagen kom Peggy ut i köket, kände lukten av dagens special – en gryta med mycket kål i – bleknade och rusade ut igen.

Megan blev orolig och följde efter. Peggy sprang mot toaletten, och när hon kom dit slängde hon igen dörren rakt i ansiktet på sin syster. Men det var uppenbart vad som pågick där inne.

Casey kom gående nerför trappan och hejdade sig när hon fick se Megans förskräckta ansikte. – Vad är det?

Megan nickade mot damrummet. – Peggy är sjuk.

– Är hon? Jag har märkt att hon inte äter någon frukost.

De såg på varandra, och plötsligt gick det upp för dem båda vad som kunde vara på gång.

– Nej! Megan skakade på huvudet. – Aldrig i livet.

– Inte? Casey gjorde en grimas när hon hörde toaletten

spola. – Hur kan du vara så säker? Hon dricker varken öl eller vanligt kaffe, hon sover middag nästan varenda dag och hon har gått upp i vikt.

– Peggy har aldrig druckit, och hon tycker om min mat. Hon äter alltid mer när hon bor hemma.

– Meg, förstår du vad ordet "förnekande" betyder?

– Hon borde veta bättre än att . . .

Peggy öppnade dörren. – Bli med barn? Jag hörde faktiskt vartenda ord där inne. Tror ni att man blir döv av att vara gravid? Det är klart att jag visste bättre, men preventivmedel är fortfarande otillförlitliga. Jag hade säkert sex och vidtog alla rimliga försiktighetsåtgärder.

Megan var inte säker på att hon tyckte om att hennes lillasyster hade något slags sex över huvud taget. – Och?

– I början av september kommer ni att bli mostrar.

– Och du har inte sagt något till oss? utbrast Casey.

Peggy sjönk ner på en stol. Eftersom baren inte hade öppnat än hade hon många att välja på. – Jag ville bestämma vad jag skulle ta mig till först. Det var mitt beslut och ingen annans.

Casey och Megan slog sig ner bredvid henne.

– Nu vet jag vad jag ska göra, och jag samlade bara mod för att tala om det för er.

Megan kände det som om hon simmade i gelé, men Casey tycktes ha lättare att vänja sig vid tanken. – Varför börjar du inte från början? bad hon. Eller vill du inte prata om det?

– Menar du att jag har något val? Peggy log för att ta bort skärpan ur sina ord.

– Du är vuxen, och du behöver inte berätta allt för oss.

– Det är egentligen rätt enkelt. Jag träffade en man som jag hade en kort affär med. Vi trodde båda två att vi hade mer gemensamt än vi hade, men efter en tid insåg vi att det aldrig skulle fungera. Vi skildes som vänner, och ett par veckor senare började jag misstänka att jag väntade barn.

Megan hittade äntligen rösten. – Har du talat om det för honom?

– Ja, han vet om det, och han är en snäll kille så han frågade om jag ville gifta mig med honom.

– Och?

Peggy skakade på huvudet. – Det var en av de saker som jag måste bestämma. Jag kan inte gifta mig bara för att barnet ska få bo ihop med sin pappa. Ingen av oss skulle bli lycklig, och då skulle barnet också lida. Han kommer ändå att finnas med i barnets liv.

– Det låter väldigt förnuftigt.

Megan hade aldrig kunnat föreställa sig att hon skulle ha ett sådant här samtal med sin lillasyster, och hon var helt oförberedd på tanken att hennes baby skulle få ett eget barn.

– Ett äktenskap kommer alltså inte på fråga, konstaterade Casey sakligt. Har du funderat på abort?

– Casey! Megan flög upp.

– Sätt dig ner och skärp dig! befallde Casey. Det är ett alternativ.

– Inte för mig, sa Peggy enkelt.

Megan hade aldrig känt sig mer katolsk i hela sitt liv. Hon sjönk långsamt ner på stolen igen. – Förlåt mig. Jag är visst för omtumlad för att kunna tänka klart.

– Vad säger du om adoption? fortsatte Casey.

– Jag har funderat mycket på det. Jag har ju min läkarutbildning att tänka på, och jag vet inte om jag klarar av den om jag har ett barn. Den är svår nog ändå. Jag kanske borde skjuta på den och försöka läsa senare, och i stället skaffa ett arbete där jag kan vara hemma mer? Eller ska jag lämna bort barnet till en familj med en hemmamamma och en pappa som finns med hela tiden?

– Jag förstår varför du kom hem den här terminen, nickade Casey. Du har mycket att tänka på.

Megan lutade sig framåt. Hon kunde inte förneka att hon kände sig imponerad av Caseys lugna och metodiska resonemang, men det var lite för känslokallt för henne. Det var ju deras syster det gällde!

– Vi kunde ha hjälpt dig, insköt hon. Om du bara hade talat om att du väntade barn.

Peggy tog hennes hand. – Det gjorde ni, Meg. Men jag behövde inte prata. Jag visste vilka alternativ jag hade, jag behövde bara vara här tillsammans med er och ta till mig lite av er energi. Jag behövde räkna ut om jag är lika stark som ni.

Megan visste inte vad hon skulle säga, något som inträffade mycket sällan.

– Har du fattat ett beslut när det gäller adoptionen? frågade Casey.

– Ja, jag har bestämt att jag är stark nog att klara av både babyn och studierna. Det kommer inte att bli lätt, men jag tänker jobba hårt i sommar och ta min collegeexamen innan barnet föds. Sedan tar jag ledigt ett år och jobbar här i baren så att jag kan ha babyn hos mig, och efter det söker jag till ett universitet i närheten. Jag vet att ni hjälper mig, och det kommer faster Deirdre . . .

– Och femtio andra i släkten Donaghue också att göra, avslutade Casey meningen.

– Jag tänker specialisera mig på ett område där jag har möjlighet att få regelbundna arbetstider, och en dag gifter jag mig förmodligen och ger barnet en styvfar. Det är inte den traditionella metoden, men mitt barn kommer att få två familjer som älskar det, och en stor släkt som också gör det – bara alla kommer över chocken att den perfekta Peggy föder ett barn utan att vara gift.

– Som om det aldrig hänt förr, insköt Casey.

– Jag har aldrig gjort det.

En miljon tankar sjöd i Megans huvud. – Men Peggy, hur kan du veta att du vill bli mor?

Peggy lade huvudet på sned. – Jag *ville* inte precis bli mor. Jo, någon gång i framtiden, men inte just nu. Men livet blir inte alltid som vi har planerat, eller hur?

– Men känner du dig redo för det?

– Ja, det gör jag faktiskt. Visst kan jag önska att det hade hänt senare, när jag var färdig läkare och lyckligt gift, men jag tvivlar inte det minsta på att jag kommer att älska barnet och bli en bra mor.

– Hur kan du vara så säker? Du har ju aldrig haft en mor själv. Jag menar, du var så liten när hon dog att du inte kan minnas henne, och efter det lämpades du runt som om du varit en säck potatis. Hur ska du kunna veta vad du ska göra, vad du ska känna? Megans ögon fylldes med tårar.

Både Peggy och Casey stirrade häpet på henne. – Jag hade den bästa mamman i världen, förklarade Peggy. Jag hade ju dig.

Megan harklade sig. – Jag är inte ute efter komplimanger eller uppmuntran. Jag kunde inte ge dig . . .

– Sluta nu! exploderade Casey. Lyssna på vad hon säger i stället!

Peggy tog Megans hand. – Vår mor dog. Jag är ledsen för det, men jag känner inte till något annat liv än det vi fick. När jag skrapade knäna var du där och tröstade mig, och om du inte var det hade jag faster Deirdre eller Casey. Om jag var hungrig gav du mig något att äta, och när jag var trött läste du en godnattsaga och stoppade mig i säng. Du gjorde ett bra jobb, och jag är frisk och lycklig. Nu väntar jag barn, och det klarar jag. Jag hade dig, Casey, faster Deirdre och många andra, och när jag var tvungen att fatta beslut om barnet var det hit jag kom. Det är här jag hämtar min styrka, hos dig och Casey.

– Lägg av nu. Caseys röst lät kvävd.

Peggy skrattade till. – Ni är inte perfekta någon av er, långt därifrån, men ni är starka och det är faster Deirdre också. Tror ni att det var så lätt för henne att dela mig med er? Om hon hade velat kunde hon ha gått till domstol och fått vårdnaden om mig, så att hon hade sluppit tänka på er två hela tiden. Men hon visste hur viktiga vi var för varandra och litade på att ni tog hand om mig när jag var hos er. Hon var stark nog att dela, och det var ni också. Jag hade tur, och jag var ett lyckligt barn. Kan du få in det i din tjocka skalle, Megan?

Hon var ändå tvungen att fråga om hennes gamla rival fått höra sanningen före henne. – Vet faster Deirdre att du väntar barn?

– Ja, jag berättade det för henne eftersom hon är den enda av er tre som inte vrider sina händer och önskar att hon hade uppfostrat mig bättre. Deirdre kan se på mig och förstå vilket bra jobb alla gjorde. Hon tänker inte på det hon inte kunde göra eller vara, och jag visste att hon aldrig skulle betrakta min graviditet som ett personligt misslyckande.

Megan fick sådana skuldkänslor att hon än en gång blev mållös.

– Är det inte sant? envisades Peggy. Hela tiden har du suttit där och frågat dig vad du gjorde för fel. Du har anklagat dig själv och tänkt att du borde ha sagt det eller det. Men det finns ingen att anklaga här, och det enda resultatet blir en liten Donaghue som vi alla kommer att avguda och hjälpas åt att skämma bort.

– *Jag* känner mig inte skyldig, påstod Casey. Men hon ändrade sig när Peggy såg bestämt på henne. – Jo, för att jag gav mig iväg efter high school och inte stannade kvar här och hjälpte Megan.

– Du åkte därför att jag ville kontrollera allt du gjorde, sa Megan. Jag förstår det nu.

– Dumheter, Megan. Jag stack därför att jag var en barnunge som aldrig kom över att Rooney gav sig av. Jag skyllde det på det här stället, på dig och på släkten. Det var inte förrän jag kommit härifrån och blivit vuxen som jag förstod att det inte var ditt fel.

– Du glömde inte bort mig även om du inte fanns kvar här, påpekade Peggy. Jag fick brev och kort och telefonsamtal, och varje sommar tillbringade jag flera veckor hos dig. Du gjorde din del. Jag såg hur du slet för att ta dig igenom college, och då visste jag att jag också kunde klara samma sak. Det har jag gjort, och jag ska klara mig i framtiden också även om jag har ett barn att ta hand om.

Det blev tyst i rummet. Megan kunde höra de anställda

jobba ute i köket, och om en liten stund skulle de första lunchgästerna komma, men just nu var det bara de tre systrarna. Och alla de skuldkänslor och farhågor som två av dem aldrig hade lämnat bakom sig.

– Nå, blev det folk av mig? frågade Peggy slutligen.

Megan svalde. – Du är fantastisk.

– I så fall är det inget att diskutera.

– Du vet att jag hjälper dig med barnet, lovade Megan.

Casey nickade. – Jag också.

Megan såg frågande på henne. – Här? I Cleveland?

– Jag tänker inte flytta tillbaka till Chicago i alla fall. Och jag kan väl byta blöjor lika bra som du.

– Ja, just den detaljen får du gärna ta över helt och hållet.

Peggy tog deras händer. – Jag kommer att behöva hjälp för att klara det här, men det är ju det ni är till för, eller hur? Åtminstone är det vad ni har lärt mig.

Det lät så enkelt och rätt, men för Megan var det ändå en främmande tanke. Peggys graviditet var en tillräckligt stor överraskning. Hur hade hon dessutom kunnat undgå att se vilken underbar kvinna systern blivit?

– Rooney brukade berätta en saga om en trädgårdsmästare som planterade en vacker trädgård, sa hon. Han såg den aldrig, för han stirrade alltid ner i marken efter ogräs.

Casey tänkte också på mannen som berättat sagan, och för första gången på länge önskade hon att han kunnat se sina döttrar nu.

32

Det hade gått över hundra år sedan James Simeon dog, men trots det kunde man säkert avgöra att det var hans skelett som hittats på Whiskey Island. Miljonärens mystiska död hade skapat ett sådant intresse att många av parets personliga ägodelar hade hamnat hos samlare eller på museer när änkan sålde dem, och register och rapporter som normalt skulle ha förstörts fanns fortfarande kvar.

Efter ett visst sökande hittades James Simeons läkarjournaler i historiska museets arkiv, och där fanns uppgifter om skador som återfanns även på skelettet – en läkt fraktur på höger skenben, en saknad kindtand och en amputerad tå. När han var ung hade en häst trampat på hans vänstra fot, och tån hade inte överlevt händelsen även om James själv återhämtat sig.

DNA-bevis var svårare att få fram, tills man fick kännedom om en brosch som var tillverkad av en av Simeons barndomslockar.

– Det var vanligt att nära anhöriga klippte en lock av den döde och lät göra en sorgbrosch som de bar hela livet, förklarade Jon för Niccolo när de träffades på Sankt Patricksdagens förmiddag. I det här fallet fanns det naturligtvis ingen död kropp och inget hår, men James Simeons mor, som tydligen var den enda som verkligen sörjde honom, lät tillverka en brosch av en lock som hon sparat när han fått håret klippt första gången.

Niccolo blev fascinerad. – Hur kunde du komma på det?

– Jag önskar att jag kunde påstå att jag gjorde ett fantastiskt detektivarbete, men det var en juvelerare i Albany som såg en artikel om skelettet och simeonmysteriet. Han ringde oss och berättade att han hade köpt broschen för länge sedan som en kuriositet. Vi kunde ta loss några strån utan att förstöra den.

– Och DNA-analysen gav positivt resultat, antog Niccolo. Det var ingen fråga, för han visste redan att det var därför Jon ringt honom samma morgon.

– Utan några som helst tvivel. James Simeon begravdes på Whiskey Island efter att ha blivit dödad av ett kraftigt slag mot huvudet. Rättsläkaren gissar att han mördades med något tungt och platt. En sten eller en timmerstock kanske.

– Mysteriet är ändå bara till hälften löst. Nu vet vi var han begravdes och hur han dog, men inte vem som dödade honom eller varför.

Jon tittade ner på gatan. De stod vid ett fönster med utsikt över Euclid Avenue, där Sankt Patricksparaden just skulle börja. Kontoret tillhörde några av Jons vänner, och det var fullt av människor som hellre stod inomhus och såg på festligheterna än ute i kylan.

Från gatan hördes mässingsinstrument och säckpipor, och på trottoaren kråmade sig ett par irländska varghundar under en grupp tonåringars uppmärksamhet.

– Casey har aldrig sett paraden, sa Jon. Hela personalen på Whiskey Island Saloon är på fötterna nästan dygnet runt vid Sankt Patricksdagen om man räknar in förberedelser och efterarbete.

– Jag har inte sett Megan på flera dagar. Niccolo var inte säker på att det bara berodde på helgdagen. Till och med när han träffat henne under de senaste veckorna hade hon varit tankspridd och oengagerad.

Paraden började röra sig framåt, först långsamt och oorganiserat och sedan med allt större stil. Bakom Jon och Nick plockade gästerna till sig mat från en buffé, och bara då och då tittade de ut genom fönstren.

– Jag har undrat över en sak, sa Jon när ett säckpipsband och flera vackert utstyrda kortegevagnar med lokala politiker passerat nedanför dem. När vi hade hittat James Simeons kropp gjorde vi en rutinundersökning av området.

– Vad förväntade ni er att hitta? Jag tvivlar på att hans mördare har dröjt sig kvar i hundra år.

– Vi hittade ju skelettet, så det verkade förnuftigt att se efter om det fanns något annat ovanligt.

Niccolo vände sig mot honom. – Hittade ni något?

– Ja, det låg ett hopknölat meddelande från Megan Donaghue till Rooney Donaghue på marken, och bredvid det stod en tom kartong som ursprungligen hade skickats till en Niccolo Andreani.

Nick önskade att han tänkt på att ta bort fraktsedeln. – Det var bra att den var tom. Då har han förmodligen tagit hand om sakerna.

– Vill du berätta vad som pågår? undrade Jon.

– Inte ifall någon kan råka illa ut.

– Nej, det är ingen risk.

– Du vet väl att Rooney bor där nere?

Jon nickade.

– Vi tog med oss mat och filtar och lämnade dem i skogen natten innan ni hittade skelettet.

– Såg du honom igen?

Niccolo tvekade. – Ja, jag gjorde det, men inte Megan. Han steg fram ur en träddunge när jag gick förbi honom.

– Sa han något?

– Ja. "Säg till dem att sluta gräva."

– Säg till vem? Anläggningsfirman?

– Förmodligen.

– Det låter som om han visste att de skulle hitta något, tyckte Jon.

– Det är inte säkert. Han försökte kanske bara skydda sitt hem.

Niccolo sa inget om manschettknappen och tidningsartikeln om James Simeon. Han litade på Jon, men han var alltid försiktig. Det var kanske bikthemligheten som påverkat honom?

– Har du sett honom någon mer gång?

– Jag har varit där fem gånger efteråt, men han har inte dykt upp och platsen där han bodde ser övergiven ut, berättade Nick.

– Vad tror du att det beror på?

– Det krävs en större förmåga än den jag har för att förklara Rooney Donaghues beteende.

– Casey plågas fortfarande av att han lämnade dem, och nu när han är här ute någonstans har det blivit ännu värre.

– Han kan mycket väl ha räddat hennes liv under bilstölden. Jon såg förfärad ut. – Jag är glad att ni var där båda två.

Niccolo förstod plötsligt att Jon var kär i Casey Donaghue. – Megan har också svårt att handskas med Rooneys försvinnande.

– Megan behöver en bra man i sitt liv, någon som håller fast vid henne.

– Själv är hon inte lika säker på den saken.

Jon log snett. – Vi har mer gemensamt än jag först trodde, Nick. Och redan då tyckte jag att det var en hel del.

*

Megan var redan utmattad, och klockan var inte ens fyra än. – Det börjar lugna sig med smörgåsbeställningarna nu, sa hon till sina anställda som snabbt och skickligt gjorde i ordning smörgåsar med salt kött och lade dem på papperstallrikar.

– Köttet börjar ta slut också! skrek Casey för att höras över oväsendet.

Megan fortsatte fram till Peggy. – Sätt dig på en stol och jobba. Stå inte så där.

– Ja, mamma. Peggy blinkade menande.

– Jag avskyr Sankt Patricksdagen, muttrade Megan.

– Det gör du inte alls. Peggy hade tydligen läst på hennes läppar.

– Jo, nickade Megan.

– Ta en paus.

Megan insåg att hon förmodligen skulle ramla ihop om hon inte gjorde det, så hon tog av sig förklädet och gick ut för att få lite frisk luft. Då kanske hon skulle klara sig tills de hade serverat sin sista öl vid midnatt. Hon stod ut med klappar och knuffar från de festglada gästerna medan hon trängde sig fram mot dörren, hejdade sig för att ge morbror Den en kram och vinkade åt farbror Frank och faster Deirdre i hörnet. Frank dansade just en improviserad jigg och Deirdre försökte låta bli att se generad ut.

– Megan. Någon tog henne i armen, och när hon vände sig om såg hon att det var Niccolo.

Hon fylldes av en tacksamhet som var så intensiv att hon inte kunde dölja den. – Hej, Nick. Hur länge har du varit här?

– Så länge att jag har hunnit lyssna på två personer som vädjat till mig att skriva under ett upprop mot britternas närvaro i Nordirland och en lika hjärteknipande bön om ett bidrag till IRA:s försvarsfond.

– Två och en halv minut, alltså.

– Är du släkt med alla här?

– Nej.

– Det var roligt att höra. Hur går det för dig?

Bättre än för en minut sedan, ville hon säga. Megan kände sig alltid bättre när hon var tillsammans med Nick, det förnekade hon inte längre. När han stod bredvid henne kändes det som om han delade alla hennes bördor.

Men så var han ju också en man som delade allas bördor.

Hon suckade djupt. – Jag skulle precis ta en paus och försöka komma in i andra andningen.

– Jag kan hjälpa till, erbjöd han sig. Säg bara vad jag ska göra.

– Följ med mig ut en stund, bad hon.

– Vart?

– Vi går en promenad bara. Men jag måste vara tillbaka om ett par minuter, för annars blir det kaos här inne.

– Varför inte prova och se om dina systrar kan hålla ställningarna?

– Jag ska bara hämta kappan.

De sa inget mer förrän de hade kommit bort från oväsendet, röken och de druckna framförandena av irländska folkvisor.

– Fick du någon sömn alls i natt? frågade Niccolo.

– Inte en blund, men så har det alltid varit. Förmodligen ända sedan Rosaleen öppnade baren.

– Vad vet du om Rosaleen, mer än hennes recept?

– Inte mycket. Hon hade rött hår och en mängd barn. Megan rörde vid sina lockar och gjorde en grimas. – Jag har hört att det är från henne vår gren av donaghueklanen har fått håret.

– Vet du om hon var gift mer än en gång?

– Nej, varför frågar du det?

– En Lena Tierney nämns i fader McSweeneys dagbok, tillsammans med en referens till en Rowan Donaghue.

– Han är förmodligen vår förfader, men Lena Tierney vet jag ingenting om. Jag har aldrig hört Rosaleen kallas Lena, och ingen har berättat att hon hade någon annan make heller.

– Det har ju gått över hundra år, så det är inte säkert att du skulle ha hört det. Mina föräldrar pratat fortfarande om människor de kände i Italien som om de bodde i grannhuset, men fakta blir förvrängda. Då jag besökte min farfars hemby träffade jag dottern till en kvinna som han hade pratat så kärleksfullt om. Enligt honom var kvinnan snarast ett helgon, men dottern påstod att hon gjort livet surt för alla som träffade henne. När hon dog blev det den största begravningen i byns historia, för alla ville komma och försäkra sig om att hon verkligen var död. Samma kvinna men helt olika historier.

Megan skrattade. – Talade du om sanningen för din farfar?

– Och krossa en myt?

– Du saknar din familj, eller hur?

– Jag ska åka och hälsa på dem om några veckor, berättade Nick. Du kan väl följa med?

Hon tvärstannade. – Skojar du?

– Nej.

– Sa du inte att de har svårt att acceptera att du inte är präst längre?

– Jo.

– Tror du inte att det blir ännu värre om du plötsligt dyker upp tillsammans med en kvinna?

– Kanske. Om det varit en annan kvinna än du.

– Nick . . .

– Hur skulle de kunna låta bli att älska dig, Megan?

Hon visste inte vad hon skulle säga, för det lät som om de hade ett mer fast förhållande än hon ville ha. Han måste ha sett rädslan i hennes ögon, för han log och smekte henne över kinden.

– Det var en dålig idé. En annan gång kanske.

– Ja, kanske . . . Men hon tvivlade på det. – Det är bäst att vi vänder. Jag måste tillbaka. De gjorde det, och tystnaden växte mellan dem tills Megan bröt den. – Hur går det med Josh?

– Jag har äntligen fått tag i hans far, och han gav sin tillåtelse till att pojken bor hos mig.

Hon läste mellan raderna. – Det var inte lätt, eller hur?

– Nej, men nu är det klart och jag har papper på att jag har vårdnaden. Josh kan besöka honom om han vill, men hittills har han inte haft någon lust.

– Hur tycker du att det är att ha Josh boende i huset?

– Som svaret på en bön.

Det förvånade henne. – Hur då?

Niccolo hejdade sig och tog hennes händer i sina. – Josh fick mig att inse att jag redan hade upptäckt vad jag vill göra med mitt liv. Jag har gjort det utan att förstå det.

– Reparera gamla hus?

– Ja, men med hjälp. Jag vill göra det som jag gjort tillsammans med ungdomarna till något officiellt, starta ett program där ungdomar får lära sig en del av det de behöver för att överleva. De ska inte bara få kunskaper om renovering, utan om livet också. De ska lära sig att planera och genomföra projekt, att lyckas och att misslyckas, att lyssna och följa instruktioner, att sätta upp mål och ta sig fram i små, rimliga steg. Han log generat. – Jag skulle kunna prata hur länge som helst om det här.

– Har du råd att göra det?

– På egen hand? Ja, kanske om jag höll det i väldigt liten skala, men jag tror att det kan utvidgas med fler vuxna och fler barn – särskilt sådana som inte gått ut high school eller är nära att sluta i förtid. Det är möjligt att man kan göra samma sak med en del av de hemlösa. Fader Brady tycker att det är en bra idé, och han ska försöka få fram pengar från församlingen och kommunen. Jag ska använda mitt hus som bas och utöka projektet därifrån med anställd personal, men varje grupp ska vara så liten att ungdomarna får den uppmärksamhet de behöver.

– Ditt hus. Du har aldrig sagt så tidigare, Nick. Förut har det alltid varit huset du bor i eller som du jobbar med.

– Nu är det mitt hem, avgjorde han. Jag tänker inte sälja det. Han kramade hennes händer, och även om han inte sa något mer såg hon i hans ögon att han erbjöd henne att dela det med honom.

Megan visste inte vad hon skulle säga. Niccolo tänkte stanna i Cleveland, och han skulle åstadkomma något viktigt. Till och med hon som var så cynisk var tvungen att medge att Niccolo hade god hand med ungdomar. De påverkades av hans värme och förmåga att ge dem information och kunskap utan att döma dem i onödan. Och Megan kände något särskilt för ungdomar som försökte ta sig fram i världen utan att få tillräckligt med stöd. Hon hade ju själv varit en av dem.

Hon kände något särskilt för Nick också, och det var svårare. För om hon bara lät känslan växa visste hon att hon mycket väl kunde få allt det hon alltid drömt om – en man som älskade henne, som ville dela hennes liv och bördor även om det skulle bli svårt. Hon skulle få ett riktigt hem och allt som hörde till det.

– Du är väldigt tyst. Niccolo släppte hennes händer. – Tycker du inte att det är en bra idé?

– Jo, det är det. Hon började gå mot baren. – Jag vet att du kommer att lyckas. Du är precis rätt man för uppgiften.

– Jag trodde att du skulle bli glad över att jag stannar i staden.

– Det är klart att jag är.

Han var tyst så länge att hon förstod att han kämpade med sina egna känslor. – Jag borde inte ha berättat det i dag, när du är alldeles slut. Förlåt mig.

– Jag skulle inte ha vetat vad jag skulle säga även om jag just hade sovit i tio timmar. Jag är inte redo, helt enkelt. Det går för fort för mig.

– Jag föreslog inte att vi skulle gifta oss, Megan, sa han skarpt. Jag berättade bara att jag stannar i staden. Om det är för snabbt för dig kan jag backa undan ännu mer. Hur mycket, tycker du, på en skala från att försvinna helt till att prata om vårt guldbröllop? Säg bara hur du vill ha det.

Niccolo blev inte ofta arg, men nu hörde hon att han var det. Och vem kunde klandra honom för det? Hon uppförde sig förfärligt, det visste hon. Samtidigt kunde hon inte vara på något annat sätt. Hon var så ivrig att fly att hon inte hade tid med artigheter.

Megan stannade utanför baren. – Jag är ledsen om jag inte lät tillräckligt entusiastisk, Nick, men jag är verkligen glad över att du stannar och har hittat ett sätt att använda alla dina talanger. Nu måste jag jobba.

Han nickade kort. – Hoppas resten av dagen går bra för dig.

– Följer du inte med in? Vi börjar servera middagen om en halvtimme, och jag har räknat med en portion åt dig.

– Nej. Han vände sig om och började gå därifrån.

Hon såg efter honom och insåg att han hade kommit till fots igen. Det hade han gjort en gång tidigare, en kall januarikväll när de flesta med vettet i behåll hållit sig inomhus. Då hade han medvetet gått rakt in i en situation som många andra skulle ha flytt ifrån, och förmodligen hade han räddat ett liv eller två.

Niccolo Andreani, före detta präst och en fantastisk människa, försvann runt hörnet.

För första gången någonsin kändes Whiskey Island Saloon inte som en tillflyktsort, utan som ett fängelse.

*

Niccolo hade vetat att Megans känslor för honom inte alls var tydliga. Hon var två olika personer – kvinnan som längtade efter kärlek och hade oerhört mycket att ge, och kvinnan som aldrig mer ville bli lämnad ensam med ett värkande hjärta och bördan av ett misslyckat förhållande.

Han kunde hävda att hon var för gammal för att låta sig styras av något som hänt medan hon fortfarande var barn, men han visste bättre än att tro på det. Var och en fann frid i sin egen takt, och Megans bördor hade varit tunga. Hon ville helt enkelt inte ta på sig mer, och kärleken var också en börda.

Då Niccolo kommit till sin gata hade tankarna blivit klarare. Han hade förväntat sig något av en kvinna som tydligt sagt ifrån att han inte kunde förvänta sig något. Nu måste han tro henne och sluta hoppas att hon skulle ta sitt förnuft till fånga, för i det här läget var förnuftet inget annat än underkastelse.

Niccolo stannade till utanför grannens hus. Han skulle skriva under köpekontraktet följande vecka, men nu önskade han att han kunnat ge sig på väggarna med kofot och slägghammare redan samma kväll.

Han önskade att han hade kunnat gråta.

När han kom in i sitt eget hus hördes röster från köket. Han gick dit och fann en blek Josh stående vid diskbänken. Vid köksbordet satt en ovårdad främling och åt flingor och mjölk.

Josh blev både lättad och tacksam när han fick se Niccolo.

– Den här killen kom alldeles nyss, förklarade han med låg

röst. Han hade ett meddelande från dig där det stod att han kunde komma hit när han ville. Gjorde jag rätt som släppte in honom?

Niccolo stirrade på Rooney Donaghue, som obekymrat fortsatte äta. Han var klädd i flera lager kläder, men inte lika många som tidigare. Vädret började bli varmare.

– Du gjorde precis rätt, svarade han.

– Vill du att jag ska stanna?

– Nej, inte om du hade tänkt gå någonstans.

– Jag tänkte låna en bok på biblioteket, om det går bra.

– Gå du. Jag klarar mig.

– Jag ska skynda mig tillbaka, lovade pojken.

Niccolo var inte säker på att det var så bra, så han tog upp en femdollarsedel ur fickan. – Det är ingen brådska. Vi äter nog sent, så köp något så att du klarar dig till dess.

Josh rynkade pannan, men tog emot pengarna och lämnade köket. Ett ögonblick senare hörde Niccolo att han gick ut genom ytterdörren.

Rooney hade ätit upp flingorna och börjat dricka ur ett stort glas med apelsinjuice när Nick satte sig hos honom vid bordet. – Jag är glad att du kom hit, sa Niccolo. Jag har väntat på dig.

– Man har många ställen att gå till.

– Har du många platser där du kan äta?

– Gott om mat om man vet var man ska leta, fortsatte den äldre mannen.

– Brukar du leta vid Whiskey Island Saloon ibland?

Rooney svarade inte utan drack bara av juicen och stirrade rakt in i väggen.

– Dina döttrar är oroliga för dig, sa Niccolo till slut.

– Det finns saker en pojke inte förstår. Och saker en pojke inte vill göra.

Niccolo gissade att han syftade på Josh. – Josh bor hos mig. Han är en bra pojke, och jag är glad att han släppte in dig. Jag ska säga till honom att göra det varje gång du kommer.

Rooney vände sig mot Niccolo. Hans rynkiga ansikte var smutsigt, men det syntes att han ändå gjort ett försök att snygga till sig. Det långa, grå håret var kammat och hopfäst med en gummisnodd, och skjortan var ordentligt knäppt. Tänderna såg bra ut, men att döma av lukten hade hans kläder inte tvättats på mycket länge.

– Jag har bevakat det där stället nästan lika länge som du har levt.

Vilket ställe? Baren? Utgrävningen på Whiskey Island? Niccolo var tvungen att gissa igen. – Baren var din en gång, eller hur?

– Jag hade tre små flickor, men de är borta nu.

– Om du menar Megan, Casey och Peggy finns de fortfarande kvar, även om de är vuxna kvinnor nu. De vill gärna träffa dig igen.

– Stjärnorna tog dem. Han suckade. – Skötte inte mitt jobb.

Rooneys hjärna fungerade tydligen efter en alldeles egen logik, och det fanns inget annat sätt att förstå honom än att prova sig fram.

– Vilket jobb var det? De älskade dig och gör det fortfarande, och det är väl det viktigaste för en far?

– Stjärnorna bevakar en hela tiden. Jag tittade bort, och de såg att jag gjorde det. Rooney böjde sig framåt. – Tittar du bort ibland?

Niccolo undrade vilket det rätta svaret var, det som skulle få Rooney att fortsätta prata. – Det gör alla, skulle jag tro.

– Slutade vara uppmärksam. Var försiktig så att du inte gör likadant.

Nick blev glad över att Rooney fortfarande kunde tänka på andra, trots att han hade så många egna problem. – Vad ska jag vara uppmärksam på?

– Stjärnor. Röster. Ljud från det förgångna. Hör du dem?

Niccolo undrade om han gjorde det. Alla hör människor som varit viktiga för dem. Inte några verkliga röster, förstås, men minnen av samtal och råd. Var det sådana röster Rooney talade om?

– Jag kommer ihåg sådant som folk har sagt till mig. Det kan man kalla röster.

– Du lyssnar. Det gjorde inte jag.

– Jag tror inte man måste lyssna om rösterna säger att man ska göra saker som man inte själv vill.

– Man har inget val, hävdade mannen.

– Inte alls?

Rooney drack upp den sista av juicen och ställde sedan ner glaset. – Hur som helst är det över. Det är gjort, och stjärnorna vet det.

– Är de arga?

Rooney sköt tillbaka stolen. – Det får tiden utvisa.

– Rooney, Megan vill så gärna träffa dig. Kan du stanna en stund om jag ringer henne så att hon kan komma hit och prata med dig? Du behöver inte vara kvar efter det, men det skulle vara skönt för henne att se att du mår bra.

– Megan var som sin mor. Till och med ännu starkare. Casey var som jag och gjorde aldrig som hon blev tillsagd. Rooney log lite.

Nu fanns det inte längre något tvivel om att mannen var Rooney Donaghue. – Casey kan också komma, sa Niccolo.

Rooney svarade inte utan lutade bara huvudet mot armarna som om han tänkte sova.

Nick reste sig tyst och gick till arbetsrummet för att ringa. Han drog till dörren så att Rooney inte skulle höra samtalet. Som han förväntat sig var festen fortfarande i full gång på Whiskey Island Saloon, och den som svarade hade svårt att höra honom.

– Jag måste få prata med Megan. Kan du hämta henne? Säg att det är Nick, upprepade han flera gånger.

Det hördes en rad smällar i andra änden, som om den som svarat hade tappat luren eller låtit den hänga och slå mot väggen.

Så småningom kom en röst tillbaka, men Niccolo kunde inte avgöra vem den tillhörde. – Hallå? Är det Megan?

– Megan kan inte komma just nu.

– Säg till henne att jag måste prata med henne. Det är viktigt. Säg att det är Nick! skrek han.

– Vänta ett tag.

Han undrade om han skulle gå och titta till Rooney medan han väntade, men då skulle säkert Megan svara. Om han haft en trådlös telefon skulle det inte ha varit några problem, och han blev arg på sig själv för att han inte gått upp och hämtat den han hade på övervåningen.

– Hallå?

– Är det Megan?

– Hon säger att du ska ringa tillbaka senare. Efter tio.

Niccolo kunde inte tro att det var sant. Han undrade om Megan trodde att han ringde för att be om ursäkt eller för att göra slut. Inbillade hon sig verkligen att han skulle störa henne med det under den mest stressiga dagen på året?

– Säg till henne . . .

Luren lades på. Den som svarat hade tydligen tröttnat på att springa fram och tillbaka med meddelanden. Niccolo satt orörlig ett ögonblick och samlade sig för att ringa upp på nytt. Det var tyst i huset, men plötsligt hördes ett mjukt klickande.

En dörr stängdes.

Niccolo sprang ut i köket, men det var naturligtvis tomt. Rooney Donaghue hade försvunnit igen.

33

Niccolo körde runt i området i över en timme och letade efter Rooney, men han syntes inte till någonstans. Det var inte så konstigt, för Rooney var bra på att göra sig osynlig och det var förmodligen det som hållit honom vid liv. Den som lyckades med att bo på gatan utan att märkas kunde undvika de värsta våldsamheterna. Många hemlösa hade blivit utsatta för våld bara därför att de varit så lätta att se.

Det var mörkt ute när han kom hem igen. Han hade bestämt sig för att inte åka till baren nu. Det var onödigt att tala om för Megan vad som hänt medan hon fortfarande hade gäster. I stället skulle han åka dit när de hade stängt, och då skulle han bara meddela henne att Rooney varit hemma hos honom och sedan gå igen. Men han ville göra det personligen för att vara säker på att Megan verkligen fick veta det.

Klockan fem i tolv, efter en sen middag tillsammans med Josh och ett långt telefonsamtal med Iggy om finansieringen av det nya projektet, åkte Niccolo till Whiskey Island Saloon. Det var nästan tomt på parkeringsplatsen när han kom fram. Caseys bil stod fortfarande på verkstaden, och Megans var också borta. Men han visste att hon ofta åkte till banken på kvällen, och efter en sådan här dag ville hon nog inte lägga alla pengar hon fått in i barens primitiva kassaskåp. Hon skulle säkert komma tillbaka snart.

Han kände på stora dörren, men den var redan låst för natten och han såg inte till någon där innanför. Men köksdörren var olåst, så han steg in och hängde av sig rocken.

Det var överraskande tyst i baren, med tanke på att det inte var så länge sedan den stängdes. Köket var inte färdigstädat, för det låg disk i blöt i alla tre hoarna, men bänkarna var avtorkade och golvet moppat. Kanske hade systrarna varit så trötta att de lämnat resten till nästa morgon?

När Niccolo hörde Caseys röst från barlokalen stannade han till, för det var något egendomligt med den. Hon lät inte som vanligt.

– Jag vet inte vem ni är eller vem ni tror att jag är, men ni har fått tag i fel kvinna. Jag har inte er dotter.

En mansröst svarade. Den var så låg och mjuk att Niccolo måste anstränga sig för att höra. – Försök inte. Jag vet att ni har Alice Lee, för jag har själv sett henne. Ni har min lilla flicka, och jag tänker ta henne med tillbaka dit där hon hör hemma.

– Jag har hand om en flicka medan hennes mor flyttar till Wisconsin. Kanske hon liknar . . .?

– Jag känner igen min dotter, miss Donaghue. Ni kan inte hålla ett barn borta från sin far på det sättet. Jag älskar Alice Lee, och hon älskar mig.

Nick började gå igen, men det han fick se genom serveringsluckan hejdade honom på nytt. Mannen, vem han är var, höll en pistol riktad mot Casey, som stod bakom bardisken. Det fanns inga andra människor i lokalen. Niccolo tänkte inte störa den ömtåliga balansen. Att han plötsligt dök upp kunde bara förvärra situationen.

Casey lutade sig utmanande framåt. – Vet ni vad jag har hört om er, Bobby Rayburn? Att ni älskar er dotter så mycket att ni inte kan hålla händerna borta från henne. Ni är en sjuk man, och helvetet kommer att frysa till is innan jag låser upp dörren och låter er få henne.

Niccolo förstod att faran var ännu större än han fruktat, för Casey skulle inte ge mannen någonting, allra minst hans dotter. Även om Casey var en festmänniska på ytan var hon en korsriddare i hjärtat.

– Vad jag gör med mitt barn är inget som ni ska lägga er

i. Alice Lee och jag har ett speciellt förhållande, och det är något som ni eller den där slynan jag gifte mig med inte kan fatta. Hennes mor tror att hon förstår Alice Lee, men det är ingen annan än jag som gör det. Jag vet vad flickan känner.

– Det vet jag också, svarade Casey. Hon är livrädd för er och känner att det ni har gjort mot henne är fel.

– Jag älskar henne! utropade han. Jag har aldrig gjort något som inte kändes bra för henne. Jag visade bara att jag älskade henne.

– Ni är ynklig.

Niccolo ville varna Casey eller ännu hellre få tyst på henne, men det fanns inget han kunde göra. Med fasa såg han hur hon böjde sig ännu längre fram mot den beväpnade mannen. Tydligen var hon så rasande att hon inte förmådde känna någon skräck.

– Vill ni skjuta mig, Bobby Rayburn? Varsågod, sätt i gång bara. Men så fort min syster hör skottet kommer polisen att vara här, och sedan får hela världen veta vad ni egentligen är för slags man. Er fru släpps ut ur fängelset, och de ger henne vårdnaden om Alice Lee för all framtid. Hon kanske till och med får en medalj därför att hon höll flickan borta från er. Och ni själv hamnar i bakom galler, vilket inte är särskilt trevligt, tro mig. Pedofiler blir inte gamla i ett fängelse. De intagna har sina egna metoder att ta hand om sådana som våldför sig på barn.

Bobby Rayburn tog ett steg närmare henne. Han var en kortväxt man med tjockt, lockigt hår och ett öppet, pojkaktigt ansikte som just nu var förvridet av raseri.

– Jag har aldrig våldfört mig på Alice Lee. Hon tyckte om att jag rörde vid henne och ville att jag skulle . . .

– Sluta, jag vill inte höra några detaljer! Ni förstår inte ens hur sjuk ni är.

– Ge mig nyckeln nu, annars skjuter jag er. Han viftade med pistolen. – Tror ni inte att jag vågar göra det?

– Jag tror att ni vill ha er dotter, och att skjuta mig är inte rätt sätt att få henne, bet Casey av. Ge er iväg härifrån i stället, och låt domarna i Ohio bestämma vad som ska hända med flickan. Berätta bara för dem vad ni just har sagt till mig, så kommer de att ta hand om resten.

– Om jag ville blanda in polisen skulle jag redan ha rapporterat er.

– Ni vill inte blanda in dem eftersom de kan tänkas ta sig en ny titt på fallet innan de lämnar tillbaka Alice Lee. Och det klarar inte en närmare granskning.

– Jag ska hämta henne och åka härifrån, fastslog mannen. Jag har bara väntat på rätt tillfälle.

– Det var ni som skar sönder mina däck, eller hur?

– Jag ville inte att ni skulle köra iväg någonstans med henne, bekände han.

– Om ni är rädd för polisen måste ni ha en orsak till det. Vad är det? Börjar ert nät av lögner att lösas upp? Ni har inte lika stort inflytande i Cleveland som i Florida, eller hur? Men *jag* har kanske tillräckligt mycket makt för att förhindra att ni får tillbaka flickan.

– Ni är ovanligt talför för att ha en pistolmynning riktad mot er, anmärkte han.

– Vi kan prata hela natten, jag tänker ändå inte låsa upp dörren till övervåningen. Casey såg ut att försöka behärska sin vrede, och när hon fortsatte tala var rösten lägre. – Vi kommer ingenstans med det här. Varför inte låta era advokater prata med mina?

– Tror ni att jag är galen? Bobby Rayburn fortsatte genast tala, som om han ansåg att frågan var helt retorisk. – Ni kommer att smita iväg och ta min Alice Lee med er.

– Nej, det är dags att sluta fly nu. Jag stannar här, så låter vi domstolen bestämma.

– Det har den redan gjort, och hon är min. Han böjde sig över disken och satte pistolpipan mot bröstet på Casey.

– Om ni skjuter mig och lyckas ge er iväg med Alice Lee, tror ni inte att polisen kommer att räkna ut vad som har hänt? Vill ni verkligen sitta i fängelse för mord?

Rayburn såg ut att begrunda frågan, och Nick förstod att

det var ett dåligt tecken. När den andre mannen lutade sig ännu mer framåt, som för att sikta in sig på sin redan perfekta måltavla, visste Nick att han inte hade något annat val än att visa sig.

Han sköt upp svängdörrarna och sa de ord som han hört i så många polisfilmer. – Släpp vapnet!

Rayburn svängde runt med pistolen rakt framför sig, och Casey böjde sig utan att tveka fram över bardisken för att ta den. Medan Niccolo fortsatte framåt började hon och mannen kämpa om vapnet.

Det gick av.

Ett ögonblick var Niccolo övertygad om att Casey blivit skjuten, för hon ramlade mot hyllorna bakom bardisken. Sedan såg han Bobby Rayburn sjunka ihop på golvet med blodet sprutande ur ett sår i bröstet.

Niccolo sprang fram och böjde sig ner bredvid honom. – Ring efter en ambulans!

– Casey, jag . . . Megan kom in genom svängdörrarna mellan köket och baren. – Vad är det som har hänt? Nej!

– Ring ambulansen, Megan! Nick tittade upp och såg att Casey fortfarande höll i Rayburns vapen, som om det frusit fast i hennes hand. – Lägg ifrån dig pistolen, Casey. Lägg den bara på bardisken, lugnt och försiktigt.

– Jag sköt honom. Casey stirrade förvirrat på Rayburn som om hon inte kunde förstå vad som hänt.

– Lägg ifrån dig pistolen, befallde Niccolo. Nu.

Han drog av sig tröjan, vek ihop den och tryckte den mot såret i Bobby Rayburns bröst. Megan pratade med någon i telefonen, och när han tittade upp igen hade Casey äntligen lagt ifrån sig vapnet.

– Jag sköt den uslingen. Hon tvekade. – Dödade jag honom?

Niccolo var inte säker på vilket svar hon hoppades på. – Nej. Inte än i alla fall.

– Han är Ashleys far.

– Jag hörde alltihop.

– Hörde du . . .?

– Tillräckligt för att vittna om att han har våldfört sig på henne? Ja.

– Nick, vi måste sluta träffas så här. Casey försökte sig på ett skratt, men det förvandlades genast till kvävda snyftningar. – De kommer att sätta mig i fängelse!

– Det var Rayburns vapen och han tänkte skjuta dig, så det är ett uppenbart fall av självförsvar.

– Det är kidnappning också ... De kommer att säga att jag kidnappade Ashley.

Megan kom tillbaka. – Ambulansen och polisen är på väg. Vet du vad du ska göra med honom, Nick? Jag har en sjuksköterska i telefonen om du behöver instruktioner.

Mannen var fortfarande medvetslös, men han andades och blödningen var inte lika kraftig som Niccolo först trott. – Just nu räcker det med att försöka dämpa blodflödet, men håll henne kvar för säkerhets skull.

– Megan ...

Megan gick fram till sin syster. – Vad är det Casey? Är du skadad?

– När du kan lägga på luren, vill du göra mig en tjänst då?

– Vad som helst, försäkrade Megan.

– Ring Jon.

*

Casey satt ensam i ett förhörsrum. Väggarna var grå och bordet framför henne hade en bucklig bordsskiva av plåt. Hon ville inte tänka närmare på hur det hade fått alla bucklorna.

Dörren öppnades, och Jon Kovats kom in. Casey hade aldrig i hela sitt liv blivit så glad över att se någon. Hon brast i gråt för andra gången den natten.

– Case ... Han drog fram en stol, satte sig bredvid henne och tog hennes händer i sina. – Vilken natt!

– Är han död?

– Vilket svar vill du helst höra?

– Nej! Hon såg upp på honom, fortfarande med tårarna strömmande nerför kinderna. – Det tror jag i alla fall.

– Han är inte död, och kommer inte att dö heller om inte någon annan skjuter honom. Poliserna som tog emot Niccolos vittnesmål på baren skulle nog gärna vilja göra det, men jag tror att han är säker på sjukhuset.

– Jag tycker inte om vapen och skulle inte köpa ett om så mitt liv hängde på det.

– Det gjorde det faktiskt i natt.

– Nej, det gjorde det inte. Megan har en pistol i en låda under disken, men även om jag hade kommit åt den skulle jag aldrig ha använt den. Men när jag såg Bobby Rayburn sikta på Nick . . .

– Då sköt du honom.

– Nej, jag försökte bara ta ifrån honom pistolen. Den gick av, och jag förstod inte ens att jag hade skjutit honom förrän jag höll i vapnet. Det gick så fort alltihop.

– Skulle du ha skjutit om du fått möjlighet att tänka efter? Om du vetat att det var enda sättet att hindra honom från att ta Ashley?

Casey torkade tårarna. – Vad är det här för utfrågning?

– Svara bara.

Hon tänkte efter. – Nej. Jag hatar honom, men han är i alla fall en mänsklig varelse.

– Det är ett bra svar. Kom ihåg det när de förhör dig. Det var en ren olyckshändelse.

– Jag ljuger inte, Jon.

– Det vet jag. Resten blir inte lika lätt.

– De kommer att anklaga mig för kidnappning, eller hur?

– Aldrig i livet. Du kan möjligen bli åtalad för en mindre förseelse, men jag ska se vad jag kan göra. Om vi åtalar dig kommer det att bli en fruktansvärd publicitet. Bobby Rayburn sökte ju upp dig och hotade att skjuta dig, och Nick hörde honom erkänna att han våldfört sig på Ashley . . .

– Alice Lee, rättade Casey honom.

– Dessutom har en privatdetektiv i Florida hittat Alice Lees före detta barnvakt, och hon är villig att vittna mot Rayburn.

– Hur vet du det?

– Jag fick tag i honom så sent som i eftermiddags. Han har tydligen anlitats en av grupp oroliga mödrar.

– Det måste vara den gruppen som placerade Alice Lee hos mig.

Jon ryckte på axlarna som för att visa att han inte ville veta mer. – Barnvakten och hennes föräldrar försvann ungefär samtidigt som vårdnadstvisten skulle upp i rätten. Tydligen fick föräldrarna ett oväntat arv och lämnade staden sent en kväll. Flickan följde med dem, men nu när hon är återfunnen vill hon berätta vad hon vet. Det är tydligen rätt mycket eftersom Rayburns ofta anlitade henne, och föräldrarnas plötsliga arv går säkert att spåra till honom.

– Då är det över nu? De kommer att släppa ut Dana ur fängelset, och hon får vårdnaden om Alice Lee?

– Det ser så ut.

Casey hade slutat gråta. – I så fall spelar det ingen roll vad som händer med mig. Alice Lees trygghet är värt priset, vilket det är blir.

– Case, du behövde inte offra dig för att få förlåtelse, det vet du väl? Det var inte ditt fel att den där pojken dog.

– Jag menade aldrig att offra mig, utan ville bara hjälpa en liten flicka. Det blir inte roligt att sitta i fängelse, om jag nu hamnar där, men då vet jag i alla fall att hon äntligen är säker.

– Jag ska göra allt jag kan för att du inte ska få fängelsestraff, på ett villkor.

Hon knäppte händerna på bordet framför sig. – Vad?

– Att du följer med mig hem härifrån när förhöret är över. Jag vill helst inte släppa dig ur sikte på ett tag, och du behöver mig. Det är bra om du har någon att prata med när du får lust att arbeta olagligt.

– Jag är nöjd med upplösningen av det här, Jon, även utan din hjälp.

– Då kan du väl följa med mig hem för att det är den rätta platsen för dig?

– Därför att jag älskar dig?

– Det skulle också kännas bra.

Hennes ansikte mjuknade. – Jag älskar dig, din skenhelige lag-ochordningsfantast.

– Ingen man har någonsin fått en bättre komplimang. Han kysste henne ömt.

34

– Ashley vaknade av uppståndelsen, förklarade Peggy.

När Peggy hört skottet hade hon kommit ner klädd i morgonrock, och efter det hade hon gått upp och ner mellan våningarna för att tala med polisen och titta till den lilla flickan.

– Hennes riktiga namn är Alice Lee. Megan hade fortfarande svårt att fatta allt som hänt, men bitarna började falla på plats. – Det är otroligt att Casey har gömt henne för hennes far.

– Av goda skäl, insköt Niccolo. Jag hörde tillräckligt för att förstå det.

Än en gång hade alltså Nick snubblat in precis när han behövdes som mest.

– Du måste ha näsa för besvärliga situationer, sa Megan. Men varför kom du egentligen hit? Och varför ringde du tidigare?

Han kastade en blick på Peggy, som fortfarande var klädd i morgonrock. – Innan jag förklarar det ska vi kanske diskutera vad som händer nu. Peggy, kan du stanna här hos Ash . . . Alice Lee? Jag vet inte när eller ens om Casey kommer tillbaka.

– Vad tror du händer med henne?

– Jag gissar att hon får en varning och sedan släpps.

– Borde inte någon av oss vara på polisstationen ifall hon behöver oss? Megan var fortfarande ledsen över att Casey inte velat ha henne med.

– Jon är där, och han kan göra mycket mer än vi, ansåg Nick. Fader Brady ringer en advokat som kan företräda henne, någon från församlingen som tydligen är väldigt skicklig.

– Tack. I släkten har vi bara brännvinsadvokater.

Megan lade handen på Nicks arm. Hon hade velat röra vid honom ända sedan hon kom in och hittade honom på knä på golvet bredvid Bobby Rayburn. Ett ögonblick hade hon trott att det var han som blivit skjuten och det skulle hon inte ha stått ut med.

– Vad säger du, Peggy? undrade han.

– Jag skulle inte vilja stanna här. I morgon är det säkert inga problem, men i natt . . . Megan, kan vi sova över hemma hos dig?

Niccolo svarade innan Megan hann säga något. – Kan ni inte komma hem till mig allihop i stället? Jag har plats för er, och Alice Lee tycker om mitt hus. Dessutom behöver jag prata med er båda två.

Megan tyckte bättre om idén än hon ville visa. – Jag hämtar Alice Lee. Peggy, ta med dig vad du behöver.

Peggy började gå uppför trappan, men Nick hejdade Megan när hon tänkte följa efter. – Det var bra att du inte kom till telefonen tidigare, men jag skulle ändå vilja veta varför du inte gjorde det.

– Jag stod upp över öronen i katastrofer. En trasig vattenledning sprutade, två gäster behövde en taxi och någon som hindrade dem från att köra själva, det saknades sexton portioner av middagen och . . . Hon hejdade sig. – Trodde du att jag ville göra slut?

Han log lite. – Ja, kanske det.

– Om jag någonsin vill det kommer du att märka det. Jag är inte särskilt finkänslig av mig. Hon lade äntligen armarna om honom. – Nick, jag vet att jag är besvärlig. Men ha tålamod med mig, för jag försöker faktiskt. Jag är glad att du inte är så säker själv heller, förresten. När du berättade att du skulle stanna blev jag så glad att jag blev rädd. Jag vill inte behöva dig så mycket.

– Du behöver inte mig, Megan. Du har alltid klarat dig på egen hand. Men du behöver *oss*. Tillsammans.

Hon såg häpet på honom. – Är det så?

– Det är i alla fall min tolkning. Ändra den om du vill.

– Jag ska tänka på saken.

Han gav henne en hård kram innan han sköt undan henne. – Gå och hämta Alice Lee nu. Jag värmer upp bilen under tiden.

*

Alice Lee, som fortfarande var omedveten om sin fars nattliga besök på baren, somnade genast om när Megan hade lagt henne i en säng hemma hos Niccolo. När Megan kom ner var Nick i färd med att brygga te till sig själv och Peggy.

– Vill du också ha lite? undrade han.

– Jag skulle hellre ta en drink.

– Det finns rödvin i skåpet och vitt i kylen.

Hon hällde upp ett glas och satte sig sedan bredvid Peggy och tog av sig skorna.

– Sover Ashley? frågade Peggy.

Megan rättade henne inte. Det skulle ta tid för dem alla att vänja sig vid det nya namnet. – Hon frågade mig varför det var poliser i baren.

– Vad svarade du?

– Att någon hade ringt dem och klagat över oväsen, förklarade Megan.

– Och det gick hon på?

– Är det inte sant då? Hon sa inte mer eftersom hon var så trött, men det kan mycket väl komma fler frågor i morgon.

– Jag märkte hur du såg ut när du bar in henne här. Du har blivit fäst vid henne, eller hur?

Det var meningslöst att förneka det. Under lång tid hade Megan låtsats vara någon annan än den hon var, och alla som älskade henne hade sett rakt igenom förställningen. Först nu hade sanningen om vem hon egentligen var börjat gå upp för henne, men för andra hade den varit uppenbar länge.

Hon höjde huvudet och kände sig naken utan sin vanliga försvarsmur. – Ja, hon är en fin liten flicka. Nu låter det som om hon äntligen kan få ett normalt liv tillsammans med sin mor.

– Hon kommer att behöva gå i terapi, sa Peggy. Hon har varit med om mycket.

Niccolo ställde en tekopp framför Peggy. – Hon är stark, så får hon bara rätt slags hjälp kommer hon igenom det här.

Telefonen ringde, och han lämnade köket för att svara. Peggy smuttade tyst på sitt te och Megan på vinet, men trots att båda ansträngde sig kunde de inte höra något av samtalet.

– Det var Casey, förklarade Nick när han kom tillbaka. De tänker inte hålla henne kvar på polisstationen, eftersom det inte finns något åtal mot henne för ögonblicket och ingen tycks ha bråttom att lämna in någon anmälan. Hon gissade att ni var här när ingen svarade hemma hos Megan.

– Var är hon nu? undrade Peggy.

– Hos Jon. Hon stannar där över natten och hälsade att hon skulle prata med er i morgon.

– Jag är glad att hon inte är ensam. Vad var det du ville tala med oss om? Megan kände sig lättad, och nu kunde hon ägna Niccolo sin fulla uppmärksamhet.

– När jag ringde till baren tidigare var det för att berätta att Rooney var här.

Peggy ställde ner koppen. – Här? I huset?

– Jag lämnade min adress på några platser där jag trodde att han skulle hitta den, och i kväll kom han hit. Det är verkligen Rooney, för han pratade om både Megan och Casey.

Tjugofyra timmar utan sömn, årets mest stressiga dag och det som hänt under Bobby Rayburns besök i baren räckte bra för Megan. Den här sista informationen var helt enkelt för mycket för henne.

– *Var* här? När du ringde, menar du?

– Han satt här vid bordet och åt flingor och mjölk, berättade Nick. Det var därför jag var så angelägen om att du skulle komma till telefonen, Megan.

– Vad sa han? Hur såg han ut?

– Vart tog han vägen? tillade Peggy.

Niccolo besvarade den tredje frågan först. – Jag vet inte vart han gick. Jag lämnade köket för att ringa till Megan, och han försvann medan jag var borta. Jag körde runt och letade i över en timme utan att hitta honom.

Megan sköt undan vinglaset. Det var nog ingen bra idé att dricka alkohol i alla fall. – Varför kom han just hit, vet du det?

– Jag är inte säker. Han åt och vilade en stund, och sedan drog han vidare. Kanske var det så enkelt att han bara ville vara på en trygg plats ett tag.

– Och han sa ingenting?

– Jo, först sa han att han hade många platser att gå till och att det fanns mycket mat bara man visste var man skulle leta. Jag tror att han ville försäkra mig om att han kunde ta vara på sig själv. Kanske ville han att jag skulle säga det till er också.

– Hur såg han ut? undrade Peggy.

– Han behövde bada, men annars var han ganska prydlig, tyckte Nick. Håret var kammat och tänderna i god kondition. Han åt en stor tallrik flingor men glufsade inte i sig utan åt långsamt och smuttade på apelsinjuicen.

– Vad sa han mer? ville Megan veta.

– Han sa något om att pojkar inte förstår saker. Jag trodde att han pratade om Josh, för det var han som släppte in Rooney.

Pojken hade kommit ner och hälsat och Niccolo hade presenterat honom för Peggy, men nu hade han gått och lagt sig igen.

– Och sedan? manade Megan på honom.

– Han pratade om sina små flickor och sa att stjärnorna hade tagit dem. Jag försökte förklara att han fortfarande hade tre döttrar men att de var vuxna nu, men jag är inte säker på att han förstod mig.

– Stackars man, sa Peggy med kvävd röst.

Det lät som om hon talade om en främling, och det förvånade inte Megan. Rooney var ju en främling för henne. Hon hade inte många minnen av honom.

– Det låter som om stjärnorna är viktiga för honom, anmärkte Peggy. Han pratar om dem nästan som om de var människor som iakttog honom.

– Ja, precis så är det. Tidigare lät det som om stjärnorna var den heliga treenigheten, men i dag var det mer som om de var människor ur hans förflutna. Förfäder kanske?

Megan harklade sig. – Jag försäkrar dig att ingen Donaghue någonsin skulle gå att blanda ihop med Fadern, Sonen eller den helige Ande.

– Rooney sa att han hade tittat bort, och han uppmanade mig att alltid vara uppmärksam.

– Det låter som om han försöker bära hela världens bördor på sina axlar, framkastade Megan.

– Kanske inte nu längre, framhöll Nick. Han sa att det var över.

– Vad var det som var över?

Nick ryckte på axlarna. – Jag önskar att jag visste det. Det skulle kunna lösa hela mysteriet.

– Sa han något annat?

– Ja, att du var lik din mor men starkare och att Casey liknade honom, för hon gjorde aldrig som hon blev tillsagd.

– Då måste det vara Rooney. Megan svalde för att få bort den stora klumpen i halsen.

– Sa han något om mig? frågade Peggy.

Niccolo skakade på huvudet. – Tyvärr inte.

– Det är inte så konstigt. Han stannade ju inte kvar så länge att han fick veta vad jag skulle bli för slags människa.

Megan lade sin hand över Peggys. – Han tyckte om dig, men han hade redan börjat driva iväg. Han kunde sitta med dig i knäet och sjunga och sedan plötsligt tystna och bara stirra rakt ut i luften. Även om han fortsatte hålla i dig ordentligt var han tusentals mil bort. Om jag sa något till honom svarade han inte, men han lät dig aldrig ramla eller satte ner dig där du inte borde vara . . .

Niccolo reste sig för att fylla på Peggys tekopp. – Jag tror att Rooney har slagits mot en allvarlig sinnessjukdom under större delen av sitt liv. Han önskade säkert inget hellre än att bli en normal människa och uppfostra sina tre döttrar, och att han drack för mycket kan ha berott på att han ville tysta rösterna inom sig och dämpa impulserna han kände. Krafterna som drog i honom var för starka och han kunde inte stå emot dem, men till och med nu känner Rooney Donaghue ansvar. I flera år har han försökt skydda någon eller något, och även om vi inte förstår varför kan vi beundra honom för att han kämpar.

Megan kunde inte riktigt tro på bilden Niccolo målade upp, inte än i alla fall. Hon hade alltför länge föreställt sig en man som bara drack för mycket, blev trött på verkligheten och flydde från den. Vreden över faderns svek hade gett henne kraft att ta över hans bördor, och nu kunde hon inte släppa den.

– Jag tror att det bara var lättare att försvinna. Hon lyfte glaset, undrade hur mycket alkoholen hade påverkat hennes fars mentala hälsa och ställde ner det igen. – Kommer jag att förvandlas till Rooney Donaghue om jag dricker ur det här?

Niccolo fattade beslutet åt henne och ställde hennes glas på diskbänken. – Jag vet inte hur mycket alkoholen har med sjukdomen att göra, men jag gissar att han drack för att dölja symptomen.

– Du dömer honom för milt, tyckte Megan.

– Jag går också lägger mig nu, gäspade Peggy och reste sig. Jag är trött, och jag vill vara där uppe ifall Ashley . . . Alice Lee vaknar. I det här läget spelar det ingen roll varför Rooney gav sig iväg. Det viktiga är vad vi kan göra för honom nu.

Megan slets mellan beundran för sin syster och sorg över att hon själv inte kunde resonera lika moget. – Sov gott.

– Han lämnade tre starka kvinnor efter sig, sa Niccolo när Peggy hade gått. Om han kunde se er nu skulle han vara stolt.

Megan ville inte diskutera den saken. – Har du någon aning om vad det kan vara han skyddar? frågade hon i stället.

Han tog hennes händer i sina. – Ja. Vill du höra mina teorier, eller vill du vänta tills saker och ting har lugnat ner sig lite?

– Jag lyssnar.

– Första gången jag gick till hålan där Rooney hade varit hittade jag en tidningsartikel om James Simeon. Och efter bilstölden, när jag gick tillbaka till parkeringsplatsen igen, fann jag en manschettknapp som hade tillhört James Simeon på en plats där Rooney mycket väl kan ha tappat den.

– Var det Simeons manschettknapp som låg på vår parkeringsplats?

– De hittade en likadan när de upptäckte hans kropp, bekräftade Nick.

– Har du berättat för Jon att du har den andra?

– Inte än. Jag ville inte att någon skulle fråga ut Rooney. Han kanske skulle bli rädd.

Megan var inte förvånad över att Niccolo skyddade hennes far. – Låt mig gissa. Nu har de hittat James Simeons kropp nära platsen där Rooney bodde?

– Ja, och jag tror att han visste att kroppen fanns där, för han ville att de skulle sluta gräva. Fram till för ett par nätter sedan trodde jag att Rooney hade hittat knappen där kroppen låg begravd, men sedan läste jag i fader McSweeneys dagbok om en kvinna som hette Lena Tierney. Kommer du ihåg att jag frågade dig om det kunde vara Rosaleen?

– Javisst.

– Lena var fader McSweeneys hushållerska, men tidigare hade hon varit anställd av James Simeon. I dagboken står det att något hände där, något som fick henne att sluta. Det var därför hon fick arbete hos fader McSweeney.

– Vi har inga riktiga bevis för att Lena Tierney har något med min släkt att göra, insköt Megan. Eller har du hittat något mer?

– Nej, dagboken slutar där, mitt i historien.

– Vilken otur.

– Tänk efter ordentligt, Megan. Sa Rooney någonsin något om James Simeon, om en familjeskandal eller – hemlighet, eller något annat om Rosaleen eller Rowan Donaghue?

– Menar du att mina förfäder hade något med James Simeons försvinnande att göra?

Niccolo lutade sig bakåt. – Jag försöker bara pussla ihop bitarna.

Hon log blekt. – Ja, vi Donaghues har aldrig haft något emot att gå lite utanför lagen om det passat oss. Titta bara på Casey.

– Kan du minnas något alls?

Megan försökte verkligen. Hon satt tyst och tänkte på historierna Rooney berättat, men det var så länge sedan. Till slut såg hon på Nick. – Han brukade säga att jag som var äldst skulle vara den som anförtroddes hemligheten. Jag trodde att han menade Rosaleens recept, och dem gav han ju till mig. De har aldrig skrivits ner, så han kunde inte bara lämna över dem, men han lärde mig lite då och då när jag hjälpte honom med matlagningen.

– Kan han ha tänkt på något annat?

– Vem vet? Jag utgick alltid ifrån att han talade om recepten. Megan försökte komma på något mer, men hon hade begravt sina minnen av Rooney och till skillnad från James Simeons kropp skulle de inte komma fram igen.

– Iggy säger att det kan finnas en dagbok till i arkivet. Han har lovat hjälpa mig om jag vill leta efter den.

– Tänker du göra det?

Niccolo tittade på klockan. – Han är fortfarande uppe. Jag kanske skulle ringa honom?

– Nu? Sover han inte?

– Inte mycket.

– Kan det inte vänta till i morgon?

– Jo säkert, men jag kan inte. Hans ögon glödde av värme. – Hur mycket tror du förresten att jag kommer att kunna sova när jag har dig liggande i gästrummet?

– Lika lite som jag, erkände hon.

– Jag ringer Iggy. Om han inte är vaken tar telefonsvararen emot samtalet, så jag väcker honom inte.

Nick reste sig, och Megan såg efter honom när han lämnade köket. Hon önskade att hon själv haft något att ägna sig åt under natten – mer än sina tankar.

35

Iggy var uppe, precis som Niccolo förväntat sig, och när han kom hem till prästen hade denne bryggt kaffe och brett smörgåsar. Nick, som inte ens hade förstått att han var hungrig, kastade sig över dem.

Iggy drack bara lite kaffe. – Jag vet att vi har en del brev från McSweeneys senare år, för jag har tittat på dem förut. Men det är teologiska resonemang förda med en annan präst som skickade dem till oss efter fader McSweeneys död.

– Men ingen dagbok?

– Arkivet har inte blivit ordentligt omskött och vi håller fortfarande på med sortering och katalogisering. Det finns stora lådor som varit förseglade i årtionden. Vi har precis börjat med dem, så det är möjligt att vi hittar något där.

Niccolo ställde ner sin kopp. – Jag är redo att börja. Han tvekade ett ögonblick innan han fortsatte tala. – Vet du något som skulle kunna vara till hjälp?

– Du menar om någon har biktat något om mordet på James Simeon?

– Det eller något annat som hör ihop med det.

– Det finns ingenting jag kan berätta, beklagade Iggy.

– Kan inte eller vill inte?

– Båda delarna, är jag rädd. Jag var Rooney Donaghues biktfar, så jag såg hans förfall på nära håll. Vid den tiden sa han mycket som jag inte förstod och mycket som jag har glömt. Det jag minns har förvanskats under årens lopp, och det lilla jag är säker på kan jag inte avslöja.

– Gav du mig Patrick McSweeneys dagbok i förhoppningen om att jag skulle lösa ett mycket gammalt mysterium? Kände du redan till en del av det jag hittade i den?

Iggy log finurligt. – Jag vet mer om dig än om det som hände på Whiskey Island för hundra år sedan, Niccolo, så jag var medveten om att du inte skulle sluta gräva förrän du funnit något slags svar. Och eftersom Rooney Donaghue nyligen kommit tillbaka från de döda trodde jag att svaret skulle vara bra för alla.

– Det finns ingen garanti för att jag hittar något.

– Det har lyckligtvis aldrig hindrat dig från att leta.

*

Megan hade tänkt sova, för hon var inte den som låg vaken och oroade sig för sådant hon inte kunde ändra på. Sent på natten hade hon aldrig fattat ett beslut som höll för dagsljuset, så det hade hon slutat med flera år tidigare.

I hela sitt liv hade hon kämpat för att hålla ordning på alla omkring sig. Hon hade slutat skolan för att kunna behålla Whiskey Island Saloon, och hon hade försökt ge Casey en utbildning och Peggy den stabilitet och kärlek som deras mor skulle ha skänkt henne. Nu löpte Casey risk att bli åtalad för att hon tagit lagen i egna händer, och Peggy skulle bli ensamstående mor.

Hur man än såg på saken var Megan ansvarig för båda delarna. Precis som Casey hade hon gjort vad hon själv tyckte var rätt utan att bry sig om vad andra ansåg. Trots alla svårigheter hade hon behållit baren, och på samma sätt hade Casey skyddat Alice Lee från hennes far. Och Peggy? Megan hade offrat sitt eget liv för systrarnas skull. Hon hade visat Peggy att man kunde få det man helst ville ha om man bara ansträngde sig tillräckligt mycket.

Men även om Megan inte tyckte om följderna kunde hon inte protestera mot systrarnas värderingar – att göra vad som var rätt, att beskydda ett barn, att arbeta hårt för att nå ett mål, att sätta familjen främst.

Casey och Peggy var vuxna nu. Megan hade gjort vad hon kunnat, begått ett otal misstag och vunnit några viktiga segrar, men nu kunde hon inte längre påverka sina systrar. Däremot behövde de henne fortfarande, precis som hon behövde dem, och det var hon glad över.

Framtiden sträckte sig framför henne som en lång korridor med dörrar på båda sidorna. En del av dem stängdes medan andra öppnade sig. I en av dem såg hon Nick, och tyvärr stod hennes far i en annan.

När sömnen vägrade infinna sig steg Megan upp och lämnade rummet hon delade med Peggy och Alice Lee. Hon trodde inte att Niccolo hade kommit tillbaka än, men hon gick ändå och letade efter honom. Om han hade hittat den saknade dagboken kunde hon kanske hjälpa honom att finna svaren på hans frågor. Hon tvivlade på att han skulle upptäcka några hemligheter i släkten Donaghue, men just nu fanns det ingen annan ingång till hennes fars värld.

Som hon misstänkt var Niccolo fortfarande borta. Teet hon tackat nej till tidigare lät lockande nu, så hon satte på vattenkokaren.

Ett ljud vid bakdörren fick henne att rycka till. Först trodde hon att Niccolo hade glömt nyckeln till dörren på framsidan, men sedan såg hon genom fönstret att figuren där utanför var mindre till växten. Det var hennes far.

Ett ögonblick stod hon som förlamad, utan att kunna göra något eller ens tänka klart.

– Megan? Hon snurrade runt och såg att Josh hade kommit ner i köket. – Jag hörde något utanför. Han kikade ut på mannen. – Jaså, är det han.

– Gå och lägg dig igen. Josh uppdykande hade ryckt upp Megan ur hennes förlamning. – Jag tar hand om det här.

– Nick har sagt att han får komma in när . . .

– Jag vet, avbröt hon. Det är min far.

Joshs tystnad sa allt.

Megan började gå mot bakdörren. – Du kan gå upp igen nu, men tack för att du kom ner. Jag är glad att du bor här.

Josh mumlade något och försvann igen.

Hon drog ett djupt andetag innan hon öppnade dörren. Kylan rusade in, men mannen där ute i mörkret rörde sig inte.

– Hej, Rooney. Du kan väl komma in?

Fadern tycktes inte vara förvånad över att se henne, och inte heller tycktes han uppleva några av de känslor som uppfyllde henne. Han gick bara förbi henne och satte sig vid köksbordet som om han hade rätt att sitta där.

En miljon meningar formades i Megans hjärna. På det ena eller andra sättet hade hon talat med sin far ända sedan han försvann, men inget av det hon tänkt säga kom över hennes läppar. I stället hörde hon sig själv fråga om han ville ha en kopp te.

– Du vet hur jag vill ha det, Kathleen, svarade han.

Hon stod alldeles stilla. – Jag är inte Kathleen, Rooney. Jag är Megan, din dotter.

Han skrattade som om hon hade skämtat.

Megan visste att hon var lik sin mor. Kathleen Donaghue hade varit kort och kvinnlig, och även om Megan fått sitt röda hår från fadern kom allt annat från modern – den lilla näsan, de bruna ögonen och förmågan att urskilja det viktiga i en situation och handla därefter.

Men just i kväll hade Megan ingenting av Kathleens klarögda visdom.

Vattnet kokade, och Megan stängde av det och hällde det över tebladen i en brun tekanna av stengods.

– Jag vet hur du vill ha det. Hon vände sig mot honom. – Starkt, med mycket mjölk och socker.

– Har inte fått det så på ett tag.

– Nej, jag förstår det, nickade hon.

– Måste ge upp det.

Hon misstänkte att det inte var för hälsans skull, eftersom hela hans liv var en enda stor hälsorisk. – Varför det, Rooney? Du tyckte ju så mycket om ditt te.

– Man ger upp det de säger till en att ge upp. Han sa det som om han tyckte att hon redan borde veta det.

– Vem säger till dig, Rooney?

Han svarade inte.

Megan försökte med en annan infallsvinkel. – Men det går bra om du dricker det nu?

– Det är över. Försökte hålla det hemligt.

Han skakade på huvudet, men han såg inte sorgsen ut. Rooney visade faktiskt inga känslor alls, inte ens när han skrattade. Mannen framför henne var mer av en främling än hon hade trott.

När Megan hällt upp teet och tagit fram mjölk och socker satte hon sig ner mitt emot honom vid bordet. Mannen framför henne var en karikatyr av den far hon en gång haft. Han *var* Rooney Donaghue, men han var också någon annan.

Ögonen var desamma, men dimman bakom dem var ny. Dragen var sig lika även om de hårda tiderna härjat dem, men det smutsiga ansiktet var rynkigt som om han varit mycket äldre. Han var en böjd man som åldrats i förtid, en man som skakades av krafter han inte kunde kontrollera.

Megan förstod att hon hade byggt upp sitt liv på lögner hon själv hittat på. Men om hon hade erkänt att Rooneys sjukdom inte berodde på en svag vilja kanske hon inte skulle ha orkat ta hans plats i familjen. I stället skulle hon ha letat efter sjukdomstecken hos sig själv och systrarna och blivit förtvivlad över varenda vilsekommen tanke eller oförklarlig önskan.

För att överleva hade hon demoniserat en man som lidit oerhörda kval, inte för att han var svag utan för att han var sjuk.

– Rooney . . . Hon sträckte fram handen men rörde inte riktigt vid honom. – Jag är så glad att se dig igen.

Hennes känsloyttring tyckte tränga igenom dimman som omgav honom. – Jag vet var du bor.

– Gör du?

– Ovanpå baren.

Hon rättade honom inte. – En gång bodde du också där, tillsammans med mamma, Casey, Peggy och mig. Kommer du ihåg det?

Han tycktes inte bli förolämpad över frågan. Den verkade faktiskt inte påverka honom alls. Hon såg inga tecken på att han hörde dåligt, men tydligen kunde han inte tolka allt som sades till honom.

– Jag behöver bada, sa han plötsligt.

– Javisst. Du kan ta ett bad här. Vill du göra det innan du dricker te?

– Te först.

Det hade inte dragit färdigt än, men hon litade inte på att han skulle stanna om hon inte hällde upp det, så hon gjorde i ordning hans te som han ville ha den och ställde koppen framför honom.

– Är du hungrig också? Ska jag laga till något åt dig?

– Rosaleens recept. Det var ett konstaterande, inte en fråga.

– Ja, jag använder dem fortfarande, berättade Megan. Våra gäster i baren tycker om Rosaleens mat.

– Farmor Lena, hon var min fars farmor.

Megan slutade andas.

Rooney tittade upp, och hennes ansiktsuttryck verkade intressera honom. – Hennes hår var rött, precis som ditt. Och mitt. Min mor berättade det.

Nu var hans hår grått, men det spelade ingen roll.

– Hette hon Lena?

– Rosaleen.

– Men du kallade henne farmor Lena? envisades Megan.

– Hon var gammal, men hon var fortfarande vacker. Jag fick sitta i hennes knä, och hon berättade sagor för mig.

– Kommer du ihåg sagorna?

– Stjärnorna tog dem. De är borta nu. Hon är också borta, hos stjärnorna. Han tycktes vara förvånad över att han behövde förklara det.

Medan Rooney drack av teet tog Megan fram kex och ost och ett äpple. – Ifall du är hungrig, sa hon när hon ställde det framför honom.

– Det finns mat överallt.

Hon mindes vad Nick berättat om sitt samtal med Rooney,

och nu kände hon också att hennes far försökte tala om för henne att han inte led någon nöd.

– Allt är inte lika gott som den där osten, sa hon och försökte le.

– Du har alltid tyckt om ost.

Kathleen Donaghue hade vägrat äta något slags ost, så kanske visste Rooney vem Megan var i alla fall.

– Det gjorde du också, svarade hon. Kommer du ihåg att vi brukade smyga ner i baren på natten och skära tjocka skivor från cheddarosten i kylskåpet?

Han svarade inte men tog i alla fall ett kex, lade en ostskiva på det och började äta.

Megan önskade att Nick skulle komma tillbaka, för hon började känna sig desperat. Hon ville att Rooney skulle stanna, och Niccolo kanske visste hur han skulle få honom att göra det. Om hon själv försökte var hon rädd att hon bara skulle göra saken värre.

Det var som om Rooney uppfattat hennes oro, för han sköt undan tallriken och sin halvfulla mugg och visade det första tecknet på känsla – hans ögon fylldes med tårar.

– En man dog. Jag såg honom.

Megan stirrade häpet på sin far. – Vilken man?

– Whiskey Island.

– På Whiskey Island? Eller på baren, Rooney?

– Kunde inte göra något. Stjärnorna såg, men för dem är det över nu. De går vidare. De ser inte.

Hon undrade om han hade varit på parkeringsplatsen igen och hört skottet tidigare. – En man kom till baren för att . . . ta något som inte tillhörde honom. Megan försökte förklara utan att blanda in Casey. – Han blev skjuten, men han dog inte. Ingen annan blev skadad, och ingen dog.

– Han dog, men ingen skulle få veta det. Nu vet de.

– Nej, Rooney. Han ligger på sjukhuset, det är säkert. Och när han kommer ut därifrån hamnar han nog i fängelse.

– Han var en förskräcklig man. Stjärnorna såg det. I alla år. Ingen skulle få veta det. Jag tittade bort, var inte uppmärksam. Tårarna började rinna nerför hans kinder. – Jag försökte. Försökte.

Megan ville så gärna trösta honom, men hon visste inte hur. – Pratar du om skottet i baren i kväll, eller är det något annat?

– Farmor Lena berättade historier och farfar Rowan visste hur de slutade. Jag skulle inte titta bort, men det gjorde jag. Nu vet de . . .

– Rooney, det är inte ditt fel. Hon kände sig lika förvirrad som han. – Pratar du om kroppen de hittade på Whiskey Island? Det är inte ditt fel att de grävde upp en kropp. Den har inget med dig att göra. Kanske tyckte stjärnorna att det var dags? De kanske inte ville att du skulle behöva vara uppmärksam längre, försökte hon förtvivlat.

Han tittade upp på henne. – Jag skulle bevara hemligheten. Megan skulle ta över den efter mig.

– Du behöver inte oroa dig, Rosaleens recept är fortfarande hemliga. Ingen annan kan dem, och jag ska föra dem vidare precis som du gjorde.

– Jag vet inte vad jag ska göra nu.

– Det gör jag, sa hon trots att hon inte visste det. Det är dags för dig att komma hem och låta människor som älskar dig ta hand om dig. Du behöver inte oroa dig mer, Rooney.

Han såg länge på henne, och hon undrade vad eller vem han såg. – Jag vill bada nu, meddelade han precis innan hon tappade behärskningen.

– Det är klart. Hon reste sig hastigt. – Jag kan tvätta dina kläder medan du badar. Du kan ta något av Nick tills de torkar.

– Jag tvättar dem.

Megan ville protestera men förstod att hon inte borde göra det. – Får jag leta efter några rena kläder åt dig då?

Rooney svarade inte utan reste sig bara och började gå ut ur köket. Hon förde honom till badrummet på bottenvåningen. Det hade en dusch i stället för ett badkar, men han tycktes inte ha något emot det eller ens märka skillnaden.

– Jag lägger några rena kläder utanför dörren, sa hon innan hon lämnade honom.

Han stängde dörren mitt framför näsan på henne, och hon stod där ett ögonblick och stirrade på det nyslipade ekträet. Det var allt som skilde henne från mannen hon en gång älskat över allt annat, och för första gången sedan de hemska dagarna efter hans försvinnande tillät hon sig att sörja. Tyst grät hon över allt som hon och hennes systrar förlorat.

Hur skulle hon kunna hålla kvar honom och skaffa den hjälp han behövde? Hon kunde ringa Nick och be honom komma hem, och sedan skulle de kanske lyckas övertala Rooney att lägga in sig på sjukhuset. Men hur pratar man med en man vars referenspunkter är stjärnor och sedan länge döda förfäder?

Megan funderade på att ringa farbror Frank, som kanske kunde utnyttja sitt inflytande för att övertyga en domare om att Rooney borde tas om hand. Men var det rättvist mot hennes far? Han skulle bli skräckslagen och se hennes inblandning som ett övergrepp, inte som ett kärleksbevis. Han visste ju knappt vem hon var.

Rooney hade kommit tillbaka till staden självmant, och medan han varit borta hade han överlevt även om han inte blomstrat. Han rörde sig långsamt hemåt, och om de väntade kanske han skulle söka den hjälp han behövde på egen hand?

Hon hittade kläder i Nicks byrålådor och bad tyst om ursäkt för att hon tog dem, trots att hon visste att han skulle förstå. När hon lagt den lilla högen utanför badrumsdörren gick hon tillbaka till köket för att vänta.

Vattnet slutade brusa, och hon hörde att dörren öppnades. Hon gick inte ut i korridoren än, eftersom hon ville ge sin far tid att ta på sig de nya kläderna. Sedan skulle hon försöka övertala honom att stanna tills Nick kom hem. Niccolo, som alltid tycktes veta vad man skulle göra när det var kris. Den ende Megan velat dela sina bördor med och som sagt att hon inte behövde honom utan dem, tillsammans.

För första gången kände hon i djupet av sitt hjärta att han

hade rätt, inte för att hon stod inför en vändpunkt utan för att hon slutligen insåg vad det innebar att vara en del av något större. Hon hade alltid ingått i en familj och en släkt, men ändå hade hon alltid varit utanför. Efter Rooneys försvinnande hade hon aldrig litat på att någon annan visste vad som var bäst, och hon hade aldrig mer gett bort sitt hjärta eller släppt kontrollen. Förrän nu.

Det klickade till i en annan dörr, och ett ögonblick trodde Megan att det var Niccolo som kom hem. Men när hon inte hörde hans steg i hallen insåg hon sanningen.

I hallen låg högen med rena kläder fortfarande kvar, men dörren till badrummet var öppen och Rooney var borta. Men han hade inte försvunnit utan ett spår. Megan böjde sig ner och såg på den lilla läderinbundna boken han lagt överst på högen. Sedan tog hon upp den och öppnade den för att läsa namnet på första sidan.

Niccolo skulle inte hitta fader McSweeneys dagbok i kyrkans arkiv. Megan stod nämligen och tryckte den mot bröstet.

29 juni 1883

Som präst ska jag älska Gud över allt annat, och jag ska offra precis som han offrade sin son för min skull. Men Gud är fullkomlig och hans offer det perfekta offret, så hur svårt är det egentligen att älska honom?

Är det inte mycket svårare att älska en annan människa, en kvinna kanske, som blir trött vid slutet av en lång dag, en ofullkomlig varelse vars offer också är ofullkomliga?

Men så stor en sådan kärlek är! Att älska någon trots hennes och sina egna fel, att se bortom trötthet och brister till den fulländade själen där innanför.

En präst tror ibland att hans plikter är de tyngsta. Men är det inte både svårare och mer givande att helt enkelt älska en annan människa?

Så begränsade våra liv blir när vi inte får göra det.

Ur dagboken skriven av fader Patrick McSweeney, den heliga Birgits församling i Cleveland, Ohio.

36

Juni 1883

– Vissa saker bör en kvinna hålla för sig själv. Katie Sullivan drack en klunk av teet som Lena hällt upp åt henne. – Men andra gör hon bättre i att dela med en annan kvinna.

Lena tittade häpet på sin vän. De satt i den lilla trädgården utanför prästbostaden och Katies barn lekte runt fontänen utanför fader McSweeneys arbetsrum. Deras skratt ekade mot de grå stenväggarna. Katie hade just lämnat tvätten, och eftersom Lena var klar med förmiddagens uppgifter kunde de ta en paus.

– Vad skulle det vara, menar du? ville Lena veta.

– Antingen misstänker du inget ännu, eller också vill du helt enkelt inte berätta det. Om det är det andra ska jag inte tjata mer, men om det är det första . . .

– Tror du att jag har hemligheter för dig? utbrast Lena misstroget.

– Har du inte det då?

– I så fall är jag inte medveten om det själv!

Katie såg inte förvånad ut. – Jag trodde nog det. Ska jag tala om det, eller vill du vänta tills du kommer på det själv?

– De överraskningar jag har fått i mitt liv har inte varit trevliga.

– Jag tror att du väntar barn, kära vän. Har jag fel?

Lena stirrade bestört på henne. – Ja, absolut!

– I så fall är jag ledsen att jag påstod det. Men du kanske misstar dig?

Lenas hjärta hade börjat slå hårt. – Varför säger du det?

– Du har inte ätit ordentligt, och du har en annan färg på kinderna.

– Jag har varit lite dålig i magen bara, försökte Lena.

– Det förklarar inte varför du ser tyngre ut.

– Katie, det kan inte vara sant! Jag hade min blödning förra månaden.

– Och den här?

– Inte ännu.

– Förra månaden, var den som vanligt då?

Lena rodnade. – Ja . . . Nej, det var den kanske inte.

– Så där är det ibland. Jag visste inte att jag väntade Annie förrän hon började sparka.

När blödningen inte hade kommit föregående vecka hade Lena undrat om hon och Terence äntligen skapat ett barn, men hon hade snabbt skjutit undan tanken. Det var alldeles för tidigt att veta och att se några tecken.

Om hon inte blivit gravid redan i början av maj, vilket Gud förbjude.

– Du har väntat så länge, sa Katie ömt. Men nu blir Terence starkare för varje dag, och fader McSweeney kommer säkert att låta dig ta med barnet till arbetet. Det är en gåva, kära du, en underbar gåva efter allt du har gått igenom.

Katie hade ingen aning om hur mycket Lena gått igenom och inte heller hur det påverkade den här "gåvan". För om hon blivit gravid i maj visste hon inte vems barn det var hon väntade.

– Det kan inte vara sant. Hon skakade på huvudet. – Du måste ta fel.

– Bara om Terence inte längre är den man han en gång var, sa Katie burdust. Men jag ser ju hur han tittar på dig, så jag tror inte att det är något fel på honom.

Lena försökte förtvivlat minnas precis hur många gånger mr Simeon tvingat sig på henne efter mitten av april och hur många gånger Terence älskat med henne. Den förfärliga kvällen då mr Simeon nästan strypt henne hade hon varit med bägge männen. Kunde det ha varit då barnet blev till?

Vems säd var det som börjat växa inuti henne?

– Jag ser att det kommer som en chock, fortsatte Katie. Men du kommer att vänja dig vid det, och du blir en bra mor, Lena, lugn och stark. Du kommer att kunna uppfostra dina barn ordentligt.

Kunde hon verkligen uppfostra ett barn som hade James Simeon till far? Var det möjligt att älska ett barn när man visste att det kommit till under en våldtäkt? Klarade hon av att under resten av sitt liv låtsas att det var hennes makes? Skulle hon någonsin veta säkert vems barn det egentligen var?

– Drick ditt te, Lena. Nu går det ändå inte att göra något åt saken. Det som sker det sker.

Lena såg på sin vän och upptäckte att Katie var förvånad över hennes sätt att reagera och också lite besviken på henne. Till och med de sämsta av de irländska mödrarna ansåg att barnen var gåvor från Gud. Men hur många av dem hade fått en sådan gåva och inte ens vetat vem som skickat den?

Lena visste att hon måste säga något för att inte väcka misstankar. – Du har rätt. Det tar lite tid att vänja sig, men Terence barn kommer alltid att vara välkommet.

Katie såg lättad ut. – Jag är glad att du säger så, min vän. Jag börjar sticka redan i kväll, så att vi säkert får allt klart till början av nästa år.

*

Lena visste inte hur hon skulle bli av med barnet, så hon diskuterade saken med Granny genom att påstå att hon hade en vän som hotade döda barnet inuti sig.

– Vad ska jag göra för att hindra henne? frågade hon. Och vad ska den stackars kvinnan göra?

Granny förklarade att hälften av alla barn aldrig skulle bli födda om det varit så lätt, men det fanns inget enkelt sätt att hindra ett barn som bestämt sig för att komma till världen. Det fanns örter och mediciner, men ofta blev bara modern själv sjuk av dem. Det fanns också barnmorskor och läkare som syndade mot Gud, men de desperata kvinnor som gick till dem kom inte alltid tillbaka hem igen. Lena borde råda sin vän att föda barnet. Det skulle vara säkrare för henne, och i det långa loppet skulle hon också bli lyckligare.

Så Lena avfärdade tanken på att ta bort barnet innan det föddes. Förmodligen skulle risken att hon dödade Terences barn ändå ha hindrat henne. Om hon varit säker på att barnet var Simeons skulle hon kanske ha känt annorlunda, men hur skulle hon kunna riskera att skada något som var hennes makes?

När månaden var slut hade hon ännu inte berättat för Terence om barnet, men hon började vänja sig vid att det fanns där. Varje morgon innan hon gick för att laga fader McSweeneys frukost stannade hon till i kyrkan och bad att barnet skulle likna Terence och att hon skulle älska det även om det inte blev så. Hon var inte rädd för att bli avslöjad, för både hennes och Terences mödrar var lika mörkhåriga som James Simeon, så ett mörkt barn skulle accepteras utan frågor. Däremot var hon rädd att hon skulle se Simeon varje gång hon tittade på barnet även om det inte var hans.

I juli, när Whiskey Island smälte under en het, fuktig vind från söder och svärmar av myggor plågade till och med de hårdhudade byrackorna, förstod Lena att hon inte längre kunde skjuta upp saken. Hon måste berätta för Terence om barnet. Hon valde ögonblicket noga, när de låg i sängen och han var nära att somna. Då vände hon sig på sidan och viskade nyheten i hans öra.

Han log och drog henne närmare intill sig. – Jag vet. Vem känner din kropp lika bra som jag? Tror du att det blir en pojke eller en flicka?

Lena önskade bara att barnet skulle bli blont, som sin far. – Vilket du vill.

– En jänta, tror jag. Med lika rött hår som sin mor. Kommer den gode fadern att låta dig arbeta ett tag till?

– Jag tror det. Än har jag inte talat om det för honom. Hon drog sig för att berätta för fader McSweeney att hon var gravid eftersom han skulle förstå hennes oerhörda dilemma.

– Jag kan snart söka arbete, så vi klarar oss. Oroa dig inte. När jag börjar tjäna pengar igen kan du göra som du vill med arbetet hos fader McSweeney.

Lena blundade, men det dröjde flera timmar innan hon somnade.

*

Rowan var tvungen att vänta tills Nani kom tillbaka från England innan han kunde fråga ut henne om James Simeon. Hon hade rest iväg tillsammans med Julia för att vara hennes personliga kammarjungfru på båten, men när Julia väl installerat sig hos de avlägsna släktingarna i Kent skulle Nani återvända till Cleveland för att arbeta i Simeons hus. Julias släktingar hade tillräckligt med tjänare ändå, och en kvinna som talade med ungersk brytning var inte välkommen.

Rowan väntade tills Nani varit tillbaka i en vecka innan han sökte upp henne. Även om han och Nani bara var vänner var han glad över att se henne igen. Om hon varit irländska och katolik skulle han kanske ha blivit ännu gladare.

– Gick resan bra? frågade han när de smugit sig undan till ett hörn av paret Simeons trädgård.

– Ja, när jag åkte tillbaka. Mrs Simeon var sjuk under hela ditfärden.

Rowan gjorde en medlidsam grimas. Han visste att Nani hade tyckt synd om sin härskarinna och försökt hjälpa henne, men han förstod också hur påfrestande det varit för henne.

– Tycker du att det är bra att arbeta för paret Simeon? undrade han. Behandlar de dig väl?

Nani tänkte efter så länge att han insåg att hon misstänkte varför han frågat. – Ja då, svarade hon till slut. Jag får bra betalt och blir inte illa behandlad.

– Har andra blivit det?

– Tänker du på Lena?

Han svarade inte, eftersom han hoppades att det skulle uppmuntra henne att fortsätta tala. Och han hade rätt.

– Om andra behandlas illa vet jag ingenting om det.

– Vad sa man när Lena vägrade komma tillbaka till arbetet?

– Jag reste ju härifrån, så det vet jag inte.

– Men du var kvar i en dag eller två, Nani. Vad hörde du då?

– Bloomy var arg, för hon fick alldeles för mycket att göra.

Åter väntade Rowan, men den här gången dröjde Nani ännu längre med sitt svar.

Till sist stönade Rowan irriterat. – Sista kvällen Lena jobbade här kom hon hem med blåmärken runt halsen. Hon sa till sin man att någon hade kastat sig över henne när hon stigit av spårvagnen.

– Till mig sa hon ingenting, hävdade kvinnan.

– Kanske inte då, men sa hon något vid andra tillfällen? Var hon rädd för någon? Kanske för mr Simeon?

– Jag såg ingenting, envisades Nani.

– Jag frågade inte vad du såg utan vad hon berättade.

– Det hon sa var inte avsett för dina öron.

– Tycker du om Lena, Nani? Är ni vänner?

– Det är inte rätt av dig att fråga så här.

– Snälla Nani, tala om för mig vad Lena sa till dig, bad Rowan.

Hon var tyst så länge att han gav upp hoppet om att få veta något. De hade börjat gå tillbaka mot huset och kommit halvvägs innan hon suckade djupt.

– Långt innan Lena slutade bad hon mig att jag skulle stanna hos henne i köket. Hon sa . . . Mr Simeon . . . Ja, hon var rädd för honom. Han sa saker till henne, och den kvällen skickade han bort oss allihop. Utom Lena.

Rowan svor till. – Stannade du?

Nani fick tårar i ögonen. – Jag försökte. Men när mr Simeon fick syn på mig skickade han bort mig igen. Om jag inte hade gått . . .

– Skulle du ha förlorat jobbet. Jag vet. Han slog knytnäven mot handflatan. – Och det här var långt innan hon slutade?

Resten av historien bubblade ur Nani. – Innan dess gav han aldrig någon ledigt på kvällarna. Aldrig. Men efteråt . . . Så fort mrs Simeon gick ut tillsammans med vänner . . .

– Frågade du Lena vad som pågick? Försökte du hjälpa henne?

Nani började gråta tyst. – Vad skulle jag ha gjort?

– Du ville inget veta, eller hur?

– Mr Simeon gjorde aldrig *mig* illa. Han försökte inte ens.

– Den ynklige uslingen! svor Rowan.

Rowan hade fått veta mer än han räknat med. Han hade hoppats att James Simeon slagit Lena i ett utbrott av raseri och skrämt iväg henne. Men sanningen var betydligt värre. Något hade pågått i åtminstone en månad, och stackars Lena hade ensam fått stå ut med det kväll efter kväll.

Han tänkte på barnet hon väntade och som Terence stolt berättat om så sent som föregående kväll. Såvitt Rowan visste hade Lena och Terence inte åstadkommit något barn tidigare, men nu var hon gravid bara några veckor efter det att hon berättat att mr Simeon behandlat henne illa.

Rowan var så arg att han såg rött. Han hade bott i samma hus som Lena Tierney och sett vilket slags kvinna hon var. Hon skulle aldrig ha gett sig frivilligt till någon annan än sin make, så det som hänt i Simeons hus måste ha skett mot hennes vilja.

Om Simeon hade dykt upp i det ögonblicket skulle Rowan ha dödat honom med bara händerna och inte känt någon ånger.

Nani grät. – Mr Simeon var så arg när Lena inte kom tillbaka. Han skrek åt Bloomy att han skulle straffa Lena och se till att varken hon eller hennes man skulle få tjänst någon annanstans.

– Du borde ha berättat det här tidigare, tyckte Rowan. Vi är ju vänner.

– Inte ens Lena sa ju något till dig.

Det stämde, och vilken kvinna skulle ha gjort det? Rowan kunde föreställa sig hur Lena skämdes och hur rädd hon var att Terence skulle försöka hämnas. Ingen av dem hade en chans mot en man som var så mäktig som James Simeon. Rowan lovade sig själv att han skulle behärska sin vrede tills han kunde krossa Simeon. Hur och när visste han inte, men en dag skulle miljonären få betala för det han gjort.

– En rik man kan utnyttja en kvinna som han vill, sa Nani bittert. Så var det i min hemby, och det är likadant här. Vi kan bara hoppas att männen inte lägger märke till oss.

– Det finns i alla fall en rik man som *jag* har lagt märke till, och en dag kommer han att upptäcka det.

Nani försökte inte säga emot honom. Hon torkade bara tårarna med baksidan av händerna och gick in i huset.

*

Fader McSweeney gissade sanningen och förstod varför Lena inte hade berättat den själv. – Vet Simeon om det? frågade han när hon erkände att hon väntade barn.

– Nej! Jag tänker inte tala om det för honom, och det ska inte ni heller göra.

Han vek ihop tidningen som hon visste att han bara hade låtsats läsa medan hon serverade frukosten. Hans tankar och ögon hade varit på annat håll, för snart skulle vem som helst kunna se att hon var gravid.

– Är det Simeons barn?

– Det kommer att bli Terences, avgjorde Lena. Det är allt någon behöver veta, fader.

– Och Terence?

– Det kan vara hans. Han skulle aldrig tro något annat.

– Staden är inte så stor, påpekade prästen. James Simeon kommer att få höra det.

– Varför skulle han bry sig om det, han har ju redan fått det han ville ha? Han skulle ändå aldrig erkänna att han har ett barn med en irländsk tjänstekvinna.

Fader McSweeney såg bekymrad ut. – Den mannen vill sätta sitt märke på allt han rör vid. Har du inte sett hur han sprider ut sina dubbla S överallt och ständigt hittar nya platser att sätta dem på?

– Han ska inte sätta något märke på min baby! Lena satte händerna på höfterna. – Om han försöker tänker jag tala om för honom att barnet tillhör mig och min make. Han har inget med det att göra.

– Han kan räkna, Lena.

Hon hade aldrig haft en tanke på att Simeon skulle ha något intresse av ett barn han avlat tillsammans med sin kokerska. – Då talar jag om sanningen, att jag var tillsammans med min man samma kväll som han våldtog mig. Vilken man vill ha ett barn som kanske inte är hans? Ett irländskt barn dessutom!

Prästen såg fortfarande bekymrad ut. – Du får inte dra uppmärksamheten till dig, Lena. Håll barnet hemligt så länge du kan, även om du måste sluta komma hit. Man vet aldrig vad han kan ta sig till. Du har tillräckligt att oroa dig för ändå, det vet jag, men tänk på det här också. Håll dig så långt borta från James Simeon som du någonsin kan.

– Det vet jag redan att jag ska göra, fader. Jag hoppas att jag aldrig mer behöver se honom. Inte här . . . Hon såg ner på sin mage. – . . . och inte i vaggan heller.

– Jag ska be för dig tills barnet är fött.

Hon fick fram ett darrande leende. – Det gör ni redan, fader.

– Jag kan tänka mig att be en extra bön eller två.

*

På kvällarna mötte Terence Lena vid foten av kullen. Han hade bytt ut två kryckor mot en krycka och en käpp och gick långsamt och ostadigt, men han kunde ta sig över Whiskey Island till vägen som fortsatte uppåt kullen. Även om han ännu inte kunde gå uppför den kunde han se den och vänta, och det gjorde han varje kväll tills Lena kom. Sedan gick de långsamt hemåt tillsammans.

Fader McSweeney kunde ha skickat hem henne i sin vagn, men de hade kommit överens om att träningen var bra för Terence. I stället brukade prästen följa henne tills hon kunde se sin make, och om han inte hann göra det själv skickade han någon annan. Ändå fanns det inget behov av ett sådant beskydd, för det var fortfarande ljust ute när Lena slutade arbetet och mycket folk i rörelse. Men hon lät dem pjåska med henne eftersom hon visste hur mycket det betydde för båda männen.

En vecka efter det att Lena berättat för Terence om barnet serverade hon en överdådig middag till fader McSweeney och hans gäster, en grupp affärsman från staden som prästen hoppades skulle hjälpa honom att bygga ut skolan. När hon sedan skulle gå hem var himlen mörk av moln och åskan dundrade på avstånd. Ynglingen som skulle följa henne hade inte kommit än och fader McSweeney var fortfarande upptagen av sina gäster, men Lena bestämde sig för att gå ändå. Terence väntade på henne, och snart skulle ovädret vara över dem. Det var bättre att hon skyndade sig så att de hann hem innan de blev genomvåta.

En blixt lyste upp himlen när hon började gå. De flesta av de boende i området hade varit förnuftiga nog att gå in för kvällen, och hon ropade till en grupp barn som lekte på gatan att de skulle göra detsamma. De brydde sig inte om henne, men ett ögonblick senare kom en mor ut och släpade med sig sin motsträvige son. De övriga muttrade några protester, men sedan drog de sig också hemåt.

– Jag sa ju att ni skulle gå in, sa Lena när hon gick förbi en av dem.

– Men ni är inte min mamma.

Nej, men snart är jag också mor, tänkte Lena medan hon fortsatte längs gatan. Kroppen tycktes växa och förändras för varje dag, och snart skulle barnet börja sparka. Vem som än fått det att utvecklas hade barnet självt inget ansvar för hur dess liv börjat. Vare sig det var Terence eller James Simeon som var far till babyn behövde den kärlek, stöd och träning, och Lena skulle ge den näring från sina bröst, vårda den när den var sjuk och glädja sig åt den.

Först hade hon bett intensivt att barnet skulle vara Terences, men nu önskade hon bara att hon kunde älska det hurdan hårfärg det än hade. Det växte i hennes kropp, och det var hennes.

När Lena närmade sig vägen ner till Whiskey Island fick hon se en vagn stå parkerad bortom den. Hon kände igen den, och monogrammet på dörren förnyade genast hatet i hennes hjärta. Så här på avstånd kunde hon inte se om det satt någon i den, men hon visste att hon inte fick gå närmare.

Hjärtat klappade hårt när hon såg sig omkring efter en plats där hon kunde gömma sig. Så fort ovädret bröt ut skulle mr Simeon säkert ge sig av. Om han väntade på henne – och det kunde inte finnas någon annan förklaring till att han var där – skulle han tro att hon inte hade lämnat prästgården utan väntade där tills regnet var över.

Fader McSweeney och Terence hade haft rätt när de velat följa henne.

Husen omkring henne var inbyggda i berget, och många av dem vilade på stolpar så att det blev en skyddad plats under dem. Hon skyndade sig mot det närmaste, och var nästan där när en man steg fram bakom en stor alm och grep tag i henne.

Hon skulle just skrika till när han lade den andra handen över hennes mun och drog henne intill sig. – Ni kommer inte att tycka om det som händer om ni skriker, Lena.

Hon stod med ryggen mot hans bröstkorg, men hon kände igen James Simeons röst. Han drog sökande med handen över hennes bröst och mage, och trots att hon försökte hade hon ingen möjlighet att komma loss.

– Nu går vi till min vagn, sa han när hon slutade kämpa emot. Om ni försöker fly har jag inget emot att bryta nacken av er.

Lena trodde honom inte, men var inte så säker att hon vågade trotsa honom.

– Nicka om ni tänker samarbeta, befallde han.

Hon nickade.

Simeon tog bort handen från hennes mun, väntade ett ögonblick för att försäkra sig om att hon inte ljugit och släpade sedan med henne till vagnen. Samtidigt som de första, tunga regndropparna började falla knuffade han in Lena, steg in efter henne och stängde dörren.

– Har ni inget att säga mig, Lena? Vi har varit skilda åt ett tag, ni och jag.

– Ni har ingen rätt att behandla mig så här! fräste hon.

– Har jag inte? Jag har behandlat er som jag vill tidigare, och ni fick bra betalt för det.

– Ni tvingade er på mig.

– Ni gjorde inget för att hindra mig, påpekade han.

– Mitt liv låg i era händer! Ni ordnade det så och gav mig inget val.

Han log. – Är det så ni slipper ifrån skuldkänslorna, Lena? Jag tog er så ofta jag hade lust, men ni sa aldrig nej. Ni drog villigt upp kjolarna och lät mig få som jag ville. Det gav en viss spänning åt ert trista liv. Ni hade väl trott att ni aldrig mer skulle få känna en man mellan benen.

– Det fanns ingen *man* mellan mina ben när ni var där!

Simeon applåderade tyst. – Jag har saknat er slagfärdighet, min kära. Trivs ni med er nya ställning? Prästen är den ende i hela staden som skulle ha vågat anställa er. Jag måste erkänna att det var skickligt av er att hitta ett sätt att komma bort från mitt hus. Gör ni honom samma tjänster som ni gjorde mig?

– Ni är en förfärlig man, och ni kommer att få ruttna i helvetet för det! utropade Lena.

– Jag antar att det betyder nej. Så synd. Han har ingen aning om vad han missar.

– Om ni tänker våldta mig igen kommer jag att klösa ögonen ur er, hotade hon. Ni har ingen hållhake på mig nu.

– Dumheter. Jag kom bara hit för att tala om att jag har förlåtit er. Ni kan komma tillbaka till mitt hus och få dubbelt så mycket betalt som tidigare.

Lena förstod att det låg mer bakom det än att han ville roa sig med henne. Att ge sig på henne på allmän plats var alltför farligt. – Jag kommer inte tillbaka hur mycket ni än betalar. Var det allt?

– Berätta om er make, kära ni. Hur är det med den stackars skadade mannen?

– Han blir bättre.

Simeon log. – På alla sätt?

– Ja, på alla sätt, bekräftade Lena.

– Friska upp mitt minne är ni snäll. Blev han blind av olyckan?

– Nej.

– Påverkade den hans förstånd?

– Nej.

– Vems barn tror han då att ni bär? Eller har han inte gissat sanningen?

Lena flämtade till.

– Jag har låtit bevaka er, förstår ni, och ni har varit väldigt försiktig. Det var inte förrän i dag jag såg en möjlighet att få vara ensam med er och fråga.

– Vad får er att tro att jag väntar barn?

– En liten undersökning där ute under trädet, bland annat. Era bröst är större, och om er make inte har märkt det är han en idiot.

– Min man väntar på mig nedanför kullen, och om jag inte kommer snart börjar han gå hitåt, förklarade Lena.

– Det tror jag inte, men om han är så dum kommer min stallknekt att stoppa honom. Vad skulle den stackaren säga om han stapplade ända hit bara för att hitta oss tillsammans?

Hon föreställde sig Terence mödosamt ta sig uppför kullen. Ja, vad skulle han säga om han fick se henne med Simeon? – Barnet är hans. Hon lyfte hakan. – Det blev till efter det att jag hade lämnat anställningen hos er.

– Jag skulle kunna påstå något annat.

Lena blev förfärad. – I så fall skulle jag säga att ni ljuger. Av oss två litar Terence mest på mig.

– Tror ni verkligen att det skulle vara så enkelt? När tvivlet väl är sått kommer det att finnas kvar för evigt. Han kommer att räkna månaderna . . .

– Och förstå att barnet är hans. Hon lade handen på dörrhandtaget, och överraskande nog försökte Simeon inte hindra henne. – Om ni trodde att ni skulle kunna pressa mig till att komma tillbaka som er kokerska och hora har ni räknat fel. Ni kan säga vad ni vill till Terence, han kommer ändå inte att tro er. Han vet vad ni är för slags man.

– Men tydligen inte vilket slags kvinna han är gift med.

Hon ryckte till. – Det jag gjorde tillsammans med er gjorde jag av fruktan för vad som annars skulle hända dem jag älskar. Eftersom ni inte älskar någon kan ni aldrig förstå det. Även om Terence trodde er skulle han förlåta mig, därför att han älskar mig.

– Säg mig en sak bara. Hur kommer han att känna sig när han ser på sitt barn och mina ögon stirrar tillbaka på honom? Simeon skrattade lätt. – Minns han att han älskar er då också?

– Jag kommer aldrig tillbaka till er, vad ni än säger till Terry, förklarade Lena och öppnade dörren. Aldrig någonsin.

– Ni är en tapper kvinna. Jag slutar aldrig att förundra mig över er. Sköt om er nu när ni väntar barn. Lena steg ur, och Simeon lät henne gå. – Hälsa er man från mig! ropade han efter henne. Han och jag ska ha en liten pratstund inom den närmaste tiden, det lovar jag.

37

Terence blev orolig när ovädret kom allt närmare. Det gjorde honom inget att bli våt, men han var rädd för blixtarna. Han föreställde sig hur Lena skyndade iväg längs gator som blev hala och farliga av regnet och önskade att han sagt till henne att stanna i prästgården om det var dåligt väder. Om hon visste att han var i trygghet inomhus skulle hon inte ta risken att själv gå ut, men nu när han väntade skulle hon göra nästan vad som helst för att komma till honom.

Han undrade om han skulle försöka gå uppför kullen. Då kunde de gå in i prästgården tillsammans och vänta ut åskan, och sedan skulle fader McSweeney säkert skicka hem dem i sin vagn.

Terence visste inte om han klarade av backen. Han hade fortfarande svårt att gå, och hade inte fått tillbaka sin fulla styrka. Men tänk så stolt Lena skulle bli om han lyckades, och så mycket bättre det skulle kännas att veta att hon var i trygghet!

Han bestämde sig för att försöka. Några människor skyndade förbi honom, men snart var vägen uppför kullen folktom. Vinden friskade i och försökte kasta omkull honom, men annars var vandringen inte lika besvärlig som Terence hade fruktat. Han hade gått nästan en tredjedel när han stannade till för att vila. Lena hade fortfarande inte kommit fram vid vägens krön, och han blev allt oroligare.

Så snart han orkade började han gå igen, men efter en stund flämtade han tungt av ansträngningen. Han såg fortfarande inte till Lena, och det började bli mörkt som på natten.

Plötsligt snubblade han och var nära att falla, så han vilade ett ögonblick till innan han tog ett fastare grepp om kryckan och käppen och kämpade vidare.

Terence var nästan ända uppe när en man kom ut på vägen och ställde sig och tittade ner på honom. Han höll armarna i kors över bröstet och fötterna brett isär.

– Är ni Terence Tierney?

– Vem vill veta det? frågade Terence eftersom han inte kände igen mannen.

– Bry er inte om det. Gå hem nu. Er fru har blivit uppehållen.

– Uppehållen?

– Just det. Hon kommer senare.

Vreden steg inom Terence medan han granskade mannen, som var ung och byggd som en tjur med kraftig bröstkorg och nacke. – Jag tror inte att jag ska gå hem, svarade han. Om Lena blivit uppehållen väntar jag på henne i prästgården. Han började gå mot mannen.

– Er lilla slyna har bättre saker för sig än att halta hem tillsammans med er, sa han utan att flytta på sig. Iväg med er nu. Mr Simeon skickar hem henne när han är färdig med henne.

Terence stannade förvånad. – Simeon?

– Just det. De har en pratstund om varför hon lämnade sin tjänst så hastigt. Han tycker inte om när hans goda gärningar kastas tillbaka i ansiktet på honom.

Terence visste bara vad Lena hade berättat, att Simeon varit ovänlig mot henne, bannat henne inför de övriga tjänarna och nästan dagligen hotat att avskeda henne. När fader McSweeney fått höra vad som pågick hade han erbjudit sig att anställa henne som hushållerska och själv undervisa Terry. Det var vad Lena hade sagt, och Terence hade varit så tacksam över att inte längre befinna sig i den förhatlige Simeons skugga att han inte bett henne om några detaljer.

Nu undrade han vad Lena *inte* hade berättat. Varför skulle en man som var så mäktig som mr Simeon bry sig om att en tjänare slutade? Det fanns ju hundratals andra som gärna skulle ta hennes plats.

Men frågorna fick lov att vänta, för den oro som växt för varje smärtsamt steg hade förvandlats till skräck. Han föreställde sig Lena ensam med James Simeon, en man som hon beskrivit som ovänlig och som förmodligen var något mycket värre.

Terence visade inte sin rädsla, för han kände att Simeons vakthund skulle tycka om den. – Min fru har inte pratstunder med sådana så mr Simeon. Jag ska själv undersöka saken, så var snäll och flytta på er.

Mannen rörde sig inte ur fläcken. – Tvinga mig inte att sparka ner er utan gå hem nu.

– Min fru vill inte ha något med mr Simeon att göra.

Den unge mannen skrattade till. – Jaså, det tror ni? Jag tyckte det verkade som om hon ville ha rätt mycket med honom att göra, åtminstone ett tag. Och det kan jag förstå, så som ni ser ut.

– Min hustru är en anständig kvinna!

– Er "anständiga" kvinna säljer sig för pengar, min vän. Och såvitt jag förstår har mr Simeon fått smak för henne.

Terence svängde till med käppen så hårt och snabbt att den andre mannen förlorade balansen. Ursinnet gav honom kraft, och han slog på nytt mot den liggande så att käppen träffade honom på sidan av huvudet.

Hade han förmått slå lite hårdare skulle mannen ha blivit medvetslös, men i stället kom han ur balans och var nära att falla. Simeons vakthund grep tag i käppen och ryckte till, och Terence ramlade ovanpå honom.

Terence hade en frisk arm och en het längtan efter att hämnas på den som talade illa om hans fru, men det räckte inte mot den starke ynglingen under honom.

*

Så fort Lena kommit ur vagnen och börjat springa mot vägen till Whiskey Island satte det i gång att ösregna. Hon drog sjalen över huvudet och höll ögonen på marken medan hon fortsatte nerför backen.

– Det är bäst att ni skyndar er! ropade en man.

Häpen tittade hon upp och såg en man linka förbi henne. Det var svårt att se i regnet, men hon tyckte att det var Simeons stallknekt, en ung man som var avskydd i hela hushållet.

Lena skyndade vidare. Regnvatten strömmade redan nerför vägen, och den leriga jorden blev hal och fastnade under hennes skosulor.

Hon hoppades att Terence hade gått hem, att han antagit att hon väntade ut stormen i prästgården när hon inte kom i tid till deras mötesplats. Så fort hon träffade honom skulle hon berätta allt, innan mr Simeon hann göra det. Hon borde ha förstått att Simeon skulle hämnas. Både hon och fader McSweeney hade underskattat miljonären och varit dårar som trott att det skulle vara möjligt att hålla Terence utanför. Nu kunde hon bara hoppas att Terence älskade henne så mycket att han kunde förstå och en dag också förlåta henne.

Det var nära att Lena gick förbi mannen som låg vid sidan av vägen. Hon skulle inte ha sett honom om inte kroppen dämt upp vattnet så att det strömmade som en bäck över hennes fötter. Med ett skri av fasa skyndade hon fram till figuren.

– Terence! Hon knäböjde i leran och rörde vid hans ansikte. När hon sköt undan hans hår såg hon blod strömma från ett djupt jack i huvudet. – Heliga Guds moder! Hon vek ihop sjalen och tryckte den mot såret i ett desperat försök att hejda blodflödet. – Terence! Terence!

Ett ögonblick trodde hon att han var död, men så vände han en aning på huvudet och öppnade ögonen. Hans långa ögonfransar fladdrade mot de bleka kinderna innan han kunde fokusera blicken på henne.

– Terence, håll ut! Jag måste hämta hjälp.

– Simeon . . .

Då förstod Lena vem som gjort det här. Inte Simeon själv, för han skulle inte vilja smutsa ner sina egna händer, utan stallknekten. Han hade hållit utkik efter Terence medan Simeon hotat henne.

– Gjorde han dig . . . illa?

– Nej! försäkrade hon. Han är en hemsk man, men han kan inte göra mig något längre.

– Men han . . . gjorde det.

Hon började gråta. – Inte nu, Terence. Jag ska berätta sedan. Nu måste jag hämta hjälp.

– Så ledsen . . . Skulle ha . . . dödat honom . . . åt dig.

Då visste Lena att Terence förstod vad som hänt och att han ändå älskade och förlät henne. – Jag vet det, käraste. Men ingenting spelar någon roll nu utom att få hjälp. Snälla Terry, dö inte! Håll ut. Jag kommer snart tillbaka. Det finns hus högre upp . . .

– Babyn. Ta hand om mitt . . . barn.

– Ja, det ska jag. Men du ska hjälpa mig med det. Vi tar hand om vårt barn tillsammans. Jag ska bara . . .

– Låt Rowan . . . hjälpa dig. Terences ögon slöts inte, men han såg henne inte längre.

– Terence! Hon skakade hans axlar och började sedan slå på dem. – Terence, lämna mig inte!

Hon skakade honom fortfarande när regnet avtog och någon från ett hus högst uppe på kullen kom för att se efter varför en kvinna skrek på vägen ner till Whiskey Island.

38

Lena skulle ha sålt huset om det bara funnits någon som velat köpa det, men människor med pengar bodde hellre uppe på kullen. Irländarna spred sig västerut, till snyggare områden längre bort från floden. Rowan erbjöd sig att köpa det, men hon vägrade låta honom göra det. Han hade ändå stannat alldeles för länge på Whiskey Island för hennes och Terences skull, och hon ville inte att han skulle fortsätta offra sin egen lycka.

Fader McSweeney sa att hon var välkommen att bo i hushållerskans rum i prästgården, men i så fall måste han dra av kostnaden för mat och husrum från hennes lön. Prästen hade inget annat val, för kyrkans styrelse ville inte göra något undantag för Lenas skull. Eftersom hon inte betalade något för huset hon bott i tillsammans med Terence stannade hon kvar där, och det gjorde också Rowan trots grannarnas skvaller och höjda ögonbryn.

– Vad är det egentligen du tror att de gör? frågade Katie Sullivan en av de värsta pratkvarnarna. Skulle han lämna henne ensam nu när hon väntar barn och just har förlorat sin make? Gå och sopa framför din egen dörr, kvinna!

Lena sörjde Terence med en intensitet som skrämde Katie, eftersom hon var rädd att det skulle skada barnet. Varje dag städade Lena i prästgården och lagade till fader McSweeneys måltider, men all glädje hade försvunnit ur hennes liv. Hon åt bara lite, och på nätterna låg hon i sängen hon delat med Terence och grät sig till sömns.

Terences död hade skrämt invånarna på Whiskey Island, för även om halvön alltid varit en laglös plats var mord ovanliga. Nu hade någon slagit en krympling i huvudet med en sten och låtit honom ligga och blöda till döds under ett våldsamt oväder, och ingen förstod varför. Terence Tierney hade inga pengar eller värdesaker på sig, han hade inte stulit någon annan mans arbete eller fru och inte sparkat någons hund eller barn. Tvärtom var han omtyckt av alla, och på slutet också beundrad för sin envisa kamp mot ett oblitt öde.

Befolkningen organiserade sig så att grupper av män gick omkring och vaktade Whiskey Island på nätterna, men Rowan fortsatte med sin egen undersökning. Lena berättade för honom att James Simeon krävt att få tala med henne och att hans stallknekt fått order om att hålla utkik efter Terence, ifall han försökte gå uppför kullen och leta efter henne.

Hon talade om att hon hade mött en man när hon gick ner mot Whiskey Island. Han hade hälsat på henne, och hon hade lagt märke till att han haltade, men mer kunde hon inte säga. Det hade varit svårt att se i mörkret och regnet, och även om hon kände igen stallknekten kunde hon inte vara säker på att det verkligen var honom hon hade sett.

Rowan hade gått för att fråga ut stallknekten, men hans far, Simeons trädgårdsmästare, hade svurit på att sonen varit helt torr efter åkturen med mr Simeon den kvällen eftersom de kommit tillbaka innan ovädret bröt ut. Den unge mannen själv hade kommit och hälsat på Rowan, och när han släntrade över stallplanen hade det inte varit något fel på hans sätt att gå.

Lena ville skylla Terences död på James Simeon, men varför skulle han mörda mannen han tänkte plåga med berättelser om hans hustrus otrohet? Terences död var värre än Simeons avslöjanden skulle ha varit, men Simeon var grym och skulle ha velat leka med sitt byte som en katt med en råtta innan han lät döda det.

Först väntade hon bara på att James Simeon skulle söka upp henne på nytt för att erbjuda henne arbete och påminna om att hon var änka och snart skulle ha ett barn att försörja. Men när månaderna gick började hon hoppas att han gett upp. Hon blev allt större och klumpigare, och en värld av vackra kvinnor stod öppen för James Simeon. Nu när Terence var död hade han fått sin hämnd och kunde glömma henne.

En kväll kom Rowan hem med nyheter som förstärkte vad som tidigare bara varit en osäker teori. Han hittade Lena i vardagsrummet, där hon satt i gungstolen Terence gett henne på bröllopsdagen. Hon stirrade på den kalla eldstaden, där hon inte tänt någon brasa trots att Rowan förberett en på morgonen.

– Lena, du borde ligga i sängen så här dags.

Hon såg upp och log trött mot honom. – Jag drömmer aldrig om Terence. Tycker du inte att det är konstigt?

– Det är för tidigt. Du kommer att drömma om honom när det inte längre känns så svårt för dig.

– Vi satt så ofta här, jag i den här stolen och han i den. Hon gjorde en gest mot den rakryggade stolen i hörnet. – Han brukade läsa för mig. Jag kan nästan höra hans röst.

– Vi ska hitta mannen som dödade honom, Lena.

– Män söker hämnd, men kvinnor ser bakåt.

Rowan satte sig på bänken bredvid eldstaden. – Jag har nyheter som kanske kan intressera dig.

Lena var inte intresserad, men för Rowans skull låtsades hon vara det. – Jaså? Vad är det?

– Det gäller mr Simeon.

Hon undrade hur mycket Rowan misstänkte. Även om hon inte avslöjat vad det sista samtalet egentligen handlat om visste han att hon hade tvingats till det. Förstod han också vad hon mer hade fått uthärda?

– Har någon äntligen dödat honom? frågade hon och tittade ner på sina händer.

– Borde någon göra det?

Hon ryckte på axlarna. – Han har inte många vänner.

– Men snart får han en son eller dotter.

Lena satt alldeles stilla. Hon kände att all färg försvann från hennes kinder, men om Rowan märkte det kommenterade han det inte.

– Hans fru väntar barn, fortsatte han. Hon skulle egentligen ha kommit hem den här månaden, men nu stannar hon i England tills babyn är född. De visste det inte innan hon åkte, utan hon hade redan varit där i flera veckor när hon insåg det. Men Nani berättade att mrs Simeon hade varit sjuk på överresan.

– Vem har talat om det här för dig?

– Bloomy. Hon säger att mr Simeon är som en katt som ätit grädde och strömming i en hel vecka. Han har bett en arkitekt rita en helt ny flygel till huset, och han ska åka till New York för att köpa möbler till den. Bara det allra finaste, förstås. Mrs Simeon kommer säkert att ha med sig en hel del från Europa också, så det där barnet får det bästa av allt.

– Inte den bäste fadern, muttrade hon.

– Han kanske förändras när han blir far. Det sägs att ett barn kan åstadkomma underverk.

– Nej då, han kommer att behandla det som en ägodel, precis som han gör med allt annat. Han vet inte hur man älskar någon, och inte kan han lära sig heller.

– Du hatar honom, eller hur?

Lena böjde trött på huvudet. Hon orkade inte längre hata någon, inte ens James Simeon. – Jag är glad om det ger honom något nytt att tänka på, Rowan. Han är en enkelspårig man, och nu kanske han glömmer allt annat som har intresserat honom.

– Allt eller alla?

Hon visste att Rowan ville att hon skulle anförtro sig åt honom, och ibland undrade hon om hon inte borde göra det. Både fader McSweeney och Terence hade förlåtit henne för det som hänt, men hon var inte säker på att Rowan skulle göra det. Han såg världen genom en polismans ögon, en värld i svart och vitt. Hon var rädd att han skulle döma henne om han fick veta hela sanningen.

– Det spelar ingen roll, svarade hon. Han engagerar

sig i en sak i taget, och nu kommer det att bli barnet.

– Är du orolig att han . . . att han ska börja uppmärksamma dig igen?

Lena tittade upp, men hon varken bekräftade eller förnekade att något sådant hade hänt. – Simeon har försvunnit ur mitt liv, och det är jag tacksam för. Nu när han har en arvinge att bekymra sig för kanske han ägnar sig åt den resten av livet.

Medan Lenas egen graviditet fortskred tänkte hon på Julia Simeon och förundrade sig över att den beskedliga societetsdamen lyckats med bragden att ta sig till Europa. Om hon stannat kvar i Cleveland skulle Simeon säkert ha låst in henne för att kunna kontrollera henne bättre, men ända till England nådde inte ens hans inflytande. Hon var hos sina släktingar, deras tjänare passade upp på henne och hon njöt säkert av sin välförtjänta frihet.

Lenas egna dagar följde ett bestämt mönster. Hon steg upp tidigt och tog hand om sina egna hushållssysslor innan hon lagade frukost till sig själv och Rowan. Sedan gjorde hon sig klar för en dag i prästgården. Fader McSweeney skickade sin vagn att hämta henne varje morgon och lät henne åka hem med den igen varje kväll.

Inte ens när hon blev stor och tung bad han henne stanna hemma. Han visste hur mycket hon behövde lönen, och hon kunde fortfarande sköta sitt arbete. När medlemmar av församlingen viskade om att det var opassande att ha en anställd som var så nära förlossningen föreslog han att de skulle betala henne för att hålla sig borta. Det fick tyst på dem.

Lena skickade fortfarande pengar till Irland. Terences föräldrar hade blivit förtvivlade över sonens död, men i ett brev som fader McSweeney skrev hade hon lovat att fortsätta spara till deras överfart. Det var hon skyldig Terence, och hon ville ha dem hos sig tillsammans med sin egen mor. De kunde hjälpa henne med barnet, och tillsammans skulle de skapa sig en ny framtid.

Men Lena var inte säker på att Terences föräldrar skulle leva så länge att de kunde klara resan. Det var så oerhört lite hon förmådde lägga i metallskrinet varje månad, men det höll i alla fall hoppet vid liv.

När julen närmade sig gjorde barnet henne otymplig, och även om det var en ovanligt mild vinter var hon rädd att hon skulle ramla på Whiskey Islands halkiga vägar. Rowan var hemma mer nu. Han ursäktade sig med att han hade huvudvärk eller påstod att ingen av hans vänner hade lust att gå ut och ta en öl, men hon förstod att han vakade över henne. Varje morgon hjälpte han henne upp i vagnen, och varje kväll hjälpte han henne ner, och i andra änden stod fader McSweeney till tjänst med samma stöd.

Ibland kom Katie med soppa eller bröd så att det fanns middagsmat när Lena kom hem, och precis som hon lovat hade hon också stickat en liten babyutstyrsel. Lena, som nästan inte hade gjort något själv, stirrade på kläderna och undrade över barnet som skulle bära dem.

Alla söndagar i advent och även juldagen tillbringade hon i kyrkan. Hon hade ingen lust att vara på Whiskey Island och tänka på Terence och alla helger de firat tillsammans. När månaden var slut kände hon sig tacksam över att vardagen var tillbaka, även om dagen för förlossningen närmade sig.

En kväll, bara tre veckor innan Granny sagt att barnet skulle födas, steg hon ut från prästgården för att vänta på vagnen. Kvällen var mörk, utan stjärnor och med bara en tunn månskära. Hon svepte kappan om sig så mycket hon kunde, men den stora magen var i vägen.

Hon var tröttare än vanligt och hoppades att vinterkylan skulle ge henne lite färg på kinderna innan hon träffade Rowan. Han var orolig för henne, och på senaste tiden hade han börjat tjata på henne att hon skulle sluta arbeta. Han ville ta hand om henne och ge henne av sina egna pengar för att kompensera lönebortfallet.

Rowan var en kär vän, men hon ville inte att deras vänskap skulle vara en börda för honom. Så länge hon förmådde arbeta tänkte hon göra det, och hon skulle börja igen så fort hon återhämtat sig från förlossningen.

Medan Lena väntade betraktade hon det tysta, blygrå landskapet. Plötsligt blev hon varse att en man stirrade på henne. Han stod till hälften dold av en pelare utanför banken, annars skulle hon ha sett honom tidigare, och han tycktes inte ha någon annan anledning att stå där än att iaktta henne.

Hon flämtade till och undrade om det var James Simeon. Nej, han var kortare och förmodligen yngre också. Möjligen kunde det vara stallknekten, men det gick inte att avgöra i mörkret.

Ljudet av hovslag avslöjade att vagnen var på väg. Hon vände inte bort blicken från mannen, men han drog sig in i skuggorna och försvann.

– En kassör, mumlade hon för sig själv. Eller en kamrer som jobbar över.

Förklaringen lät förnuftig, för det var inte särskilt sent även om det var mörkt ute. Det kunde finnas fler anställda kvar på banken, och mannen hade kanske bara gått ut för att hämta en nypa frisk luft.

Men inte en enda lampa var tänd inne i banken.

*

Trots att Bloomy ogillade "papismen", som hon kallade den katolska läran, hade hon kommit till Terences begravning, men det hade varit så många sörjande att Lena knappt hunnit prata med henne. Sedan hade de inte träffats förrän de råkade stöta ihop på marknaden en lördag, bara två dagar efter det att Lena sett mannen utanför banken.

– Lena! Bloomy stirrade på hennes runda mage. – Inte visste jag att du väntade en liten!

Lena var inte särskilt förvånad, för Rowan var alltid diskret och hon tvivlade på att Bloomy eller någon annan i paret Simeons hus hade vänner på Whiskey Island.

– Ja, jag var gravid när Terence blev dödad.

– Det måste vara dags snart?

Lena började tro att det skulle bli tidigare än Granny förutspått, för hon hade haft värk i ryggen ett par dagar och under natten hade hon vaknat av att hon hade ont i magen. Barnet hade blivit lugnare också, som om det samlade styrka för sin resa ut i världen.

– Ja, svarade hon bara.

Hon hade ingen lust att höra något skvaller om paret Simeon, så hon frågade Bloomy om hennes hälsa och hur det var med hennes vuxna barn och sa sedan farväl.

På kvällen kom Rowan hem senare än vanligt. Numera var det så sällsynt att han inte var där och hjälpte henne ner från fader McSweeneys vagn att hon hade blivit orolig. Rowan var inte ensam utan hade Nani med sig, och hon var röd och svullen i ansiktet som om hon hade gråtit.

– Vi har något att berätta för dig, förklarade Rowan. Jag ville att du skulle höra det av Nani.

Lena satte sig i gungstolen och knäppte händerna i knäet. Hon hade mått allt sämre under dagen och ville inte stå mer än nödvändigt. – Du är alltid välkommen hit, Nani.

Rowan drog fram Terences stol från hörnet och bad Nani sätta sig på den. Själv slog han sig som vanligt ner på bänken.

– Jag kunde inte hjälpa dig . . . förut, sa Nani utan omsvep. Jag försökte . . .

Lena såg förskräckt på Rowan, men han verkade inte överraskad över det Nani sa. Hon undrade hur mycket han egentligen visste.

Han böjde sig framåt. – Lena, jag vet att Simeon tvingade sig på dig. Jag har känt till det under en tid.

Hon slöt ögonen. Kinderna brände och magen värkte.

– Det är inte allt, fortsatte Rowan. Lyssna på vad Nani har att säga.

– Bloomy berättade för mig om barnet i dag.

Lena tittade upp. – Det är Terences.

Nani fick tårar i ögonen. – Jag reste till Europa tillsammans med mrs Simeon. Du kom inte till arbetet den dagen avskedsfesten hölls, och du var inte där när jag kom tillbaka heller. Ingen ville berätta varför. De sa bara att du var opålitlig, precis som alla irländare.

– Men du visste väl att det inte var så? frågade Lena.

– Jag skämdes . . . för att jag inte hade kunnat hjälpa dig.

Lena kände medlidande med kvinnan som varit hennes vän. – Det fanns inget du kunde göra, Nani. Och länge trodde jag att jag inte kunde göra något själv heller.

– Du kunde ha kommit till mig, insköt Rowan häftigt. Jag skulle ha satt stopp för det.

Lena försökte få honom att förstå varför hon inte sagt något. – Vad skulle du ha gjort? Dödat honom? Eller trodde du att Simeon skulle skämmas och låta mig vara om du skällde ut honom? Jag kunde inte blanda in dig, Rowan. Du skulle ha riskerat livet, och det kunde jag inte låta dig göra ens för det här.

– Det finns inget jag inte skulle göra för din skull, mumlade han.

För första gången såg Lena något som hon inte hade upptäckt tidigare: det var inte bara vänskap och tillgivenhet Rowan kände för henne utan något mer komplext och intensivt. Mannen hon hade stött sig mot varenda dag sedan hennes make dog var kär i henne.

– Jag . . . Jag kunde inte låta dig förstöra ditt liv, stammade hon.

– Så du lät Simeon förstöra ditt.

– Nej! Jag tog saken i egna händer. Med fader McSweeneys hjälp hittade jag ett sätt att komma loss. Jag är i trygghet nu. Simeon vill inte ha mig längre. Han kommer att välja någon som är yngre, och förresten ska han bli far nu så han har fått annat att tänka på.

Nanis ansikte var vått av tårar. – Lena, mrs Simeon kan inte få barn. Hon kommer aldrig att föda någon baby åt honom.

– Rowan har berättat att hon väntar barn, och det var Bloomy som talade om det för honom. Och du vet väl att Simeon har inrett en barnkammare. Vad pratar du om egentligen?

– Hon kan inte få barn. Han skickade iväg henne för att

de skulle låtsas, jag vet det. På båten berättade hon att det är något fel inuti henne, men hon skulle ändå låtsas att hon var gravid. Inte ens hennes släktingar skulle få veta något, bara läkaren.

– Varför det? Vad är det för mening med att bygga en flygel och möblera en barnkammare för ett barn som inte finns? Du måste ha fattat fel, Nani.

– Han förväntar sig att få ett barn i den där barnkammaren, Lena, sa Rowan bistert. Men inte hans hustrus.

Lena var för trött för att förstå vad han menade. – Ska hon hitta ett barn i England? De kanske känner till ett barn där som behöver ett hem? Var det därför hon åkte?

– Det kan ha varit deras reservplan. Rowan tog hennes händer i sina, som om han visste hur kalla de var och ville värma dem. – Men tänk efter, Lena. Skulle James Simeon ta emot en främlings barn? Eller skulle han välja ett som han tror är hans eget? Även om det finns vissa tvivel?

Plötsligt insåg hon vad han menade. – Nej!

Hon försökte dra bort sina händer, men han höll kvar dem och fortsatte tala. – Är han en sådan man som skulle tolerera en annans avkomma? Han behövde en arvinge, så han tänkte ut en plan för att få det att se ut som om hans fru födde en. Men det var inte sin fru han gjorde med barn.

Lena letade förtvivlat efter en annan förklaring. – Ni måste ha fel båda två. Han har aldrig frågat mig om han får ta hand om det här barnet.

– Han är inte en sådan som frågar, påpekade Rowan.

Hon stirrade ner på deras händer. – Men han betalar för det han vill ha. Han tror att han kan köpa allt, så om han ville ha min baby skulle han ha erbjudit mig pengar. Hon tänkte på mynten Simeon kastat åt henne varje gång han tagit henne och som fortfarande låg gömda i en kruka i köket.

Rowan skakade på huvudet. – Varför skulle han göra det innan barnet är fött? Simeon kommer säkert hit precis efter födseln och påpekar hur mycket bättre barnet skulle få det hos honom och hur svårt det skulle vara för dig att uppfostra det så mycket som du avskyr honom. Han kommer att erbjuda dig så mycket pengar att du kan ta hit de gamla från Irland, flytta till en bättre bostad och börja ett nytt liv. Allt du behöver göra är att ge bort ett barn som du inte ens vill ha.

Jo, Lena ville ha barnet, även om det inte fanns någon garanti för att det var Terences, trots att det kunde vara James Simeons. Nu visste hon det säkrare än någonsin.

– När Terry var döende bad han mig ta hand om hans barn. Han visste . . . gissade vad mr Simeon hade gjort mot mig, och ändå kallade han det sitt. Och det *kommer* att bli hans. Det ska aldrig bli Simeons. Aldrig!

– Han valde ut dig, inföll Nani. Du är rödhårig, och mrs Simeon har också lite rött i håret.

– Valde han mig . . .?

Tanken fick Lena att må illa, men hon insåg att Nani hade rätt. Simeon hade beundrat hennes livlighet, stridslust och intelligens, det hade han sagt flera gånger. Det hon hade trott var smicker var helt enkelt en lista på de egenskaper han ville att hans barns mor skulle äga. Han hade valt ut henne som han valde ett sto till sin prisbelönta avelshingst. Det hade han till och med talat om för henne, även om hon inte förstått det.

Hon lutade sig bakåt, och Rowan släppte hennes händer.

– Vad ska jag göra? Simeon tänker inte acceptera ett nej. Han kommer att hitta ett sätt att ta ifrån mig barnet.

– Du måste resa från staden innan barnet föds, svarade Rowan. Vi måste gömma dig och babyn tills han inte har något annat val än att resa iväg utan dig. Han påstår ju att han ska resa till England för att vara tillsammans med sin hustru när hon föder barnet och ta henne till London där hon kan få bättre vård.

– Och där det går lättare att dölja att hon inte alls väntar barn, suckade Lena.

– Om han måste resa utan dig blir han tvungen att hitta ett föräldralöst barn i London, sa Rowan.

– Han tänker åka vid samma tid som ditt barn ska födas, insköt Nani. Tjänarna undrar över det, för de tycker att det är konstigt att han väntar så länge. Tänk om hon föder för tidigt?

– Nej, Julias barn kommer naturligtvis att födas lite för sent, påpekade Rowan bistert.

– Vart ska jag ta vägen? undrade Lena. Jag har inga pengar, bara . . . bara det jag har sparat för att ta hit våra föräldrar från Irland.

– Jag har pengar på banken, förklarade Rowan. Men jag får inte tag i dem förrän på måndag, och då kan det vara för sent.

– Jag har lite. Nani reste sig. – Jag hämtar det på en gång.

Lena skakade på huvudet. – Jag kan inte ta dina pengar.

– Du måste. Jag vill så gärna hjälpa dig. Snälla du . . .

Lena såg hur olycklig Nani var och hur gärna hon ville ställa allt till rätta. Hon hade inte kunnat göra något när det behövts tidigare, men nu såg hon en möjlighet att gottgöra det.

– I så fall är jag tacksam.

– Jag väntar på dig utanför, sa Nani till Rowan.

Lena kände samma skarpa smärta som hade väckt henne under natten, och hon satt stilla och tyst tills den avtagit. – Pengarna räcker inte ändå, även om Nani hjälper mig.

Rowan reste sig upp. – Jag ska prata med fader McSweeney. Han kan säkert hitta ett sätt att låna mig lite. Sedan tar jag med dig till Chicago. Jag har vänner från Mayo där, och de låter dig bo hos dem och hjälper dig att hitta arbete när barnet är fött.

– Du då? Vad ska du göra?

– När du är trygg och barnet är äldre . . . När din sorg inte är så stor längre . . . Då kommer jag också.

Hon kunde inte se på honom, för hon visste inte vad hon kände. – Mr Simeon kommer att hitta oss.

– Det är meningslöst för honom att leta när han väl har adopterat ett annat barn. Han kan ju inte byta ut det, eller hur? När han måste välja ett barn i England vet han inte om du har fött en pojke eller en flicka eller om det har mörkt eller ljust hår. Han kommer att bli rasande, men han är en skicklig affärsman och vet bättre än att kasta bort pengar i onödan. Det är egentligen inte barnet han bryr sig om utan hur han själv uppfattas.

Lena var inte säker på att det verkligen var så. Hon trodde att James Simeon skulle vilja hämnas, och i så fall skulle de aldrig kunna känna sig trygga. De skulle få flytta från plats till plats i en ständig flykt, men hade hon något annat val?

Hon rätade på sig. – Jag ska packa mina saker, sa hon bestämt. Jag tar med lite åt dig också, och jag är klar när du kommer tillbaka.

– Duktig flicka. Men jag vill inte lämna dig ensam. Jag går och hämtar Seamus Sullivan, så får han stanna hos dig tills jag kommer tillbaka.

Lena skulle ha velat ha åtminstone en timme ensam i det fattiga lilla huset, ensam med sina minnen av Terence och livet de levt där tillsammans. Men hon hade inte glömt mannen som iakttagit henne utanför banken och visste att Rowan hade goda skäl att vara orolig.

– Be Seamus att han låter mig vara ensam en liten stund. Om han sedan knackar två gånger ska jag släppa in honom.

– Då går jag. Öppna inte för någon annan än Seamus, bad han.

– Nej då. Hälsa fader McSweeney att jag är ledsen att jag måste lämna honom så här. Lena fick tårar i ögonen när hon tänkte på prästen, som varit vänligare mot henne än hon hade förtjänat.

– Han förstår säkert. Rowan gick mot dörren, men på tröskeln stannade han och vände sig om. – Var rädd om dig nu, Lena. Jag kommer tillbaka och hämtar dig.

39

Att packa var ingen svår uppgift eftersom Lena ägde så lite. I väskan hon haft med sig från Irland lade hon ner babyutstyrseln, de kläder hon hade och några toalettsaker. Hon ägde ett enda foto av Terence, ett litet porträtt i en enkel stålram, och det lindade hon in i en underkjol och stoppade ner mellan kläderna. När hon lagt ner hårborsten och syskrinet också var hon färdig.

Mödosamt gick hon uppför den rangliga trappan till Rowans rum. Ryggen värkte fortfarande, och smärtorna i magen kom och gick. Hon trodde inte att barnet var på väg, för det var för tidigt för det och smärtorna var inte som hon hade fått höra att hon kunde förvänta sig. Illamåendet drog genom henne varje gång det högg till i magen, så hon undrade om hon hade ätit något som varit skämt. I så fall kanske fader McSweeney också var sjuk, eftersom hon åt de flesta av sina måltider i prästgården.

I Rowans rum tog hon fram rena kläder och hittade en läderväska att packa dem i. Hon lade ner hans rakdon också, och sedan hejdade hon sig och såg sig omkring i det lilla rummet. Precis som varje gång hon gick upp dit för att städa undrade hon varför han stannade kvar. Hon hade trott att det var för Terences skull, men nu visste hon att hon själv också varit en del av orsaken. Men inte förrän i dag hade han på något sätt visat att han kände mer än vänskap för henne.

När Lena kom ner igen hade Seamus fortfarande inte kommit. Det förvånade henne, men hon kände sig inte orolig.

För tillfället var hon i trygghet, och med lite tur skulle hon och barnet klara sig åtminstone en tid hos Rowans vänner i Chicago. Där kunde hon börja ett nytt liv. Hon och barnet skulle hitta ett rum någonstans, en kyrka att be och bikta sig i och en park där de kunde andas frisk luft. Hennes son eller dotter skulle få lära sig att uppskatta det enkla i livet, och tillsammans skulle de klara sig.

Lena tänkte på Terences föräldrar när hon lade sig på knä bredvid sängen och tog fram metallskrinet där hon förvarade sina sparpengar. Hon hade redan tagit pengarna som låg i krukan i köket, inte för att hon velat ha dem men det kändes rätt att använda dem för att göra det svårt för James Simeon. Han hade gett henne pengarna för att förödmjuka henne, och hon skulle utnyttja dem för att göra honom ursinnig.

Som det nu hade blivit kunde hon aldrig ta de gamla till Cleveland och kanske inte ens till Amerika, men hon kunde i alla fall använda pengarna för att skydda deras enda barnbarn. Hon visste att de skulle vilja att hon gjorde det i första hand.

När Lena ställde Rowans och sin egen väska vid ytterdörren var hon lika trött som hon skulle ha varit om hon gått uppför kullen till kyrkan eller dragit kärran till hamnen. Seamus hade fortfarande inte kommit, så hon satte sig för att vila. Då skar en ny smärta genom henne. Den var ännu värre än tidigare, och illamåendet sköt upp som en våg inom henne.

Hon böjde ner huvudet mellan knäna, och just som den svåraste smärtan började avta kände hon en flod mellan benen. Med fasa såg hon hur hennes kjol och underkjol dränktes av vattnet.

Lena förstod att hon hade haft fel. Hon visste att det här kunde hända innan barnet kom och att det inte gick att hejda det nu. Det spelade ingen roll att hon hade packat väskorna för att åka till Chicago eller att Rowan gått till fader McSweeney för att låna pengar. Babyn var på väg. Den kom för tidigt – eller i precis rätt tid om den blivit till tidigare än hon trott.

I så fall måste barnet vara James Simeons.

Nej, barnet kom för tidigt, och det var Terences! En del kvinnor födde sina barn flera veckor innan det var beräknat, och om det inte var alltför tidigt var barnen friska även om de var små. Katie hade berättat det, och hon hade också förklarat att det ibland hände småväxta kvinnor. Det var som om deras kroppar sköt ut barnet innan det blev för stort för att kunna ta sig igenom.

Katie kände till sådana saker, så när Seamus kom kunde han vända om och hämta sin fru innan han fortsatte till Granny. Han skulle hålla sig i närheten och vaka över dem tills Rowan kom tillbaka, och sedan skulle Rowan hålla vakt tills Lena och babyn kunde åka till Chicago. Simeon skulle inte få veta att barnet var fött förrän det redan var för sent att hitta henne.

Lena funderade på att själv gå hem till familjen Sullivan, men när en ny värk skar genom henne förstod hon att det kunde vara farligt. Det kunde dröja flera timmar, men barnet kunde också komma när som helst. Hon visste helt enkelt inte.

Däremot visste hon att hon måste få av sig de våta kläderna. Hon hade packat ner sitt andra linne, men hon lyckades få upp det ur väskan bredvid dörren och ta sig in i sovrummet. Där klädde hon av sig mellan värkarna, medan hon omväxlande bad att Seamus inte skulle komma innan hon var klar och att han skulle komma strax efter det. Granny bodde i andra änden av Whiskey Island, och hon var gammal och rörde sig långsamt. När hon samlat ihop det hon behövde och tagit sig dit kanske barnet redan hade kommit.

Men Seamus skulle säga till Katie, så Lena skulle ändå få hjälp.

När hon hade klätt av sig och tagit på sig linnet lade hon sig i sängen. Hon tänkte på kvällen då hon och Terence älskat första gången sedan olyckan. Det var troligen då barnet blivit till. Hon somnade, vaknade vid nästa värk och slumrade sedan till igen.

Nästa gång Lena vaknade var smärtan nästan outhärdlig. Hon tog sig igenom den genom att bita ihop tänderna och gräva in naglarna i madrassen.

Vart hade Seamus tagit vägen? Det var länge sedan Rowan och Nani lämnat henne, och Seamus borde ha kommit strax efter det. Varför hade han inte gjort det? Han var en god vän och skulle aldrig lämna henne ensam om han fick veta att hon var i fara. Kanske hade han inte varit hemma? Hade Katie gett sig ut för att leta reda på honom? Men skulle hon inte ha kommit dit själv i stället om Lena behövde hjälp?

Än en gång funderade hon på att försöka gå bort till familjen Sullivans hus, men när nästa värk kom övergav hon tanken. Hon var inte ens säker på att hon skulle kunna ta sig till dörren för att öppna för Seamus. Smärtan överväldigade henne, och när den avtog var hon alldeles utmattad. Hon halvsov mellan värkarna, och när de kom gjorde hon sitt yttersta för att inte skrika.

*

Rowan väntade tills Nani stigit upp på spårvagnen som skulle föra henne till paret Simeons hus innan han gick för att tala med fader McSweeney. Han tyckte inte om att Lena var kvar på Whiskey Island där Simeon lätt kunde hitta henne, men han lugnade sig med att Seamus hade knackat ur pipan och gått för att kamma sig så fort Rowan talat om att Lena behövde honom. Hon skulle vara i trygghet tillsammans med Seamus, som trots att han var en godhjärtad själ var kapabel att bryta nacken av den som hotade någon han älskade.

Och alla älskade Lena, som var ett välkommet ljus i en mörk värld. Hon hade fått uthärda mycket men upprepade gånger besegrat svårigheterna, och Rowan tänkte inte låta henne bli krossad av en syndfull miljonär som från allra första början bestämt sig för att fördärva henne.

Rowan älskade henne också. Ibland trodde han att han blivit kär redan på hennes bröllopsdag. I flera år hade han förnekat sina känslor till och med för sig själv, men han hade aldrig kunnat vara ifrån henne någon längre tid. Han hade älskat Terence också och skulle sakna sin bäste vän resten av livet, men nu när Terence var borta kunde Rowan för första gången öppet erkänna sin kärlek till Lena. Och vad som än hände för övrigt skulle han hjälpa henne genom den här fasansfulla tiden.

För Terences skull, och för sin egen.

Det var nästan mörkt i prästgården, men en lampa lyste i fader McSweeneys arbetsrum så Rowan gissade att prästen förberedde söndagens predikan. Han gick in på gården och knackade på fönstret, och när fader McSweeney tittade upp pekade Rowan på dörren.

Så fort han blivit insläppt förklarade han sitt ärende. – James Simeon tänker ta Lenas barn och uppfostra det som sitt eget. Han har utarbetat en plan för att dölja att det inte är hans fru som har fött det.

– Men mrs Simeon är ju också gravid.

– Nej, det är hon inte. Rowan berättade så kortfattat som möjligt vad Simeon tänkte göra. – Det finns bara en lösning. Lena måste resa från staden. Jag har tillräckligt med pengar för att kunna hjälpa henne, men jag kan inte få tag i dem förrän banken öppnar på måndag. Så länge vill jag inte vänta, utan jag skulle vilja ta henne till Chicago redan med nästa tåg.

Fader McSweeneys ansikte var outgrundligt. – Det finns ett stort tomrum inuti Simeon på den plats där han borde ha sin själ.

– Kan ni hjälpa mig, fader?

– Jag har lite pengar och vi kan tömma fattigbössan, men det räcker inte långt. Men det finns en man jag kan gå till, en församlingsmedlem som har lånat mig pengar i nödsituationer tidigare.

– Vill ni söka upp honom, för Lenas skull?

– Behöver du fråga om det? Ett plötsligt raseri glimmade till i prästens behärskade ansikte. – Jag värderar henne högt, och även om jag har gjort vad jag kunnat för henne är det inte tillräckligt. Om jag kan hjälpa henne att komma undan och samtidigt dra James Simeon vid näsan skulle jag bli så lycklig att det borde oroa mina överordnade.

Rowan log snabbt. – Kan ni gå genast?

– Jag är på väg, och sedan följer jag med dig och lämnar pengarna. Jag vill säga farväl till henne.

Rowan blev förvånad, men Lena var förstås prästens hushållerska och en uppskattad medlem av församlingen. Och det skulle kännas bättre för henne att åka om hon fick fader McSweeneys välsignelse.

Han skulle kunna gå i förväg, men han skulle komma tillbaka nästan lika fort om han åkte i prästens vagn. – Jag väntar här.

Fader McSweeney tycktes tänka likadant. – Jag går till fots, så kan du göra vagnen klar tills jag kommer tillbaka. Då tar vi oss snabbt ner till Whiskey Island, och sedan kör jag er till stationen.

– Jag ska ha den färdig, lovade han.

Fader McSweeney dunkade Rowan i ryggen, tog på sig rocken och gick ut.

*

Smärtorna hade förvandlats till en ändlös plåga utan början eller slut. Lena var säker på att hon skulle dö, att babyn vägrade låta sig födas för att straffa henne för de månader då hon beklagat sin graviditet.

Rädslan för att dö övergick i accepterande och sedan i en stark önskan att få det överstökat. Hon slutade längta efter Katie och Granny och bad i stället att fader McSweeney skulle komma och ge henne sista smörjelsen.

När hon kände behov av att krysta blev hon förbluffad, för hon hade trott att hon och barnet skulle dö tillsammans, lika förenade som de varit de senaste månaderna. Men nu kändes det som om de skulle skiljas åt, och även om hon hade krystat tidigare utan något resultat tycktes hennes kropp nu ta över uppgiften.

Hon tryckte på trots att smärtan nästan fick henne att svimma. Det kom ett ögonblicks andrum, och hon passade på att vila innan den drivande smärtan återvände och kroppen upprepade sina ansträngningar.

Varenda gång var hon övertygad om att hon inte hade kraft att försöka igen, men hon gjorde det ändå. Hon hade ingen makt över sina egna muskler, och babyn vägrade ge upp. Just som hon var säker på att hon skulle dö av ansträngningen kände hon att trycket mellan hennes ben lättade och det blev varmt.

Först var hon så svag att hon inte orkade resa sig, men slutligen kom hon upp på ena armbågen och tittade ner. Barnets huvud hade trängt ut. Med uppbjudande av sina sista krafter sträckte hon ner händerna och fullbordade förlossningen.

Lena hade sett nyfödda förr, men aldrig sitt eget barn. Hon darrade så mycket att hon inte kunde hålla det, men hon vände det på sidan och klappade det på ryggen. Ett ögonblick var hon rädd att barnet inte andades, men efter några sekunder hördes ett svagt skrik.

Det levde! När hon var säker på att barnet andades ordentligt satte hon sig upp och vände på det. Hon hade fått en son.

– Välsignad vare Maria . . .

Lena var fortfarande utmattad och darrade häftigt, men att barnet levde var viktigare än något annat. Hon måste klippa av navelsträngen och krysta ut moderkakan, och sedan måste hon linda in babyn så att han inte blev kall och amma honom.

Med stor ansträngning lyckades hon klara av alla uppgifterna, en i taget, med hjälp av skosnören, Terences rakhyvel som hon inte förmått skiljas från och en mjuk filt som var så stor att hon nästan inte såg den lille pojken. Hon slog in efterbörden i ett paket för att göra sig av med den senare och tvättade sig och sin son så gott hon kunde. Sedan svepte hon in sig i en filt, lutade sig utmattad mot väggen och tog babyn i famnen.

Först då vågade hon undersöka honom.

Han var liten men perfekt. Huvudet var täckt med fint, rött hår, inte blont som Terences och inte mörkt som Simeons utan hennes egen färg. Och när hon såg ner på det lilla ansiktet upptäckte hon att han inte liknade någon annan utan hade alldeles egna drag.

Hon skulle aldrig få veta vad som gjort James Simeon till den fördärvade man han var, men hon var övertygad om att han inte hade fötts med djävulen i hjärtat. Även om det här var Simeons barn kunde han uppfostras till att älska och tjäna sina medmänniskor, och de egenskaper som varit så förvridna hos Simeon skulle kunna förvandlas till tillgångar.

– Du ska heta Terence Rowan, sa hon. Sedan kom hon att tänka på fader McSweeney och ändrade sig. – Terence Patrick Rowan. Det är de tre du kommer att likna, lille Terry.

Det hördes en knackning på ytterdörren. Äntligen hade Seamus kommit!

Lena började försöka ta sig upp för att öppna när det primitiva låset sprängdes sönder och dörren flög upp.

James Simeon kom in i sovrummet. – Vad är det hos er som framkallar en sådan lojalitet, Lena? Ni har ju en hel stab av män som vakar över er. Han log. – Men det är en mindre nu.

Hon kunde knappt tro att han verkligen stod där. Var det inte bara en fasansfull mardröm? – Vad har ni gjort?

– Vad har *ni* gjort, käraste? Har ni redan fött mitt barn? Och jag som just skulle hämta er så att ni kunde göra det på ett bekvämare ställe.

– Var är Seamus?

– Jag är rädd att han kommer att ha ont i huvudet i morgon. Men han hade tur, för han såg aldrig mitt ansikte. Hade han gjort det skulle han ha varit död nu.

– Måtte ni ruttna i helvetet!

– Nå, vad blev det? En pojke, hoppas jag.

Hon tryckte barnet intill sig. – Det är inget som ni har med att göra.

– Ni har två alternativ, Lena. Antingen följer ni med mig

och sköter om barnet tills jag åker, och då får ni pengar så att ni kan resa långt bort och börja ett nytt liv på en annan plats. Eller också tar jag barnet med våld, och i så fall gör ni inget mer. Jag vågar ju inte lita på att ni bevarar vår lilla hemlighet, det förstår ni säkert.

Lena tänkte intensivt. Det var inte bara sin son hon måste kämpa för utan också sitt eget liv, för vilket alternativ hon än valde skulle Simeon döda henne.

– Det finns människor som vet sanningen, sa hon. Om jag försvinner utan ett ord kommer de att förstå att det är ni som ligger bakom det.

– De har inga bevis, skrattade han hårt.

– Kanske inte, men de kommer att tala om det för alla så att ert namn blir smutskastat.

– Vad gör det för skillnad? Jag är redan känd för att vara hänsynslös, men i det här fallet kommer jag inte att bli anklagad för något. Ni ska skriva ett litet brev där ni förklarar att ni reser bort. Ni kan väl skriva? Han väntade inte på svar. – Jag har dokument som intygar att min kära hustru födde det här barnet i London, och det och barnsköterskan kommer att segla på ett annat skepp än jag så att vi kommer till England var och en för sig.

– Tror ni verkligen att någon skulle tro på ett sådant brev? Skulle ingen fråga sig varför jag plötsligt reser bort?

– Det inträffade ett förfärligt mord på Whiskey Island för några månader sedan. Javisst, offret var ju er man, eller hur? Jag är säker på att folk kommer att koppla ihop händelserna. Mannen dör och hustrun försvinner, så oerhört sorgligt. Han tog ett par steg framåt. – Är det en pojke eller en flicka?

Hon ville att han skulle fortsätta prata tills Rowan kom, så hon drog sig mot mitten av sängen där det var svårare för honom att nå henne. – Vart ska vi ta vägen om jag följer med er?

– Till min sommarstuga i Bratenahl. Det är synd att det är så lite snö att vi inte kan ta släden. Jag minns hur mycket ni tycker om slädturer. Nå, vad är det?

Lena förstod att hon var tvungen att svara. – En pojke, Terence Patrick Rowan.

James Simeon log grymt. – En son. James Worthington Simeon. Worthington är Julias flicknamn. Bravo Lena, jag önskade mig en son. Han sträckte ut armarna.

Hon skakade på huvudet. – Jag tänker inte lämna honom ifrån mig, och om ni försöker ta honom kan han bli skadad. Vill ni det?

Han tänkte efter, och det tog så lång tid att skräcken kramade åt om hennes hjärta. – Visa mig hans ansikte, sa han till sist.

Lena drog undan filten. Terry sov redan. – Hans hår är rött, precis som mitt. Er fru har inte alls den färgen.

Simeon kastade en blick på pojken. – Nej, men ni har inte sett hennes mor.

Förtvivlat letade hon efter nya samtalsämnen för att uppehålla honom. – Planerade ni det här från början?

– Javisst.

– Kommer det att räcka med ett barn, eller tänker ni göra det om och om igen?

– I så fall kommer det säkert aldrig att bli lika trevligt och utmanande.

– Kan ni verkligen göra det? I så fall har ni kanske en hel rad oäktingar utspridda i staden? Eller tror ni att lille Terry är er första? Har det aldrig gått upp för er att det kanske inte är er hustrus fel att ni inte har fått något barn?

Det var en vild gissning, men hon såg genast att han hade tvivlat själv.

– Jag har massor av oäktingar! skrek han. Det här är bara en till, men den kom i exakt rätt tid.

Hon drog sig ännu längre ifrån honom och fortsatte försöka reta upp honom. – Jag har hört motsatsen, att er fru klagar över att ni aldrig gör henne med barn. Hon påstår att ni inte kan prestera det som män ska, och att det är därför hon gråter när ni kommer till hennes säng. Det låter inte otroligt, för jag såg det ju själv sista gången.

Simeon kastade sig rasande mot henne. Det var precis vad Lena hade räknat med, och hon for upp ur sängen och sprang mot dörren med barnet i famnen. Om hon bara kunde ta sig ut kunde hon skrika på hjälp. Husen låg tätt och inga av dem var välbyggda, så någon skulle säkert höra henne och komma ut.

Men Simeon fick tag i henne innan hon hann fram till dörren. – Ni har tydligen glömt hur det känns att ha mina händer runt strupen!

Babyn vaknade och började skrika.

– Vill ni verkligen skada honom nu, efter allt besvär ni har gjort er? frågade Lena. Ska ni döda honom innan ni ens hinner påbörja resan över havet?

Han lossade sitt grepp, men bara så mycket att hon kunde andas. Hon förstod att han inte ville döda henne hur ursinnig han än var. Det räckte med att hon försvann. Hennes kropp och en försvunnen baby skulle bli för mycket.

Rösten var iskall men behärskad när han talade igen. – Jag ser att ni har packat era väskor. Nu åker vi.

– Jag är inte klädd! protesterade hon.

– Ni har en minut på er att klä er och skriva brevet. Ge mig barnet.

Lena försökte hitta någon ursäkt till att inte göra det, men visste att hon inte hade något val. – Vet ni hur man håller en baby?

– Ge hit min son! Han tog filtpaketet och höll det mot axeln. – Klä på er nu.

Hon gjorde som han befallde även om hon tog god tid på sig. Under tiden höll James Simeon pojken som om han varit ett oviktigt föremål och försökte inte trösta honom trots att han fortfarande skrek.

– Jag har penna och papper i rockfickan, sa han när hon var klar. Ta det och skriv ett brev.

Han dikterade, och hon formade orden långsamt och noga. Men till slut var brevet färdigt.

– Ge mig honom nu, bad hon.

Simeon ryckte på axlarna och lämnade tillbaka Terry. Hon tryckte honom mot sin axel och gråten dämpades. – Han är hungrig, förklarade hon. Jag måste amma honom.

– Det kan ni göra i vagnen.

– Det blir för kallt.

– Nu räcker det! rasade han.

– Låt mig åtminstone hämta min kappa så att jag kan hålla honom innanför den.

– Gör det då, befallde han. Vi har ett stycke att gå till vagnen.

– Förstår ni inte att man kommer att lägga märke till er vagn?

– Det är självklart inte min egen! skrattade han. Tror ni verkligen att jag skulle ta den till den här gudsförgätna platsen?

– Kappan hänger inne vid brasan, mumlade hon när hon inte kom på något annat att säga.

– Då föreslår jag att ni hämtar den omedelbart.

Lena gick förbi honom in i vardagsrummet och fortsatte fram till träpluggen bredvid eldstaden där hennes kappa hängde. Eftersom hon hade Terry i famnen försökte hon sätta den på sig med hjälp av bara ena armen, och när de vida vecken svängde omkring henne såg hon en möjlighet att rädda sig och sin son.

– Jag kan inte knäppa kappan med en hand, sa hon utan att vända sig om. Kan ni hjälpa mig? Den är allt som kan hålla er son varm.

Simeon kom närmare, och hon snurrade hastigt runt och lyfte eldgaffeln hon gömt i det rymliga plagget. Med den fria handen slog hon till honom över armen så hårt hon kunde.

Han vrålade till, och hon hoppade bakåt och slog honom en gång till på nästan samma ställe. Men med barnet i famnen var hon inte särskilt effektiv, så han fick tag i eldgaffeln innan hon hann försöka en tredje gång.

Lena rusade ut i köket, men Simeon kom i fatt henne innan hon hann öppna bakdörren. Samtidigt som han grep tag i hennes kappa fick hon fatt i handtaget på en gjutjärnskastrull, en av dem hon använt när hon lagade mat till hamnarbetarna. Hon svängde upp den och smällde den hårt mot hans huvud.

Han föll som ett träd i storm.

Och han blev liggande lika stilla och livlös.

Hon hade dödat James Simeon.

19 januari 1884

Djävulen har många förklädnader, men de eländiga själar som är förutbestämda att tjäna honom hittar honom ändå. Inga välsignelser eller gudasända möjligheter kan få dem att ändra sig. På morgonen när de vaknar är de fast beslutna att krossa oskyldiga, och alltför ofta går de till sängs nöjda med dagens arbete.

En man som är tränad att hitta det onda upptäcker det på de otroligaste platser, och samma sak kan sägas om det goda. Även en hederlig man träffar på båda krafterna inom sig, och ibland kan han inte avgöra skillnaden.

I går kväll kom jag hem till Lena Tierneys hus för att hjälpa henne att fly från staden. Rowan och jag steg in och ropade på Lena, men det var ett barns skrik som svarade oss.

Vi hittade henne i köket, där hon stod med sin nyfödde son hårt tryckt mot bröstet och stirrade ner på James Simeon, som låg orörlig vid hennes fötter. Han hade försökt ta barnet, och hon hade försvarat sig – vilket hon hade all rätt att göra – med hjälp av en kastrull från sitt eget kök.

Vems ärenden skulle man gå om man rapporterade ett sådant brott?

Ur dagboken skriven av fader Patrick McSweeney, den heliga Birgits församling i Cleveland, Ohio.

40

Mars 2000

Niccolos sökande efter fader McSweeneys dagbok hade varit fruktlöst.

– Det här är en sådan hemlighet som en präst tar med sig i graven, sa Iggy när de var klara med den sista kartongen. Särskilt om han fick veta sanningen under en bikt. Ifall fader McSweeney skrev om mordet på Simeon skulle han inte lämna sin dagbok så att andra kunde hitta den. Det skulle inte förvåna mig om sanningen begravdes med honom.

Med fader McSweeney eller djupt inne i Rooney Donaghues psyke? Vilket svaret än var hade Niccolo slutligen erkänt att han förmodligen aldrig skulle få veta vem som mördade James Simeon. Det var osäkert om det över huvud taget fanns något samband mellan släkten Donaghue och miljonären, men eftersom han inte haft något annat att gå efter hade han gripit efter varje halmstrå.

Klockan var nästan fyra på morgonen när Nick steg in genom köksdörren. Han hade förväntat sig att köket skulle vara tomt, men i stället satt Megan där och lutade huvudet mot armarna på köksbordet.

– Megan?

Hon sträckte på sig och såg på honom med rödkantade ögon. – Nick? Är du tillbaka? Fick du mitt meddelande?

– Nej? Lämnade du det på Iggys telefonsvarare? Vi var i församlingshusets bibliotek.

– Jag var rädd för det. Du hittade ingenting, eller hur?

Niccolo skakade på huvudet.

Megan tog upp en bok ur knäet. Först trodde han att det var dagboken han transkriberat, den som slutat just när James Simeon nämndes. Men sedan såg han att den här var mindre och omslaget ännu mer slitet. Han sträckte sig efter den, och hon lade den i hans hand.

– Var har du fått tag i den här?

– Rooney gav mig den, berättade Megan.

– Har han varit här igen?

– Ja, och jag tror att det är ett gott tecken. Tänk om han kommer allt oftare tills han helt enkelt stannar? Då kanske vi kan skaffa den hjälp han behöver. Han är så sorgsen och . . . sjuk.

Det sista ordet kom ut tillsammans med en snyftning, och Niccolo böjde sig ner och drog henne intill sig. – Jag vet, Megan.

– Nu förstår jag att han inte menade att lämna oss. Han hade inget val. Han kan inte kontrollera vad som händer med honom.

– Rooney hör röster, och de är lika verkliga för honom som min röst är för dig.

– Kan han få hjälp?

– Det är inte omöjligt. Behandlingen av mentalsjukdomar har utvecklats mycket under de senaste årtiondena.

– Han gav mig dagboken därför att han ville att jag skulle förstå, mumlade Megan. Det är ett gott tecken att han litade så mycket på mig.

– Vad står det i den?

– Att Rosaleen dödade James Simeon. Fader McSweeney hittade henne precis när hon hade gjort det.

Niccolo lutade sig bakåt på hälarna. – Vet du varför?

– Därför att Simeon var djävulen själv. Han tvingade sig på henne medan hon arbetade för honom, och när hon blev gravid försökte han ta barnet. Hon försvarade sig genom att slå honom i huvudet med en gjutjärnskastrull hemma i sitt eget kök. Megan försökte le genom tårarna men lyckades inte riktigt. – Det är bäst att du håller dig borta från mitt kök när jag är arg.

– Och hennes man?

– Rosaleen var verkligen gift två gånger. Hennes förste make hette Terence Tierney. Fader McSweeney trodde att Simeon bar ansvaret för hans död.

– Kommer du ihåg att jag läste om Lena och Terence i den första dagboken? sa Nick. Fader McSweeney hade höga tankar om dem.

– Rowan Donaghue, min farfars farfar, var Terence Tierneys bäste vän och deras hyresgäst. Efter Terences död upptäckte Rowan vad James Simeon tänkte göra, så han försökte föra Rosaleen till Chicago för att hon skulle komma bort från Simeon. När hon hade dödat honom var det antagligen Rowan som släpade kroppen till bortersta änden av Whiskey Island och begravde den. Kanske fader McSweeney hjälpte honom, jag vet inte. Jag kom fram till mordet för bara några minuter sedan. Det finns bara lite till, och sedan är resten av sidorna blanka. Fader McSweeney var en diskret man. Det mesta fick jag läsa mellan raderna.

– Han skyddade sin hjord. Lena var fader McSweeneys hushållerska. När Simeon tvingade sig på henne anförtrodde hon sig förmodligen åt honom, och på det sättet fick han höra historien och blev själv inblandad.

– Men hur fick Rooney tag i hans dagbok? funderade Megan.

– Han var den som bevarade hemligheten, det berättade han väl för dig när du växte upp?

– Ja, men jag trodde att han pratade om recepten, om kött och kål. Megans läppar darrade. – I kväll sa han till mig att jag skulle bli den som förde hemligheten vidare. Han grät och var förtvivlad över att han inte hade skött sin uppgift. Det verkar som om han tror att stjärnorna är hans förfäder och att de iakttar honom. Nu tycker han att han har svikit dem därför att kroppen hittades.

Niccolo försökte tänka efter. – Efter Terences död måste Rosaleen ha gift sig med Rowan . . .

– Simeon var nog också död då.

– De fick flera barn tillsammans och öppnade baren, och på så sätt skaffade de sig en position i samhället. Men om någon hade upptäckt sanningen om hur James Simeon dog skulle Rosaleen med all sannolikhet ha blivit fälld för mord.

– Tror du att de stal dagboken från prästgården efter fader McSweeneys död?

– Det är möjligt, instämde han tankfullt. Men varför inte bara förstöra den i stället?

Megan reste sig upp och kom in i hans famn. – Därför att det är historien om en stark kvinna som begick en desperat gärning för att skydda sitt barn, svarade hon. De kanske ville att åtminstone några av hennes efterkommande skulle förstå hurdan hon egentligen var.

– Eller också ville de att ni skulle få veta vem er biologiske farfars farfar var.

Hon drog sig förvånat undan. – Biologiske?

– Är inte du och Rooney ättlingar till Lenas förste son?

– Jo, det är vi. Han var Rooneys farfarsfar och hette Terry. Det är förstås en kortform för Terence. Han hette Donaghue i efternamn, men det måste ha varit honom James Simeon försökte ta. Rowan adopterade honom säkert när han gifte sig med Rosaleen.

– Är du Terence Tierneys efterkommande? Niccolo tvekade. – Eller James Simeons?

– Det är en hemsk fråga.

– Ja, men Rosaleen kan ha grubblat över den under resten av sitt liv.

– Jag kommer aldrig att få veta det, eller hur? Jag kan bara hoppas att jag har en fattig invandrares blod i ådrorna och inte en samvetslös miljonärs.

Han smekte henne över håret. – Jag tror att sanningen har förts vidare från generation till generation så att den sanna historien om vad Rosaleen gjorde kunde avslöjas en dag, om Simeons kropp blev upptäckt och identifierad eller om någon trädde fram och berättade om förhållandet mellan Rosaleen och James Simeon. Dagboken är ett slags bevis, och det är därför den har bevarats.

– Det måste ha funnits människor som anade vad som hade försiggått mellan Rosaleen och Simeon, tjänare i huset och människor som bodde på Whiskey Island. De kan ha misstänkt att hon hade del i mordet och nämnt sina gissningar i brev eller dagböcker, och mina förfäder ville gardera sig mot det. Megan suckade. – Stackars Rosaleen, hon måste ha oroat sig hela livet för att bli avslöjad.

– Och vad skulle då ha hänt med henne? Simeon var avskydd och föraktad . . .

– Men det var irländarna också, avslutade Megan meningen. Jag ska läsa färdigt dagboken i morgon. Vill du göra det tillsammans med mig?

– Skulle du vilja det?

Hon lutade huvudet mot hans axel. – Det är en hel del jag skulle vilja, Nick. Jag vill inte längre bära hela välden på mina axlar, och jag vill sluta låtsas att jag är någon jag inte är. Inte förrän nu har jag insett hur mycket jag inte har förstått eller erkänt för mig själv. Jag har börjat ana vem jag egentligen är, men jag lär mig tydligen långsamt.

– Vem är du då?

– Jag är stark, men inte så stark att jag klarar mig utan dem jag älskar. Det är många, Nick. Mina systrar och släktingar. Min far. Megans röst bröts.

– De är lyckliga som har dig.

– Och så är det en främling som plötsligt kom in i mitt liv. Han ville inte lämna mig i fred, så jag började känna allt det jag känner nu. Han är också stark i sig själv, men han behöver den rätta kvinnan, någon som kan dela hans dagar, drömmar och framtid.

Niccolo vågade knappt fråga. – Vad är det med honom?

– Jag älskar honom också.

Hans hjärta fylldes av värme och tacksamhet, men han visste inte vad han skulle säga.

Hon lade händerna mot hans kinder. – Mest av allt är jag kvinnan som behöver *oss*, om du vill ha mig.

Nick frågade inte på vilket sätt, för de hade resten av livet på sig att planera detaljerna. I stället kysste han henne och hoppades att det skulle vara svar nog.

Till slut tog han ett steg bakåt. Han var yr i huvudet, och kroppen bultade av åtrå. – Det har varit en lång natt, sa han med hes röst. Vill du avsluta den i min säng?

– Ja, men jag går upp tidigt och låtsas att jag har sovit hos Peggy och Alice Lee.

Niccolo sträckte fram handen, men Megan tog den inte.

– Det är något jag måste göra först. Kan du vänta en minut?

– Det är klart, nickade han.

– Kom.

Han följde efter henne in i vardagsrummet, som vette ut mot gatan. Tillsammans med ungdomarna hade han förvandlat det till ett bekvämt, hemtrevligt rum med vita väggar och en fungerande öppen spis i tegel. Nu tog Megan den enda lampan från bordet bredvid eldstaden och flyttade den till en låg bokhylla under fönstret.

– Det finns en kontakt där till vänster. Nick gissade vad hon tänkte göra, men han hjälpte henne inte. Det var Megans ritual, något som bara hon kunde göra.

Hon hittade kontakten och tände lampan. Den lyste som en fyrbåk i mörkret.

– Den här är till dig, Rooney, sa hon tyst. Snälla du, kom hem innan det är för sent. Vi väntar på dig.

19 januari 1884

Av alla synder en man kan begå är den värsta den som ger honom den största njutningen.

Jag avslutar den här historien nu, så att det i framtiden inte ska finnas något tvivel om vad som hände.

Rowan tog med sig Lena från köket och sedan från huset. Han bar henne och barnet hela vägen hem till Katie Sullivan. Jag har fått höra att Seamus dök upp en stund senare, stel av köld och med en bula i huvudet. Han kommer att återhämta sig, men jag misstänker att ingen någonsin mer kommer att övermanna Seamus Sullivan.

Jag stannade kvar hos James Simeon och väntade på att Rowan skulle återvända. Vi var överens om vad vi skulle göra, trots att jag är präst och han en lagens väktare. Natten var ovanligt mörk och det var förmodligen därför Simeon valt att begå nästa synd just då. Jag funderade på hur vi skulle kunna flytta kroppen utan att bli upptäckta och var vi skulle begrava den så att det dröjde många år innan någon hittade benen.

Sjön var gropig den natten. Vågorna gick höga och iskalla vindar piskade det vita skummet, så jag förstod att vi inte kunde låta Erie ödelägga kroppen utan att utsätta oss för livsfara. Vintern hade varit mild, och marken kanske fortfarande var så mjuk att det gick att gräva i den. Det skulle ta oss resten av natten, och vi skulle få betala för det med värkande muskler och såriga handflator, men vi kunde klara det.

Medan jag stod där i köket och grubblade rörde sig mannen vid mina fötter. När vi först kom dit hade jag sökt efter pulsen och inte hittat någon, men nu förstod jag att jag begått ett förfärligt misstag.

Simeon rörde sig på nytt och lät höra ett kusligt ljud nerifrån bröstet. Han öppnade ögonen – ondskefulla ögon, djävulens egna, som såg på mig så som de sett på Lena medan han våldförde sig på henne.

Jag vet ingenting om äktenskaplig kärlek, förutom det som en präst får höra under bikten. Jag har aldrig älskat en kvinna, eller åtminstone hade jag dittills trott att jag aldrig gjort det. Men när Simeon försökte sätta sig upp överväldigades jag av vrede. Jag knäböjde bredvid honom, men inte för att be för hans själ. I stället satte jag händerna mot hans hals, och medan hans försök att göra motstånd blev allt svagare pressade jag hårdare och hårdare tills hans kamp var över för evigt.

Rowan hittade mig så, med fingrarna i Simeons feta hud och hjärtat fyllt av hat. Han drog upp mig på fötter och såg mig i ögonen, och då förstod han vad jag gjort och varför.

Jag berättar historien här, så att sanningen kan göras känd efter min bortgång.

Lena Tierney dödade inte James Simeon, och Rowan och jag kunde inte låta henne få tro att hon hade gjort det. Men hur skulle jag kunna avslöja att jag hade dödat honom åt henne? Att tanken på vad han gjort mot henne, på hur hon lidit i hans händer, hade gjort mig så ursinnig att jag dödat honom för att hämnas? Skulle hon då inte inse att hennes präst och biktfar kände mycket mer för henne än hans kall tillät?

Det slutade med att Rowan sa till Lena att han utfört dådet, och ända till sin död kommer hon att tro att det var så. Och det kunde mycket väl ha varit sant om Simeon vaknat upp vid hans fötter i stället för vid mina.

Men egentligen var det alltså jag som mördade James Simeon. Jag gjorde det av kärlek, och även om jag kommer att be om Guds förlåtelse varenda dag under resten av mitt liv kommer jag inte att få den. Jag känner nämligen ingen verklig ånger.

Vi hittade vagnen som Simeon hyrt för att föra bort Lena och betalade en man som körde tillbaka den till hyrstallet. Sedan begravde Rowan och jag Simeon längst bort på Whiskey Island, i en grop som såg ut att ha gjorts i ordning av osynliga händer. Jorden hade kastats upp i en hög bredvid den och väntade bara på att vi skulle ösa ner och släta till den. När vi lämnade platsen snöade det, så ett vitt, rent täcke lade sig över nattens gärningar.

Då vi återkom till Lenas hus fann vi en manschettknapp på köksgolvet. Rowan tog den som en påminnelse om vad som skett. Jag tror att han ville ha den för att bevisa för sig själv att James Simeon verkligen var död och aldrig skulle komma tillbaka för att plåga Lena och hennes son.

Själv kommer jag att plågas tills den dag jag dör. Inte av mordet jag begått utan av de sakrament jag kommer att bli ombedd att utdela. Jag är övertygad om att Rowan och Lena gifter sig när hennes sorg över Terence har dämpats, och de tar säkert hit Lenas mor och Terences föräldrar och låter de gamla bo hos dem. De kommer att be mig viga dem och senare döpa deras barn, och djupt inom mig vet jag att det är som det ska vara. De kommer att bli lyckliga tillsammans.

Men trots det kommer jag att plågas.

En dag innan jag dör ska jag ge den här redogörelsen till Rowan Donaghue och be honom att själv bestämma om han vill behålla den eller göra sig av med den. Han är en god och rättvis man, och jag vet att han kommer att göra det som är bäst.

Nu har historien berättats. Döm mig inte för hårt, för jag är inte mer än en människa. Jag gjorde bara det som vilken förälskad man som helst skulle ha gjort.

Ur dagboken skriven av fader Patrick McSweeney, den heliga Birgits församling i Cleveland, Ohio.